KB076931

처음 시작하는 빅데이터 분석 및 활용

허진경 지음

R 프로그래밍, 데이터 분석,
시각화, 머신러닝

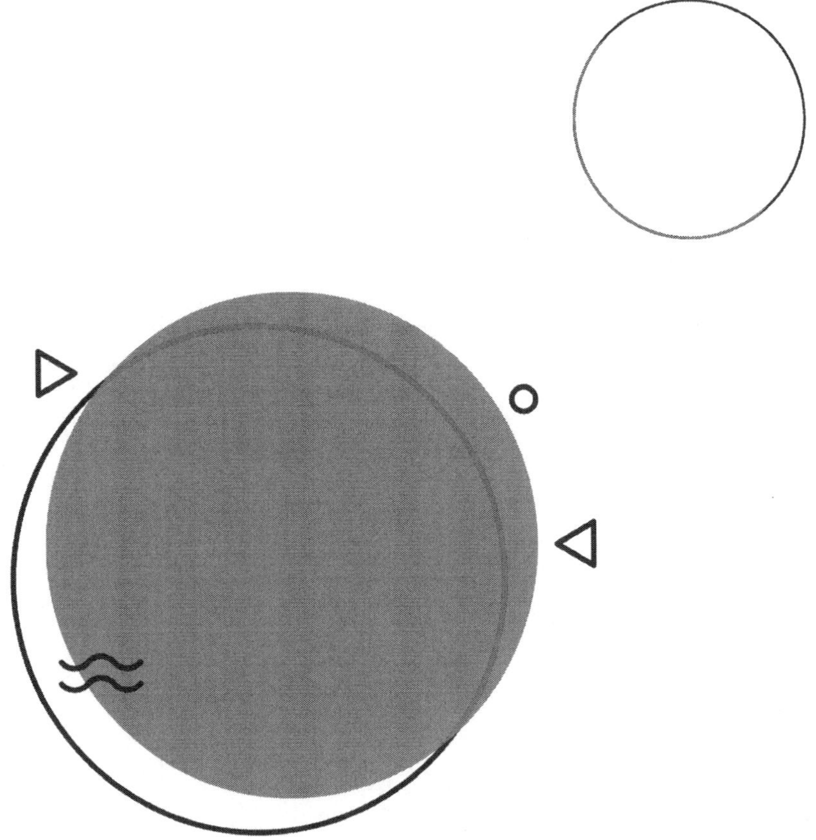

BOOKK

처음 시작하는 빅데이터 분석 및 활용 - R 프로그래밍, 데이터 분석, 시각화, 머신러닝

발　행 | 2018년 06월 27일
저　자 | 허진경
펴낸이 | 한건희
펴낸곳 | 주식회사 부크크
출판사등록 | 2014.07.15.(제2014-16호)
주　소 | 경기도 부천시 원미구 춘의동 202 춘의테크노파크2단지 202동 1306호
전　화 | 1670-8316
이메일 | info@bookk.co.kr

ISBN | 979-11-272-4241-1

www.bookk.co.kr

〈제목 차례〉

〈표 차례〉

〈그림 차례〉

이 교재의 소스코드는 https://goo.gl/GmY57H 에서 내려받을 수 있습니다.

이 책은 다음 수정 이력이 있습니다.
 - 1차 수정: 2022년 5월 13일

이 책에서 사용하는 패키지는 다음과 같습니다.

패키지 a-d	패키지 e-m	패키지 n-x	패키지 r-x
arules	e1071	nnet	roxygen2
car	foreach	plyr	RPostgreSQL
caret	forecast	pmml	SnowballC
curl	ggplot2	pROC	sqldf
cvTools	gridExtra	randomForest	tidyverse
data.table	Hmisc	RColorBrewer	tm
devtools	iterators	reshape	TTR
devtools	KoNLP	reshape2	wordcloud
doBy	lattice	RJDBC	xgboost
doParallel	moments	RMySQL	XML

1장. BigData 분석 환경 구성

1. R 개요
2. R 설치
3. RStudio 설치
4. RStudio 실행 및 기본 설정
5. CentOS 7에 R/RStudio 설치

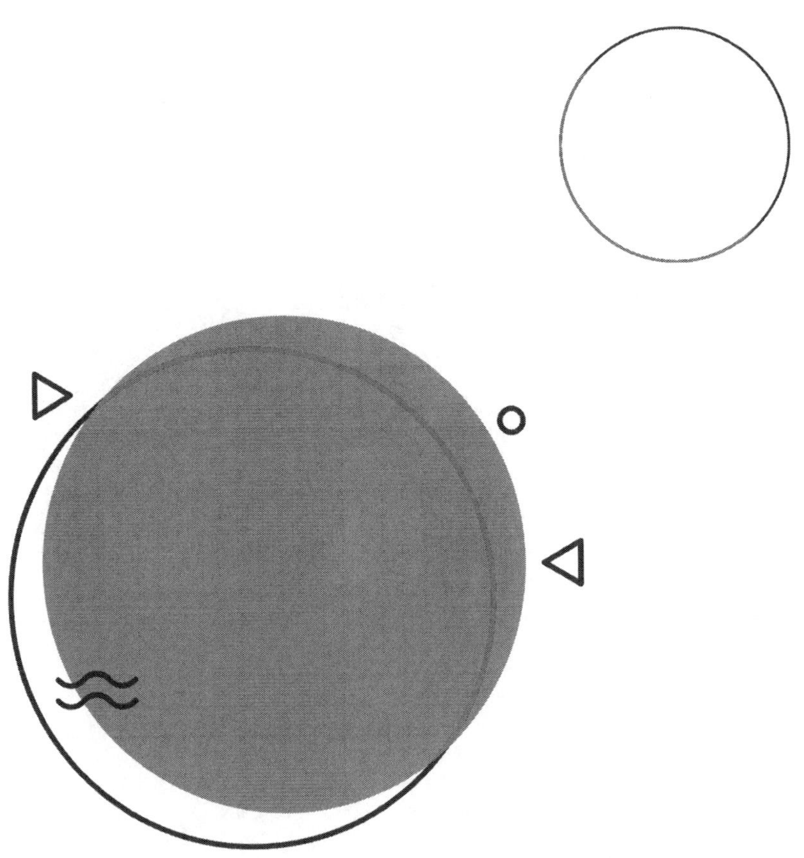

1. R 개요

R 프로그래밍 언어(줄여서 R)은 통계 계산, 데이터 분석, 기계학습 및 그래픽 시각화를 위한 프로그래밍 언어의 이름이며, 동시에 데이터를 분석하기 위한 오픈소스[1] 환경입니다. 뉴질랜드 오클랜드 대학의 로버트 젠틀맨(Robert Gentleman)과 로스 이하카(Ross Ihaka)에 의해 시작되어 현재는 R 코어 팀이 개발하고 있습니다. R은 GPL 하에 배포되는 S 프로그래밍 언어의 구현으로 GNU S라고도 합니다. R은 통계 소프트웨어 개발과 데이터 분석에 널리 사용되고 있으며, 패키지 개발이 용이하여 통계학자들 사이에서 통계 소프트웨어 개발에 많이 쓰이고 있습니다. 근래에 빅데이터에 대한 관심이 많아지면서 R이 빅데이터 분석 도구로 많이 알려져 있기도 합니다.

R은 다양한 통계 기법과 수치 해석 기법을 지원합니다. R은 사용자가 제작한 패키지를 추가하여 기능을 확장할 수 있습니다. 핵심적인 패키지는 R과 함께 설치되며, CRAN(the Comprehensive R Archive Network)[2]을 통해 2022년 4월 12일 기준 19,013개 패키지[3]를 내려받을 수 있습니다. R의 또 다른 강점은 그래픽 기능으로 수학 기호를 포함할 수 있는 출판물 수준의 그래프를 제공하는 것입니다.

R은 윈도우, 맥 OS 및 리눅스를 포함한 UNIX 플랫폼에서 이용 가능합니다. R 다운로드는 CRAN(https://cran.r-project.org/)사이트를 통해 다운로드할 수 있습니다.
R의 공식 사이트는 https://www.r-project.org/입니다.

R은 버전별 코드명을 갖고 있습니다.

표 1. R 버전별 코드명

버전	코드명	릴리즈
4.2.0	Vigorous Calisthenics	2022-04-22
4.1.3	One Push-Up	2022-03-10
4.0.5	Sahe and Throw	2021-03-31
3.6.3	Holding the wondsock	2020-02-29
3.5.3	Great Truth	2019-03-11
3.5.0	Joy in Playing	2018-04-23
3.4.4	Someone to Lean On	2018-03-15
3.4.0	You Stupid Darkness	2017-04-21
3.3.3	Another Canoe	2017-03-06
3.2.5	Very, Very Secure Dishes	2016-04-04

그림 1. R 로고
https://www.r-project.org/logo/

1) 누구든지 무료로 R 도구를 사용할 수 있으며, 프로그래밍하기 위해 지불해야 할 라이선스 비용도 없습니다.
2) https://cran.r-project.org/
3) https://cran.r-project.org/web/packages/index.html

2. 윈도우에 R 설치하기

R 언어로 데이터를 분석하기 위해 R을 설치합니다. 본 교재에서는 Microsoft사의 Windows 운영체제를 기준으로 R 설치 및 환경 구성을 진행합니다.

2.1. 다운로드

R은 Linux(Debian, Red Hat, Suse, Ubutu), (Mac)OS X, Windows를 지원합니다.

R 다운로드는 https://cran.r-project.org/index.html에서 합니다.

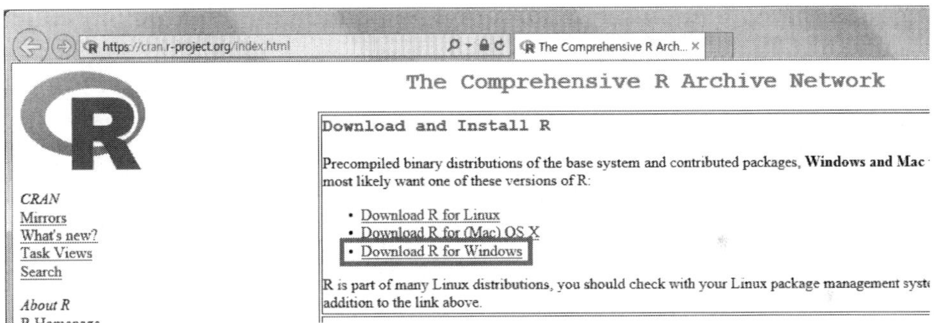

그림 2. https://cran.r-project.org/index.html

[Download R for Windows] 링크를 클릭하면 R for Windows 화면이 나타납니다.

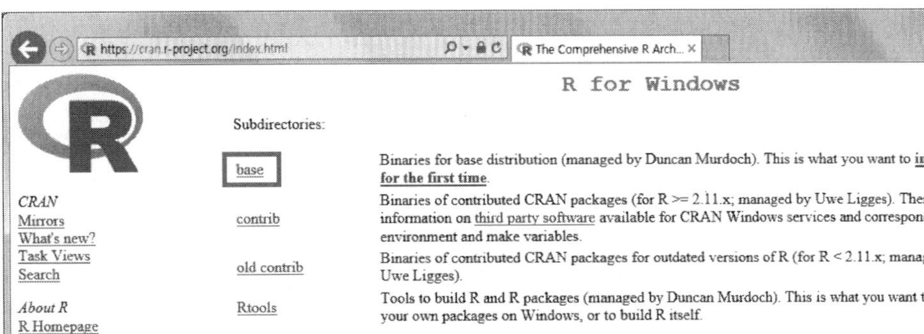

그림 3. R for Windows

[base] 링크를 클릭하면 윈도우용 R을 다운로드할 수 있는 링크를 볼 수 있습니다.

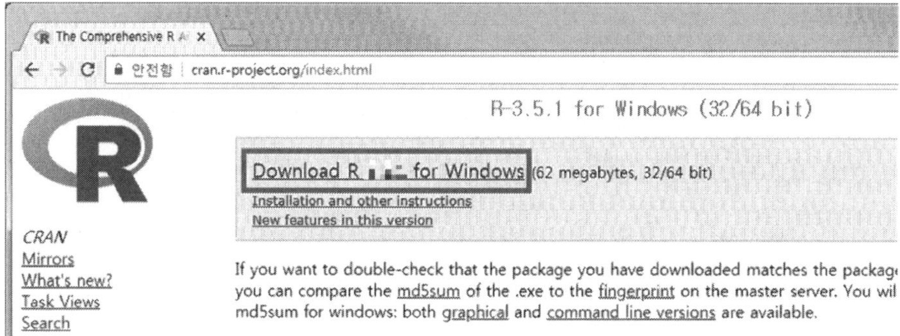

그림 4. R-x.y.z for Windows

이곳에서 [Download R ?.?.?[4] for Windows] 링크를 클릭하면 윈도우용 R을 다운로드합니다.

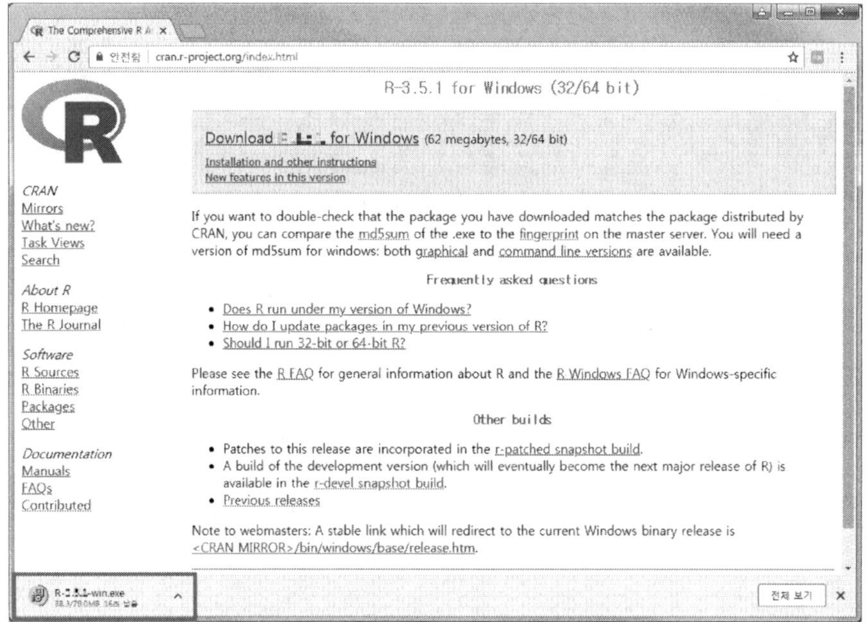

그림 5. R for Windows 다운로드

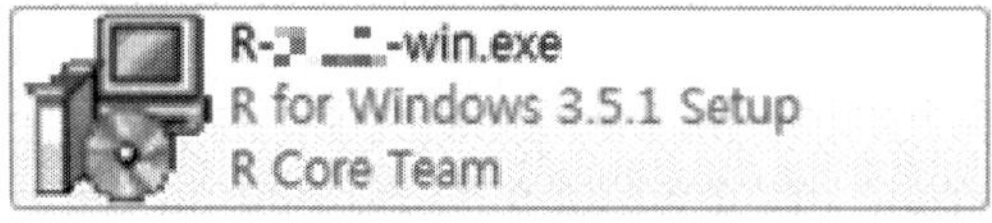

그림 6. R 설치파일

4) 여러분의 R 버전은 이보다 높을 수 있습니다.

2.2. 설치

1. 다운로드 받은 설치파일을 더블클릭만 하면 설치를 시작합니다.

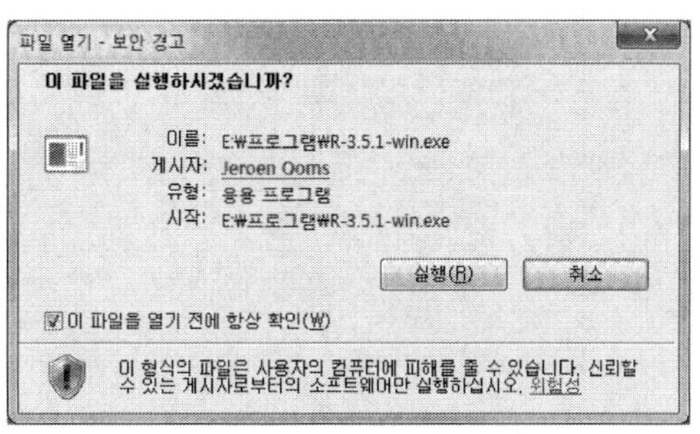

그림 7. 보안 경고

2. 설치 언어는 한국어를 선택합니다.

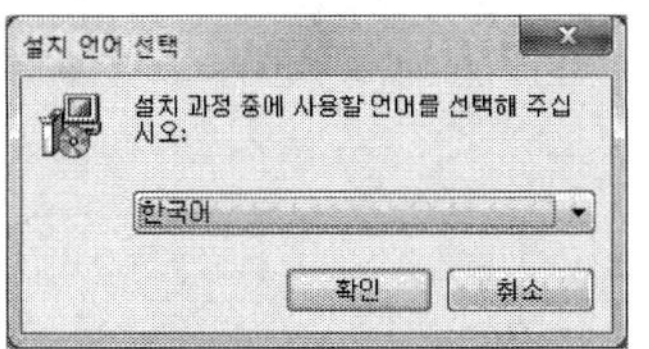

그림 8. 언어 선택

3. 이후 [다음(N)>] 버튼만 클릭하면 쉽게 설치됩니다.

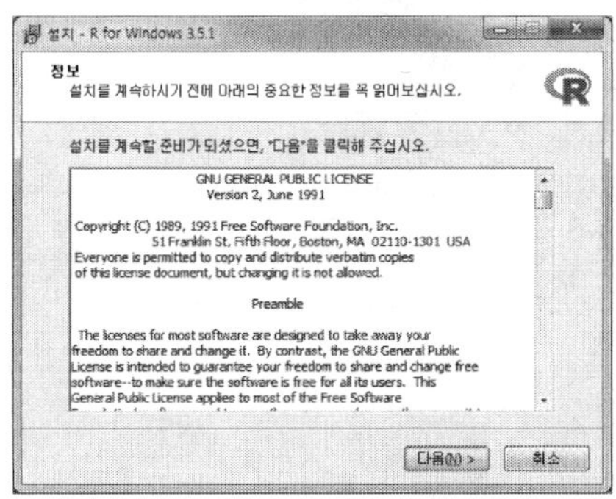

그림 9. 라이선스 동의

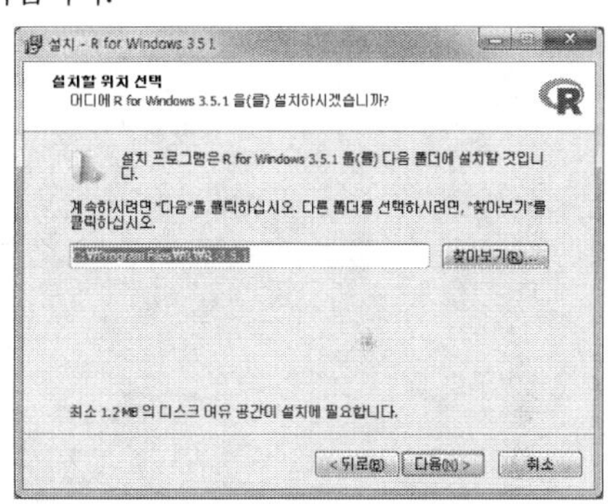

그림 10. 설치 폴더 선택

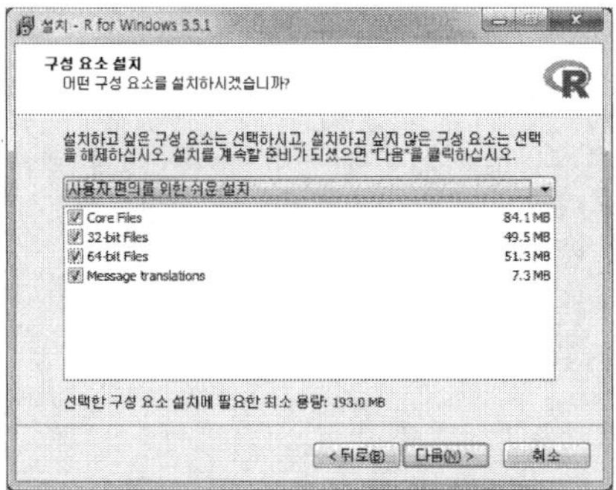

그림 11. 설치 구성요소 선택

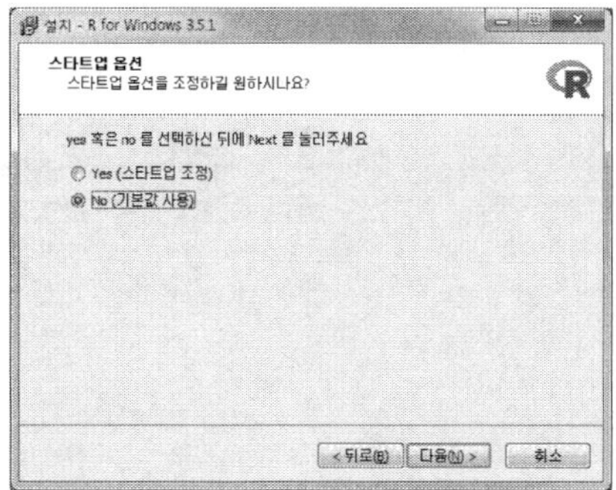

그림 12. 스타트업 옵션

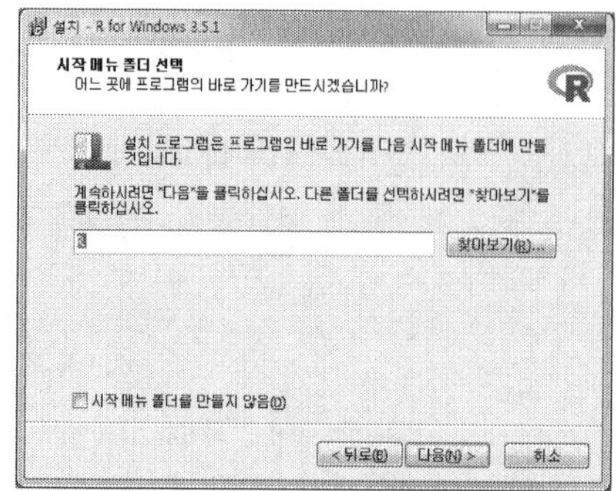

그림 13. 시작 메뉴 폴더 이름

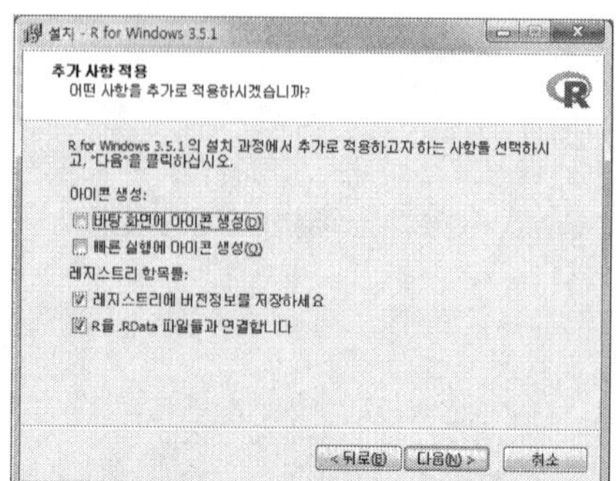

그림 14. 추가 사항 적용

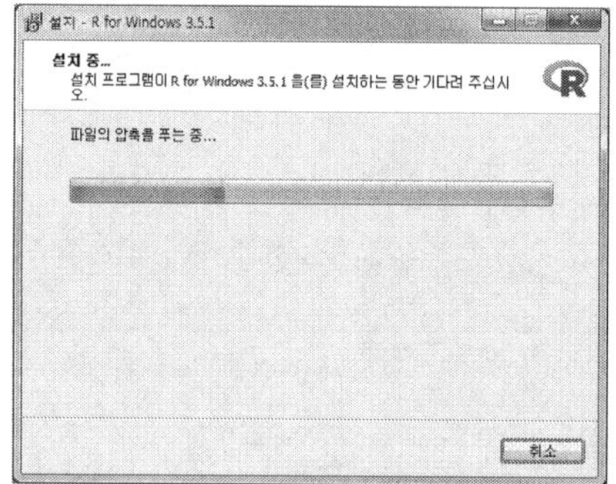

그림 15. 설치 중...

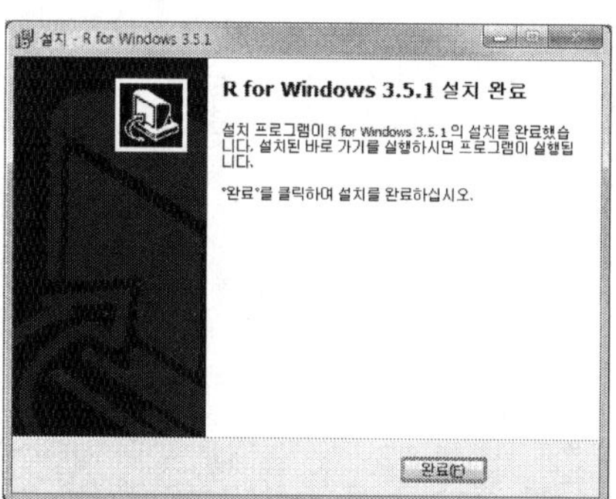

그림 16. 설치 완료

그림 17. R 아이콘

R을 설치할 때에 [설치 구성요소 선택(그림 11)]에서 자신의 컴퓨터 환경[5]에 맞는 파일들만 설치할 수 있습니다.

5) 내 컴퓨터 -> 속성 -> 시스템 종류를 확인하여 자신의 컴퓨터 환경에 맞는 R을 실행시키세요.

3. 윈도우에 RStudio 설치하기

RStudio는 R을 위한 무료 및 오픈 소스 통합 개발 환경(IDE)입니다. RStudio는 ColdFusion 프로그래밍 언어의 창시자 JJ 앨레어(Allaire)에 의해 설립되었습니다.

RStudio는 두 가지 버전으로 제공됩니다. RStudio Desktop은 프로그램이 로컬 데스크톱 응용 프로그램으로 실행됩니다. RStudio Server는 원격 Linux 서버 에서 실행되는 동안 웹 브라우저를 사용하여 RStudio에 액세스할 수 있게 합니다. RStudio Desktop의 배포판은 Windows, MacOS 및 Linux에서 사용할 수 있습니다 .

RStudio는 GNU AGPLv3를 지원하는 오픈소스 버전 및 상용 버전으로 제공되며 데스크톱(Windows, MacOS 및 Linux) 또는 RStudio Server 또는 RStudio Server Pro (Debian, Ubuntu, Red Hat Linux, CentOS, openSUSE 및 SLES(SUSE Linux Enterprise Server))에 연결된 브라우저에서 실행됩니다.

- RStudio Desktop : PC 환경의 IDE 제공
- RStudio Server : Server 환경의 IDE 제공, 브라우저로 접속

RStudio 작업은 2010년 12월경에 시작되었고, 첫 번째 공개 베타 버전(v0.92)은 2011년 2월 공식적으로 발표되었습니다. 버전 1.0 은 2016년 11월 1일에 릴리스 되었습니다. 2017년 7월 20일 현재 RStudio 버전은 1.0.153이며 지원 사양은 다음과 같습니다.

- R 2.11.1 이상
- Windows 10/11
- Max OS X 10.15 이상
- Fedora 19/Red Hat 7
- Fedora 34/Red Hat 8
- Ubuntu 18 이상, Debian 10 이상

RStudio 다운로드는 http://www.rstudio.com/products/rstudio/에서 할 수 있습니다.

* R과 RStudio는 오픈소스이며, 계속 버전업이 되고 있으므로 교육 자료와 버전이 맞지 않을 수 있습니다. 다운로드 사이트에 최신의 R과 RStudio를 설치하여 사용하시기 바랍니다.

3.1. 다운로드

본 교재에서는 RStudio 데스크톱 오픈소스 에디션을 이용합니다.

https://www.rstudio.com/products/rstudio/download/#download에 접속하여 RStudio Windows 10/11을 내려받습니다.

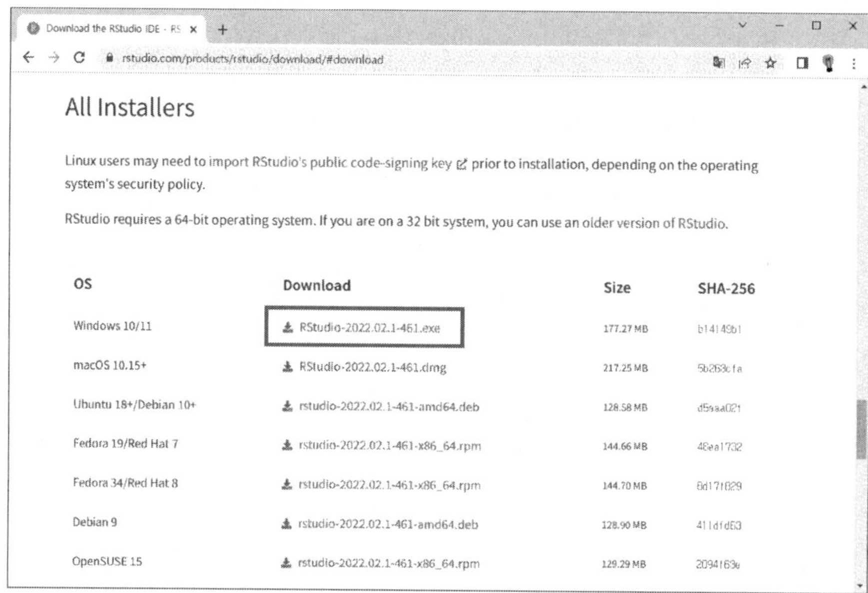

그림 18. RStudio 다운로드

링크를 클릭하면 바로 다운로드 됩니다.

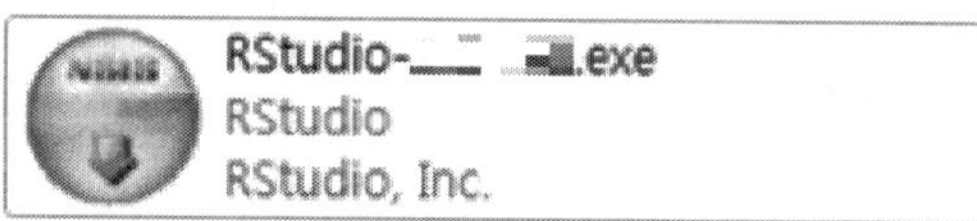

그림 19. 다운로드한 RStudio

3.2. 설치

다운로드한 설치파일을 더블클릭하면 쉽게 설치할 수 있습니다. 파일 열기 보안 경고 창이 뜨면 [실행]버튼을 클릭하세요.

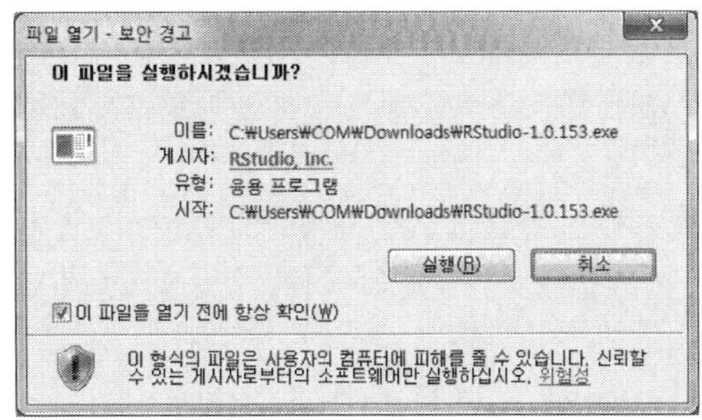

그림 20. 프로그램 실행 보안 경고

RStudio는 쉽게 설치할 수 있습니다. 설치 위치와 시작 메뉴 폴더의 위치 등은 기본값으로 두고 설치하세요.

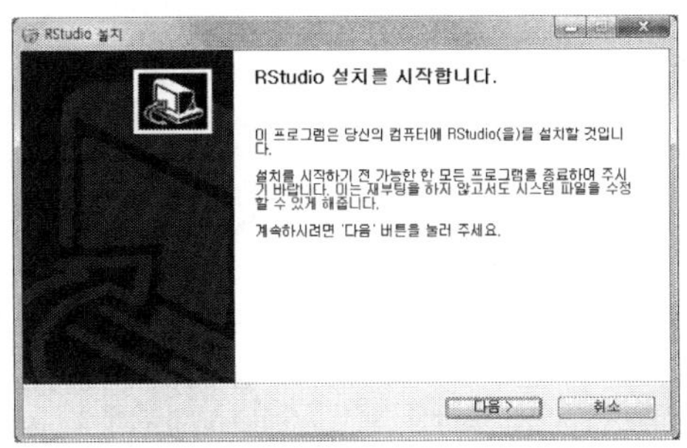

그림 21. RStudio 설치 시작

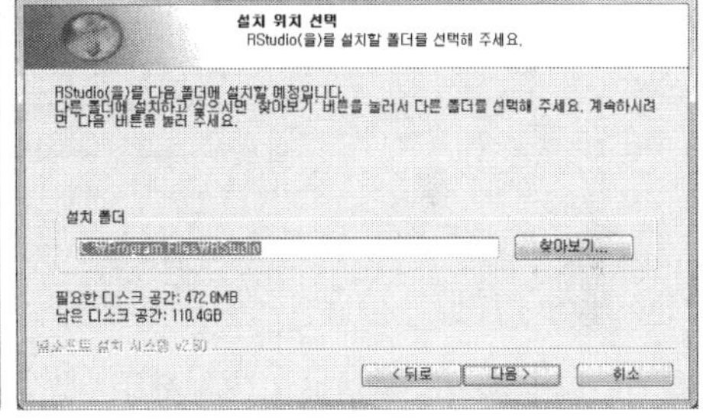

그림 22. 설치 위치 선택

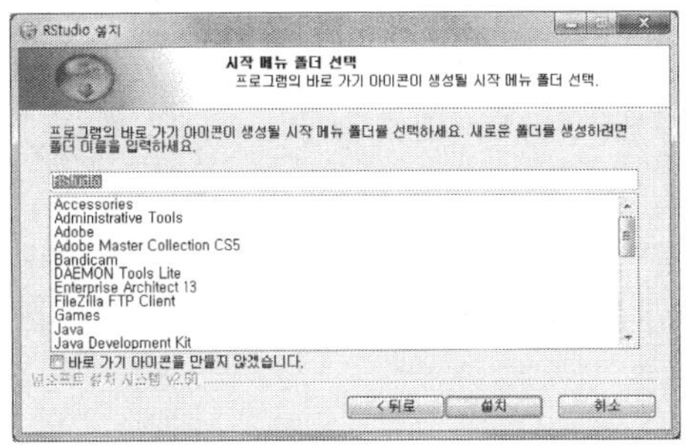

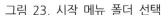

그림 23. 시작 메뉴 폴더 선택

그림 24. 설치 완료

3.3. 기본 설정

윈도우 시작 메뉴에서 RStudio 실행 아이콘을 찾을 수 있습니다. 아이콘을 클릭하여 RStudio를 실행해 보세요.

그림 25. 시작메뉴에 설치된 RStudio

RStudio의 Tools -> Global Options... 메뉴를 선택하고 몇 가지 설정을 할 필요가 있습니다.

- 현재 설치되어 있는 [R version]을 확인하세요.
- [Default working directory] 기본값은 ~(내 문서)로 되어 있습니다.
  필자는 C:/Projects/R-workplace 디렉토리로 변경했습니다.(반드시 작업 디렉토리를 변경할 필요는 없습니다. 기본값을 그대로 사용해도 됩니다.)

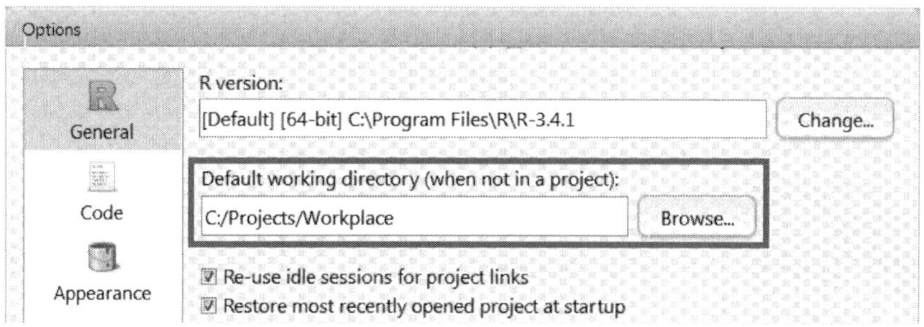

그림 26. 디폴트 작업 디렉토리 변경

[Code] 옵션의 [Saving] 탭에서 [Default text encoding:]을 UTF-8로 바꿔주세요. 제공되는 소스코드의 인코딩이 UTF-8로 되어 있습니다.

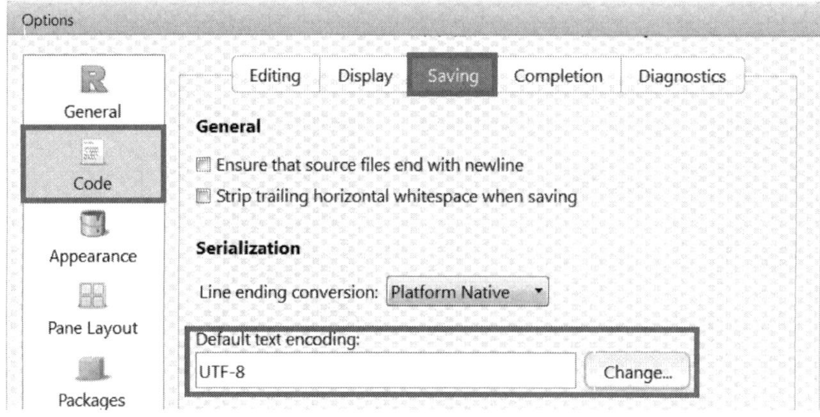

그림 27. 인코딩 설정

4. RStudio 실행 및 기본 설정

다음 그림은 R을 처음 실행시켰을 때의 화면입니다.

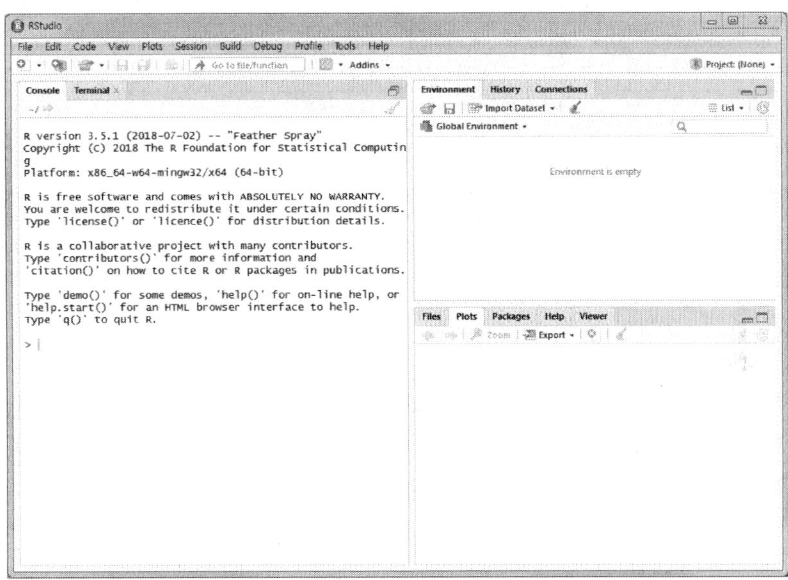

그림 28. RStudio

RStudio를 처음 실행시킨 후 아이콘을 클릭하고 [R Script] 메뉴를 선택하면 R 스크립트를 입력할 수 있는 새로운 레이아웃이 나타납니다.

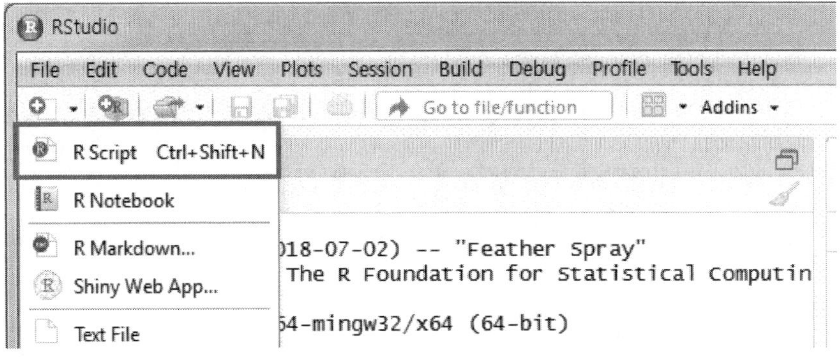

그림 29. 새 R Script 창 띄우기

R 스크립트를 입력하고 실행시키기 위해 RStudio의 Console에서 직접 입력하고 엔터를 눌러 실행시킬 수 있습니다. 그러나 R Script 창을 이용하면 반복적으로 작성하고 실행해야 하는 스크립트를 관리하기 더 쉽습니다. 다음 그림은 새 R Script 창이 레이아웃에 배치된 모습입니다.

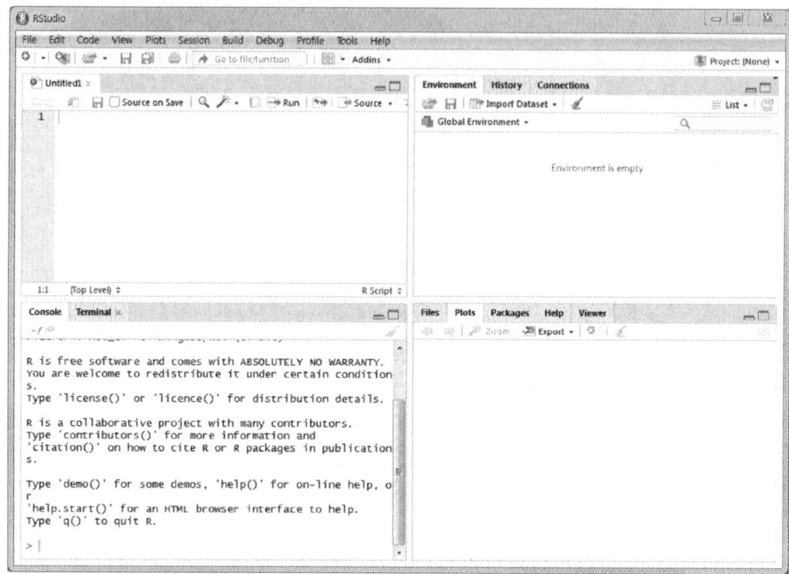

그림 30. R Script가 추가된 패널 레이아웃

R 스크립트 창에 입력한 스크립트를 실행시키기 위해서는 실행시키고자 하는 행에 커서를 두거나 블록을 설정하고 Ctrl+Enter키 누르면 왼쪽 아래의 Console 탭에서 실행됩니다.

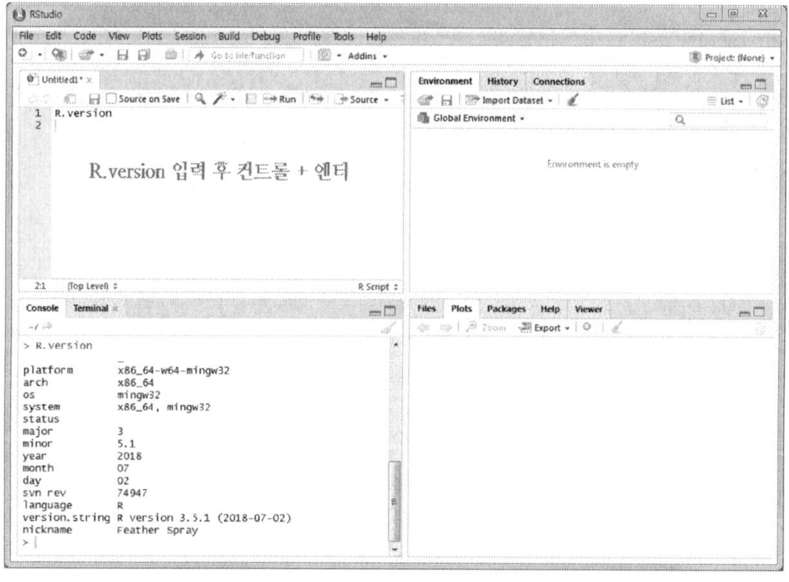

그림 31. 스크립트 실행

RStudio 오른쪽 상단에 있는 Environment 탭은 R에서 선언한 변수의 목록이 나타나며, History 탭은 지금까지 실행한 R의 명령문을 보여줍니다.

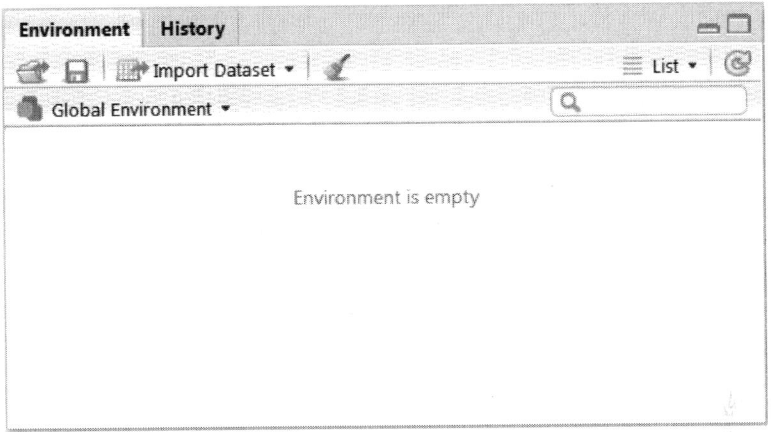

그림 32. Environment, History 탭

오른쪽 하단에 보이는 영역은 Files, Plots, Packages, Help, Viewer 탭 들을 가지고 있습니다.

- Files : 작업 디렉토리의 파일 및 디렉토리 목록을 보여줍니다.
- Plots : 시각화할 때 그래프들이 보입니다.
- Packages : 시스템에 설치되어 있는 패키지들의 목록을 볼 수 있으며, 체크/체크해제만으로 패키지를 로드/언로드할 수 있습니다.
- Help : 도움말을 보여줍니다. ? 또는 help() 함수를 이용하여 도움말을 볼 수 있습니다.
- Viewer : 로컬 웹 컨텐트를 보는 데 사용할 수 있는 뷰어 창입니다. googleVis, htmlwidgets 및 rCharts와 같은 패키지를 사용하여 생성 된 웹 그래픽 또는 Shiny, Rook 또는 OpenCPU를 사용하여 만든 로컬 웹 응용 프로그램을 만들 수 있습니다.

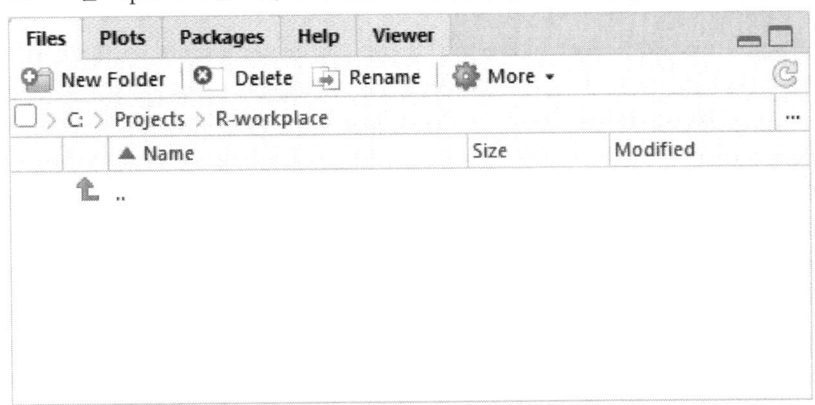

그림 33. Files, Plots, Packages, Help, Viewer 탭

5. CentOS에 R/RStudio 설치

본 교재에서는 윈도우 환경에서 R과 RStudio를 사용합니다. 그런데 CentOS에 R과 RStudio 설치 과정에 대해 간략하게 아래에 설명합니다. 참고하세요.

R과 RStudio를 설치하기 위해서는 리눅스 root(루트) 사용자 권한이 필요합니다. 리눅스를 설치하고 루트 계정으로 로그인한 후 설치해야 합니다. 명령어의 맨 앞 #은 루트 사용자를 의미합니다.

1. EPEL 리포지토리 설치(R을 yum 명령으로 설치하기 위해서 먼저 EPEL[6] 리포지토리를 설치해야 합니다.)

```
# rpm -Uvh http://download.fedoraproject.org/pub/epel/7/x86_64/e/epel-release-7-9.noarch.rpm
```

2. R 설치

```
# yum install R -y
```

3. RStudio 다운로드(버전에 따라 다운로드하는 파일의 경로가 다를 수 있습니다. 파일의 경로는 https://www.rstudio.com/products/rstudio/download/#download를 참고하세요)

```
# wget https://download1.rstudio.org/rstudio-1.0.153-x86_64.rpm
```

4. RStudio 설치

```
# yum install --nogpgcheck rstudio-server-rhel-1.0.143-x86_64.rpm
```

5. RStudio 설치 확인

```
# rstudio-server verify-installation
```

6. 방화벽에 8787 포트 추가

```
# firewall-cmd --permanent --zone=public --add-port=8787/tcp
```

7. 방화벽 재시작

```
# systemctl restart firewalld
```

8. 브라우저에서 http://ip-address:8787/로 접속 후 리눅스 사용자 계정으로 로그인하면 브라우저에서 리눅스 서버에 설치된 RStudio 서버를 사용할 수 있습니다.

6) Extra Packages for Enterprise Linux

2장. R Language 기초

1. 도움말 기능
2. 패키지
3. 변수
4. 출력
5. 변수 삭제
6. R 기본 확장자

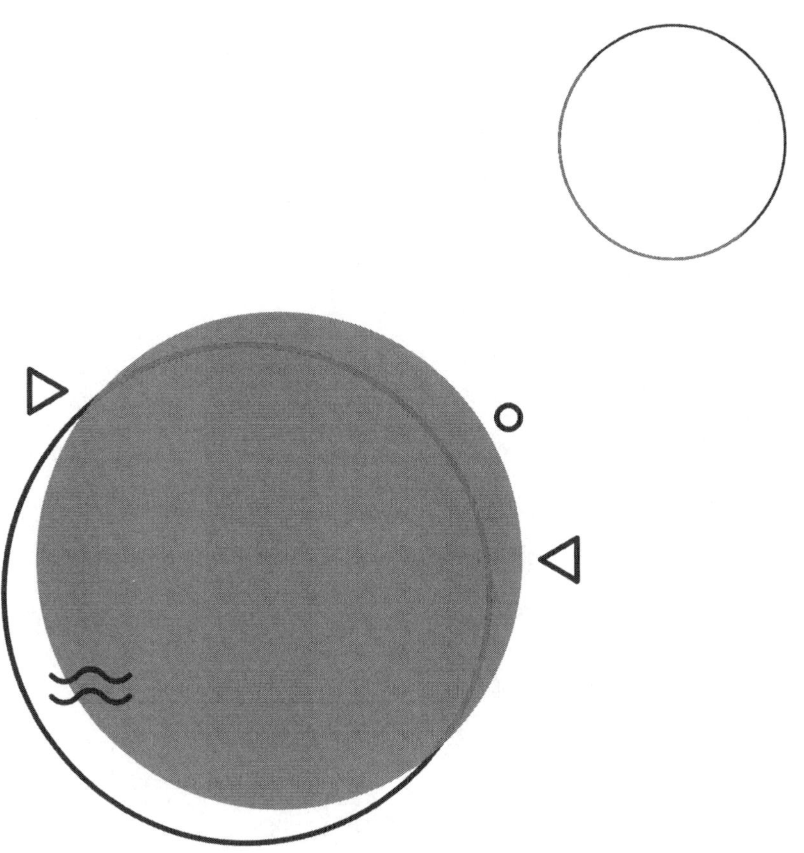

1. 도움말 기능

R Language는 다양한 형태의 도움말을 제공합니다. 도움말을 잘 활용하면 R Language를 쉽고 편리하게 사용할 수 있습니다.

1.1. 도움말

물음표 기호(?) 또는 help() 함수를 사용하면 함수, 데이터셋 등에 대한 도움말을 보여줍니다.

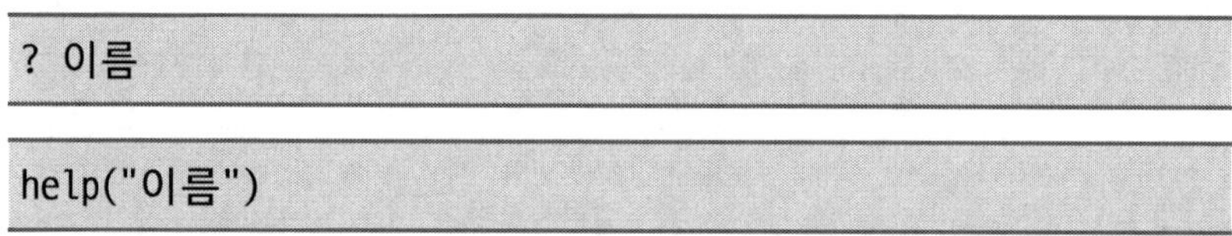

```
? 이름
```

```
help("이름")
```

다음 코드는 iris 데이터의 도움말을 보여줍니다. RStudio에서 도움말은 help 탭에 출력됩니다. ?iris와 help(iris)의 결과는 같습니다.

```
> ?iris
> help(iris)
```

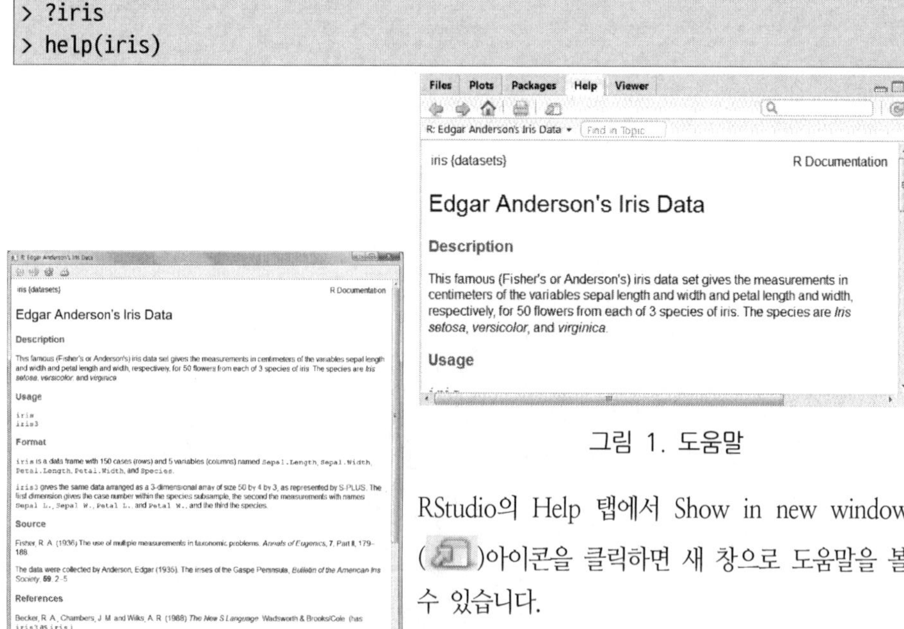

그림 1. 도움말

RStudio의 Help 탭에서 Show in new window ( )아이콘을 클릭하면 새 창으로 도움말을 볼 수 있습니다.

그림 2. 새 창으로 도움말 보기

1.2. 검색

??와 help.search()는 함수 등의 이름을 검색할 때 사용합니다.

```
?? 이름
```

```
help.search("이름")
```

help.search() 함수의 인자는 반드시 인용부호(따옴표, ' ' 또는 " ")로 묶어야 합니다.

```
> ??iris
> help.search("iris")
```

검색 결과는 Help 탭에 출력됩니다.

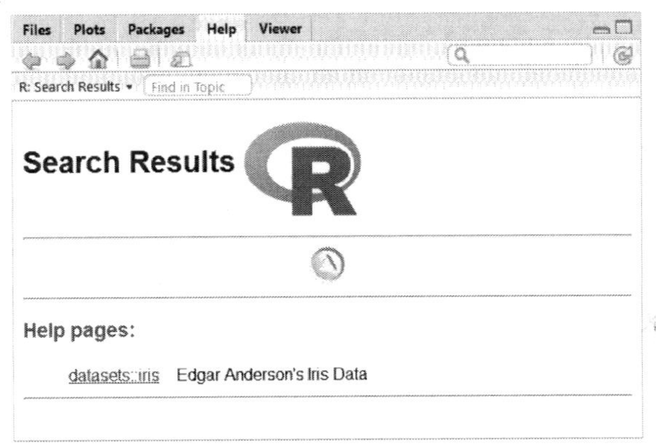

그림 3. 검색 결과

1.3. 패키지 도움말

library() 함수에 help 파라미터를 이용하면 패키지 도움말과 패키지에서 제공하는 함수 목록을 볼 수 있습니다. 설치되어 있지 않는 패키지는 도움말 기능을 사용할 수 없습니다.

```
library(help="패키지명")
```

다음 구문은 stats 패키지의 함수 목록을 출력합니다.

```
> library(help="stats")
```

1.4. 함수 도움말

methods()는 이름으로 시작하는 함수의 목록을 조회합니다.

```
methods(이름)
```

아래의 구문은 as로 시작하는 모든 함수 목록을 출력합니다.

```
> methods(as)
[1] as.array                    as.array.default
[3] as.call                     as.character
[5] as.character.condition      as.character.Date
... 생략
```

args()는 함수의 인자(파라미터) 정보를 조회합니다.

```
args(함수명)
```

아래 구문은 data 함수의 파라미터 목록을 출력합니다.

```
> args(data)
function (..., list = character(), package = NULL, lib.loc = NULL,
    verbose = getOption("verbose"), envir = .GlobalEnv)
NULL
```

1.5. 정보 조회

attributes()는 객체의 속성들을 조회합니다.

```
attributes(이름)
```

iris 데이터의 속성들을 출력합니다.

```
> attributes(iris)
$names
[1] "Sepal.Length" "Sepal.Width"  "Petal.Length" "Petal.Width"
[5] "Species"

$row.names
  [1]   1   2   3   4   5   6   7   8   9  10  11  12  13  14  15  16
 [17]  17  18  19  20  21  22  23  24  25  26  27  28  29  30  31  32
... 생략
[129] 129 130 131 132 133 134 135 136 137 138 139 140 141 142 143 144
[145] 145 146 147 148 149 150
```

```
$class
[1] "data.frame"
```

examples()는 사용 사례를 표시합니다.

```
example(이름)
```

다음 구문은 example() 함수를 이용해 mean() 함수의 사용 예를 출력합니다.

```
> example(mean)

mean> x <- c(0:10, 50)

mean> xm <- mean(x)

mean> c(xm, mean(x, trim = 0.10))
[1] 8.75 5.50
```

1.6. 주석과 자동완성

#은 주석을 표시할 때 사용합니다. #이후의 내용은 모두 주석으로 처리되어 R 엔진은 실행 시 해당 내용을 모두 무시합니다.

```
#로 시작하는 라인은 주석입니다.
```

TAB 키를 이용하면 자동 완성기능을 사용할 수 있습니다.

```
TAB키
```

만일 RStudio를 사용한다면 탭(Tab) 키 또는 Ctrl+Spacebar를 사용하여 입력 값 제안기능을 사용할 수 있습니다. RStudio의 스크립트 창에서 R.v 까지만 입력하고 탭 키를 누르면 아래의 그림처럼 R.v로 시작하는 변수, 함수 등의 이름을 보여줍니다.

```
R.v
R.version
R.version.string
R.Version    {base}
```

그림 4. 입력 값 제안

q() 함수는 R을 종료합니다.

```
q()
```

2. 패키지

R에서는 기본적으로 설치되어 있는 default 패키지들 외에는 필요한 Package(패키지)를 설치하여 사용해야 합니다. 설치 가능한 패키지는 CRAN 사이트에서 확인할 수 있습니다[7].

2.1. 패키지 설치 및 사용

패키지는 데이터 조작 및 분석을 위한 함수와 데이터셋 등을 포함합니다.

library() 함수를 사용하여 패키지를 메모리로 로딩할 때, 패키지가 없다는 오류가 발생하면 우선 install.package() 함수를 사용하여 패키지를 먼저 설치해야 합니다.

패키지 설치는 install.packages() 함수를 이용합니다. lib.loc 파라미터는 패키지가 설치된 경로를 지정합니다.

```
install.packages("패키지명", lib.loc="패키지설치경로")
```

설치된 패키지를 사용하기 위해 library() 함수를 사용합니다.

```
library(패키지명)
```

require() 함수는 library() 함수와 유사합니다. 주로 함수 안에서 사용합니다.

```
require(패키지명)
```

패키지를 언로드하기 위해서 detach() 함수를 사용합니다.

```
detach("package:패키지명", unload=TRUE)
```

다음은 연관분석에 사용하는 함수들을 포함한 arules 패키지를 설치하고 로드하는 구문입니다.

```
> install.packages("arules")
trying URL 'https://cran.rstudio.com/bin/windows/contrib/3.5/arules_1.6-1.zip'
Content type 'application/zip' length 2674964 bytes (2.6 MB)
downloaded 2.6 MB
```

7) http://cran.r-project.org/ 에서 Projects 링크를 클릭
https://cran.r-project.org/web/packages/available_packages_by_name.html(이름으로 정렬)

```
package 'arules' successfully unpacked and MD5 sums checked

The downloaded binary packages are in
    C:\Users\COM\AppData\Local\Temp\RtmpIxx2j6\downloaded_packages
```

```
> library("arules", lib.loc="C:/Program Files/R/R-3.5.1/library")
Loading required package: Matrix

다음의 패키지를 부착합니다: 'arules'

The following objects are masked from 'package:base':

    abbreviate, write
```

```
> detach("package:arules", unload=TRUE)
```

2.2. 패키지 데이터셋 로드

data() 함수는 패키지에 포함된 데이터셋을 메모리로 로딩합니다. R에 기본으로 포함된 데이터는 datasets 패키지에 있고, datasets 패키지에 있는 데이터셋은 data(데이터셋명) 형태로 로딩할 수 있습니다. 패키지가 로딩되어 있으면 data(데이터셋명) 형태로 간단하게 사용할 수 있습니다.

```
data(list="데이터셋명", package="패키지명")
```

다음 코드는 datasets 패키지를 언로드 한 후 iris 데이터를 메모리에 로드할 때 데이터셋을 찾을 수 없다는 에러메시지를 보이고 있습니다.

```
> detach("package:datasets", unload=TRUE)
> data(iris)
Warning message:
In data(iris) : 데이터셋 'iris'을 찾을 수 없습니다
```

패키지를 로드하면 정상적으로 데이터셋이 로드되는 것을 확인할 수 있습니다.

```
> library("datasets", lib.loc="C:/Program Files/R/R-3.5.1/library")
> data(iris)
```

패키지 이름을 지정하면 패키지를 로드하지 않고 데이터만 로드시킬 수 있습니다.

```
> data(iris, package="datasets")
```

data() 함수에 패키지 이름만 명시하면 패키지에 포함된 데이터셋 목록을 조회합니다.

```
data(package="패키지명")
```

다음 구문은 datasets 패키지에 있는 데이터셋 목록을 출력합니다.

```
> data(package="datasets")
```

다음은 datasets 패키지에 있는 데이터셋 목록입니다. 지금 아래의 모든 데이터셋들에 대해 알아 둘 필요는 없습니다. 모든 데이터셋이 학습에 사용되지도 않습니다. 그러나 이들 데이터셋들은 여러분이 R을 학습할 때에 유용하게 사용됩니다.

```
AirPassengers            Monthly Airline Passenger Numbers 1949-1960
BJsales                  Sales Data with Leading Indicator
BJsales.lead (BJsales)   Sales Data with Leading Indicator
BOD                      Biochemical Oxygen Demand
CO2                      Carbon Dioxide Uptake in Grass Plants
ChickWeight              Weight versus age of chicks on different diets
DNase                    Elisa assay of DNase
EuStockMarkets           Daily Closing Prices of Major European Stock Indices, 1991-1998
Formaldehyde             Determination of Formaldehyde
HairEyeColor             Hair and Eye Color of Statistics Students
Harman23.cor             Harman Example 2.3
Harman74.cor             Harman Example 7.4
Indometh                 Pharmacokinetics of Indomethacin
InsectSprays             Effectiveness of Insect Sprays
JohnsonJohnson           Quarterly Earnings per Johnson & Johnson Share
LakeHuron                Level of Lake Huron 1875-1972
LifeCycleSavings         Intercountry Life-Cycle Savings Data
Loblolly                 Growth of Loblolly pine trees
Nile                     Flow of the River Nile
Orange                   Growth of Orange Trees
OrchardSprays            Potency of Orchard Sprays
PlantGrowth              Results from an Experiment on Plant Growth
Puromycin                Reaction Velocity of an Enzymatic Reaction
Seatbelts                Road Casualties in Great Britain 1969-84
Theoph                   Pharmacokinetics of Theophylline
Titanic                  Survival of passengers on the Titanic
ToothGrowth              The Effect of Vitamin C on Tooth Growth in Guinea Pigs
UCBAdmissions            Student Admissions at UC Berkeley
UKDriverDeaths           Road Casualties in Great Britain 1969-84
UKgas                    UK Quarterly Gas Consumption
USAccDeaths              Accidental Deaths in the US 1973-1978
USArrests                Violent Crime Rates by US State
USJudgeRatings           Lawyers' Ratings of State Judges in the US Superior Court
USPersonalExpenditure    Personal Expenditure Data
UScitiesD                Distances Between European Cities and Between US Cities
VADeaths                 Death Rates in Virginia (1940)
WWWusage                 Internet Usage per Minute
WorldPhones              The World's Telephones
ability.cov              Ability and Intelligence Tests
airmiles                 Passenger Miles on Commercial US Airlines, 1937-1960
airquality               New York Air Quality Measurements
anscombe                 Anscombe's Quartet of 'Identical' Simple Linear Regressions
attenu                   The Joyner-Boore Attenuation Data
attitude                 The Chatterjee-Price Attitude Data
```

austres	Quarterly Time Series of the Number of Australian Residents
beaver1 (beavers)	Body Temperature Series of Two Beavers
beaver2 (beavers)	Body Temperature Series of Two Beavers
cars	Speed and Stopping Distances of Cars
chickwts	Chicken Weights by Feed Type
co2	Mauna Loa Atmospheric CO2 Concentration
crimtab	Student's 3000 Criminals Data
discoveries	Yearly Numbers of Important Discoveries
esoph	Smoking, Alcohol and (O)esophageal Cancer
euro	Conversion Rates of Euro Currencies
euro.cross (euro)	Conversion Rates of Euro Currencies
eurodist	Distances Between European Cities and Between US Cities
faithful	Old Faithful Geyser Data
fdeaths (UKLungDeaths)	Monthly Deaths from Lung Diseases in the UK
freeny	Freeny's Revenue Data
freeny.x (freeny)	Freeny's Revenue Data
freeny.y (freeny)	Freeny's Revenue Data
infert	Infertility after Spontaneous and Induced Abortion
iris	Edgar Anderson's Iris Data
iris3	Edgar Anderson's Iris Data
islands	Areas of the World's Major Landmasses
ldeaths (UKLungDeaths)	Monthly Deaths from Lung Diseases in the UK
lh	Luteinizing Hormone in Blood Samples
longley	Longley's Economic Regression Data
lynx	Annual Canadian Lynx trappings 1821-1934
mdeaths (UKLungDeaths)	Monthly Deaths from Lung Diseases in the UK
morley	Michelson Speed of Light Data
mtcars	Motor Trend Car Road Tests
nhtemp	Average Yearly Temperatures in New Haven
nottem	Average Monthly Temperatures at Nottingham, 1920-1939
npk	Classical N, P, K Factorial Experiment
occupationalStatus	Occupational Status of Fathers and their Sons
precip	Annual Precipitation in US Cities
presidents	Quarterly Approval Ratings of US Presidents
pressure	Vapor Pressure of Mercury as a Function of Temperature
quakes	Locations of Earthquakes off Fiji
randu	Random Numbers from Congruential Generator RANDU
rivers	Lengths of Major North American Rivers
rock	Measurements on Petroleum Rock Samples
sleep	Student's Sleep Data
stack.loss (stackloss)	Brownlee's Stack Loss Plant Data
stack.x (stackloss)	Brownlee's Stack Loss Plant Data
stackloss	Brownlee's Stack Loss Plant Data
state.abb (state)	US State Facts and Figures
state.area (state)	US State Facts and Figures
state.center (state)	US State Facts and Figures
state.division (state)	US State Facts and Figures
state.name (state)	US State Facts and Figures
state.region (state)	US State Facts and Figures
state.x77 (state)	US State Facts and Figures
sunspot.month	Monthly Sunspot Data, from 1749 to "Present"
sunspot.year	Yearly Sunspot Data, 1700-1988
sunspots	Monthly Sunspot Numbers, 1749-1983
swiss	Swiss Fertility and Socioeconomic Indicators (1888) Data
treering	Yearly Treering Data, -6000-1979
trees	Girth, Height and Volume for Black Cherry Trees
uspop	Populations Recorded by the US Census
volcano	Topographic Information on Auckland's Maunga Whau Volcano
warpbreaks	The Number of Breaks in Yarn during Weaving
women	Average Heights and Weights for American Women

3. 변수

R에서 선언되고 값이 할당된 변수는 메모리에 로딩되어 관리됩니다. R의 변수는 모두 불변(immutable) 객체입니다. 그러므로 R의 경우 변수 데이터에 대한 수정은 지원하지 않습니다. 따라서 사용자가 R 변수의 값을 수정할 경우, 해당 변수의 값이 직접 수정되는 것이 아니라 새로운 값을 메모리에 할당하고 기존의 변수가 이 값을 사용하도록 연결됩니다.

3.1. 선언

R에서 변수를 만들 때 몇 가지 규칙이 있습니다.

- 변수명은 알파벳, 숫자, 밑줄 문자(underscore, '_'), 점('.')으로 구성됩니다.
- 첫 글자는 알파벳 또는 점('.')으로 시작합니다.
- 점('.')으로 시작 시 바로 뒤에는 숫자가 올 수 없으며, 히든(hidden, 숨겨진)변수가 됩니다.

R 1.9.0 이전에는 밑줄 문자(underscore, '_')가 변수명에 사용될 수 없었습니다. 그래서 다른 언어에서 흔히 밑줄 문자(underscore, '_')를 사용할만한 상황에서 R은 점('.')을 사용하곤 합니다. 예를 들어 training_data, validation_data 같은 변수명 대신 data.training, data.validation과 같이 마치 객체의 속성을 접근하는 것처럼 명명 규칙을 사용하곤 합니다.

R에서 변수 선언을 위한 데이터타입 키워드를 지정하지 않습니다. C언어 또는 Java에서 존재하는 int, long, float, double, boolean 등의 키워드는 존재하지 않습니다.

3.2. 할당

R에서 변수에 데이터 할당하기 위한 연산자는 <-, ->, =, <<-, ->>가 있습니다.

- 대부분의 경우 할당은 '<-'를 이용합니다. '->'는 왼쪽의 값을 오른쪽 변수에 할당합니다.
- '='은 주로 함수 파라미터의 값을 지정할 때 사용합니다. 예를 들면 plot(cars, col="red")처럼 col 파라미터 값에 "red"를 할당할 때 =(equal)을 사용합니다.
- '<<-'와 '->>'는 함수 안에서 전역변수에 값을 할당할 때 사용합니다.

- (varA <- varB)처럼 할당문 앞/뒤를 ( )로 묶을 경우, 할당과 동시에 할당된 데이터를 화면에 표시합니다.

다음 코드는 '<-'와 '<<-' 예를 보여주는 구문입니다. function()을 이용한 함수 정의는 4장에서 설명합니다.

```
> result <- 0
> add <- function(a, b) {
+   result <<- a+b
+   return (result)
+ }
> add(1,2)
[1] 3
> result
[1] 3
```

3.3. 변수 목록조회

ls()는 현재 메모리에 있는 변수의 목록을 출력합니다. all.names=TRUE 일 경우 히든변수도 출력해 줍니다.

```
ls(all.names=FALSE)
```

ls.str() 함수를 이용하면 변수의 이름과 구조를 함께 보여줍니다.

```
> x <- 3
> y <- 5
> (z <- x+y)
[1] 8
> ls()
[1] "add"    "result" "x"      "y"      "z"
> ls.str()
add : function (a, b)
result :  num 3
x :  num 3
y :  num 5
z :  num 8
```

RStudio의 Environment 탭에서 변수 목록을 확인할 수 있습니다.

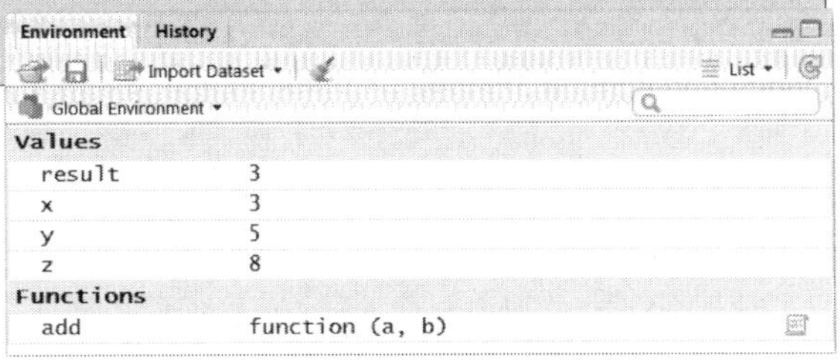

그림 5. 변수 목록

4. 출력

R에서 변수의 값을 확인하기 위해서 변수 이름만 입력할 수 있습니다. 코드에서 출력하는 구분임을 명시하기 위해 print() 함수를 이용할 수 있으며, 할당 구문의 결과를 출력하기 위해 ( )를 이용할 수 있습니다.

4.1. print

다음 구문은 변수의 값을 출력하는 예입니다.

```
> result
[1] 3
> print(result)
[1] 3
> (z <- x+y)
[1] 8
```

4.2. cat

cat() 함수는 여러 개의 항목을 묶어서 출력해 줍니다. 항목과 항목 사이에 공백이 추가되며, 행렬이나 리스트 등 복합 데이터 구조는 출력못합니다.

다음 구문은 cat을 이용하여 여러 개 항목을 묶어 출력하는 예입니다.

```
> fib <- c(0,1,1,2,3,5,8,13,21,34)
> cat("피보나치수열 몇 개 :", fib, "...\n")
피보나치수열 몇 개 : 0 1 1 2 3 5 8 13 21 34 ...
```

4.3. paste

여러 문자열을 이어 출력하고 싶다면 paste() 함수를 사용하여 문자열을 이어줄 수 있습니다. paste0() 함수는 문자열을 이어줄 때 구분자 없이 이어줍니다.

```
paste (..., sep=" ", collapse=NULL)
```

```
paste0(..., collapse=NULL)
```

다음 구문은 paste() 함수를 이용하여 문자열을 연결하는 예입니다.

```
> paste("Hello", "World")
[1] "Hello World"
> paste("Hello", "World", sep=",")
[1] "Hello,World"
> paste0("Hello", "World")
[1] "HelloWorld"
```

paste() 함수의 collapse 속성은 연결되는 데이터셋의 구분자입니다. collapse 파라미터를 이용하면 각 항목의 구분자를 지정한 단일 문자열로 출력합니다.

```
> month.name
 [1] "January"   "February"  "March"     "April"     "May"
 [6] "June"      "July"      "August"    "September" "October"
[11] "November"  "December"

> (nth <- paste0(1:12, c("st", "nd", "rd", rep("th", 9))))
 [1] "1st"  "2nd"  "3rd"  "4th"  "5th"  "6th"  "7th"  "8th"  "9th"  "10th"
[11] "11th" "12th"

> paste(month.name, nth, sep=": ", collapse="; ")
[1] "January: 1st; February: 2nd; March: 3rd; April: 4th; May: 5th; June:
6th; July: 7th; August: 8th; September: 9th; October: 10th; November: 11th;
December: 12th"

> paste(month.name, nth, sep=": ")
 [1] "January: 1st"   "February: 2nd" "March: 3rd"     "April: 4th"
 [5] "May: 5th"       "June: 6th"     "July: 7th"      "August: 8th"
 [9] "September: 9th" "October: 10th" "November: 11th" "December: 12th"
```

이 코드에서 month.name은 R에 내장된 상수입니다. month.name과 nth 변수는 모두 12개 데이터를 가지고 있습니다. 이를 paste 함수로 연결하면 각 항목끼리 연결됩니다. RStudio에서 출력되는 결과 앞에 숫자 [7], [12], [5], [9] 등은 출력하는 Console 화면의 폭이 다르면 이 교재의 결과와 다를 수 있습니다. 다음 그림은 출력하는 화면의 폭에 따라 [ ]안의 숫자가 다르게 출력되는 결과입니다. [ ]안의 숫자가 의미하는 것은 출력되는 항목의 순서입니다.

```
> paste(month.abb, nth, sep = ": ")
 [1] "Jan: 1st"  "Feb: 2nd"  "Mar: 3rd"  "Apr: 4th"  "May: 5th"  "Jun: 6th"
 [7] "Jul: 7th"  "Aug: 8th"  "Sep: 9th"  "Oct: 10th" "Nov: 11th" "Dec: 12th"

> paste(month.abb, nth, sep = ": ")
 [1] "Jan: 1st"  "Feb: 2nd"  "Mar: 3rd"  "Apr: 4th"
 [5] "May: 5th"  "Jun: 6th"  "Jul: 7th"  "Aug: 8th"
 [9] "Sep: 9th"  "Oct: 10th" "Nov: 11th" "Dec: 12th"
```

그림 6. 화면 폭에 따라 다른 출력

5. 변수 삭제

rm() 함수는 변수를 삭제합니다.

```
rm(변수명)
```

다음 구문은 변수 z를 삭제합니다.

```
> rm(z)
> ls()
[1] "add"    "c"      "result" "x"      "y"
```

다음 구문은 ls()함수의 결과를 이용하여 메모리에 있는 모든 변수를 삭제합니다. 이 경우 히든변수는 삭제되지 않습니다.

```
> rm(list=ls())
> ls()
character(0)
```

히든변수까지 삭제하려면 rm(list=ls(all.names=TRUE) 구문을 이용합니다.

```
> .hiddenVar=10
> .hiddenVar
[1] 10
> rm(list=ls(all.names=TRUE))
> .hiddenVar
Error: object '.hiddenVar' not found
```

Environment 탭에서 (Clear Objects) 아이콘을 클릭하면 모든 변수를 삭제해 줍니다. 단 이 경우에 히든변수는 삭제되지 않습니다.

그림 7. 변수 삭제

6. R 기본 확장자

R에서 다루는 파일은 스크립트파일, 작업공간파일 그리고 작업기록 파일들이 있습니다. 이것은 데이터파일을 의미하지 않습니다.

스크립트 파일(*.R)은 R 코드를 저장한 파일입니다. RStudio에서 R Script 창에 작성한 파일을 저장하면 ~.R 형식으로 파일이 저장됩니다. 스크립트 파일을 실행시키는 방법은 RStudio에서 직접 열어 실행시키는 방법과 rscript 명령을 이용하는 방법[8] 그리고 Console 창에서 source() 함수를 이용하는 방법[9]이 있습니다. RStudio에서 파일을 저장하면 스크립트 파일을 저장합니다.

작업공간 파일(*.RData)은 Console에서 실행하여 생성한 R 객체(데이터셋)을 저장합니다. 지금까지 작업한 작업공간 전체를 저장합니다. 스크립트 작업을 완료하지 않은 상태에서 현재까지의 작업공간을 저장해두고, 다음 작업 시 작업공간을 불러와 작업하면 이 전까지 실행했던 스크립트를 다시 실행할 필요가 없습니다.

작업기록 파일(.Rhistory)은 Console에서 실행한 R 명령어들을 저장합니다. savehistroy()로 저장하고 loadhistory()로 작업기록을 불러올 수 있습니다.

표 1. R 파일과 확장자

파일	형식	설명
R 스크립트	~.R	실행할 R 코드를 저장한 파일 rscript ~.R # Linux 터미널에서 실행 source(~.R, echo=FALSE) # Console에서 실행

R 작업공간	.RData
	~.RData
		Console에서 실행하여 생성한 R 객체(데이터셋) 저장
		load("~.RData") # Rdata 파일 로딩
		save(var1, file="~.RData") # var1 객체를 저장
		save(var1, var2, file="~.RData")
		save.image() # .RData에 작업 공간 저장
		save.image("~.RData") # 작업 공간 전체 저장
		unlink("~.RData") # ~.RData 파일 삭제

R 작업기록	.Rhistory	Console에서 실행한 R 명령어 저장 savehistory() # .Rhistory 저장 loadhistory() # .Rhistory 로딩

8) $ rscript sample.R
9) 〉 source("~/workplace/sample.R")

작업공간 파일은 시간이 오래 걸리는 작업의 결과를 저장해 주므로 머신러닝 모델 객체를 저장할 때 많이 사용합니다. save.image() 함수를 이용해 작업공간 전체를 저장하려 할 때는 현재 메모리의 모든 변수를 저장하기 때문에 rm() 함수를 이용해 불필요한 변수들은 삭제하고 저장하면 저장공간을 줄일 수 있으며, 로딩 시간도 줄일 수 있습니다. save() 함수를 이용하면 메모리에 있는 특정 변수만 별도의 파일로 저장할 수 있습니다.

3장. R 데이터 종류 및 구조

1. R 데이터 종류 및 구조
2. R 기본 데이터타입
3. 특별한 값들
4. 팩터(Factor)
5. 구조형 변수와 복합형 변수
6. 벡터
7. 리스트
8. 행렬
9. 배열
10. 데이터 프레임
11. 타입 판별 및 타입 변환
12. 문자열과 날짜
13. 실습 문제

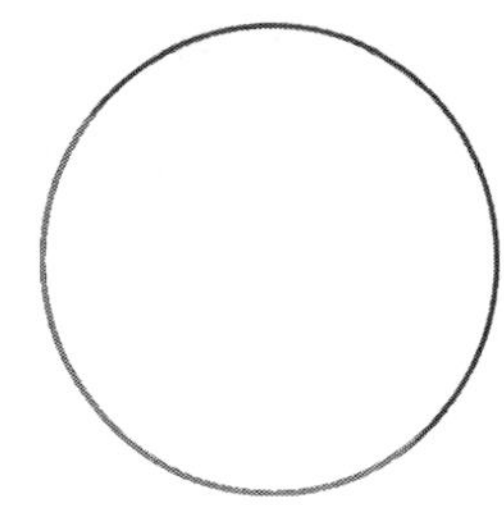

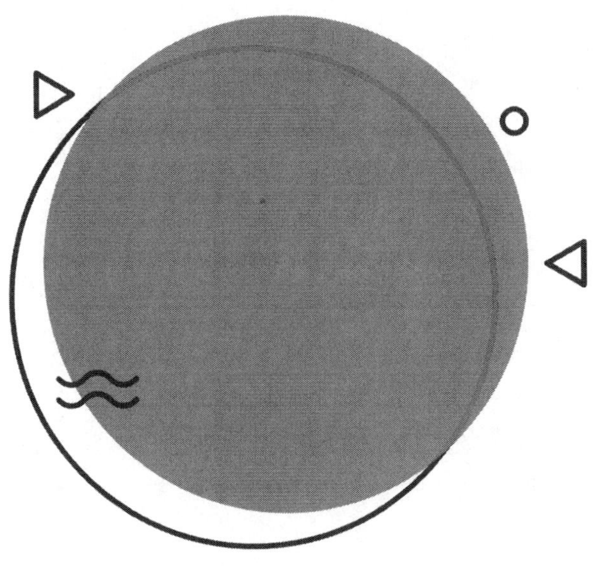

1. R 데이터 종류 및 구조

R은 데이터를 다루기 위해 사용합니다. 그래서 R의 학습은 데이터의 종류와 구조를 알아보는 것에서부터 시작합니다. R에서 사용할 수 있는 기본 타입은 문자, 숫자, 논리 타입입니다.

다음 그림은 R의 데이터 종류 및 구조를 나타낸 것입니다.

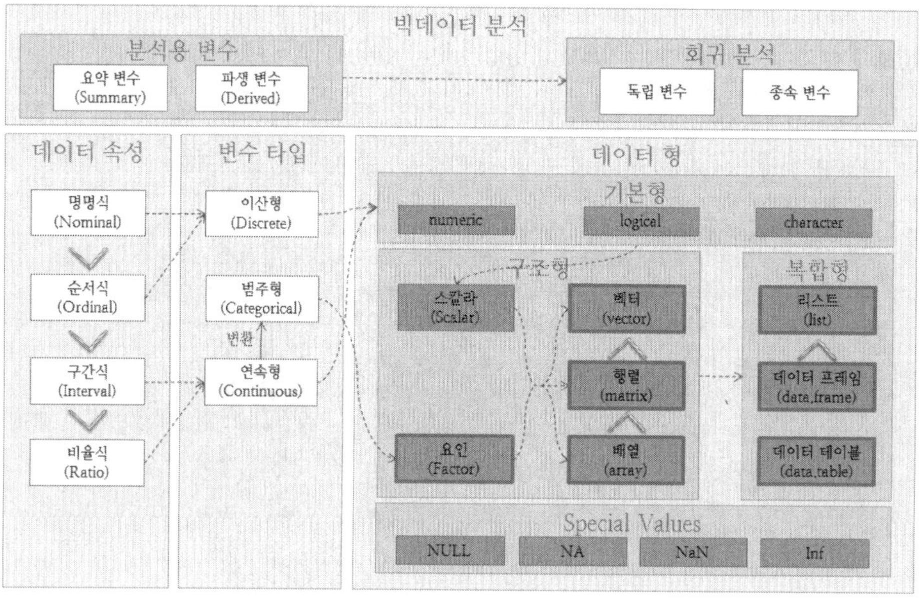

그림 1. R 데이터 종류 및 구조

그림이 너무 복잡하게 보이더라도 걱정할 필요 없습니다. 지금 당장 이 모든 것을 외울 필요는 없습니다. 이 장에서 알고 넘어가야 할 것은 스칼라(Scalar) 타입[10]에 문자, 숫자, 논리 타입이 있다는 것과 하나의 변수에 여러 개 값을 저장할 수 있는 타입에 벡터, 행렬, 배열, 리스트, 데이터 프레임이 있다는 것만 알아두면 됩니다.

여기에서 설명하고 있는 모든 변수를 이해하고 암기할 필요는 없습니다. R에 대하여 하나씩 공부해 나가면 자연스럽게 이해하고 알게 되는 내용들입니다.

10) 스칼라 데이터타입은 파스칼(PASCAL)에서 도입된 데이터타입의 개념이며, 파스칼에서는 여러 값 사이에 순서가 존재하는 것을 의미합니다. 그러나 R에서 스칼라 타입은 하나의 변수가 하나의 값을 가질 수 있는 타입을 의미합니다. 대부분의 언어에서 스칼라 데이터타입은 하나의 변수가 한 개 값을 갖는 것을 의미합니다.

1.1. R 데이터 종류

R은 데이터의 속성에 따른 구분과 변수의 타입에 따른 구분, 데이터의 품질에 따른 구분, 그리고 분석용 변수에서의 구분으로 나눠 정의하고 사용합니다.

R은 데이터의 속성에 따라 명명식, 순서식, 구간식, 비율식으로 데이터를 구분합니다. 명명식 (Nominal)은 명목척도를 나타내며 이름으로 명명되는 자료를 의미합니다. 예를 들면 성별(남,녀)이 명명식에 해당합니다. 순서식(Ordinal)은 서열척도를 나타내며 순서가 있는 명명식을 의미합니다. 예를 들면 상, 중, 하 값 중 하나를 갖는 소득 데이터는 순서식에 해당합니다. 구간식(Interval)은 간격척도를 나타내며 순서의 간격을 측정할 수 있는 순서식을 의미합니다. 예를 들면 온도가 구간식에 해당합니다. 비율식(Ratio)은 비율척도를 나타내며 절대 영점이 존재해 비율이 의미 있는 구간식에 해당합니다. 예를 들면 체중이 비율식에 해당합니다.

R은 변수 타입에 따라 연속형, 이산형, 범주형 변수로 구분합니다. 연속형 변수(Continuous)는 나이(age)처럼 연속적인 값을 갖는 변수입니다. 이산형 변수(Discrete)는 동전의 앞, 뒤처럼 값의 개수가 정의된 변수입니다. 범주형 변수(Categorical)는 연령대 10대, 20대 등 처럼 연속형 변수를 구간으로 묶어서 이산형 변수로 만든 것입니다.

R은 데이터의 품질에 따라 특이값(Outlier)과 결측값(Missing)으로 구분합니다. 특이값(Outlier)은 정상적이지 않은 데이터를 의미합니다. 잘못 측정 된 값이나 오차에의 한 값일 확률이 높습니다. 특이값은 데이터 분석 처리 시 제거하고 처리해야 할 수 있습니다. 결측값(Missing)은 아직 측정되지 않은 값입니다. R에서는 NA로 표기합니다.

R에서 분석용 변수는 요약 변수와 파생 변수로 구분합니다. 요약 변수(Summary Variables)는 데이터 분석을 위해서 1차 가공한 변수를 의미합니다. 요약 변수는 연속형 변수를 구간화하여 가공했거나, 시계열 데이터를 기간별, 요일별, 주중/주말별로 가공한 데이터입니다. 그 외에서 트렌트의 증가액 또는 증감비율, 그리고 SNS 데이터에서 단어의 빈도수 등이 요약변수에 해당합니다. 고객의 나이를 구간화하여 연령대로 가공했다면 이는 요약변수입니다. 파생 변수(Derived Variables)는 분석자의 판단에 따라 특정 조건을 만족하는 변수입니다. 예를 들면 고객에게 상품을 추천하기 위한 시스템의 경우 고객이 구매할 가능성이 있는 상품을 찾기 위해 가중치를 부여하는 변수[11]들입니다. 파생변수의 예에는 근무시간 구매지수, 주 구매 매장, 주 활동 지역, 주 구매 상품(10개), 가격 선호대, 시즌 선호 고객, 행사 민감도, 고객 생애 가치(CLV) 등이 있습니다.

11) 근무시간 구매지수, 주 구매 매장, 주 활동 지역, 주 구매 상품(10개), 가격 선호대, 시즌 선호 고객, 행사 민감도, 고객 생애 가치(CLV) 등이 있습니다.

회귀 분석에서 사용하는 변수는 독립변수와 종속변수가 있습니다. 독립변수(independent variable)는 입력값 또는 원인을 나타냅니다. 종속변수(dependent variable)는 결과물이나 효과를 나타냅니다. 독립변수는 종속변수에 영향을 줍니다.

다음 표는 데이터의 구분에 따른 분류와 설명, 그리고 예를 정리한 것입니다.

표 1. 데이터 구분에 따른 분류

구분	이름	설명	예
데이터 속성	명명식 (Nominal)	명목척도, 이름으로 명명되는 자료	성별(남, 녀)
	순서식 (Ordinal)	서열척도, 순서가 있는 명명식	소득(상, 중, 하)
	구간식 (Interval)	간격척도, 순서의 간격을 측정할 수 있는 순서식	온도
	비율식 (Ratio)	비율척도, 절대 영점이 존재해 비율이 의미 있는 구간식	체중
변수 타입	연속형 (Continuous)	연속적인 값은 갖는 변수	나이
	이산형 (Discrete)	값의 개수가 정의된 변수	동전의 앞, 뒤
	범주형 (Categorical)	연속형 변수를 구간으로 묶어서 이산형 변수로 만든 것	연령대
데이터 품질	특이값 (Outlier)	이상 데이터 (정상적이지 않은 데이터)	
	결측값 (Missing)	측정되지 않은 값	NA
분석용 변수	요약 변수 (Summary Variable)	데이터 분석을 위해서 1차 가공한 변수	
	파생 변수 (Derived Variables)	분석자의 판단에 따라 특정 조건을 만족하는 변수	

다음 절에서는 R의 기본 데이터타입들에 대해 알아보겠습니다.

Instructor Note : 정확도, 정밀도, 편향이란?

- 정확도(Accuracy)는 실제 값과 측정된 값의 차이, 오차(Error) 또는 수집 오차를 의미합니다.
- 정밀도(Precision)는 반복 측정 시 측정된 값의 가까운 정도를 의미하며 통계에서는 표준편차라 부릅니다.
- 편향(Bias)은 측정값과 측정값들의 평균과의 차이를 의미합니다. 편향은 변이도(Variation)라 부르기도 합니다.

2. R 기본 데이터타입

R은 문자(character), 숫자(numeric), 논리(logical)의 3가지 기본적인 데이터타입을 제공합니다.

- 문자형은 "(쌍 따옴표) 또는 '(홑 따옴표)로 묶으며, 문자와 문자열의 구분이 없습니다.
- 숫자형은 정수형과 부동소수점(실수)형 구분이 없습니다. 기본값은 0입니다.
- 논리형은 참은 TRUE, 거짓을 FALSE 값을 갖습니다. 논리형의 값은 전역변수인 T 또는 F 값을 가질 수 있습니다. 기본값은 FALSE입니다.

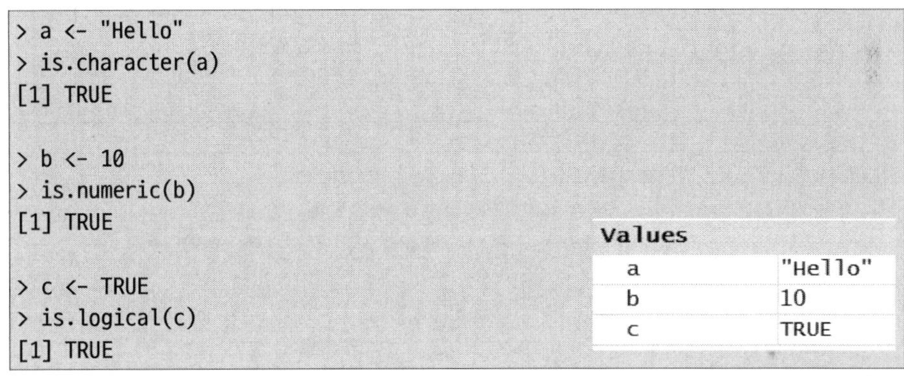

```
> a <- "Hello"
> is.character(a)
[1] TRUE

> b <- 10
> is.numeric(b)
[1] TRUE

> c <- TRUE
> is.logical(c)
[1] TRUE
```

Values	
a	"Hello"
b	10
c	TRUE

class() 함수는 타입을 확인합니다.

```
> class(a)
[1] "character"
> class(b)
[1] "numeric"
> class(c)
[1] "logical"
```

str() 함수는 R 객체의 내부 구조를 간결하게 표시합니다.

```
> str(a)
chr "Hello"
> str(b)
num 10
> str(c)
logi TRUE
```

3. 특별한 값들

R은 기본형 외에 특별한 의미로 사용되는 예약어들이 있습니다. 이들을 특별한 값(Special Values)라고 부릅니다.

표 2. Special Values

Special Values	상세
NULL	Empty value로 값이 없음을 의미합니다. is.null(변수) 함수를 사용하여 변수가 가진 값이 NULL인지 확인합니다.
NA	Not Available Missing value(결측치)를 의미합니다. 값이 없다는 것이 아니라 측정이 되지 않아 값이 무엇인지 모른다는 의미로 사용합니다. is.na(변수) 함수를 사용하여 결측치 여부를 확인합니다. mean(변수, na.rm=TRUE) : 함수의 na.rm 파라미터라 TRUE이면 NA 값은 계산에서 제외합니다.
NaN	Not a Number 변수의 값이 숫자가 아니라는 것을 의미합니다. is.nan(변수) 함수를 사용하여 NaN 여부를 확인합니다.
Inf	Infinite number 무제한으로 큰 값을 의미합니다. is.finite(변수) 함수를 사용하여 Inf 여부를 확인합니다.

빅데이터 분석에서 결측치(NA)의 값을 예측하여 다른 값으로 대체 하는 것은 매우 중요합니다. 따라서 R에서는 NA 처리와 관련된 다양한 함수를 제공합니다.

NA 처리와 관련된 함수에 complete.cases(), na.omit(), na.pass(), na.fail() 등이 있습니다.

- complete.cases(변수) : NA가 포함되지 않은 행(레코드)은 TRUE를 반환합니다.
- na.omit(변수) : 데이터에서 NA가 포함된 행(레코드) 제외합니다.
- na.pass(변수) : NA 여부에 상관없이 처리합니다.
- na.fail(변수) : NA 포함 시 Exception을 발생시킵니다.

다음 코드는 NA를 처리하는 예입니다. c()는 벡터 데이터 구조를 생성합니다.

```
> d <- c(2,4,NA,6)
> d
[1]  2  4 NA  6

> is.na(d[3])
[1] TRUE
```

```
> complete.cases(d)
[1]  TRUE  TRUE FALSE  TRUE

> (na.omit(d))
[1] 2 4 6

> attr(,"na.action")
[1] 3
> attr(,"class")
[1] "omit"

> mean(d)                # mean(d, na.rm=FALSE)
[1] NA
> mean(d, na.rm=TRUE)    #(2+4+6)/3
[1] 4
> mean(na.omit(d))
[1] 4
```

mean() 함수는 평균을 계산합니다. 평균을 계산하기 위한 데이터에 NA를 포함하면 결과도 NA가 됩니다. 이때 NA 데이터를 제외하고 평균을 계산하기 위해 na.rm 인자를 TRUE로 해줍니다.

4. 팩터(Factor)

팩터(Factor, 요인)는 범주형(Categorical) 변수를 의미합니다. 팩터는 미리 정해진 여러 개의 값 중 하나의 값을 가집니다. 팩터는 명명식(Nominal) 또는 순서식(Ordinal) 데이터를 저장합니다.

다음 코드는 명명식 데이터를 저장하는 팩터 변수를 선언하는 예입니다. nlevels() 함수는 범주의 수를 출력하고, levels() 함수는 범주의 목록을 출력합니다.

```
> gender <- factor(c("남","남","여","남","여"), levels=c("남","여"))
> gender
[1] 남 남 여 남 여
Levels: 남 여
> nlevels(gender)   # 범주의 수
[1] 2
> levels(gender)    # 범주의 목록
[1] "남" "여"
> class(gender)
[1] "factor"
> str(gender)
 Factor w/ 2 levels "남","여": 1 1 2 1 2
```

다음 코드는 순서식 데이터를 저장하는 팩터 변수를 선언하는 예입니다. 순서식 데이터는 factor() 함수의 ordered 속성을 이용하거나 ordered() 함수를 이용하여 선언할 수 있습니다.

```
> gender <- ordered(c("남","남","여","남","여"), levels=c("남","여"))
> gender
[1] 남 남 여 남 여
Levels: 남 < 여

> nlevels(gender)
[1] 2
> levels(gender)
[1] "남" "여"
> class(gender)
[1] "ordered" "factor"
> str(gender)
 Ord.factor w/ 2 levels "남"<"여": 1 1 2 1 2
```

ordered() 함수를 이용하는 것과 factor()함수의 ordered 속성을 이용하여 순서식 데이터를 저장하는 결과는 같습니다.

```
> gender <- factor(c("남","남","여","남","여"), levels=c("남","여"),
+                  ordered=TRUE)
```

5. 구조형 변수와 복합형 변수

R은 변수가 한 가지 데이터타입 값만 가질 수 있는 구조형 변수와, 서로 다른 데이터타입 값을 가질 수 있는 복합형 변수로 나뉩니다.

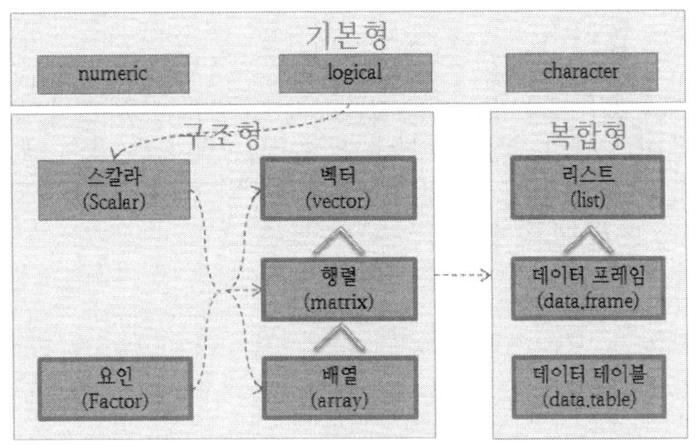

그림 2. R 데이터 타입

구조형 변수에는 스칼라 타입에 해당하는 문자, 숫자, 논리 타입과 Factor 타입, 그리고 벡터, 행렬, 배열이 있습니다. 이들 구조형 변수는 하나의 변수에 대입되는 값의 데이터타입은 모두 동일해야 합니다.

복합형 변수는 리스트, 데이터 프레임 그리고 데이터 테이블[12]이 있습니다. 이들 변수는 하나의 변수가 여러 데이터타입 값을 가질 수 있습니다.

표 3. 구조형 변수와 복합형 변수

구분	구조형 변수	복합형 변수
정의	동일한 데이터타입의 데이터만 저장할 수 있는 변수	서로 다른 데이터타입의 데이터를 저장할 수 있는 변수
	스칼라(scalar) : 기본형 데이터를 저장하는 변수 요인(factor) : 여러 개의 값을 가질 수 있는 범주형(Categorical) 변수	
1차원(배열)	벡터(vector)	리스트(list)
2차원(행렬)	행렬(matrix)	데이터 프레임(data.frame) 데이터 테이블(data.table)
n차원	배열(array)	

12) data.table은 data.frame에 키(key)를 설정할 수 있도록 하여 개선한 데이터 구조입니다. R에서 기본으로 제공하지 않습니다. data.table 패키지를 설치하여야 사용할 수 있습니다.

6. 벡터

벡터(Vector)는 여러 개의 동일한 형태의 데이터를 모아서 함께 저장되는 세트 또는 집합입니다. R에서 가장 많이 사용하는 데이터 구조입니다.

- 벡터는 c( ) 함수 안에 원하는 인자들을 나열하여 정의합니다.(c는 Combined Value의 약어입니다.)
- 나열하는 인자들은 한 가지 유형의 스칼라 타입여야 합니다. 문자, 숫자, 논리 타입이 섞여 있으면 문자타입으로 자동 형변환 됩니다. 만일 숫자와 논리타입이 섞여 있을 경우 논리값 TRUE는 숫자 1로, 논리값 FALSE는 숫자 0으로 형변환 됩니다.
- 벡터 내 데이터 접근은 [ ]안에 색인 요소를 이용합니다. 색인이 음수일 경우 해당 데이터를 제외합니다. R의 색인은 1부터 시작합니다.[13)]
- 벡터의 길이는 length() 또는 NROW()를 이용하여 알 수 있습니다.
- %in% 연산자는 어떤 값이 벡터에 포함돼 있는지를 알려줍니다.

다음 코드는 벡터의 사용법을 설명합니다. 각 코드의 설명은 주석문으로 대체했습니다.

```
> data <- c(1, 2, 3)
> NROW(data)          # 항목의 개수를 출력합니다. length(data)와 같습니다.
[1] 3
> names(data) <- c("colA", "colB", "colC") # 각 항목에 이름을 지정합니다.
> data["colA"]        # 이름으로 데이터 반환합니다.
colA
   1
> data[2]             # 두 번째 값을 반환합니다.
colB
   2
> data[-1]            # 첫 번째 값을 제외하고 반환합니다.
colB colC
   2    3
> data[c(1, 3)]       # 첫 번째와 세 번째 값 반환합니다.
colA colC
   1    3
> data[data > 2]      # 2보다 큰 값만 반환합니다.
colC
   3
> data[c(FALSE, FALSE, TRUE)] # TRUE로 표시된 순서의 데이터를 반환합니다.
colC
   3
> 1 %in% data         # data에 1이 포함되어 있으면 TRUE를 반환합니다.
[1] TRUE
```

13) C, Java 등의 일반적인 프로그래밍 언어에서 첫 번째 요소의 색인은 0입니다. 그러나 R은 첫 번째 요소의 색인이 1입니다.

6.1. character

character() 함수는 문자열을 저장하는 벡터를 생성합니다.

```
data <- character(항목의수)
```

다음 코드는 문자열을 저장할 수 있는 벡터를 생성하고 값을 대입하는 예입니다.[14)]

```
> charArr <- character()
> charArr
character(0)
> charArr[1] <- "Hello"; charArr[2] <- "Nice"; charArr[3] <- "Good"
> charArr
[1] "Hello" "Nice"  "Good"
```

6.2. numeric

numeric() 함수는 숫자를 저장하는 벡터를 생성합니다.

```
data <- numeric(항목의수)
```

다음 코드는 숫자를 저장할 수 있는 벡터를 생성하고 값을 대입하는 예입니다.

```
> intArr <- numeric()
> intArr[1] <- 10; intArr[2] <- 20; intArr[3] <- 30;
> intArr
[1] 10 20 30
```

6.3. logical

logical() 함수는 논리값을 저장하는 벡터를 생성합니다.

```
data <- logical(항목의수)
```

다음 코드는 논리값을 저장할 수 있는 벡터를 생성하고 값을 대입하는 예입니다.

```
> logicArr <- logical()
> logicArr[1] <- TRUE; logicArr[2] <- TRUE; logicArr[3] <- FALSE
> logicArr
[1]  TRUE  TRUE FALSE
```

14) 예제코드에서 한 라인에 여러 구문을 작성했습니다. ;(세미콜론)은 한 라인에 여러 구문을 작성할 때 구문의 끝임을 알려줍니다.

6.4. 벡터 연산

벡터들은 쉽게 결합될 수 있습니다.

c() 함수에 의해 여러 벡터를 결합하여 하나의 벡터로 만들 수 있습니다. 이 경우에는 각 벡터의 데이터 타입이 같아야 하며, 만일 결합되는 벡터들의 타입이 다를 경우 문자>숫자>논리 순으로 형변환 됩니다.

```
> a <- c(1,2,3)
> b <- c("Hello", "World")
> c <- c(TRUE, FALSE, TRUE, TRUE)
> (z <- c(a,b,c))
[1] "1"     "2"     "3"     "Hello" "World" "TRUE"  "FALSE" "TRUE"  "TRUE"
```

Values	
a	num [1:3] 1 2 3
b	chr [1:2] "Hello" "World"
c	logi [1:4] TRUE FALSE TRUE TRUE
z	chr [1:9] "1" "2" "3" "Hello" "World" "TRUE" "FALSE" "TRUE"...

그림 3. 벡터의 결합

append() 함수를 이용하여 벡터에 새로운 벡터를 추가할 수 있습니다.

```
> a <- c(1,2,3)
> append(a, c(4,5,6))
[1] 1 2 3 4 5 6
```

union(~,~), intersect(~,~), setdiff(~,~)는 두 벡터의 합집합, 교집합, 차집합을 구합니다.

```
> a <- c(1,2,3,4,5,6)
> b <- c(2,4,6,8,10,12)
> union(a, b)
[1]  1  2  3  4  5  6  8 10 12
> intersect(a, b)
[1] 2 4 6
> setdiff(a, b)
[1] 1 3 5
```

setequal(~,~)은 Vector를 비교합니다. 만일 두 벡터가 같으면 TRUE를 리턴합니다.

```
> setequal(a, b)
[1] FALSE
> setequal(a, c(intersect(a, b), setdiff(a, b)))
[1] TRUE
```

- == 연산자는 두 벡터의 모든 요소의 순서쌍끼리 비교합니다.

6.5. 순서객체를 위한 seq

규칙적인 시퀀스를 생성합니다. seq()는 시퀀스를 생성하는 기본 함수입니다. seq.int()는 훨씬 빠르지만 몇 가지 제한이 있습니다. seq_along과 seq_len은 두 가지 일반적인 경우 매우 빠른 함수입니다. from과 to는 둘 다 포함될 수 있습니다.

```
seq(from=1, to=1, by=((to-from)/(length.out-1)),
 length.out=NULL, along.with=NULL, ...)
```

```
seq.int(from, to, by, length.out, along.with, ...)
```

```
seq_along(along.with)
```

```
seq_len(length.out)
```

구문에서...

- by : 시퀀스의 증가 값입니다.
- length.out : 시퀀스의 원하는 길이입니다. seq및 seq.int에 대한 음수가 아닌 소수점 이하 자릿수는 반올림됩니다.
- along.with : 이 인수의 길이에서 길이를 취합니다.

```
> seq(1, 10)          # 1부터 10까지
[1]  1  2  3  4  5  6  7  8  9 10
> seq(10)             # from이 생략되면 1
[1]  1  2  3  4  5  6  7  8  9 10
> seq(1, 9, by=2)
[1] 1 3 5 7 9
> seq(1, 9, by=pi)          # by는 끝(to)을 포함하지 않을 수 있음
[1] 1.000000 4.141593 7.283185
> seq(1.50, 5.15, by=0.5)
[1] 1.5 2.0 2.5 3.0 3.5 4.0 4.5 5.0
> seq(1, 10, length.out=5)  # length.out은 처음(from)과 끝(to)을 포함.
[1]  1.00  3.25  5.50  7.75 10.00
> seq(0, 1, length.out=11)
[1] 0.0 0.1 0.2 0.3 0.4 0.5 0.6 0.7 0.8 0.9 1.0
> seq_len(10)               # 개수만 주어질 경우 더 seq() 보다 빠름
[1]  1  2  3  4  5  6  7  8  9 10
> seq_along(c(1,3,5))       # c(1,3,5)의 길이가 3이므로 1부터 3까지 출력
[1] 1 2 3
```

6.6. 반복객체를 위한 rep

rep() 함수는 x 데이터를 반복 출력하는 기본 함수입니다. rep.int()함수는 times 속성을 이용한 반복 그리고 rep_len() 함수는 length.out 속성을 이용한 반복 시 더 빠른 함수입니다.

```
rep(x, times=1, length.out=NA, each=1)
```

```
rep.int(x, times)
```

```
rep_len(x, length.out)
```

구문에서...

- x : 반복 출력할 데이터입니다.
- times : 반복 출력할 횟수입니다.
- each : each가 지정되면 각 항목이 each만큼 복제된 다음 times 또는 length.out 만큼 반복 출력합니다.
- length.out : 반복 출력할 길이입니다. length.out과 times가 같이 사용되면 length.out이 우선순위를 갖고 times는 무시됩니다.

다음 코드는 반복객체를 출력하는 rep()함수 예입니다.

```
> rep(1:4, 2)
[1] 1 2 3 4 1 2 3 4
> rep(1:4, each=2)
[1] 1 1 2 2 3 3 4 4
> rep(1:4, c(2,2,2,2))
[1] 1 1 2 2 3 3 4 4
> rep(1:4, c(2,1,2,1))
[1] 1 1 2 3 3 4
> rep(1:4, each=2, len=4)  # 처음 4개 만 출력
[1] 1 1 2 2
> rep(1:4, each=2, len=10) # 정수 8개와 다시 반복된 1 두 개가 출력
[1] 1 1 2 2 3 3 4 4 1 1
> rep(1:4, each=2, times=3)# 두 번씩 3번 반복된 24개가 출력
[1] 1 1 2 2 3 3 4 4 1 1 2 2 3 3 4 4 1 1 2 2 3 3 4 4
```

순서 객체와 반복 객체는 날짜와 시간 데이터를 적용할 수 있습니다.

```
> (today <- Sys.Date())
[1] "2018-08-06"
> (tenweeks <- seq(today, length.out=10, by="1 week"))
 [1] "2018-08-06" "2018-08-13" "2018-08-20" "2018-08-27" "2018-09-03"
> rep(tenweeks, times=2)
 [1] "2018-08-06" "2018-08-13" "2018-08-20" "2018-08-27" "2018-09-03"
 [6] "2018-08-06" "2018-08-13" "2018-08-20" "2018-08-27" "2018-09-03"
```

7. 리스트

리스트(List)는 복합 구조형의 벡터에 해당하는 데이터 타입입니다.

- 리스트는 다른 언어에서 흔히 보는 해싱 또는 딕셔너리에 해당합니다.
- (키, 값) 형태의 데이터를 담는 연관 배열(associative array)입니다.
- 리스트는 list(키=값, 키=값, ...) 형태로 데이터를 나열해 정의합니다.
- '[색인]'의 형태는 각 값이 아니라 '(키, 값)' 을 담고 있는 서브 리스트를 반환합니다.

리스트는 list() 함수를 이용해 생성합니다.

```
listData <- list(key1=value1, key2=value2, ...)
```

다음 코드는 리스트 데이터를 만듭니다.

```
> data <- list(name="홍길동", age=25)
```

리스트의 데이터를 조회하기 위해서 '리스트변수명$키' 또는 각 요소를 순서대로 '리스트변수[[색인]]'와 같이 접근할 수 있습니다.

```
listData[[1]]              : 첫 번째 항목인 name의 값 조회
listData$name              : name 항목의 값 조회
listData$name <- NULL      : name 항목 삭제
```

unlist는 리스트를 벡터로 변환합니다.

```
> unlist(data)
    name      age
"홍길동"     "25"
```

리스트 항목의 개수는 NROW() 또는 length()를 이용합니다.

```
> data <- list(name="홍길동", age=25)

> NROW(data)
[1] 2
```

```
> length(data)
[1] 2
```

리스트는 여러 벡터를 이용하여 만들 수 있습니다. 리스트 내의 모든 벡터들의 타입은 그대로 유지됩니다.

```
> (x <- c(1,2,3,4,5))
[1] 1 2 3 4 5
> (y <- c("Hello", "World"))
[1] "Hello" "World"
> (z <- c(TRUE, FALSE, TRUE))
[1]  TRUE FALSE  TRUE
> a <- c(x,y,z)  # 벡터
> a
 [1] "1"     "2"     "3"     "4"     "5"     "Hello" "World" "TRUE"  "FALSE"
[10] "TRUE"
> b <- list(x,y,z)  #리스트
> b
[[1]]
[1] 1 2 3 4 5

[[2]]
[1] "Hello" "World"

[[3]]
[1]  TRUE FALSE  TRUE
```

8. 행렬

행렬(Matrix)은 행과 열을 가지는 2차원 배열입니다. 벡터와 마찬가지로 행렬에는 한 가지 유형의 스칼라 데이터들만 저장할 수 있습니다. 그러므로 모든 요소가 숫자인 행렬은 가능하지만, '1열은 숫자, 2열은 문자열'과 같은 형태는 불가능합니다.

다음은 행렬의 특징들입니다.

- 행렬은 matrix()를 사용해 표현합니다.
- 열 우선으로 채워집니다.(행 우선으로 채우기 위해선 byrow=TRUE 속성을 이용합니다.)
- 행렬의 행과 열에 명칭을 부여하고 싶다면 dimnames()를 사용합니다.
- 행렬의 차원은 ncol() 또는 nrow()을 이용합니다.
- 행렬끼리의 덧셈이나 뺄셈은 + 또는 - 를 사용합니다.
- 행렬 곱은 %*% 를 사용합니다.
- 전치행렬은 t()로 구합니다.
- 역행렬은 solve(행렬)로 계산합니다.

다음 코드는 1부터 15까지 숫자 데이터를 이용하여 5행 3열 행렬을 만듭니다. 행렬의 열 이름과 행 이름은 dimnames 속성을 이용하여 설정했습니다. byrow 속성 값이 TRUE이면 데이터를 행 우선으로 채웁니다.

```
> colMatrix <- matrix(1:15, nrow=5, ncol=3,
+                     dimnames=list(c("R1", "R2", "R3", "R4", "R5"),
+                                   c("C1", "C2", "C3")))
> colMatrix
   C1 C2 C3
R1  1  6 11
R2  2  7 12
R3  3  8 13
R4  4  9 14
R5  5 10 15
> rowMatrix <- matrix(1:15, nrow=5, ncol=3, byrow=TRUE,
+                     dimnames=list(c("R1", "R2", "R3", "R4", "R5"),
+                                   c("C1", "C2", "C3")))
> rowMatrix
   C1 C2 C3
R1  1  2  3
R2  4  5  6
R3  7  8  9
R4 10 11 12
R5 13 14 15
```

다음 코드는 행과 열 정보를 조회하는 예입니다.

```
> dim(rowMatrix)          # 행과 열의 개수 조회
[1] 5 3
> nrow(rowMatrix)         # 행의 개수
[1] 5
> NROW(rowMatrix)         # 행의 개수
[1] 5
> ncol(rowMatrix)         # 열의 개수
[1] 3
> NCOL(rowMatrix)         # 열의 개수
[1] 3
> length(rowMatrix)       # 행 * 열
[1] 15
> dimnames(rowMatrix)     # 행과 열의 이름 조회
[[1]]
[1] "R1" "R2" "R3" "R4" "R5"

[[2]]
[1] "C1" "C2" "C3"

> rownames(rowMatrix)     # 행 이름 조회
[1] "R1" "R2" "R3" "R4" "R5"
> colnames(rowMatrix)     # 열 이름 조회
[1] "C1" "C2" "C3">
```

다음 코드는 행렬의 데이터를 조회하는 예입니다.

```
> rowMatrix[1:2, ]             # 1행과 2행 데이터 반환
   C1 C2 C3
R1  1  2  3
R2  4  5  6
> rowMatrix["R1", "C1"]    # R1행 C1열 데이터 반환
[1] 1
> rowMatrix[-3, c(1, 2)]   # 3행을 제외한 행의 1열, 2열 데이터 반환
   C1 C2
R1  1  2
R2  4  5
R4 10 11
R5 13 14
> rowMatrix[c(T, T, F, F, T),  ]     # 1, 2, 5행 반환
   C1 C2 C3
R1  1  2  3
R2  4  5  6
R5 13 14 15
> rowMatrix["R1", "C1", drop=FALSE]  # R1행, C1열 데이터를 Matrix형태로 반환
   C1
R1  1
```

다음 코드는 행렬의 곱을 계산하는 예입니다.

```
> payMatrix <- matrix(c(12000, 26000, 18000), ncol=3)
> payMatrix
      [,1]  [,2]  [,3]
[1,] 12000 26000 18000
> workerMatrix <- matrix(c(c(5, 4, 9), c(7, 3, 2)), ncol=2)
> workerMatrix
     [,1] [,2]
[1,]    5    7
[2,]    4    3
[3,]    9    2
> payMatrix %*% workerMatrix              # 행렬 곱
       [,1]   [,2]
[1,] 326000 198000
```

다음 코드는 행렬의 전치행렬, n차 대각선 행렬을 구하는 예입니다.

```
> rowMatrix
   C1 C2 C3
R1  1  2  3
R2  4  5  6
R3  7  8  9
R4 10 11 12
R5 13 14 15
> t(rowMatrix)                           # 전치 행렬 (행과 열을 교환)
   R1 R2 R3 R4 R5
C1  1  4  7 10 13
C2  2  5  8 11 14
C3  3  6  9 12 15
> diag(rowMatrix)                        # n차 대각선 행렬
[1] 1 5 9
```

행렬을 데이터 프레임 구조로 변환할 수 있습니다.

```
> dataFrame <- as.data.frame(rowMatrix)        # data.frame으로 변환
> class(dataFrame)
[1] "data.frame"
> dataFrame
   C1 C2 C3
R1  1  2  3
R2  4  5  6
R3  7  8  9
R4 10 11 12
R5 13 14 15
```

행렬의 역행렬[15)]을 구하기 위해 solve() 함수를 사용할 수 있습니다. solve() 함수는 수식

15) 역행렬을 계산하기 위한 여러 가지 알고리즘이 있습니다. 그러나 그런 알고리즘들을 굳이 알 필요는

A %*% X = B에서 X를 구합니다. 즉, A 행렬에 곱하여 B 행렬을 구하기 위한 X 행렬을 구합니다. B가 생략되면 B는 단위행렬이 됩니다.

```
X <- solve(A, B)
```

역행렬의 가장 큰 활용은 선형방정식을 풀때입니다. 갑자기 어려운 이야기가 나왔다는 생각 때문에 당황할 수 있습니다. 그러나 조금만 더 읽어보세요. 어렵지 않습니다.

만일 다음 수식 1과 같은 선형방정식이 있다고 가정하겠습니다.

$$\begin{aligned} a_{11}x_1 + a_{12}x_2 + \ldots + a_{1n}x_n &= b_1 \\ a_{21}x_1 + a_{22}x_2 + \ldots + a_{2n}x_n &= b_2 \\ \ldots \\ a_{n1}x_1 + a_{n2}x_2 + \ldots + a_{nn}x_n &= b_n \end{aligned}$$

수식 1

위와 같은 x에 대한 선형연립방정식(a, b는 상수)을 행렬로 표현하면 수식 2로 표현할 수 있고

$$\begin{pmatrix} a_{11} & \cdots & a_{1n} \\ \vdots & \ddots & \vdots \\ a_{n1} & \cdots & a_{nn} \end{pmatrix} \begin{pmatrix} x_1 \\ \vdots \\ x_n \end{pmatrix} = \begin{pmatrix} b_1 \\ \vdots \\ b_n \end{pmatrix}$$

수식 2

수식 3처럼 간단하게 표현됩니다.

$$AX = B$$

수식 3

이제 A의 역행렬만 계산할 수 있으면 위 연립방정식의 해는 수식 4로 쉽게 계산됩니다.

$$X = A^{-1}B$$

수식 4

만일 A의 역행렬이 존재하지 않는 경우는 식 (3)을 만족하는 해가 존재하지 않는 경우입니다.

식이 어렵게 느껴질 수 있습니다. 그래서 역행렬이 어떻게 사용되는지 간단한 예를 통해 알

없습니다. 역행렬의 계산은 그냥 컴퓨터에게 맡기세요. 여러분은 역행렬이 무엇인지 이해하고 활용할 줄만 알면 됩니다.

아보겠습니다.

두 점 (2, 6.8), (3, 7.3)을 이용하여 방정식의 해를 구해보겠습니다. 다음 코드에서 x 변수는 두 점의 x좌표이며, y 변수는 두 점의 y 좌표입니다. 이를 이용하여 y = ax + b 수식에서 a와 b 값을 구하도록 x좌표를 이용한 행렬의 역행렬과 y좌표 행렬의 곱을 이용합니다. 이렇게 해서 만들어진 방정식은 y = 0.5x + 5.8입니다.

```
> x <- c(2, 3)
> y <- c(6.8, 7.3)
> plot(x, y)
> ab <- solve(matrix(c(x,rep(1,NROW(x))), ncol=2)) %*% matrix(y, ncol=1)
> ab
     [,1]
[1,]  0.5
[2,]  5.8
> lines(x, x*ab[1] + ab[2])
```

이 식을 이용하여 직선을 그어보면 그림 4처럼 두 점을 지나는 것을 확인할 수 있습니다. 물론 실제로 두 점만을 이용해 방정식을 구하는 일은 흔하지는 않을 것입니다. 그림 5처럼 여러 점으로 되어 있는 데이터를 이용해 방정식을 구해야 할 상황이 더 많을 것입니다.

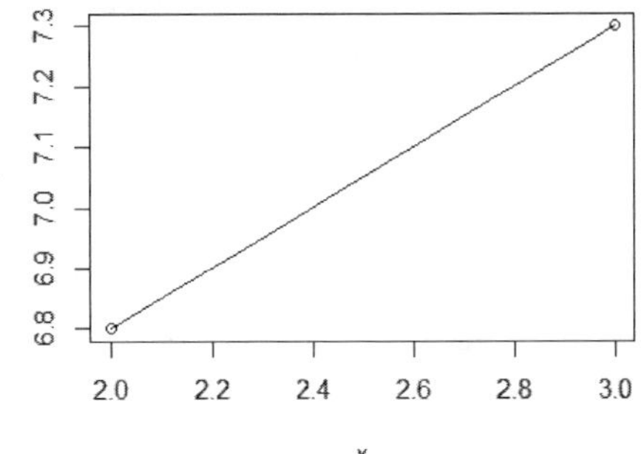

그림 4. 두 점과 방정식을 이용해 연결한 직선

이 경우 $X = A^{-1}B$ 식에서 X 행렬을 구하기 위한 A행렬은 정방행렬이 아니므로 직접 역행렬을 구할 수 없습니다. 이럴 때 Pseudo Inverse(의사 역행렬)[16] 방법을 이용하여 구할 수 있습니다. 행렬 A가 행의 수가 열의 수보다 클 경우 left pseudo inverse 방법을 이용하는데, 이때의 [a, b] 결정 계수를 구하기 위한 공식은 수식 5와 같습니다.

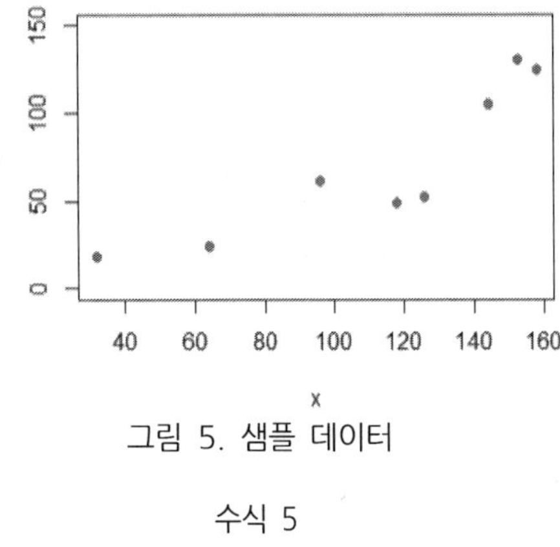

그림 5. 샘플 데이터

$$\begin{bmatrix} a \\ b \end{bmatrix} = (A^T A)^{-1} A^T B \qquad \text{수식 5}$$

16) 슈도 인버스라고 읽습니다.

다음 구문은 주어진 데이터에서 행렬식을 이용하여 방정식을 구하고 이를 이용하여 회귀 직선을 표시하는 예입니다.

```
> x <- c(32,64,96,118,126,144,152.5,158)
> y <- c(18,24,61.5,49,52,105,130.3,125)
> plot(x, y, col=2, pch=19, ylim=c(0,150))

> (A <- matrix(c(x,rep(1,NROW(x))), ncol=2))
      [,1] [,2]
[1,]  32.0    1
[2,]  64.0    1
[3,]  96.0    1
[4,] 118.0    1
[5,] 126.0    1
[6,] 144.0    1
[7,] 152.5    1
[8,] 158.0    1

> (ab <- solve(t(A)%*%A) %*% t(A) %*% matrix(y, ncol=1))
           [,1]
[1,]   0.8749313
[2,] -26.7907862
> lines(x, x*ab[1] + ab[2])
```

여러분이 이렇게 행렬을 이용해서 회귀식을 구하는 일은 거의 없습니다. 다만 행렬이 이런 용도에 사용된다는 것 만 알아두시면 됩니다.

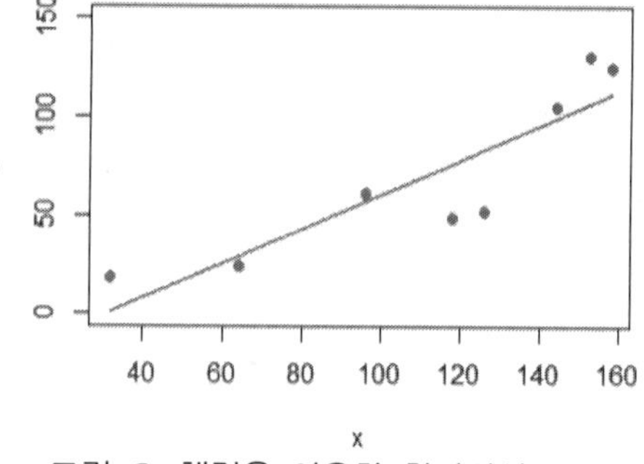

그림 6. 행렬을 이용한 회귀직선

사실 위의 식은 lm() 함수를 이용하면 쉽게 결정계수 a, b 값을 구할 수 있습니다. lm() 함수는 선형회귀식(Linear regression Model)을 구하는 함수입니다. 인자는 formula 형식으로 입력하며 종속변수~독립변수 형식으로 입력합니다. 위에서 행렬을 이용해 구한 결정계수와 lm() 함수를 이용한 결정계수가 오차범위 내에서 같음을 확인할 수 있습니다. 회귀 분석에 대해 자세한 내용은 11장에서 설명됩니다.

```
> lm(y~x)

Call:
lm(formula = y ~ x)

Coefficients:
(Intercept)            x
   -26.7908       0.8749
```

9. 배열

배열(Array)은 3차원 이상의 데이터를 다룰 경우 사용합니다. 배열은 array() 함수를 이용하여 만들 수 있으며, dim 속성을 이용해 차원의 크기를 지정합니다.

```
dataArray <- array(data, dim=c(행의수, 열의수, 면의수))
```

다음 코드는 3차원 데이터를 갖는 배열 객체를 생성하는 예입니다.

```
> dataArray <- array(1:24, dim=c(3, 4, 2))
> dataArray
, , 1

     [,1] [,2] [,3] [,4]
[1,]    1    4    7   10
[2,]    2    5    8   11
[3,]    3    6    9   12

, , 2

     [,1] [,2] [,3] [,4]
[1,]   13   16   19   22
[2,]   14   17   20   23
[3,]   15   18   21   24
```

차원 정보 조회는 dim(), nrow(), ncol(), length() 등 함수를 사용합니다.

```
> dataArray <- array(1:24, dim=c(3, 4, 2))
> dim(dataArray)          # 차원의 크기 조회
[1] 3 4 2
> nrow(dataArray)         # 행(1차원)의 개수
[1] 3
> NROW(dataArray)         # 행(1차원)의 개수
[1] 3
> ncol(dataArray)         # 열(2차원)의 개수
[1] 4
> NCOL(dataArray)         # 열(2차원)의 개수
[1] 4
> length(dataArray)       # 각 차원 값이 곱
[1] 24
```

배열의 행과 열 이름 조회는 dimnames(), rownames(), colnames() 등 함수를 이용합니다. dimnames()를 이용해 배열의 행/열/면의 이름을 지정하려면 list()를 이용해야 합니다. 다음의 예는 dataArray 배열이 3행/4열/2면 이기 때문에 그에 맞도록 이름 개수를 다르게 지정했습니다.

```
> dimnames(dataArray) <- list(c(1,2,3), c("c1", "c2", "c3", "c4"),
+                             c("x", "y"))
> dimnames(dataArray)
[[1]]
[1] "1" "2" "3"

[[2]]
[1] "c1" "c2" "c3" "c4"

[[3]]
[1] "x" "y"

> rownames(dataArray)
[1] "1" "2" "3"
> colnames(dataArray)
[1] "c1" "c2" "c3" "c4"
```

attr() 함수를 이용하면 객체의 속성을 변경할 수 있습니다.

```
attr(객체, "속성이름") <- 속성값
```

만일 dataAttry 배열을 행렬 구조로 바꾸고 싶다면 다음처럼 합니다.

```
> (attr(dataArray, "dim") <- c(3, 8))
[1] 3 8
> dataArray
     [,1] [,2] [,3] [,4] [,5] [,6] [,7] [,8]
[1,]    1    4    7   10   13   16   19   22
[2,]    2    5    8   11   14   17   20   23
[3,]    3    6    9   12   15   18   21   24
```

벡터구조로 바꾸고 싶으면 dim 속성을 NULL로 합니다.

```
> attr(dataArray, "dim") <- NULL
> dataArray
[1]  1  2  3  4  5  6  7  8  9 10 11 12 13 14 15 16 17 18 19 20 21 22 23 24
> class(dataArray)
> [1] "integer"
```

10. 데이터 프레임

데이터 프레임(data.frame)은 2차원 구조이며, 복합형 데이터타입입니다. 데이터 프레임은 처리할 데이터를 마치 엑셀의 스프레드시트와 같이 표 형태로 정리한 모습을 하고 있습니다. 데이터 프레임의 각 열에는 관측 값의 이름이 저장되고, 각 행에는 매 관측 단위마다 실제 얻어진 값이 저장됩니다. 행렬은 행렬 안의 모든 값이 같은 스칼라타입으로 지정되지만 데이터 프레임은 열 단위로 고유한 타입을 가질 수 있다는 점에서 차이가 있습니다.
데이터 프레임은 데이터를 가장 자연스럽게 표현하는 데이터타입이기 때문에 R에서 가장 중요한 데이터타입이며, 많은 R 함수에서 인자로 데이터 프레임을 받습니다.

데이터 프레임을 생성하는 방법에는 data.frame()함수를 이용하여 여러 종류의 데이터들을 결합하는 방법과 파일에 저장된 데이터를 읽어오는 함수를 이용하는 방법이 있습니다.

10.1. 데이터 프레임 생성

다음은 data.frame()함수의 구문입니다.

```
data.frame(..., row.names=NULL, check.rows=FALSE,
          check.names=TRUE, fix.empty.names=TRUE,
          stringsAsFactors=default.stringsAsFactors())
```

구문에서...

- ... : 0개 이상의 개수를 알 수 없는 "임의의 인자"를 표현하는데 사용하거나, 내부에서 호출하는 다른 함수에 넘겨줄 인자를 표시하는데도 사용합니다. 숫자형, 논리형, 문자형, 팩터 등 모두 인자로 사용 가능합니다.
- row.names : Null값이거나 정수이거나 따로 설정한 행의 문자형 이름을 나타냅니다.
- check.rows : TRUE의 경우, 행의 길이와 이름의 일관성이 검사됩니다.
- check.names : TRUE의 경우, 데이터 프레임의 변수들을 체크하여 유효한 변수이름이고 중복되지 않았는지 검사됩니다. 필요한 경우 make.names 에 따라 조정됩니다.
- is.empty.names : 이름이 없는 파라미터 인자들에게 자동으로 이름을 부여하거나 ""(공백)으로 표현합니다. ""(공백)으로 이름을 표현하려면 check.names=FALSE라고 설정해야 합니다.
- stringsAsFactors : 기본값은 TRUE 입니다. 문자형 변수들을 factor(범주형 변수)로 취급합니다. FALSE 로 바꾸면 character 형태로 만듭니다.

다음 코드는 데이터 프레임 객체를 생성하는 예입니다.

```
> student_name <- c("Jin", "Eric", "Den", "Kei")
> student_eng <- c(60, 85, 90, 95)
> student_kor <- c(70, 90, 85, 90)
> studentData <- data.frame(student_name, student_eng, student_kor)
> studentData
  student_name student_eng student_kor
1          Jin          60          70
2         Eric          85          90
3          Den          90          85
4          Kei          95          90
```

다음 코드는 데이터 프레임의 구조를 확인합니다.

```
> str(studentData)
'data.frame': 4 obs. of  3 variables:
 $ student_name: Factor w/ 4 levels "Den","Eric","Jin",..: 3 2 1 4
 $ student_eng : num  60 85 90 95
 $ student_kor : num  70 90 85 90
```

10.2. 열 추가 및 삭제

데이터 프레임 객체에 새로운 열 이름을 지정하고 벡터를 이용해 값을 할당할 수 있습니다.

```
data$newColumn <- c(...)
```

열을 삭제하려면 데이터 프레임의 열에 NULL을 할당합니다.

```
data$column <- NULL
```

10.3. 열 타입 변경

열의 타입을 변경할 수 있습니다. 다음 구문은 student_name 열의 타입을 Factor에서 문자열로 변경하는 예입니다. 데이터 프레임의 구조를 str() 함수로 확인해 보세요.

```
> studentData$student_name <- as.character(studentData$student_name)
> str(studentData)
'data.frame': 4 obs. of  3 variables:
 $ student_name: chr  "Jin" "Eric" "Den" "Kei"
 $ student_eng : num  60 85 90 95
 $ student_kor : num  70 90 85 90
```

10.4. 열 이름 변경

names() 함수를 이용하면 열 이름을 새로 지정할 수 있습니다. 다음 코드는 새로운 열을 추가하고 열 이름을 새로 지정합니다.

```
> studentData$student_math <- c(80, 95, 95, 90)
> names(studentData) <- c("Name", "English", "Korean", "Mathematics")
> studentData
  Name English Korean Mathematics
1  Jin      60     70          80
2 Eric      85     90          95
3  Den      90     85          95
4  Kei      95     90          90
```

rename() 함수를 이용하면 특정 열의 이름을 바꿀 수 있습니다. rename() 함수를 사용하려면 reshape 패키지를 설치하고 로드해야 합니다.

```
> newData <- rename(studentData, c(No="StudentID"))
Error in rename(studentData, c(No = "StudentID")) :
  could not find function "rename"
> install.packages("reshape")
... 생략
* installing *source* package 'reshape' ...
** 패키지 'reshape'는 성공적으로 압축해제되었고, MD5 sums 이 확인되었습니다
** R
** data
*** moving datasets to lazyload DB
** inst
** preparing package for lazy loading
** help
*** installing help indices
** building package indices
** testing if installed package can be loaded
* DONE (reshape)

The downloaded source packages are in
    'C:\Users\COM\AppData\Local\Temp\RtmpwvVVtJ\downloaded_packages'
```

```
> library(reshape)
```

```
> names(studentData)
[1] "Name"        "English"    "Korean"      "Mathematics"
> newData <- rename(studentData, c(Name="StudentName"))
> names(newData)
[1] "StudentName" "English"     "Korean"      "Mathematics"
```

10.5. 데이터 프레임 합치기

cbind() 함수는 두 데이터 프레임을 열 단위로 합쳐줍니다. 두 객체는 행의 수가 같아야 합니다.
rbind() 함수는 두 데이터 프레임을 행 단위로 합쳐줍니다. 두 객체는 열의 수가 같아야 합니다. [5장 5절. 데이터 합치기]에서 더 자세하게 설명합니다.

```
cbind(a, b)       : 열 단위 병합
rbind(a, b)       : 행 단위 병합
```

데이터 프레임의 맨 앞에 새로운 열을 추가하기 위해 cbind() 함수를 이용한 예입니다. cbind() 함수는 열 단위로 묶어줍니다.

```
> student_no <- data.frame(1:NROW(studentData$English))
> names(student_no) <- c("No")
> student_no
  No
1  1
2  2
3  3
4  4

> studentData <- cbind(student_no, studentData)
> studentData
  No Name English Korean Mathematics
1  1  Jin      60     70          80
2  2 Eric      85     90          95
3  3  Den      90     85          95
4  4  Kei      95     90          90
```

10.6. 부분 데이터 조회

데이터 프레임에서 부분 데이터셋을 조회하는 방법은 매우 다양합니다. [ ]와 색인을 이용하여 원하는 위치의 열과 행 정보를 조회할 수 있습니다. [ ]를 이용하여 부분 데이터셋을 조회할 때 조회하고 싶은 열 또는 행을 지정할 수 있습니다. 색인을 음수로 표현하면 해당 행 또는 열을 제외합니다. 벡터함수인 c()를 이용하면 여러 행 또는 열을 지정할 수 있습니다.

```
> studentData[, 2]             # 2열 데이터만 추출
[1] Jin  Eric Den  Kei
```

```
Levels: Den Eric Jin Kei
> studentData[, -2]           # 2열을 제외하고 모든 열 추출
  No English Korean Mathematics
1  1      60     70          80
2  2      85     90          95
3  3      90     85          95
4  4      95     90          90
> studentData[3, ]            # 3행 데이터만 추출
  No Name English Korean Mathematics
3  3  Den      90     85          95
> studentData[-3, ]           # 3행을 제외하고 모든 행 추출
  No Name English Korean Mathematics
1  1  Jin      60     70          80
2  2 Eric      85     90          95
4  4  Kei      95     90          90
> studentData[-3, -2]         # 3행 2열을 제외하고 모든 행 추출
  No English Korean Mathematics
1  1      60     70          80
2  2      85     90          95
4  4      95     90          90
> studentData[,c(1,3,4)]      # 1,3,4열 추출
  No English Korean
1  1      60     70
2  2      85     90
3  3      90     85
4  4      95     90
> studentData[,-c(2,5)]       # 2,5열을 제외하고 모든 열 추출
  No English Korean
1  1      60     70
2  2      85     90
3  3      90     85
4  4      95     90
> studentData[,c(-2,-5)]      # 2,5열을 제외하고 모든 열 추출
  No English Korean
1  1      60     70
2  2      85     90
3  3      90     85
4  4      95     90
> studentData[,c(TRUE, FALSE, TRUE, FALSE, TRUE)]  # 1,3,5열 추출
  No English Mathematics
1  1      60          80
2  2      85          95
3  3      90          95
4  4      95          90
```

- [ ] 표현식에서 콤마(,)를 제외하면 열을 추출합니다.
- drop=FALSE를 추가하면 1행 또는 1열 출력 시 벡터가 아닌 데이터 프레임으로 반환합니다.

subset() 함수를 이용하여 부분 데이터셋을 조회할 수 있습니다. subset()는 조회하는 행 또는 열에 조건을 이용하여 조회할 수 있습니다.

```
> subset(studentData, studentData$Korean >= 90)
  No Name English Korean Mathematics
2  2 Eric      85     90          95
4  4  Kei      95     90          90
> subset(studentData, select=c("Name", "English", "Korean"))
  Name English Korean
1  Jin      60     70
2 Eric      85     90
3  Den      90     85
4  Kei      95     90
> subset(studentData, select=c(2,3,4))
  Name English Korean
1  Jin      60     70
2 Eric      85     90
3  Den      90     85
4  Kei      95     90
> subset(studentData, select=-c(1,5))
  Name English Korean
1  Jin      60     70
2 Eric      85     90
3  Den      90     85
4  Kei      95     90
> subset(studentData, select=c(2,3,4), studentData$Korean >= 90)
  Name English Korean
2 Eric      85     90
4  Kei      95     90
> subset(studentData, select=c(2,3,4), subset=(studentData$Korean >= 90))
  Name English Korean
2 Eric      85     90
4  Kei      95     90
```

head(), tail() 함수를 이용하여 맨 처음, 또는 마지막 일부 행을 조회할 수 있습니다. head(), tail() 함수 파라미터 n의 기본값은 6입니다. n 값을 지정하지 않으면 6개 행이 조회됩니다.

```
> head(studentData, n=3)
  No Name English Korean Mathematics
1  1  Jin      60     70          80
2  2 Eric      85     90          95
3  3  Den      90     85          95
> tail(studentData, n=3)
  No Name English Korean Mathematics
2  2 Eric      85     90          95
3  3  Den      90     85          95
4  4  Kei      95     90          90
```

10.7. 데이터 편집기를 이용한 편집

edit() 함수를 이용하면 데이터 편집기를 실행시킬 수 있습니다. edit() 함수는 편집한 데이터를 반환하기 때문에 반드시 변수에 할당을 해야 데이터가 데이터 편집기에서 수정한 데이터가 반영됩니다. 데이터 편집기에서 작업한 내용은 되돌리기(Ctrl+z)로 취소하지 못합니다. 그러므로 임시 변수에 데이터를 할당한 다음 수정한 데이터가 올바른지 확인 하 후 원본 데이터를 변경시키는 것을 권장합니다.

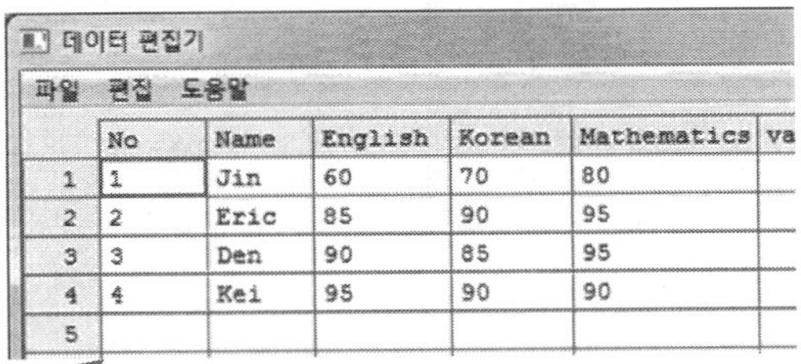

데이터 편집기

파일 편집 도움말

	No	Name	English	Korean	Mathematics	va
1	1	Jin	60	70	80	
2	2	Eric	85	90	95	
3	3	Den	90	85	95	
4	4	Kei	95	90	90	
5						

그림 7. 데이터 편집기 실행

```
> temp <- edit(studentData)        # 5, Soo, 85, 90, 95 추가
> temp
  No Name English Korean Mathematics
1  1  Jin      60     70          80
2  2 Eric      85     90          95
3  3  Den      90     85          95
4  4  Kei      95     90          90
5  5  Soo      85     90          95
> studentData <- temp
> rm(temp)
```

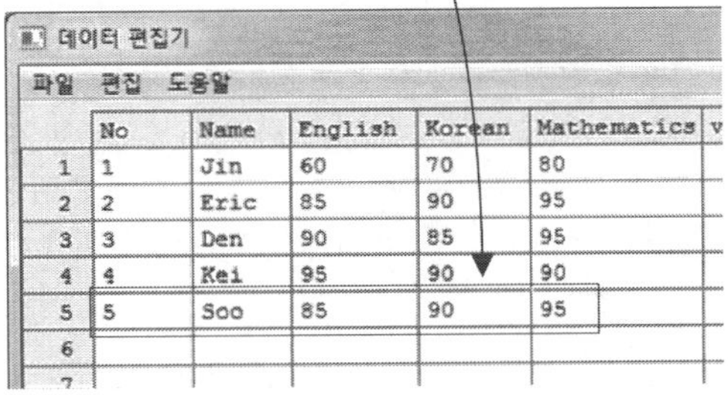

데이터 편집기

파일 편집 도움말

	No	Name	English	Korean	Mathematics	v
1	1	Jin	60	70	80	
2	2	Eric	85	90	95	
3	3	Den	90	85	95	
4	4	Kei	95	90	90	
5	5	Soo	85	90	95	
6						

그림 8. 추가한 데이터

11. 타입 판별 및 타입 변환

11.1. 타입 확인

데이터타입을 알기 위해 class() 함수 또는 is.*() 형태 함수를 사용할 수 있습니다.

다음 코드는 class() 함수와 is.*() 형태 함수를 사용하여 타입을 확인하는 예입니다.

```
> class(iris17))
[1] "data.frame"
> class(iris$Sepal.Length)
[1] "numeric"
> class(iris$Species)
[1] "factor"
> is.factor(iris$Species)
[1] TRUE
> is.numeric(iris$Sepal.Length)
[1] TRUE
> is.character(iris$Species)
[1] FALSE
> is.data.frame(iris)
[1] TRUE
```

11.2. 타입 변환

타입 변환은 각 타입에 인자로 변환할 데이터를 넘기거나, as.*() 형식 함수를 사용하여 수행할 수 있습니다. as.*() 함수는 as.numeric, as.factor, as.data.frame, as.matrix 등이 있습니다.

다음 구문은 iris데이터의 Species 열의 타입을 바꾸고 확인하는 예입니다.

```
> str(iris$Species)
 Factor w/ 3 levels "setosa","versicolor",..: 1 1 1 1 1 1 1 1 1 1 ...
> iris$Species <- as.character(iris$Species)
> str(iris$Species)
 chr [1:150] "setosa" "setosa" "setosa" "setosa" "setosa" "setosa" "setosa" ...
> iris$Species <- as.factor(iris$Species)
> str(iris$Species)
 Factor w/ 3 levels "setosa","versicolor",..: 1 1 1 1 1 1 1 1 1 1 ...
```

17) 에드거 엔더슨(Edgar Anderson)의 iris 데이터는 붓꽃의 3가지 종(setosa(세토사), versicolor(버시컬러), virginica(버지니카))별로 각각 50개 데이터의 꽃받침, 꽃잎의 길이와 너비를 센티미터 단위로 측정하여 정리한 데이터입니다.

12. 문자열과 날짜

12.1. 문자열 다루기

1) 문자열의 길이 알아내기

문자열의 길이는 nchar()를 사용합니다.

```
> nchar("Eric")
[1] 4
> nchar("Curly")
[1] 5
```

length()는 '벡터'의 길이를 반환합니다. 문자열 "Eric"을 단일개체 벡터로 봅니다.

```
> length("Eric")
[1] 1
> length(c("Eric", "Larry", "Curly"))
[1] 3

> s <- c("Eric", "Larry", "Curly")
> s
[1] "Eric"   "Larry" "Curly"
> mode(s)
[1] "character"
> nchar(s)
[1] 4 5 5
> length(s)
[1] 3
```

2) 문자열 연결하기

여러 개의 문자열들을 연결하려면 paste() 함수를 사용합니다. 문자열 사이사이에 기본적으로 공백이 삽입됩니다. sep 인수로 문자열 사이에 삽입되는 문자를 변경할 수 있습니다.

```
> paste("Everybody", "loves", "stats.")         # 기본값, 공백으로 연결
[1] "Everybody loves stats."
> paste("Everybody", "loves", "stats.", sep="-")# -로 연결
[1] "Everybody-loves-stats."
> paste("Everybody", "loves", "stats.", sep=".")# .으로 연결
[1] "Everybody.loves.stats."
> paste("Everybody", "loves", "stats.", sep="") #널 스트링으로 연결
[1] "Everybodylovesstats."
```

문자열이 아닌 경우 자동으로 as.character()를 사용합니다.

```
> paste("The square root of twice pi is approximately", sqrt(2*pi))
[1] "The square root of twice pi is approximately 2.506628274631"
```

벡터일 경우에는 해당 인자들의 모든 조합을 만듭니다.

```
> name <- c("Eric", "Larry", "Curly")
> paste(name, "loves", "stats")
[1] "Eric loves stats"   "Larry loves stats" "Curly loves stats"
```

이러한 조합들까지 다 합쳐서 하나의 큰 문자열을 생성할 수 있습니다. collapse 인자로 최고 수준의 구분자 정의합니다.

```
> paste(name, "loves", "stats", collapse=", and ")
[1] "Eric loves stats, and Larry loves stats, and Curly loves stats"
```

3) 하위 문자열 추출하기

substr(string, start, end) 함수는 start에서 시작해서 end에서 끝나는 하위 문자열을 추출합니다. start와 end 색인 문자를 포함합니다.

```
> substr("Statistics", 1, 4)
[1] "Stat"
> substr("Statistics", 7, 10)
[1] "tics"
```

첫 번째 인자는 벡터도 가능합니다.

```
> name <- c("Eric", "Larry", "Curly")
> name
[1] "Eric"   "Larry" "Curly"
> substr(name, 1, 3)
[1] "Eri" "Lar" "Cur"
```

모든 인자가 벡터여도 가능합니다. 다음 예는, 각 문자열에서 마지막 두 문자를 추출합니다.

```
> cities <- c("New York, NY", "Los Angeles, CA", "Peoria, IL")
> nchar(cities)-1
[1] 11 14  9
> nchar(cities)
[1] 12 15 10
> substr(cities, nchar(cities)-1, nchar(cities))
[1] "NY" "CA" "IL"
```

4) 구분자로 문자열 분할하기

strsplit(string, delimiter) 사용하여 구분자로 문자열을 나눌 수 있습니다. delimiter(구분자) 파라미터는 간단한 문자열이나 정규표현식을 입력할 수 있습니다.

```
> path <- "/home/hadoop/data/speech.csv"
> strsplit(path, "/")
[[1]]
[1] ""            "home"        "hadoop"      "data"        "speech.csv"
```

위 실행 결과에서 첫 번째 요소는 실제로 빈 문자열입니다. 첫 번째 슬래시(/) 앞에 아무것도 없기 때문입니다.

strsplit()는 리스트 반환합니다. 그 리스트의 각 원소는 하위 문자열로 된 벡터입니다. 리스트, 즉 두 개의 수준으로 구조가 필요한 이유는 첫 번째 인자가 문자열로 된 벡터가 될 수 있기 때문입니다.

```
> paths <- c("/home/hadoop/data/speech.csv",
+            "/home/hadoop/data/errors.csv",
+            "/home/hadoop/corr/reject.doc")
> paths
[1] "/home/hadoop/data/speech.csv" "/home/hadoop/data/errors.csv"
[3] "/home/hadoop/corr/reject.doc"
> strsplit(paths, "/")
[[1]]
[1] ""            "home"        "hadoop"      "data"        "speech.csv"

[[2]]
[1] ""            "home"        "hadoop"      "data"        "errors.csv"

[[3]]
[1] ""            "home"        "hadoop"      "corr"        "reject.doc"
```

두 번째 인자 delimiter는 정규표현식[18] 사용이 가능합니다. 이 기능을 끄려면 fixed=TRUE 속성을 추가하세요.

```
> customerInfo <- "JinKyoungHeo,heojk@gmail.com,010-3402-7902,http://coderby.com"
> strsplit(customerInfo, ",[0-9]{3}-[0-9]{3,4}-[0-9]{4},")
[[1]]
[1] "JinKyoungHeo,heojk@gmail.com" "http://coderby.com"
```

18) https://ko.wikipedia.org/wiki/정규_표현식

5) 하위 문자열 대체하기

sub(old, new, string) 함수는 첫 번째 하위 문자열을 대체시킵니다.
gsub(old, new, string) 함수는 모든 하위 문자열을 대체시킵니다.

```
> s <- "Curly is the smart one. curly is funny, too."
> s
[1] "Curly is the smart one. curly is funny, too."
> sub("Curly", "Eric", s)
[1] "Eric is the smart one. curly is funny, too."
> gsub("Curly", "Eric", s)
[1] "Eric is the smart one. curly is funny, too.
```

하위 문자열을 한꺼번에 제거하려면 new(새 문자열)를 ""로 설정하면 됩니다.

```
> sub(" and SAS", "", "For really tough problems, you need R and SAS.")
[1] "For really tough problems, you need R."
```

여기서 old(바꿀 문자열) 인자는 정규표현식이 가능합니다. 이는 단순 문자열에 더 복잡한 패턴 찾기가 가능합니다. 정규표현식을 사용하지 않으려면 fixed=TRUE로 설정하세요.

6) 문자열에서 특수문자 보기

출력되지 않는 특수문자들이 문자열에 포함되어 있을 경우 print() 함수는 문자열에 있는 특수문자 볼 수 있습니다. 그러나 cat() 함수는 특수문자는 볼 수 없습니다.

CR문자(₩r)는 줄의 맨 첫 번째 문자로 커서의 위치를 옮기는 특수문자입니다. 문자열 중간에 CR문자를 포함시켰을 경우 cat과 print 함수의 실행 결과를 비교해 보세요. ₩n은 줄바꿈 문자입니다.

```
> s <- "first \rsecond\n"
> s
[1] "first \rsecond\n"
> nchar(s)
[1] 14
> cat(s)
second
> print(s)
[1] "first \rsecond\n"
> ss <- " \n"
> ss
[1] " \n"
> nchar(ss)
[1] 2
> cat(ss)

> print(ss)
[1] " \n"
```

7) 문자열의 모든 쌍별 조합 만들기

outer() 함수는 차원 c(dim(X), dim(Y))를 갖는 배열 X와 Y의 외적(outer product)을 구하는 함수입니다.

```
outer(X, Y, FUN="*", ...)
```

이를 이용하면 문자열과 문자열의 모든 쌍별 조합을 만들 수 있습니다. 예를 들면 다음 코드는 월(Jan~Dec)과 년도(2016~2020)의 모든 쌍을 출력합니다.

```
> outer(month.abb, 2016:2020, FUN="paste")
      [,1]       [,2]       [,3]       [,4]       [,5]      
 [1,] "Jan 2016" "Jan 2017" "Jan 2018" "Jan 2019" "Jan 2020"
 [2,] "Feb 2016" "Feb 2017" "Feb 2018" "Feb 2019" "Feb 2020"
 [3,] "Mar 2016" "Mar 2017" "Mar 2018" "Mar 2019" "Mar 2020"
 [4,] "Apr 2016" "Apr 2017" "Apr 2018" "Apr 2019" "Apr 2020"
 [5,] "May 2016" "May 2017" "May 2018" "May 2019" "May 2020"
 [6,] "Jun 2016" "Jun 2017" "Jun 2018" "Jun 2019" "Jun 2020"
 [7,] "Jul 2016" "Jul 2017" "Jul 2018" "Jul 2019" "Jul 2020"
 [8,] "Aug 2016" "Aug 2017" "Aug 2018" "Aug 2019" "Aug 2020"
 [9,] "Sep 2016" "Sep 2017" "Sep 2018" "Sep 2019" "Sep 2020"
[10,] "Oct 2016" "Oct 2017" "Oct 2018" "Oct 2019" "Oct 2020"
[11,] "Nov 2016" "Nov 2017" "Nov 2018" "Nov 2019" "Nov 2020"
[12,] "Dec 2016" "Dec 2017" "Dec 2018" "Dec 2019" "Dec 2020"
```

outer() 함수에 paste 함수를 이용하여 외적을 구하면 문자열들의 조합 쌍을 구할 수 있습니다.

```
> locations <- c("NY", "LA", "CA", "WA")
> treatments <- c("T1", "T2", "T3")
> outer(locations, treatments, paste, sep="-")
     [,1]    [,2]    [,3]   
[1,] "NY-T1" "NY-T2" "NY-T3"
[2,] "LA-T1" "LA-T2" "LA-T3"
[3,] "CA-T1" "CA-T2" "CA-T3"
[4,] "WA-T1" "WA-T2" "WA-T3"
```

outer() 함수의 리턴 타입은 행렬입니다. 벡터로 변환시키려면 as.vector()함수를 이용할 수 있습니다.

```
> m <- outer(locations, treatments, paste, sep="-")
> as.vector(m)
 [1] "NY-T1" "LA-T1" "CA-T1" "WA-T1" "NY-T2" "LA-T2" "CA-T2" "WA-T2"
 [9] "NY-T3" "LA-T3" "CA-T3" "WA-T3"
```

중복된 쌍별 조합에서 고유한 것만 식별하기 위해서 lower.tri() 함수를 사용할 수 있습니다. lower.tri() 함수는 아래쪽 삼각형 영역을 식별합니다.

```
> m <- outer(locations, locations, paste, sep="-")
> m
     [,1]    [,2]    [,3]    [,4]
[1,] "NY-NY" "NY-LA" "NY-CA" "NY-WA"
[2,] "LA-NY" "LA-LA" "LA-CA" "LA-WA"
[3,] "CA-NY" "CA-LA" "CA-CA" "CA-WA"
[4,] "WA-NY" "WA-LA" "WA-CA" "WA-WA"
> lower.tri(m)
      [,1]  [,2]  [,3]  [,4]
[1,] FALSE FALSE FALSE FALSE
[2,]  TRUE FALSE FALSE FALSE
[3,]  TRUE  TRUE FALSE FALSE
[4,]  TRUE  TRUE  TRUE FALSE
> m[!lower.tri(m)]
 [1] "NY-NY" "NY-LA" "LA-LA" "NY-CA" "LA-CA" "CA-CA" "NY-WA" "LA-WA"
 [9] "CA-WA" "WA-WA"
```

● outer() 함수를 이용하면 행렬에서 행과 열 이름이 같은 요소를 선택할 수 있습니다.
mat[outer(rownames(mat), colnames(mat), "==")] <- 1 # mat는 행렬

12.2. 날짜 다루기

1) 현재 날짜 알아내기

Sys.Date()는 현재 날짜(Date 객체)를 반환합니다. Sys.Date()의 결과 타입은 문자열이 아닙니다. Date 클래스의 객체입니다.

```
> Sys.Date()
[1] "2017-08-08"
> class(Sys.Date())
[1] "Date"
```

2) 문자열을 날짜로 변환하기

문자열을 날짜로 변환하기 위해서 as.Date()를 사용합니다. 이때 날짜로 변환하기 위한 기본 문자열 형식은 yyyy-mm-dd입니다. yyyy-mm-dd 형식이 아닌 경우 as.Date의 format 인자를 지정하여 형식을 지정할 수 있습니다. 예를 들면 2017년 7월 28일을 07/28/2017 형식으로 입력하려면 format="%m/%d/%Y"로 설정하면 됩니다.

```
> as.Date("2010-07-28")
[1] "2010-07-28"
> as.Date("07/28/2017")
Error in charToDate(x) : 문자열이 표준서식을 따르지 않습니다
> as.Date("07/28/2017", format="%m/%d/%Y")
[1] "2017-07-28"
> as.Date("07/28/17", format="%m/%d/%y")
[1] "2017-07-28"
```

다음 표는 문자-날짜 변환을 위해 지원하는 형식에 대한 설명입니다. 형식 문자열에 대한 더 자세한 설명은 strftime() 함수의 도움말 페이지 참고하세요.

표 4. 문자-날짜 변환 형식

형식	설명	예
%a	Abbreviated weekday	Sun, Thu
%A	Full weekday	Sunday, Thursday
%b 또는 %h	Abbreviated month	May, Jul
%B	Full month	May, July
%d	Day of the month, 01-31	27, 07
%j	Day of the year, 001-366	148, 188
%m	Month, 01-12	05, 07
%U	Week, 01-53, 일요일이 주의 첫째 날.	22, 27
%w	Weekday, 0-6, Sunday is 0	0, 4
%W	Week, 00-53, 월요일(Monday)이 주의 첫째 날	21, 27
%x	Date, locale-specific	
%y	Year without century, 00-99	84, 05
%Y	Year with century, 00 부터 68까지는 20이 붙고, 69 부터 99까지는 19가 붙습니다.	1984, 2005
%C	Century	19, 20
%D	Date formatted %m/%d/%y	05/27/84, 07/07/05
%u	주의 일, 1-7, Monday is 1	7, 4

3) 로케일을 지정해서 문자열을 날짜로 변경

현재 로케일에 따라 문자를 날짜 객체로 변환할 수 없을 수 있습니다. 그럴 경우는 로케일을 지정하고 문자를 날짜 객체로 변환해야 합니다. 다음 두 구문은 NA를 출력합니다.

```
> as.Date("01-nov-19", "%d-%b-%y") # NA
> strptime("01-nov-19", "%d-%b-%y") # NA
```

```
> Sys.setlocale(locale="English_US") # B, b를 사용하기 위해 로케일 지정
[1] "LC_COLLATE=English_United States.1252;LC_CTYPE=English_United
```

```
States.1252;LC_MONETARY=English_United
States.1252;LC_NUMERIC=C;LC_TIME=English_United States.1252"
> (temp <- as.Date("01-nov-19", "%d-%b-%y"))
[1] "2019-11-01"
> Sys.setlocale(locale="Korean_Korea") # 로케일 이름은... 언어_국가
[1] "LC_COLLATE=Korean_Korea.949;LC_CTYPE=Korean_Korea.949;LC_MONETARY=
Korean_Korea.949;LC_NUMERIC=C;LC_TIME=Korean_Korea.949"
```

4) 날짜를 문자열로 변환하기

format이나 as.character 사용하여 날짜를 문자열로 변환할 수 있습니다.

```
> Sys.Date()
[1] "2017-08-08"
> class(Sys.Date())
[1] "Date"
> format(Sys.Date())
[1] "2017-08-08"
> as.character(Sys.Date())
[1] "2017-08-08"
> class(format(Sys.Date()))
[1] "character"
> class(as.character(Sys.Date()))
[1] "character"
> format(Sys.Date(), format="%m/%d/%Y")
[1] "08/08/2017"
> as.character(Sys.Date(), format="%m/%d/%y")
[1] "08/08/17"
```

format 인자는 결과로 나오는 문자열의 모습을 정의합니다. 날짜-문자 변환을 위해 지원하는 형식은 〈표 4. 문자-날짜 변환 형식〉을 참고하세요.

5) 연, 월, 일을 날짜로 변환하기

ISOdate(연, 월, 일) 함수는 Date 객체로 변환이 가능한 POSIXct[19] 객체가 됩니다.

```
as.Date(ISOdate(연, 월, 일))
```

19) POSIXct는 UNIX 기원 이후의 초를 저장하며, POSIXlt는 년, 월, 일, 시, 분, 초 등의 목록을 저장합니다.

```
> ISOdate(2007, 10, 24)
[1] "2007-10-24 12:00:00 GMT"
> class(ISOdate(2007, 10, 24))
[1] "POSIXct" "POSIXt"
```

순수하게 날짜만 가지고 작업할 때는 이런 변환을 이용하는 것이 편합니다.

```
> as.Date(ISOdate(2007, 10, 24))
[1] "2007-10-24"
> class(as.Date(ISOdate(2007, 10, 24)))
[1] "Date"
```

인식 불가능한 날짜는 변환이 되지 않습니다. 2007년 2월은 윤달이 아닙니다.

```
> ISOdate(2007, 2, 29)
[1] NA
```

ISOdate는 연도, 월, 일들로 된 벡터들 전체를 처리할 수 있어서 입력 데이터를 대량으로 변환할 때 매우 편리합니다.

다음 코드는 여러 해의 1월 셋째 수요일에 해당하는 연/월/일 숫자들을 모두 합쳐 Date 객체로 만드는 예입니다.

```
> years <- c(2010, 2011, 2012, 2013, 2014)
> months <- c(1, 1, 1, 1, 1)
> days <- c(15, 21, 20, 18, 17)
> years
[1] 2010 2011 2012 2013 2014
> months
[1] 1 1 1 1 1
> days
[1] 15 21 20 18 17
> ISOdate(years, months, days)
[1] "2010-01-15 12:00:00 GMT" "2011-01-21 12:00:00 GMT"
[3] "2012-01-20 12:00:00 GMT" "2013-01-18 12:00:00 GMT"
[5] "2014-01-17 12:00:00 GMT"
> as.Date(ISOdate(years, months, days))
[1] "2010-01-15" "2011-01-21" "2012-01-20" "2013-01-18" "2014-01-17"
> as.Date(ISOdate(years, 1, days))      # 재활용 규칙
[1] "2010-01-15" "2011-01-21" "2012-01-20" "2013-01-18" "2014-01-17"
```

6) 율리우스력 날짜 알아내기

율리우스력 '날짜'는 임의의 시작 시점에서부터 경과한 일수를 말합니다. 보통 컴퓨터에서는 1970년 1월 1일 이후로 흐른 날 수를 의미합니다. 이는 유닉스 시스템과 동일한 시점입니

다. 율리우스력 날짜를 알아내려면 Date 객체를 정수로 변환하거나 julian() 함수를 사용합니다.

```
> d <- as.Date("2010-07-18")
> d
[1] "2010-07-18"

> as.integer(d)
[1] 14808

> julian(d)
[1] 14808
attr(,"origin")
[1] "1970-01-01"

> as.integer(as.Date("1970-01-01"))
[1] 0
> as.integer(as.Date("1970-01-02"))
[1] 1
```

7) 날짜의 일부 추출하기

Date 객체에서 그 주의 몇째 날인지, 그해의 몇째 날인지 또는 달력에서의 일, 달력에서의 월, 달력에서의 연도 등 날짜의 일부를 추출하려고 할 때 POSIXlt 객체를 사용합니다.
POSIXlt 객체는 어떤 날짜를 날짜 부분들의 리스트로 표현한 객체입니다. sec, min, hour, mday, mon, year, wday, yday, isdst 등 필드로 구성됩니다.

```
> d <- as.Date("2010-07-18")
> p <- as.POSIXlt(d)
> p$mday
[1] 18
> p$mon + 1        # 1월이 0
[1] 7
> p$year           # 1900년 이후 지난 년 수
[1] 110
> p$year + 1900
[1] 2010
```

8) 날짜로 된 수열 생성하기

seq() 함수는 Date 객체를 위한 버전이 있는 제네릭 함수입니다. 그러므로 Date 타입 수열 생성이 가능합니다. seq() 함수의 파라미터에 시작 날짜(from), 끝나는 날짜(to), 증가분(by) 등을 지정할 수 있습니다. 증가분의 1은 하루를 의미합니다. 다음 구문은 2017년 1월의 날

짜를 출력합니다.

```
> s <- as.Date("2017-01-01")
> e <- as.Date("2017-01-31")
> seq(from=s, to=e, by=1) # 한 달 간의 날짜
 [1] "2017-01-01" "2017-01-02" "2017-01-03" "2017-01-04" "2017-01-05"
 [6] "2017-01-06" "2017-01-07" "2017-01-08" "2017-01-09" "2017-01-10"
[11] "2017-01-11" "2017-01-12" "2017-01-13" "2017-01-14" "2017-01-15"
[16] "2017-01-16" "2017-01-17" "2017-01-18" "2017-01-19" "2017-01-20"
[21] "2017-01-21" "2017-01-22" "2017-01-23" "2017-01-24" "2017-01-25"
[26] "2017-01-26" "2017-01-27" "2017-01-28" "2017-01-29" "2017-01-30"
[31] "2017-01-31"
```

seq() 함수의 파라미터에 시작 날짜(from), 증가분(by), 날짜 수(length.out)를 지정할 수 있습니다. length.out은 length, len, seq_len으로 축약해 사용할 수 있습니다. 다음 코드는 2017년 1월 1일부터 7일간 날짜를 출력합니다.

```
> s <- as.Date("2017-01-01")
> seq(from=s, by=1, length.out=7)
[1] "2017-01-01" "2017-01-02" "2017-01-03" "2017-01-04"
[5] "2017-01-05" "2017-01-06" "2017-01-07"
```

증가분(by)는 유동적으로 일, 주, 월, 혹은 연들로 지정할 수 있습니다.

```
> s <- as.Date("2017-01-01")
> seq(from=s, by="month", length.out=12) # 일년동안 매월 첫째 날
 [1] "2017-01-01" "2017-02-01" "2017-03-01" "2017-04-01" "2017-05-01"
 [6] "2017-06-01" "2017-07-01" "2017-08-01" "2017-09-01" "2017-10-01"
[11] "2017-11-01" "2017-12-01"
> seq(from=s, by="3 months", length.out=4) #일년동안 분기별 날짜
[1] "2017-01-01" "2017-04-01" "2017-07-01" "2017-10-01"
> seq(from=s, by="year", length.out=10) # 십년동안 매해 첫날
[1] "2017-01-01" "2018-01-01" "2019-01-01" "2020-01-01" "2021-01-01"
[6] "2022-01-01" "2023-01-01" "2024-01-01" "2025-01-01" "2026-01-01"
```

달의 끝부분 근처에서 by="month" 사용은 주의해야 합니다. 2월의 마지막이 나와야 할 자리에 3월이 나올 수 있습니다.

```
> seq(as.Date("2017-01-29"), by="month", len=3)
[1] "2017-01-29" "2017-03-01" "2017-03-29"
```

다음 코드는 월의 맨 마지막 날짜를 출력합니다.

```
> seq(as.Date("2017-02-01"), length=12, by="1 month") - 1
 [1] "2017-01-31" "2017-02-28" "2017-03-31" "2017-04-30" "2017-05-31"
 [6] "2017-06-30" "2017-07-31" "2017-08-31" "2017-09-30" "2017-10-31"
[11] "2017-11-30" "2017-12-31"
```

13. 실습 문제

13.1. 데이터 탐색 실습

다음 코드를 실습하고 데이터를 탐색하는 기본적인 방법들에 대해 익히세요.

```
> dim(iris)                # 데이터 차원 확인
[1] 150   5
> names(iris)              # 변수 이름 또는 컬럼 이름 확인
[1] "Sepal.Length" "Sepal.Width"  "Petal.Length"  "Petal.Width"  "Species"
> str(iris)                # Structure(구조)
'data.frame': 150 obs. of  5 variables:
 $ Sepal.Length: num  5.1 4.9 4.7 4.6 5 5.4 4.6 5 4.4 4.9 ...
 $ Sepal.Width : num  3.5 3 3.2 3.1 3.6 3.9 3.4 3.4 2.9 3.1 ...
 $ Petal.Length: num  1.4 1.4 1.3 1.5 1.4 1.7 1.4 1.5 1.4 1.5 ...
 $ Petal.Width : num  0.2 0.2 0.2 0.2 0.2 0.4 0.3 0.2 0.2 0.1 ...
 $ Species     : Factor w/ 3 levels "setosa","versicolor",..: 1 1 1 1 1 1 1 1 1 1 ...
> attributes(iris)         # 속성들
$names
[1] "Sepal.Length" "Sepal.Width"  "Petal.Length"  "Petal.Width"  "Species"

$row.names
  [1]   1   2   3   4   5   6   7   8   9  10  11  12  13  14  15  16  17
 [18]  18  19  20  21  22  23  24  25  26  27  28  29  30  31  32  33  34
 [35]  35  36  37  38  39  40  41  42  43  44  45  46  47  48  49  50  51
 [52]  52  53  54  55  56  57  58  59  60  61  62  63  64  65  66  67  68
 [69]  69  70  71  72  73  74  75  76  77  78  79  80  81  82  83  84  85
 [86]  86  87  88  89  90  91  92  93  94  95  96  97  98  99 100 101 102
[103] 103 104 105 106 107 108 109 110 111 112 113 114 115 116 117 118 119
[120] 120 121 122 123 124 125 126 127 128 129 130 131 132 133 134 135 136
[137] 137 138 139 140 141 142 143 144 145 146 147 148 149 150

$class
[1] "data.frame"

> iris[1:5,]               # 처음 5행
  Sepal.Length Sepal.Width Petal.Length Petal.Width Species
1          5.1         3.5          1.4         0.2  setosa
2          4.9         3.0          1.4         0.2  setosa
3          4.7         3.2          1.3         0.2  setosa
4          4.6         3.1          1.5         0.2  setosa
5          5.0         3.6          1.4         0.2  setosa
> iris[1:10, "Sepal.Length"]  # 꽃받침조각의 길이 처음 10개
 [1] 5.1 4.9 4.7 4.6 5.0 5.4 4.6 5.0 4.4 4.9
> iris$Sepal.Length[1:10]     # 꽃받침조각의 길이 처음 10개
 [1] 5.1 4.9 4.7 4.6 5.0 5.4 4.6 5.0 4.4 4.9
> summary(iris)
```

```
  Sepal.Length    Sepal.Width     Petal.Length    Petal.Width          Species
 Min.   :4.300   Min.   :2.000   Min.   :1.000   Min.   :0.100   setosa    :50
 1st Qu.:5.100   1st Qu.:2.800   1st Qu.:1.600   1st Qu.:0.300   versicolor:50
 Median :5.800   Median :3.000   Median :4.350   Median :1.300   virginica :50
 Mean   :5.843   Mean   :3.057   Mean   :3.758   Mean   :1.199
 3rd Qu.:6.400   3rd Qu.:3.300   3rd Qu.:5.100   3rd Qu.:1.800
 Max.   :7.900   Max.   :4.400   Max.   :6.900   Max.   :2.500
> table(iris$Species)       # 빈도수

    setosa versicolor  virginica
        50         50         50
> pie(table(iris$Species)) # 파이챠트
> var(iris$Sepal.Length)    # Sepal.Length의 Variance(분산)
[1] 0.6856935
> cov(iris$Sepal.Length, iris$Petal.Length)      # 공분산
[1] 1.274315
> cor(iris$Sepal.Length, iris$Petal.Length)      # 상관계수
[1] 0.8717538
> hist(iris$Sepal.Length)                        # 히스토그램
> plot(density(iris$Sepal.Length))               # 밀도그램
> plot(iris$Sepal.Length, iris$Sepal.Width)      # 산점도
> plot(iris)                                     # Pair plot(산점도 행렬)
```

13.2. 데이터 종류 및 구조 실습

1) data.frame의 특성

iris 데이터를 사용하여 data.frame의 특성을 살펴봅니다.

- 행과 열에 대한 다양한 참조 방식을 사용하여 데이터를 조회합니다.
- 행과 열 정보를 조회합니다.
- 부분 데이터셋을 추출해 봅니다.
- 추출한 부분 데이터셋을 다시 결합해 봅니다.

```
> data(iris)
> iris[, 2]
  [1] 3.5 3.0 3.2 3.1 3.6 3.9 3.4 3.4 2.9 3.1 3.7 3.4 3.0 3.0 4.0 4.4 3.9
 [18] 3.5 3.8 3.8 3.4 3.7 3.6 3.3 3.4 3.0 3.4 3.5 3.4 3.2 3.1 3.4 4.1 4.2
... 생략
[137] 3.4 3.1 3.0 3.1 3.1 3.1 2.7 3.2 3.3 3.0 2.5 3.0 3.4 3.0
> iris[1, ]
  Sepal.Length Sepal.Width Petal.Length Petal.Width Species
1          5.1         3.5          1.4         0.2  setosa
> head(iris[, 3])
[1] 1.4 1.4 1.3 1.5 1.4 1.7
> tail(iris[, 3])
```

```
[1] 5.7 5.2 5.0 5.2 5.4 5.1
> (datasub <- subset(iris, iris$Species=='virginica'))
    Sepal.Length Sepal.Width Petal.Length Petal.Width   Species
101          6.3         3.3          6.0         2.5 virginica
102          5.8         2.7          5.1         1.9 virginica
103          7.1         3.0          5.9         2.1 virginica
... 생략
```

2) 부분 데이터셋 추출

setosa 종의 꽃받침(Sepal)의 폭(Sepal.Width)과 길이(Sepal.Length) 부분 데이터셋을 추출하세요.

```
> setosa.petal <- subset(iris, select=c(Sepal.Width, Sepal.Length),
+                        subset=(Species=='setosa'))
> setosa.petal
  Sepal.Width Sepal.Length
1         3.5          5.1
2         3.0          4.9
... 생략
```

3) 행렬을 이용한 계산

작업내용에 따른 급여가 차등 지급됩니다.(행렬 문제) A작업은 시급 12000원, B작업은 시급 26000원, C작업은 시급 18000원 입니다. 두 사람이 각 작업을 수행하는 데 있어서 실제 작업한 시간이 작업 내역에 따라 다릅니다. 갑은 A작업을 5시간, B작업을 4시간, C작업을 9시간 그리고 을은 A작업을 7시간, B작업을 3시간, C작업을 2시간 작업 했습니다. 갑과 을의 급여를 계산하세요.(힌트 : 행렬 두 개, 작업 당 급여를 저장하는 행렬, 근무자들이 근무한 시간 행렬) 계산한 갑과 을의 급여는 각각 326000원, 198000원입니다.

```
> pay <- c(12000, 26000, 18000)
> (paymatrix <- matrix(pay, ncol=length(pay)))
      [,1]  [,2]  [,3]
[1,] 12000 26000 18000
> worker1 <- c(5, 4, 9);  worker2 <- c(7, 3, 2)
> workers <- c(worker1, worker2)
> (workermatrix <- matrix(workers, ncol=2))
     [,1] [,2]
[1,]    5    7
[2,]    4    3
[3,]    9    2
> paymatrix %*% workermatrix
       [,1]   [,2]
[1,] 326000 198000
```

4장. R 프로그래밍

1. 제어문
2. 연산자
3. 함수
4. 변수 저장환경과 유효범위
5. R 클래스와 객체
6. R 프로그래밍 실습

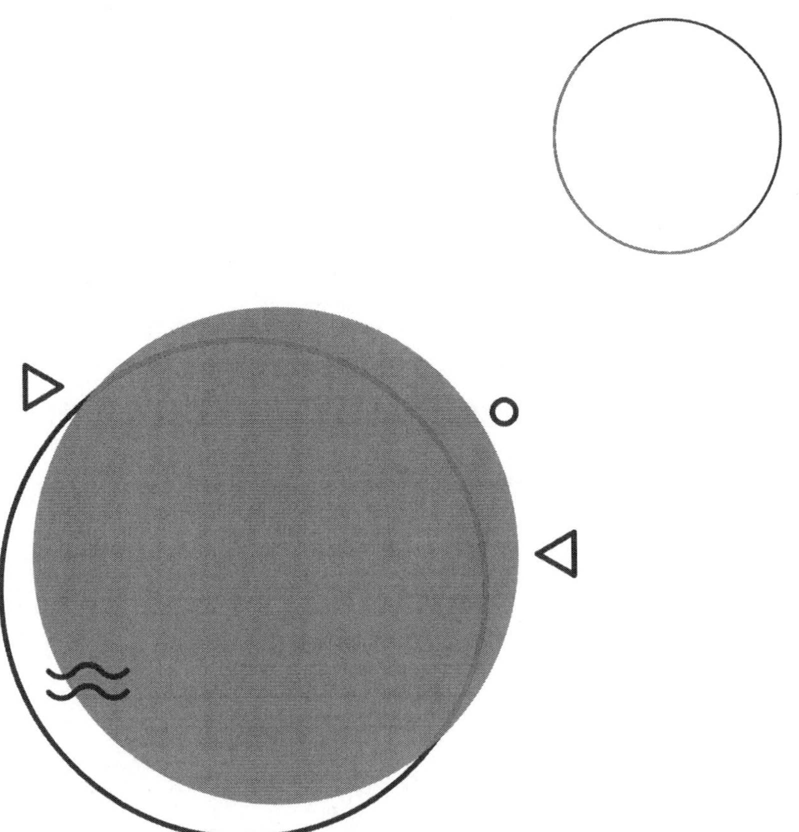

1. 제어문

R을 잘 다루는 방법 중의 하나는 제어문을 잘 다루는 것입니다. 복잡하고 반복적인 코드를 줄여주고 간결하고 직관적인 코드를 만들기 위해서 제어문에 대한 이해는 필수입니다.

제어문은 조건문, 반복문 그리고 탈출문이 있습니다. 조건문은 조건식의 참 또는 거짓에 따라 실행할 문장을 다르게 하는 것이고, 반복문은 동일한 구문을 여러 번 실행하도록 하는 구문입니다. 탈출문은 반복문의 실행을 중지시키거나 건너뛰도록 합니다.

1.1. 조건문

R에서 조건문은 if~else 구문 또는 ifelse() 함수를 이용하여 처리할 수 있습니다.

1) if ~ else 구문

if 구문은 조건식을 이용해 단독으로 사용될 수 있습니다. 경우에 따라 else if 블록을 이용해 추가 조건식을 정할 수 있으며, if 블록 또는 else if 블록에서 만족하는 조건식을 찾지 못할 때 실행되는 else 블록을 가질 수 있습니다.

```
if(조건식_1) {
    # 조건식_1이 참일 경우
} else if(조건식_2) {
    # 조건식_2가 참일 경우 실행, else if 블록 생략 가능
} else {
    # 모든 조건식이 거짓일 경우 실행, else 생략 가능
}
```

다음 구문은 if 블록이 단독으로 사용된 예입니다. 구문에서 %%는 나머지를 계산합니다. x %% y 결과는 x를 y로 나눈 나머지를 계산합니다. R에서 몫을 계산하기 위해서는 %/%를 이용합니다. 조건식의 결과는 TRUE 또는 FALSE 이어야 하지만 숫자 타입이라도 정상 실행됩니다. 조건식의 결과가 0이면 FALSE로 간주되고, 0외의 값일 경우 TRUE로 간주됩니다.

```
> number <- 10
> if( (number %% 2) == 0 ) {
```

```
+   print("짝수입니다")
+ }
[1] "짝수입니다"
> print("if 블록의 바깥입니다.")
[1] "if 블록의 바깥입니다."
```

```
> number <- 9
> if( (number %% 2) == 0 ) {
+   print("짝수입니다")
+ }
> print("if 블록의 바깥입니다.")
[1] "if 블록의 바깥입니다."
```

다음 구문은 if 블록과 else 블록을 같이 사용한 예입니다.

```
> number <- 10
> if( (number %% 2) == 0 ) {
+   print("짝수입니다.")
+ }else {
+   print("홀수입니다.")
+ }
[1] "짝수입니다."
```

```
> number <- 9
> if( (number %% 2) == 0 ) {
+   print("짝수입니다.")
+ }else {
+   print("홀수입니다.")
+ }
[1] "홀수입니다."
```

다음 구문은 else if 블록을 갖는 예입니다. if 블록의 조건식이 참이 아닐 경우 다음 else if 블록의 조건식을 조사합니다. score 변수의 값을 다르게 설정하고 실행해 보세요.

```
> score <- 80
> if(score >=90) {
+   print("A")
+ } else if(score >= 80) {
+   print("B")
+ } else if(score >= 70) {
+   print("C")
+ } else if(score >= 60) {
+   print("D")
+ } else {
+   print("Fail")
+ }
[1] "B"
```

2) ifelse() 함수

ifelse() 함수는 test 요소가 TRUE 또는 FALSE인지 여부에 따라 yes 또는 no 중에서 선택된 요소로 채워진 test와 동일한 모양의 값을 반환합니다. ifelse() 함수는 간단한 if~else 블록을 작성할 때 사용합니다.

```
ifelse(test, yes, no)
```

구문에서...
- test : TRUE 또는 FALSE로 바뀔 수 있는 객체입니다.
- yes : test의 값이 TRUE일 경우 리턴되는 값입니다.
- no : test의 값이 FALSE일 경우 리턴되는 값입니다.

다음 구문은 ifelse() 함수의 예입니다.

```
> number <- 3
> ifelse((number%%2)==0, "짝수", "홀수")
[1] "홀수"

> number <- 2
> ifelse((number%%2)==0, "짝수", "홀수")
[1] "짝수"
```

ifelse() 함수는 벡터를 이용하여 한 번에 여러 개 데이터를 조건식 처리할 수 있습니다.

```
> a <- c(5,7,2,9)
> ifelse(a %% 2 == 0,"even","odd")
[1] "odd"  "odd"  "even" "odd"
```

그러나 if~else 구문은 조건식에 비교하는 객체의 길이가 1보다 클 수 없습니다.

```
> number <- c(5,7,2,9)
> if( (number %% 2) == 0 ) {
+   print("짝수입니다.")
+ }else {
+   print("홀수입니다.")
+ }
[1] "홀수입니다."
Warning message:
In if ((number%%2) == 0) { :
  the condition has length > 1 and only the first element will be used
```

3) switch() 함수

다른 언어의 switch 문처럼 R도 switch() 함수 형태로 비슷한 구문을 사용합니다.

```
switch (statement, list)
```

여기에서는 statement 명령문이 평가되고 이 값에 따라 리스트(list)의 해당 항목이 반환됩니다.

```
> switch(2, "red", "green", "blue")
[1] "green"
> switch(1, "red", "green", "blue")
[1] "red"
```

위의 예에서 "red", "green", "blue"는 세 항목 리스트를 구성합니다. switch () 함수는 해당 항목을 계산된 숫자 값으로 반환합니다.

숫자 값이 범위를 벗어났거나(리스트의 항목 수보다 크거나 1보다 작으면) NULL이 반환됩니다.

```
> x <- switch(4, "red", "green", "blue")
> x
NULL
> x <- switch(0, "red", "green", "blue")
> x
NULL
```

명령문의 결과는 문자열 일 수도 있습니다. 이 경우 이름이 지정된 항목의 값과 일치하는 항목이 반환됩니다.

```
> switch("color", "color"="red", "shape"="square", "length"=5)
[1] "red"
> switch("length", "color"="red", "shape"="square", "length"=5)
[1] 5
```

1.2. 반복문

R의 반복문은 for, while, repeat 문이 있습니다.

1) for

for 문장은 벡터의 데이터를 모두 소비할 때까지 실행하는 반복문입니다. sequence 벡터의 내용을 val 변수에 저장하고 statement를 실행시킵니다. 만일 더 이상 sequence 벡터에 남아있는 데이터가 없을 경우 반복문은 종료합니다.

```
for (val in sequence) {
    statement
}
```

구문에서...
- val : 반복문이 실행되는 동안 sequence의 값 중 하나를 저장할 변수입니다.
- sequence : 벡터 데이터입니다.

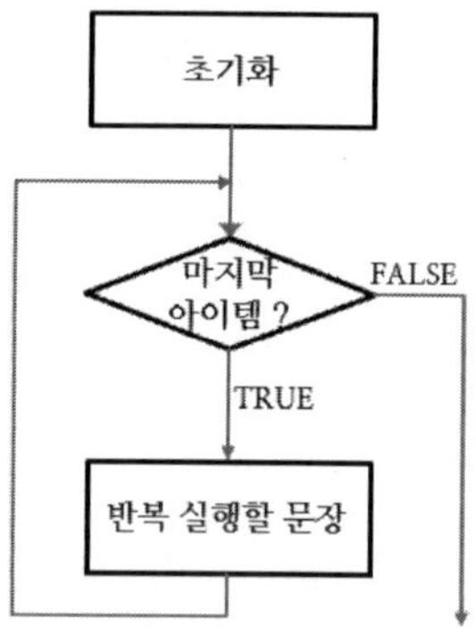

그림 1. for 문 순서도

다음 코드는 벡터 x에서 짝수의 개수를 세는 for 구문의 예입니다.

```
> x <- c(2,5,3,9,8,11,6)
> count <- 0
> for (val in x) {
+   if(val %% 2 == 0)  count = count+1
+ }
> print(count)
[1] 3
```

다음 코드는 팩토리얼을 찾는 예입니다. 예제 코드에서 readline() 함수는 Console을 통해 데이터를 입력받기 위한 함수[20]입니다. 아래의 코드는 factorial() 함수를 정의합니다.

```
> factorial <- function() {
+   num = as.integer(readline(prompt="숫자를 입력하세요: "))
+   factorial = 1
+
+   # 입력한 숫자가 양수인지 음수인지 확인
+   if(num < 0) {
+     print("음수를 위한 펙토리얼을 존재하지 않습니다.")
+   } else if(num == 0) {
+     print("0 펙토리얼은 1입니다.")
+   } else {
+     for(i in 1:num) {
+       factorial = factorial * i
+     }
+     print(paste(num, "펙토리얼은", factorial, "입니다."))
+   }
+ }
```

위의 함수를 실행시키면 구하고 싶은 팩토리얼만 입력하면 결과를 얻을 수 있습니다.

```
> factorial()
숫자를 입력하세요: 9
[1] "9 펙토리얼은 362880 입니다."
```

다음 코드는 주어진 단(구구단)을 출력하는 예입니다.

```
> gugu <- function() {
+   num = as.integer(readline(prompt = "숫자를 입력하세요: "))
+   for(i in 1:10) {
+     print(paste(num,'x', i, '=', num*i))
+   }
+ }
```

```
> source("gugu.R")
숫자를 입력하세요: 7
[1] "7 x 1 = 7"
[1] "7 x 2 = 14"
[1] "7 x 3 = 21"
[1] "7 x 4 = 28"
[1] "7 x 5 = 35"
[1] "7 x 6 = 42"
[1] "7 x 7 = 49"
[1] "7 x 8 = 56"
[1] "7 x 9 = 63"
[1] "7 x 10 = 70"
```

20) 함수를 만들고 사용하는 방법은 다음 절(4장 3절)에서 설명합니다.

2) while

while 문장은 조건식이 참일 동안 문장이 실행됩니다. 조건식의 결과는 TRUE 또는 FALSE 여야 합니다.

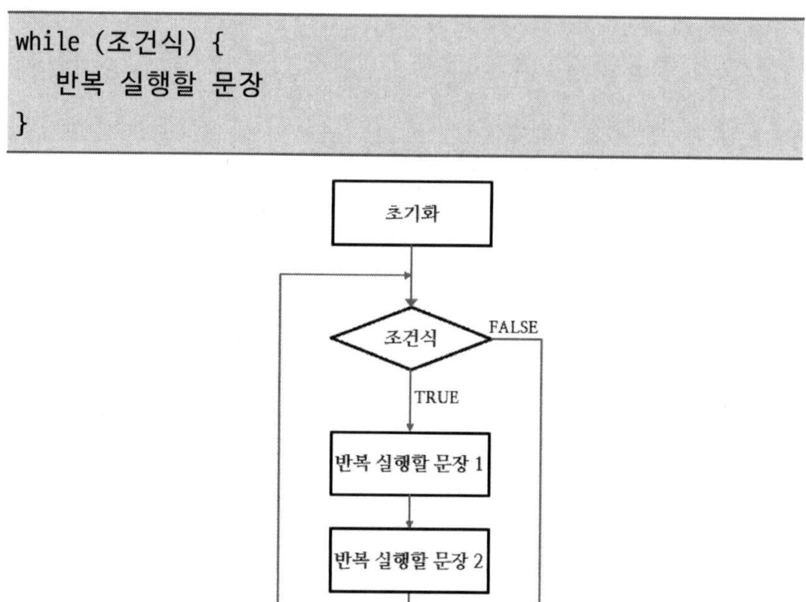

그림 2. while 문 순서도

조건식이 TRUE일 경우 실행되는 문장들 중에서 가장 마지막 문장은 조건식의 결과가 바뀔 수 있도록 하는 문장이 들어가는 경우가 많습니다. 그림 2의 while 문 순서도에서 [반복 실행 문장 2] 는 조건식의 결과가 바뀔 수 있도록 어떤 문장이 들어갈 것입니다.

다음 코드는 i값을 i값이 6보다 작을 때까지 i를 출력하며 하나씩 증가시킵니다. while문 안에서 i값은 변경시켜 while 문의 조건식이 언젠간 종료되도록 해야 합니다.

```
> i <- 1
> while (i < 6) {
+   print(i)
+   i = i+1
+ }
[1] 1
[1] 2
[1] 3
[1] 4
[1] 5
```

다음 코드는 피보나치수열을 출력하는 예입니다. 피보나치수열은 처음 두 수는 0과 1이고, 다음 숫자는 이전 두 수를 더한 결과가 되는 수열입니다.

```
> fiboancci <- function(nterms) {
+   n1 = 0
+   n2 = 1
+   count = 2
+   terms = c(n1)
+   if(nterms <= 0) {
+     print("양수를 입력해 주세요.")
+   } else {
+     if(nterms == 1) {
+       # nothing
+     } else {
+       terms <- c(terms, n2)
+       while(count < nterms) {
+         nth = n1 + n2
+         terms <- c(terms, nth)
+         n1 = n2
+         n2 = nth
+         count = count + 1
+       }
+     }
+   }
+   return (terms)
+ }
```

위의 함수를 실행시키면 피보나치수열을 출력할 수 있습니다. 함수를 사용할 때 출력하고 싶은 수열의 개수를 입력하면 피보나치수열이 출력됩니다.

```
> fiboancci(10)
 [1]  0  1  1  2  3  5  8 13 21 34
> fiboancci(20)
 [1]    0    1    1    2    3    5    8   13   21   34   55   89  144
[14]  233  377  610  987 1597 2584 4181
> fiboancci(30)
 [1]      0      1      1      2      3      5      8     13     21
[10]     34     55     89    144    233    377    610    987   1597
[19]   2584   4181   6765  10946  17711  28657  46368  75025 121393
[28] 196418 317811 514229
```

● 함수에 대한 자세한 설명은 다음 절(4장 3절)에서 설명합니다.

3) repeat

repeat 루프는 코드 블록을 여러 번 반복하는 데 사용됩니다. repeat는 루프를 종료시키는 조건 문장이 없습니다. 그러므로 반복문 내부에 종료 조건을 명시하고 break 문을 사용해 반복을 종료해야 합니다. 그렇지 않으면 무한 루프가 됩니다.

```
repeat {
   statement
}
```

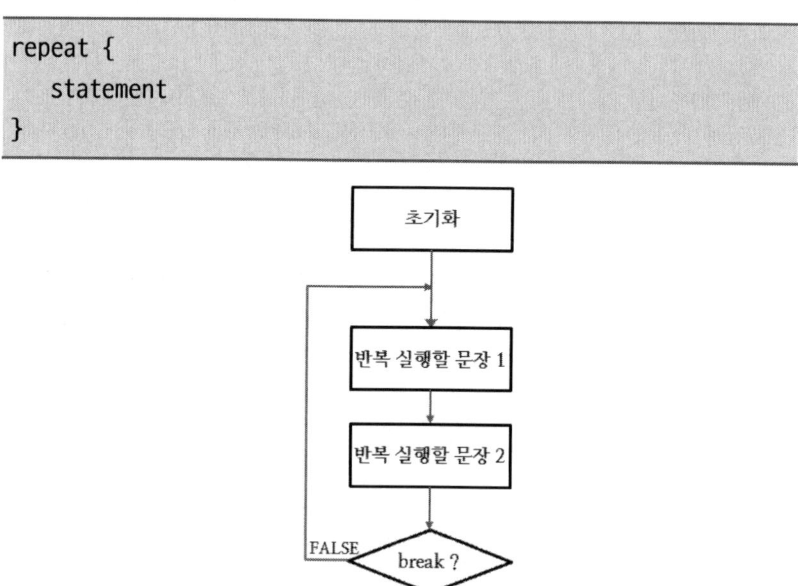

그림 3. repeat 문 순서도

repeat 루프의 반복 실행 문장 중 일부는 repeat 루프를 종료시키기 위한 조건식의 결과가 바뀔 수 있도록 어떤 문장이 포함되어야 합니다. 그림 13의 repeat 문 순서도에서 [반복 실행 문장 2]가 repeat 루프를 빠져나오기 위한 조건식의 결과 값이 바뀌도록 유도하는 문장일 것입니다.

다음 코드는 repeat 문장의 예입니다. x값이 6일 경우 break 문을 실행시켜 반복문을 종료시키도록 합니다.

```
> x <- 1
> repeat {
+   print(x)
+   x = x+1
+   if (x >= 6){
+      break
+   }
+ }
[1] 1
```

```
[1] 2
[1] 3
[1] 4
[1] 5
```

while 문은 조건식이 거짓이면 루프를 한 번도 실행하지 않지만, repeat 문은 루프 안의 조건식이 거짓이더라도 한 번은 실행이 될 수 있습니다.

```
> x <- 10
> repeat {
+   print(x)
+   x = x+1
+   if (x >= 6) {
+     break
+   }
+ }
[1] 10

> x <- 10
> while(x < 6) {
+   print(x)
+   x = x+1
+ }
```

1.3. 탈출문

반복문을 실행하는 도중에 빠져나오도록 하는 구문으로 break와 continue가 있습니다. break는 반복문을 완전히 빠져나오고, continue는 반복문을 1회 건너뜁니다.

1) break

break는 반복문을 완전히 빠져 나옵니다. 다음 구문에서 i가 5일 경우 반복문은 더이상 실행되지 않습니다.

```
> for(i in 1:10) {
+   if(i==5)
+     break
+   print(i)
+ }
[1] 1
[1] 2
[1] 3
[1] 4
```

2) next

next는 반복문에서 아무것도 하지 않고 다음 반복으로 건너뜁니다. 다음 구문에서 i가 5일 경우 아무것도 하지 않고 다음 반복을 진행합니다.

```
> for(i in 1:10) {
+   if(i==5)
+     next
+   print(i)
+ }
[1] 1
[1] 2
[1] 3
[1] 4
[1] 6
[1] 7
[1] 8
[1] 9
[1] 10
```

3) 중첩 루프 탈출

R은 반복문에 레이블을 표기할 수 없습니다. 중첩 루프에서 바깥 루프를 빠져나가려면 다음 구문처럼 flag 값을 이용하여 바깥 루프를 break 또는 next 시킬 수 있습니다.

```
> for(i in 1:5) {
+   flag <- 0
+   for(j in 2:4) {
+     if(i==j) {
+       flag <- 1
+       break
+     }
+     print(paste(i, j))
+   }
+   if(flag==1) {
+     next # break
+   }
+ }
[1] "1 2"
[1] "1 3"
[1] "1 4"
[1] "3 2"
[1] "3 4"
[1] "4 2"
[1] "4 3"
[1] "5 2"
```

```
[1] "5 3"
[1] "5 4"
```

다음 코드처럼 바깥 반복문에 이름을 붙이고 break 등의 탈출문 뒤에 레이블을 표시하여 중첩 루프에서 바깥 루프를 빠져나가게 할 수 없습니다. 다음 구문은 실행되지 않습니다. 참고만 하세요.

```
> outer : for(i in 1:5) {
+   for(j in 1:5) {
+     if(i*j > 20) {
+       break outer
+     }
+     print(paste(i, j))
+   }
+ }
```

- Java 또는 C 언어에서처럼 레이블에 의해 반복문을 빠져나가도록 할 수 없습니다.

Instructor Note : for 반복문은 항상 같은 반복 횟수를 갖지는 않습니다. 다음 코드에서 안쪽 반복문의 횟수는 바깥 반복문의 i 값에 따라 다릅니다.

```
> row <- 5
> for(i in 1:row) {
+   for(j in 1:i) {
+     cat("*")
+   }
+   cat("\n")
+ }
*
**
***
****
*****
> for(i in row:1) {
+   for(j in 1:i) {
+     cat("*")
+   }
+   cat("\n")
+ }
*****
****
***
**
*
```

2. 연산자

R에는 산술 연산, 논리 연산 및 비트 연산을 포함한 여러 연산자가 있습니다. R에는 다른 수학적 및 논리적 연산을 수행하는 많은 연산자가 있습니다. R의 연산자는 주로 다음 범주로 분류할 수 있습니다.

- 산술 연산자(Arithmetic operators)
- 관계 연산자(Relational operators)
- 논리 연산자(Logical operators)
- 할당 연산자(Assignment operators)

2.1. 산술 연산자

산술 연산자는 더하기 및 곱하기와 같은 수학 연산을 수행하는 데 사용됩니다. 다음은 R에서 사용할 수 있는 산술 연산자 목록입니다.

표 1. R 산술 연산자

연산자	설명
+	덧셈
-	뺄셈
*	곱셈
/	나눗셈
^	지수
%%	나눗셈 후 나머지
%/%	몫(정수)

다음 코드는 산술연산자 예입니다.

```
> x <- 5
> y <- 16
> x+y
[1] 21
> x-y
[1] -11
> x*y
```

```
[1] 80
> y/x
[1] 3.2
> y%/%x
[1] 3
> y%%x
[1] 1
> y^x
[1] 1048576
```

2.2. 관계 연산자

관계 연산자는 값을 비교하는 데 사용됩니다. 다음은 R에서 사용할 수 있는 관계 연산자 목록입니다.

표 2. R 관계 연산자

연산자	설명
<	작다
>	크다
<=	작거나 같다
>=	크거나 같다
==	같다
!=	다르다

다음 코드는 관계 연산자 예입니다.

```
> x <- 5
> y <- 16
> x < y
[1] TRUE
> x > y
[1] FALSE
> x <= 5
[1] TRUE
> y >= 20
[1] FALSE
> y == 16
[1] TRUE
> x != 5
[1] FALSE
```

2.3. 벡터의 연산

위에서 언급 한 연산자는 벡터에서 작동합니다. 위에서 사용 된 변수는 사실 단일 요소 벡터였습니다. 이들 연산자를 c()와 같이 사용할 수 있습니다.

모든 작업은 요소 방식으로 수행됩니다. 다음은 그 예입니다.

```
> x <- c(2,8,3)
> y <- c(6,4,1)

> x + y
[1]  8 12  4

> x > y
[1] FALSE  TRUE  TRUE
```

피연산자 벡터의 길이(벡터의 엘리먼트 수)에 불일치가 있으면 더 짧은 요소의 요소는 더 긴 요소의 길이와 일치하도록 주기적으로 재활용됩니다. 긴 벡터의 길이가 짧은 벡터의 정수 배가 아니면 R은 경고를 발행합니다.

```
> x <- c(2,1,8,3)
> y <- c(9,4)

> x + y # y 엘리먼트 9,4,9,4로 재활용 됩니다.
[1] 11  5 17  7

> x - 1 # 스칼라 1이 1,1,1,1로 재활용됩니다.
[1] 1 0 7 2

> x + c(1,2,3)
[1]  3  3 11  4
Warning message:
In x + c(1, 2, 3) :
 longer object length is not a multiple of shorter object length
```

2.4. 논리 연산자

논리 연산자는 AND, OR 등의 부울 연산자를 수행하는 데 사용됩니다. 다음은 R에서 사용할 수 있는 논리 연산자 목록입니다.

표 3. R 논리 연산자

연산자	설명
!	논리 NOT
&	엘리먼트 단위 논리 AND
&&	논리 AND
|	엘리먼트 단위 논리 OR
||	논리 OR

연산자 &와 |는 더 긴 피연산자의 길이를 갖는 결과를 생성하는 요소 단위 연산을 수행합니다. 그러나 &&와 ||는 피연산자의 첫 번째 요소 만 검사하여 단일 길이의 논리 벡터로 결과가 출력됩니다. 0은 FALSE로 간주되고 0이 아닌 숫자는 TRUE로 간주됩니다.

```
> x <- c(TRUE, FALSE, 0, 6)
> y <- c(FALSE, TRUE, FALSE, TRUE)

> !x
[1] FALSE  TRUE  TRUE FALSE

> x & y
[1] FALSE FALSE FALSE  TRUE

> x && y
[1] FALSE

> x | y
[1]  TRUE  TRUE FALSE  TRUE

> x || y
[1] TRUE
```

2.5. 할당 연산자

이 연산자는 변수에 값을 할당하는 데 사용됩니다.

표 4. R 할당 연산자

연산자	설명
<-, <<-, =	왼쪽 변수에 할당
->, ->>	오른쪽 변수에 할당

<- 및 = 연산자는 거의 동일한 환경에서 변수에 대입 할 때 거의 동일하게 사용할 수 있습니다. = 연산자는 주로 함수 호출 시 파라미터 이름을 지정하여 인수를 전달하기 위해 사용합니다.

<<- 연산자는 상위 환경의 변수에 할당하는 데 사용됩니다.(전역 할당과 비슷합니다). ->> 는 사용 가능한 경우에도 거의 사용되지 않습니다.

```
> x <-5
> x
[1]5

> x = 9
> x
[1]9

> 10 -> x
> x
[1]10
```

-> 할당 연산자는 inspect() 함수 등을 실행할 때 출력되는 로그를 캡쳐해서 버리는 용도로 사용하기도 합니다. 아래 코드는 실제 실행되지는 않습니다. 참고만 하세요.

```
> capture.output(
+       temp <- inspect( ...생략 ...)
+ ) -> .null
```

2.6. 중위 연산자

R에서 사용하는 대부분의 연산자는 2항 연산자(2 개의 피연산자가 있음)입니다. 따라서 피연산자간에 사용되는 중위 연산자(infix operator)입니다. 사실, 이 연산자는 백그라운드에서 함수 호출을 합니다. 예를 들어, a + b라는 표현식은 실제로 인자 a와 b를 갖는 `+`() 함수를 호출합니다. 이는 `+`(a, b)로 표기할 수 있습니다.[21)]

다음은 백그라운드에서 호출되는 실제 함수와 함께 몇 가지 예제 표현식입니다.

```
> 5+3
[1] 8
> `+`(5,3)
[1] 8

> 5-3
[1] 2
> `-`(5,3)
[1] 2

> 5*3-1
[1] 14
> `-`(`*`(5,3),1)
[1] 14
```

1) 내장 중위 연산자

R에는 미리 정의되어 있는 중위 연산(infix operator)자들이 있습니다. 다음 표는 R 중위연산자들에 대한 설명입니다.

표 5. 내장 중위 연산자

중위연산자	설명
%%	Remainder operator(나머지)
%/%	Integer division(몫)
%*%	Matrix multiplication(행렬의 곱) 또는 벡터의 내적
%o%	Outer product(외적)[22)]
%x%	Kronecker product(크로네커 곱)[23)]
%in%	Matching operator(매칭 연산자)

21) `(back tick)은 함수 이름에 특수 기호가 들어 있기 때문에 중요합니다.
22) 벡터끼리 곱해서 행렬을 얻는 외적입니다. 자세한 내용은 아래 주소를 참고하세요.

다음 코드는 내장 중위 연산자들의 예입니다.

%%는 나머지를 계산하고 %/%는 몫을 계산합니다. 몫과 나머지는 정부뿐만 아니라 실수(부동소수점)도 연산합니다.

```
> 5%%3
[1] 2
> 5%/%3
[1] 1
> 3.5%%1.2
[1] 1.1
> 3.5%/%1.2
[1] 2
```

%*%는 행렬의 곱을 계산합니다.

```
> matrix.a <- matrix(c(1:6), nrow=2)
> matrix.b <- matrix(c(1:6), nrow=3)
> matrix.a
     [,1] [,2] [,3]
[1,]    1    3    5
[2,]    2    4    6
> matrix.b
     [,1] [,2]
[1,]    1    4
[2,]    2    5
[3,]    3    6
> matrix.a %*% matrix.b
     [,1] [,2]
[1,]   22   49
[2,]   28   64
```

%o%는 벡터의 외적(cross product)을 계산하고, %*%는 벡터의 내적을 계산합니다.

```
> vector.a <- c(2,3,4)
> vector.b <- c(5,6,7)
> vector.a %o% vector.b
     [,1] [,2] [,3]
[1,]   10   12   14            # 2*5=10, 2*6=12, 2*7=14
[2,]   15   18   21            # 3*5=15, 3*6=18, 3*7=21
[3,]   20   24   28            # 4*5=20, 4*6=24, 4*7=28
> vector.a %*% vector.b        # (2*5)+(3*6)+(4*7)=56
     [,1]
[1,]   56
```

https://ko.wikipedia.org/wiki/외적

23) 크로네커 곱에 대한 자세한 내용은 아래 주소를 참고하세요.
http://wiki.mathnt.net/index.php?title=행렬의_크로네커_곱_(Kronecker_product)

%in% 연산자는 어떤 값을 포함하고 있는 지 여부를 알 수 있습니다.

```
> str <- c("Hello", "World", "CoderBy")
> (str %in% "World")
[1] FALSE  TRUE FALSE
> data.num <- c(2,4,6)
> data.num %in% 4
[1] FALSE  TRUE FALSE
> data.num %in% 3
[1] FALSE FALSE FALSE
> subset(str, subset=str %in% "World")
[1] "World"
```

2) 사용자 정의 중위 연산자

R에서 사용자 정의 중위 연산자를 만들 수 있습니다. 이 작업은 %로 시작하고 끝나는 함수의 이름을 지정하여 수행할 수 있습니다.

사용자 정의 중위 연산자의 예를 알아보겠습니다. add() 함수는 일반적인 함수의 정의 및 사용법입니다. 함수에 대한 설명은 [3. 함수]절에서 설명합니다.

```
> add <- function(x, y) {
+   return (x+y)
+ }
> add(10, 2)
[1] 12
```

만일 10 add 2 형식으로 사용하고 싶을 때 중위 연산자를 정의합니다. 다음은 %add% 중위 연산자를 정의하고 사용하는 예입니다.

```
> `%add%` <- function(x, y) {
+   return (x+y)
+ }
> `%add%`(10, 2)
[1] 12
> 10 %add% 2
[1] 12
```

* 역 따옴표(`)가 아닌 홑 따옴표(' ')를 이용해도 중위연산자를 정의할 수 있습니다.

3. 함수

함수는 코드를 논리적으로 단순한 부분으로 나누어 유지하고 이해하기 쉽게 만듭니다. R 프로그래밍에서 자신 만의 함수를 만드는 것은 매우 간단합니다.

3.1. 함수 정의 및 사용

1) 함수 정의

함수를 정의하기 위해 function 예약어를 사용합니다. 중괄호({ }) 안에 있는 명령문은 함수 본문을 구성합니다. 함수의 본문이 단일 표현식을 경우에는 중괄호를 생략할 수 있습니다. 함수 객체는 func_name에 할당하여 이름을 부여받습니다.

```
func_name <- function(arguments) {
   statements
}
```

다음 코드는 pow() 함수를 정의합니다. 이 함수는 두 개 인자를 갖습니다.

```
> pow <- function(x, y) {
+   result <- x^y
+   print(paste0(x, "의 ", y, "승은 ", result, "입니다."))
+ }
```

2) 함수 사용

위에서 정의한 함수는 다음처럼 사용할 수 있습니다.

```
> pow(2,3)
[1] "2의 3승은 8입니다."

> pow(3,2)
[1] "3의 2승은 9입니다."
```

3) 이름을 갖는 인자

위의 함수 호출에서 실제 인수에 대한 형식 인수의 인수 일치는 위치 순서대로 발생합니다. 이것은 pow(2,3)에서 형식 인자 x와 y가 각각 2와 3으로 지정된다는 것을 의미합니다.

R에서는 이름이 지정된 인수를 사용하여 함수를 호출할 수도 있습니다. 이런 식으로 함수를 호출 할 때 실제 인수의 순서는 중요하지 않습니다. 예를 들어, 아래 주어진 모든 함수 호출은 같습니다.

```
> pow(2,3)
[1] "2의 3승은 8입니다."

> pow(x=2, y=3)
[1] "2의 3승은 8입니다."

> pow(y=3, x=2)
[1] "2의 3승은 8입니다."
```

또한 단일 호출에서 명명 된 인수와 명명되지 않은 인수를 사용할 수 있습니다. 이 경우, 모든 명명 된 인수가 먼저 일치 된 다음 나머지 이름이 없는 인수가 위치 순서대로 매치됩니다.

```
> pow(x=2, 3)
[1] "2의 3승은 8입니다."

> pow(3, x=2)
[1] "2의 3승은 8입니다."
```

4) 인자의 기본값

R의 함수에서 인수에 기본값을 할당할 수 있습니다. 이것은 함수 선언의 형식 인수에 적절한 값을 제공하여 수행됩니다.

다음 함수는 y에 대한 기본값이 있습니다.

```
> pow <- function(x, y=2) {
+   result <- x^y
+   print(paste0(x, "의 ", y, "승은 ", result, "입니다."))
+ }
```

인수에 기본값을 사용하면 함수를 호출 할 때 기본값을 갖는 인수는 선택적이 됩니다.

```
> pow(3)
[1] "3의 2승은 9입니다."

> pow(3, 3)
[1] "3의 3승은 27입니다."
```

3.2. 리턴문

함수가 어떤 처리를 하고 결과를 돌려 줄 것을 요구할 때 R의 return() 함수를 사용하여 수행할 수 있습니다.

1) 리턴문

```
return (expression)
```

함수에서 리턴된 값은 유효한 오브젝트가 될 수 있습니다.

주어진 숫자가 양수, 음수 또는 0인지를 반환하는 예제를 살펴보겠습니다.

```
> check <- function(x) {
+   if (x > 0) {
+      result <- "Positive"
+   } else if (x < 0) {
+      result <- "Negative"
+   } else {
+      result <- "Zero"
+   }
+   return(result)
+ }
```

다음은 실행 결과입니다.

```
> check(1)
[1] "Positive"
> check(-3)
[1] "Negative"
> check(0)
[1] "Zero"
```

2) return()문이 없는 함수

함수에서 명시적으로 반환 값이 없으면 마지막으로 평가 된 표현식의 값이 자동으로 R에 반환됩니다.

다음 코드는 바로 전 함수와 일치합니다.

```
> check <- function(x) {
+   if (x > 0) {
+      result <- "Positive"
+   } else if (x < 0) {
+      result <- "Negative"
+   } else {
+      result <- "Zero"
+   }
+   result
+ }
```

일반적으로 명시적인 return() 함수를 사용하여 함수에서 즉시 값을 반환합니다. 그러나 함수의 마지막 문장이 아니라면 함수를 조기에 종료하여 호출 한 곳으로 제어를 가져옵니다.

```
> check <- function(x) {
+   if (x>0) {
+      return("Positive")
+   } else if (x<0) {
+      return("Negative")
+   } else {
+      return("Zero")
+   }
+ }
```

위 예제에서 x>0면 함수는 즉시 "Positive"를 리턴하고 나머지 문장을 실행되지 않습니다.

3) 다중 리턴

return() 함수는 단일 객체만 반환할 수 있습니다. 그러나 R에 여러 값을 반환하려는 경우 list 객체(또는 다른 열거 객체)를 사용하여 이를 반환할 수 있습니다.

```
> multi_return <- function() {
+   my_list <- list("color"="red", "size"=20, "shape"="round")
+   return(my_list)
+ }
```

다음 코드는 다중 리턴문을 사용하는 예입니다.

```
> a <- multi_return()
> a$color
[1] "red"

> a$size
[1] 20

> a$shape
[1] "round"
```

3.3. 가변인자

함수들의 설명서를 보면 가끔 아래와 같이 함수의 인자에 ... 표시가 된 것을 볼 수 있습니다.

```
mean(x, ...)
```

... 에 의한 추가 인수는 다른 함수로 전달되거나 다른 함수로부터 전달됩니다. 이를 '가변인자(Variable Argument)'라고 부르며 이런 표기가 있는 함수는 인자에 다양한 값을 전달할 수 있습니다.

아래의 함수는 가변인자를 이용하여 함수를 선언한 예입니다. 아래 정의한 add() 함수는 인자의 수가 몇 개가 되더라도 모든 수의 합을 계산해 줍니다.

```
> add <- function(...) {
+   args <- list(...)
+   sum <- 0
+   for(data in args) {
+      sum = sum + data
+   }
+   print(sum)
+ }
```

이 add() 함수는 인자에 몇 개를 전달하더라도 함수는 올바른 결과를 출력합니다.

```
> add(1,2)
[1] 3

> add(1,2,3)
[1] 6

> add(1,2,3,4)
[1] 10
```

가변인자를 이용해 함수를 정의할 때에는 함수의 인자로 전달한 값뿐만 아니라 인자의 이름도 중요하게 사용됩니다. 아래의 함수는 가변인자로 전달되는 인자의 이름과 값을 분리해 저장해 주는 함수입니다. 아래의 함수를 반드시 이해할 필요는 없습니다. 함수의 인자로 가변인자를 사용할 수 있다는 것만 알아두면 됩니다.

```
> argsenv <- function(..., parent=parent.frame()) {
+   cl <- match.call(expand.dots=TRUE)
+
+   e <- new.env(parent=parent)
+   pf <- parent.frame()
+   JJ <- seq_len(length(cl) - 1)
+   tagnames <- sprintf(".v%d", JJ)
+   for (i in JJ) e[[tagnames[i]]] <- eval(cl[[i+1]], envir=pf)
+
+   attr(e, "tagnames") <- tagnames
+   attr(e, "formalnames") <- names(cl)[-1]
+   class(e) <- c("environment", "argsenv")
+   return (e)
+ }
```

다음 함수는 가변인자를 선언한 함수입니다. 이 함수에서는 함수 호출 시 전달되는 인자의 이름과 값을 출력합니다.

```
> func <- function(...) {
+   dots <- argsenv(...)
+   print(dots)
+   for(i in seq_along(attr(dots, "tagnames"))) {
+      name = attr(dots, "formalnames")[i]
+      data = dots[[attr(dots, "tagnames")[i]]]
+      print(paste(name, data))
+   }
+ }
```

다음 코드는 함수를 호출해 인자의 정보를 출력해 보는 예입니다.

```
> func(a=10, b=20)
<environment: 0x000000001a031e38>
attr(,"tagnames")
[1] ".v1" ".v2"
attr(,"formalnames")
[1] "a" "b"
attr(,"class")
[1] "environment" "argsenv"
[1] "a 10"
[1] "b 20"
```

3.4. 재귀 호출

자기 자신을 호출하는 함수를 재귀 함수(Recursive Function)라고 하며 이 기법을 재귀(Recursion)이라고 합니다. 이 프로그래밍 기술은 문제를 더 작고 간단한 하위 문제로 분해하여 해결할 수 있습니다.

```
recurse <- function() {
 ...
 recurse()
}
```

예를 들어 숫자의 Factorial(자연수의 계승; 팩토리얼; 차례 곱) 값을 찾는 예를 들어 봅시다. 양의 정수의 팩토리얼은 1부터 그 수까지의 모든 정수의 곱으로 정의됩니다.

예를 들어, 5 팩토리얼(5!로 표시됨)은 5!=1*2*3*4*5=120이 됩니다. 5 팩토리얼을 찾는 이 문제는 4 팩토리얼에 5를 곱하는 하위 문제(5!=5*4!)로 나눌 수 있습니다. 이것을 더 일반화시키면 n!=n*(n-1)!로 나타낼 수 있습니다. 그리고 이것을 0!이 아닌 1까지 반복하면 됩니다.

아래의 코드는 재귀호출을 이용하여 팩토리얼을 계산하는 함수입니다.

```
> recursive.factorial <- function(x) {
+   if (x == 0)    return (1)
+   else           return (x * recursive.factorial(x-1))
+ }
```

여기에는 자체 호출 함수가 있습니다. recursive.factorial(x)와 같은 것은 x가 0이 될 때까지 x*recursive.factorial(x)로 바뀔 것입니다. x가 0이 되면 0의 계승 값이 1이므로 1을 반환합니다. 이것은 함수를 종료시키는 조건이며 매우 중요합니다. 함수를 종료시키는 조건이 없다면 재귀는 끝나지 않고(이론적으로) 무한히 계속될 것입니다.

다음은 함수를 호출하는 몇 가지 예입니다.

```
> recursive.factorial(0)
[1] 1

> recursive.factorial(4)
[1] 24

> recursive.factorial(7)
[1] 5040
```

재귀를 사용하면 코드가 더 짧아지고 깨끗해집니다. 그러나 재귀는 코드 논리를 따라가기가 어렵습니다. 재귀적인 방식으로 문제를 생각하는 것은 어려울 수 있습니다. 재귀함수는 많은 중첩 함수 호출이 발생할 때 메모리를 많이 소비할 수 있습니다. 큰 문제를 해결할 때 재귀 함수 사용은 많은 메모리를 소비한다는 점을 명심해야 합니다.

다음 코드는 재귀 함수를 이용하여 십진수를 2진수로 변환하는 예입니다.

```
> convert_to_binary <- function(n) {
+   if(n > 1) {
+     convert_to_binary(as.integer(n/2))
+   }
+   cat(n %% 2)
+ }
```

```
> convert_to_binary(52)
110100
```

다음 코드는 재귀 함수를 이용하여 피보나치수열을 출력하는 예입니다.

```
> recurse_fibonacci <- function(n) {
+   if(n <= 1) {
+     return(n)
+   } else {
+     return(recurse_fibonacci(n-1) + recurse_fibonacci(n-2))
+   }
+ }
```

```
> nterms <- 9 # 필요한 수열의 개수
> print("피보나치수열:")
[1] "피보나치수열:"
> for(i in 0:(nterms-1)) {
+   print(recurse_fibonacci(i))
+ }
[1] 0
[1] 1
[1] 1
[1] 2
[1] 3
[1] 5
[1] 8
[1] 13
[1] 21
```

4. 변수 저장환경과 유효범위

4.1. R 환경

R 환경(Environment)은 객체 (함수, 변수 등)의 집합으로 생각할 수 있습니다. 처음으로 R 인터프리터를 시작할 때 환경이 만들어집니다. 우리가 정의한 변수는 이제 이 환경에 있습니다. R 명령 프롬프트에서 사용할 수 있는 최상위 환경은 R_GlobalEnv라는 글로벌 환경입니다. 글로벌 환경은 R 코드에서 .GlobalEnv라고도 할 수 있습니다.

ls() 함수를 사용하여 현재 환경에서 정의된 변수 및 함수를 표시할 수 있습니다. 또한 environment() 함수를 사용하여 현재 환경을 얻을 수 있습니다.

```
> rm(list=ls())
> a <- 3
> b <- 7
> f <- function(x) x <- 1
> ls()
[1] "a" "b" "f"
> environment()
<environment: R_GlobalEnv>
> .GlobalEnv
<environment: R_GlobalEnv>
```

위의 예제에서 a, b 및 f는 R_GlobalEnv 환경에 있음을 알 수 있습니다. 이 전역 환경에는 함수의 인수에 정의되어 있는 x가 없다는 점에 유의하세요. 함수를 정의 할 때 새로운 환경이 생성됩니다. 위의 예제에서, 함수 f는 전역 환경 내에 새로운 환경을 생성합니다. 사실, 환경에는 모든 객체가 정의된 프레임과 둘러싼(부모) 환경에 대한 포인터가 있습니다. 따라서 x는 함수 f에 의해 생성된 새로운 환경의 프레임에 있습니다. 이 환경에는 R_GlobalEnv에 대한 포인터도 있습니다.

다음 함수를 통해 이를 알아보겠습니다.

```
> f <- function(f_x){
+   g <- function(g_x){
+       print("Inside g")
+       print(environment())
+       print(ls())
+   }
+   g(5)
+   print("Inside f")
```

```
+   print(environment())
+   print(ls())
+ }
```

위에서 정의한 함수를 실행시키면 다음과 같습니다.

```
> f(3)
[1] "Inside g"
<environment: 0x000000001d079f88>
[1] "g_x"
[1] "Inside f"
<environment: 0x000000001d0791e8>
[1] "f_x" "g"
> environment()
<environment: R_GlobalEnv>
> ls()
[1] "f"
```

이 코드를 통해 함수 g를 f 내부에 정의했고 둘 다 각각의 프레임 내에서 서로 다른 객체를 가진 서로 다른 환경을 가지고 있음을 확인할 수 있습니다.

4.2. 유효범위

변수들은 어디에 선언되어 있는지에 따라 다른 유효범위(Scope)를 갖습니다. 변수가 함수 안에 선언되면 지역변수(Local Variable)라고 부르며, 최상위(함수 밖)에 선언되면 전역변수(Global Variable)라고 부릅니다.

다음 예를 생각해 보겠습니다.

```
> outer_func <- function(){
+   b <- 20
+   inner_func <- function(){
+       c <- 30
+   }
+ }
>
> a <- 10
```

1) 전역변수(Global Variable)

전역변수(Global Variable)는 프로그램을 실행하는 동안 존재하는 변수입니다. 프로그램의 어느 부분에서든지 변경하고 액세스할 수 있습니다. 그러나 전역변수는 함수의 관점에도 의존합니다. 예를 들어 위의 예에서 inner_func()의 관점에서 a와 b는 모두 전역변수입니다. 그러나 outer_func()의 관점에서 보면 b는 지역변수이고 a는 전역변수입니다. 변수 c는 outer_func()에서 완전히 보이지 않습니다.

2) 지역변수(Local Variable)

지역변수(Local Variable)는 함수처럼 프로그램의 특정 부분에만 존재하는 변수이며 함수 호출이 끝나면 해제됩니다. 위의 프로그램에서 변수 c는 지역변수라고 부릅니다. 함수 inner_func()를 사용하여 변수에 값을 할당하면 변경은 로컬일 뿐이며 함수 외부에서는 액세스할 수 없습니다. 전역변수와 지역변수의 이름이 일치하는 경우에도 동일합니다.

예를 들어, 다음 함수를 생각해 보겠습니다.

```
> outer_func <- function(){
+   a <- 20
+   inner_func <- function(){
+      a <- 30
+      print(a)
+   }
+   inner_func()
+   print(a)
+ }
```

그리고 함수를 호출합니다.

```
> a <- 10
> outer_func()
[1] 30
[1] 20
> print(a)
[1] 10
```

변수 a는 두 함수의 환경 프레임 내에서 로컬로 생성되며 전역 환경 프레임과는 다릅니다.

3) 값에 의한 호출

R에서 함수 호출방식은 값에 의한 호출입니다. 함수 밖에서 선언한 함수를 함수 안에서 바꾸더라도 함수 밖의 변수에는 영향을 주지 않습니다. 다음 함수 선언 예를 보겠습니다.

```
> a <- 10
> b <- 20
> func <- function(a, b) {
+   a <- a+10
+   b <- b+10
+   return (a+b)
+ }
```

함수 안의 a 변수는 지역변수라 부르고, 함수 밖의 a는 전역변수라 부릅니다. 우연의 일치인 것처럼 전역변수와 지역변수의 이름이 같지만, 실제 프로그램에서는 전혀 다른 공간에 변수가 만들어지기 때문에 다른 변수라고 할 수 있습니다.

위 함수를 호출하는 구문이 실행된 다음 함수 밖의 a는 바뀌지 않습니다. 다음 코드는 함수를 호출한 후 a 변수의 값을 출력하는 예입니다. 함수 안에서 a는 20이 되지만 이는 함수 밖의 변수 a와는 완전히 다른 변수입니다.

```
> func(a,b)
[1] 50

> a
[1] 10
```

함수 인자로 전달한 전역변수 a의 값은 복사가 되어 지역변수 a에 전달됩니다. 전역변수 a의 주소가 인자로 전달되는 것이 아닌 값만 인자로 전달됩니다. 그래서 R에서 함수 호출 방식은 값에 의한 호출이라고 부릅니다.

4) 전역변수에 값 할당

전역변수를 읽을 수는 있지만 할당하려고 하면 대신 새로운 지역변수가 생성됩니다. 전역변수에 할당하려면 슈퍼 할당 연산자 <<- 를 사용해야 합니다. 함수 내에서 이 연산자를 사용하면 상위 환경 프레임에서 변수를 검색합니다. 발견되지 않으면 변수가 전역 환경에 도달 할 때까지 계속해서 다음 상위 레벨을 검색합니다. 변수가 여전히 발견되지 않으면 변수가 작성되고 전역 레벨로 지정됩니다.

다음 함수가 실행되면 전역 레벨에 a 변수를 생성하고 값 30을 할당합니다.

```
> outer_func <- function(){
+   inner_func <- function(){
+       a <<- 30
+       print(a)
+   }
+   inner_func()
+   print(a)
+ }
```

```
> outer_func()
[1] 30
[1] 30

> print(a)
[1] 30
```

inner_func() 내에서 **a <<- 30** 구문이 발견되면 outer_func() 환경에서 변수 a를 찾습니다. 검색이 실패하면 R_GlobalEnv에서 검색합니다. a는 이 전역 환경에서도 정의되어 있지 않으므로 inner_func() 및 outer_func() 내에서 참조되고 인쇄될 수 있는 현재 전역 환경에 정의되고 생성됩니다.

5. R 클래스와 객체

R은 3가지 클래스들이 있습니다. 이들 클래스는 S3, S4 그리고 참조(reference) 클래스입니다.

R에서 객체 지향 프로그래밍할 수 있습니다. 실제로 R의 모든 것은 객체입니다. 객체는 속성(attribute)들과 그 속성들에 따라 작동하는 메서드(method)를 가진 데이터 구조입니다.

클래스(class)는 객체의 청사진(blueprint)입니다. 그리고 객체(object)는 클래스로부터 만들어진 인스턴스(instance)입니다. 사실 오브젝트와 인스턴스는 우리말로 '사물' 정도로 해석될 수 있습니다. 인스턴스는 어떤 사물을 전부를 한데 모아 두루 일컬어 부를 때 사용하며, 인스턴스 중에서 하나를 선택하면 그것은 객체가 됩니다. 클래스에서 객체를 만드는 프로세스를 '인스턴스화'라고 합니다.

대부분의 프로그래밍 언어에는 단일 클래스 시스템이 있지만, R에는 세 가지 클래스 시스템이 있습니다. 즉, S3, S4 그리고 참조(reference) 클래스 시스템입니다. 이들은 각각 특징과 특성을 가지고 있으며, 다른 하나를 선택하는 것은 개인적인 선호의 문제입니다. 아래에서는 간단한 소개를 제공합니다.

다음 표는 S3 클래스, S4 클래스 그리고 참조 클래스를 비교하기 위해 나타낸 것입니다. 지금은 이해하기 어려울 수도 있습니다. R의 객체들에 대해 공부한 후 참고하시길 바랍니다.

표 6. S3 vs. S4 vs. 참조 클래스

	S3 클래스	S4 클래스	참조 클래스
클래스 정의	형식 정의가 부족함.	setClass()를 사용	setRefClass()를 사용
객체 생성	클래스 속성을 설정	new()를 사용	생성기(generator) 사용
속성 액세스	$(달러) 기호 사용	@(at) 기호 사용	$(달러) 기호 사용
메서드	제네릭 함수에 속함	제네릭 함수에 속함	메서드는 클래스에 속함
copy-on-modify[24)	따름	따름	따르지 않음

24) `b <- a` 코드는 a의 복사본을 만들고 b로 참조하는 것으로 보입니다. 그러나 a 나 b가 나중에 변경되지 않으면 복사 할 필요가 없습니다. 아래의 코드에서 b는 a값이 변경되기 직전에 복사됩니다. 변수의 주소는 data.table 패키지의 address() 함수를 이용해 확인할 수 있습니다.

```
> library(data.table)
> a <- 10; b <- a
> address(a)                        #[1] "0000000025F72290"
> address(b)                        #[1] "0000000025F72290"
```

5.1. S3 클래스

S3 클래스는 R 프로그래밍 언어에서 가장 널리 보급되어 있는 클래스입니다. S3 클래스는 다소 원시적입니다. 공식적인 정의가 없으며 이 클래스의 객체는 단순히 클래스 속성을 추가하여 만들 수 있습니다. 이 단순성은 R 프로그래밍 언어에서 널리 사용된다는 사실을 설명합니다. 실제로 R에 미리 정의된 대부분의 클래스는 이 유형입니다. 그 이유는 구현하기 쉽기 때문입니다.

1) S3 클래스 정의 및 객체 생성

S3 클래스에는 정식 정의가 없습니다. 기본적으로 클래스 속성이 클래스 이름으로 설정된 목록은 S3 객체입니다. 목록의 구성 요소는 개체의 멤버 변수가 됩니다.

다음은 학생 클래스의 S3 객체를 생성하는 방법에 대한 간단한 예입니다. Eric 학생의 나이는 20살, 학부 평점은 3.8입니다.

```
> s <- list(name="Eric", age=20, GPA=3.8)
> class(s) <- "student"
> s
$name
[1] "Eric"

$age
[1] 20

$GPA
[1] 3.8

attr(,"class")
[1] "student"
```

2) 생성자를 이용한 객체 생성

객체를 만들려면 클래스와 같은 이름을 가진 함수를 사용할 수 있습니다.(이 함수는 반드시 필요하지는 않습니다.) 이렇게 하면 객체를 만드는 과정에서 일정한 일관성 생깁니다. 구성원 속성에 대한 무결성 검사를 추가할 수도 있습니다.

```
> b <- 20
> address(a)                    #[1] "0000000025F72290"
> address(b)                    #[1] "0000000025EC26E0"
```

다음은 그 예입니다. 이 예제에서는 attr() 함수를 사용하여 객체의 클래스 속성을 설정합니다.

```
> student <- function(n, a, g) {
+   if(g>4.5 || g<0)
+     stop("학점은 0과 4.5사이여야 합니다.")
+   value <- list(name=n, age=a, GPA=g)
+   attr(value, "class") <- "student"
+   return (value)
+ }
```

다음은 이 생성자를 사용하여 객체를 만드는 예제입니다

```
> student_eric <- student("Eric", 20, 3.8)
> print(student_eric)
$name
[1] "Eric"

$age
[1] 20

$GPA
[1] 3.8

attr(,"class")
[1] "student"
```

객체를 생성할 때 무결성 체크를 할 수 있습니다. 그러나 객체가 생성된 후에는 무결성 검사를 할 수 없습니다. 다음 코드는 그 예입니다.

```
> student_dan <- student("Dan", 19, 5.0)
Error in student("Dan", 19, 5) : 학점은 0과 4.5 사이여야 합니다.
> student_dan <- student("Dan", 19, 4.0)
> student_dan$GPA <- 5.0   #무결성 체크가 안 됨
```

3) 제네릭[25] 함수

위 예에서 객체의 이름을 쓰면 객체 내부가 인쇄됩니다. 우리가 print() 함수를 사용하면 벡터, 행렬, 데이터 프레임 등 print() 함수 인자 그들이 속한 클래스(타입)에 따라 다르게 출력됩니다.

25) 객체 또는 클래스에 속하지 않는 일반 함수를 의미합니다. 일반 함수라고 표현할 수 도 있지만 평소에 자주 보는 단어는 generic 이므로 영어 표현을 그대로 사용한 것입니다.

print() 함수가 서로 다른 종류의 다양한 대상을 인쇄하는 방법을 어떻게 알 수 있습니까? 사실, print() 함수는 여러 가지 방법의 모음을 가지고 있습니다. 우리는 methods(print) 구문을 이용하여 이 모든 방법을 확인할 수 있습니다. 이는 제네릭 함수의 모든 메서드를 출력합니다.

```
> methods(print)
  [1] print.acf*
  [2] print.anova*
...
[191] print.xngettext*
[192] print.xtabs*
see '?methods' for accessing help and source code
```

실행 결과를 보면 목록에서 print.data.frame, print.factor 등을 찾을 수 있습니다. 만일 print() 함수를 이용하여 데이터 프레임을 출력하면 print.data.frame()이 실행됩니다. 여기서 함수의 이름이 형식인 것을 알 수 있습니다. *generic_name.class_name()*인 것입니다. 이것은 R이 클래스에 따라 호출할 함수를 파악할 수 있는 방법입니다.

만일 student 객체를 출력하려 하면 print.student() 형식의 함수를 찾습니다. 그러나 이 형식의 함수는 없습니다. 만일 일치하는 항목이 없는 경우 호출되는 함수는 print.default()입니다.

다음 구문을 default()를 갖는 함수들의 목록을 출력합니다.

```
> methods(class="default")
  [1] add1           aggregate      AIC            all.equal
  [5] ansari.test    anyDuplicated  aperm          ar.burg
...
[153] weighted.mean  weights        wilcox.test    window
[157] with           xtfrm
see '?methods' for accessing help and source code
```

4) 사용자 정의 제네릭 함수

이제 직접 제네릭 함수를 구현하겠습니다. 다음 코드는 student 객체를 출력하는 print() 함수를 정의합니다.

```
> print.student <- function(obj) {
+   cat(obj$name, "\n")
+   cat(obj$age, "살\n")
+   cat("학점:", obj$GPA, "\n")
+ }
```

S3 시스템에서 함수는 객체 또는 클래스에 속하지 않으며 제네릭 함수에 속합니다. 제네릭 함수는 객체의 클래스가 설정되어 있는 한 계속 작동합니다. 다시 원래의 내용대로 출력되길 원한다면 unclass() 함수를 이용하면 됩니다.

```
> print(student_dan)
Dan
19 살
학점: 4
```

```
> unclass(student_dan)
$name
[1] "Dan"

$age
[1] 19

$GPA
[1] 4

> print.student <- NULL # 사용자 정의 제네릭 함수 삭제
```

이런 방법으로 클래스에 제네릭 함수를 추가할 수 있습니다. 그런데 먼저 print() 또는 plot() 함수가 어떻게 구현되는지 살펴볼 필요가 있습니다.

```
> print
function (x, ...)
UseMethod("print")
<bytecode: 0x000000000f8ea4a0>
<environment: namespace:base>
```

```
> plot
function (x, y, ...)
UseMethod("plot")
<bytecode: 0x0000000009b70160>
<environment: namespace:graphics>
```

이들 함수는 UseMethod() 함수를 공통적으로 호출하는 것을 볼 수 있습니다. 이것은 백그라운드 정보를 처리하는 디스패처 함수입니다.

다음 코드는 학생 객체의 학점만 출력하는 함수 grade()를 구현한 것입니다. 제네릭 함수를 구현하기 위해 UseMethod() 함수를 호출합니다.

```
> grade <- function(obj) {
+   UseMethod("grade")
+ }
```

다음은 grade() 함수의 인수로 student 타입이 전달 될 때 실행되는 제네릭 함수입니다.

```
> grade.student <- function(obj) {
+   cat(obj$name, "학생의 학점은", obj$GPA, "입니다.\n")
+ }
```

```
> grade(student_dan)
학점은 4 입니다.
```

default 함수는 grade() 함수의 인수로 student 타입이 아닌 다른 타입이 전달될 때 실행됩니다.

```
> grade.default <- function(obj) {
+   cat("제네릭 함수입니다.", class(obj), "은 지원하지 않습니다.")
+ }
```

```
> grade(c(1,2,3))
제네릭 함수입니다. numeric 은 지원하지 않습니다.
```

5) S3 클래스 상속

S3 클래스에는 고정 된 정의가 없습니다. 따라서 S3 객체의 속성은 임의적 일 수 있습니다. 그러나 파생 클래스는 기본 클래스에 대해 정의 된 메서드를 상속합니다. 다음과 같이 student 클래스의 새로운 객체를 만드는 함수가 있다고 가정 해 보겠습니다.

```
> student <- function(n,a,g) {
+   value <- list(name=n, age=a, GPA=g)
+   attr(value, "class") <- "student"
+   value
+ }
```

또한 print()는 다음과 같이 제네릭 함수에 대해 정의 된 메서드가 있습니다.

```
> print.student <- function(obj) {
+   cat(obj$name, "\n")
+   cat(obj$age, "살\n")
+   cat("학점:", obj$GPA, "\n")
+ }
```

이제 student 클래스를 상속받은 InternationalStudent 클래스의 객체를 만들고 싶습니다. 이 작업 은 class(obj) <- c(child, parent) 형식으로 클래스 이름의 문자 벡터를 할당하여 수행할 수 있습니다.

```
> student_eric <- list(name="Eric", age=21, GPA=3.5, country="Korea")
> class(student_eric) <- c("InternationalStudent","student")
> student_eric
Eric
```

```
21 살
학점: 3.5
```

아직 print.InternationalStudent()를 구현하지 않았기 때문에 print.student()가 호출됩니다. 다음 코드는 print.InternationalStudent()를 구현합니다.

```
> print.InternationalStudent <- function(obj) {
+   cat(obj$name, "is from", obj$country, "\n")
+ }
```

그리고 다시 student 객체를 출력하면 재정의한 메서드가 실행됩니다.

```
> student_eric
Eric is from Korea
```

상속 여부를 확인하기 위해 inherits() 또는 is() 함수를 사용합니다.

```
> student_eric
Eric is from Korea
> inherits(student_eric, "student")
[1] TRUE
> is(student_eric, "student")
[1] TRUE
```

5.2. S4 클래스

S4 클래스는 S3 클래스보다 향상된 클래스입니다. 형식적인 정의가 부족한 S3 클래스 및 오브젝트와는 달리 S4 클래스는 형식적인 정의와 오브젝트를 생성하는 일관된 방법이 있습니다. 클래스 구성 요소는 setClass() 함수를 사용하여 정의되며 객체는 new() 함수를 사용하여 생성됩니다. 이렇게 하면 코드에 안전성이 추가되어 잘못된 값이 입력되는 실수를 저지르는 것을 방지할 수 있습니다.

1) S4 클래스 정의

S4 클래스는 setClass()함수를 사용하여 정의 됩니다. R 용어에서 멤버 변수는 슬롯이라고 부릅니다. 클래스를 정의 할 때 이름과 슬롯(슬롯의 클래스와 함께)을 설정해야합니다.

```
> setClass("student",
+          slots=list(name="character", age="numeric", GPA="numeric"))
```

위의 예에서, student라는 새로운 클래스 정의가 있습니다. 이는 name, age 그리고 GPA 슬롯을 가지고 있습니다.

2) S4 객체 생성

S4 객체는 new()를 사용하여 생성 합니다.

```
> student_kei <- new("student", name="Kei", age=18, GPA=4.3)
> student_kei
An object of class "student"
Slot "name":
[1] "Kei"

Slot "age":
[1] 18

Slot "GPA":
[1] 4.3
```

isS4() 함수를 통해 객체가 S4 객체인지 확인할 수 있습니다.

```
> isS4(student_kei)
[1] TRUE
```

3) S4 슬롯 액세스

S4 객체의 슬롯은 @를 사용하여 접근할 수 있습니다.

```
> student_kei@name
[1] "Kei"
> student_kei@age
[1] 18
> student_kei@GPA
[1] 4.3
```

재 할당을 통해 슬롯을 수정할 수 있습니다.

```
> student_kei@GPA <- 4.5
> student_kei
An object of class "student"
Slot "name":
[1] "Kei"

Slot "age":
[1] 18

Slot "GPA":
[1] 4.5
```

마찬가지로 슬롯은 slot()함수를 사용하여 액세스하거나 수정할 수 있습니다 .

```
> slot(student_kei, "age")
[1] 18
> slot(student_kei, "age") <- 19
> student_kei
An object of class "student"
Slot "name":
[1] "Kei"

Slot "age":
[1] 19

Slot "GPA":
[1] 4.5
```

4) 제네릭 함수

S3 클래스의 경우와 마찬가지로 S4 클래스의 메서드도 클래스 자체가 아닌 제네릭 함수에 속합니다. S4 제네릭으로 작업하는 것은 S3 제네릭과 거의 비슷합니다.

showMethods() 함수를 사용하여 사용 가능한 모든 S4 제네릭 함수 및 메서드를 나열할 수 있습니다.

```
> showMethods()
Function: - (package base)

Function: != (package base)

Function: $ (package base)
x="envRefClass"
x="refObjectGenerator"

Function: $<- (package base)
x="data.frame"
x="envRefClass"
x="localRefClass"
...
```

show() 함수 인수로 객체 이름을 쓰면 객체의 정보가 출력됩니다. 이것은 S4 제네릭 기능을 사용하여 수행됩니다.

```
> show(student_kei)
An object of class "student"
Slot "name":
[1] "Kei"
```

```
Slot "age":
[1] 19

Slot "GPA":
[1] 4.5

> isS4(print)
[1] FALSE
> isS4(show)
[1] TRUE
```

setMethod() 함수를 사용하여 S4 클래스의 메서드를 정의할 수 있습니다. 예를 들어 show() 제네릭에 대한 클래스 메서드를 다음과 같이 구현할 수 있습니다.

```
> setMethod("show",
+           "student",
+           function(object) {
+             cat("이름:", object@name, "\n")
+             cat("나이:", object@age, "\n")
+             cat("학점:", object@GPA, "\n")
+           }
+ )
[1] "show"
```

```
> show(student_kei)
이름: Kei
나이: 19
학점: 4.5
```

5) 사용자 정의 함수

S3 클래스의 grade() 메서드 예처럼 사용자가 직접 제네릭 함수를 정의하려면 다음처럼 grade()함수를 정의한 후 setMethod() 함수를 이용해 student 타입 객체를 지원하는 메서드를 추가할 수 있습니다.

```
> grade <- function(object) {}
> setMethod("grade", "student",
+           function(object) {
+             cat(object@name, "님의 학점은", object@GPA, "입니다.")
+           })
the global environment내에 있는 함수 'grade'로부터 제네릭 함수를 생성합니다
> grade(student_kei)
kei 님의 학점은 4.3 입니다.
```

6) S4 클래스 상속

S4 클래스에는 적절한 정의가 있으므로 파생 클래스는 부모 클래스의 특성과 메서드를 상속합니다.

show() 제네릭 함수를 갖는 student 클래스를 정의해 보겠습니다.

```
> setClass("student",
+          slots=list(name="character", age="numeric", GPA="numeric"))
```

```
> setMethod("show",
+           "student",
+           function(object) {
+             cat("이름:", object@name, "\n")
+             cat("나이:", object@age, "\n")
+             cat("학점:", object@GPA, "\n")
+           }
+ )
[1] "show"
```

상속은 아래와 같이 contains 인수를 사용하여 파생 클래스 정의 중에 수행 됩니다.

```
> setClass("InternationalStudent",
+          slots=list(country="character"),
+          contains="student"
+ )
```

```
> student_dan <- new("InternationalStudent",
+                    name="dan", age=20, GPA=4.1, country="Korea")
> show(student_dan)
이름: dan
나이: 20
학점: 4.1
```

여기에 country 속성을 추가했습니다. 나머지는 부모로부터 상속됩니다. show(student_dan) 메서드를 호출했을 때 student 클래스에 정의 된 메서드가 호출 된 것을 볼 수 있습니다.

S3 시스템의 경우처럼 기본 클래스의 메서드를 덮어 쓸 파생 클래스의 메서드를 정의할 수 있습니다.

5.3. 참조(Reference) 클래스

참조 클래스는 다른 두 클래스와 비교하여 나중에 소개되었습니다. R 프로그래밍의 참조 클래스는 C++, Java, Python 등 객체지향 프로그램에서 볼 수 있는 클래스와 비슷합니다. S3 및 S4 클래스 와 달리 메서드는 제네릭 함수가 아닌 클래스에 속합니다. 참조 클래스는 내부적으로 환경(environment)이 추가 된 S4 클래스로 구현됩니다.

1) 참조 클래스를 정의하는 방법

참조 클래스 정의는 S4 클래스 정의와 유사합니다. 그러나 setClass() 대신 setRefClass()함수를 사용합니다. 참조 클래스 이름은 S4 클래스 이름과 같을 수 없습니다. 혼돈을 피하는 방법은 참조 클래스의 이름은 첫 문자를 대문자로 표기하는 것입니다.

```
> setRefClass("Student")
```

만일 클래스의 멤버변수가 정의되려면 멤버 변수는 클래스 정의에 포함되어야합니다. 참조 클래스의 멤버 변수는 필드라고 합니다(S4 클래스의 슬롯과 유사합니다).

다음은 Student에 3개의 필드 name, age 그리고 GPA를 갖는 클래스를 정의하는 예제입니다.

```
> setRefClass("Student",
+             fields=list(name="character", age="numeric", GPA="numeric"))
```

2) 참조 객체 생성

setRefClass() 함수는 해당 클래스의 객체를 만드는 데 사용되는 생성자 함수를 반환합니다.

```
> Student <- setRefClass("Student",
+       fields=list(name="character", age="numeric", GPA="numeric"))
> Student
Generator for class "Student":

Class fields:

Name:       name       age       GPA
Class: character   numeric   numeric

Class Methods:
    "field", "trace", "getRefClass", "initFields", "copy", "callSuper",
```

```
    ".objectPackage", "export", "untrace", "getClass", "show", "usingMethods",
    ".objectParent", "import"

Reference Superclasses:
    "envRefClass"

> student_eric <- Student(name="Eric", age=22, GPA=3.9)
> student_eric
Reference class object of class "Student"
Field "name":
[1] "Eric"
Field "age":
[1] 22
Field "GPA":
[1] 3.9
```

3) 필드 액세스

$연산자를 사용하여 객체의 필드에 액세스할 수 있습니다 .

```
> student_eric$age
[1] 22
```

마찬가지로 재 할당에 의해 수정됩니다.

```
> student_eric$age <- 21
> student_eric
Reference class object of class "Student"
Field "name":
[1] "Eric"
Field "age":
[1] 21
Field "GPA":
[1] 3.9
```

4) 참조 메서드

메서드는 참조 클래스에 대해 정의되며 S3 및 S4 클래스 에서처럼 제네릭 함수에 속하지 않습니다. 모든 참조 클래스는 모두 수퍼 클래스 envRefClass에서 상속되므로 미리 정의된 메서드가 있습니다.

```
> Student
Generator for class "Student":
```

```
Class fields:

Name:       name      age      GPA
Class: character   numeric   numeric

Class Methods:
     "field", "trace", "getRefClass", "initFields", "copy", "callSuper",
     ".objectPackage", "export", "untrace", "getClass", "show", "usingMethods",
     ".objectParent", "import"

Reference Superclasses:
     "envRefClass"
```

앞의 Student 객체의 정보를 출력한 목록에서 copy(), field() 그리고 show() 같은 클래스 메서드를 볼 수 있습니다. 그리고 클래스를 정의하는 setRefClass() 함수의 methods인수로 전달하여 클래스에 대한 자체 메서드를 만들 수 있습니다.

```
> Student <- setRefClass("Student",
+         fields = list(name="character", age="numeric", GPA="numeric"),
+         methods = list(
+                   inc_age = function(x) {
+                      age <<- age + x
+                   },
+                   dec_age = function(x) {
+                      age <<- age - x
+                   }
+               )
+ )
```

위 코드에 ing_age() 메서드와 dec_age() 메서드를 정의했습니다. 이 두 메서드는 age 필드를 수정합니다. 메서드 안에서 <- 할당 연산자를 사용하면 새로운 로컬 변수가 추가됩니다. 그러므로 위 코드에서처럼 age 값을 변경하기 위해서는 <<- 연산자를 사용해야 합니다.

다음 코드는 위의 정의된 메서드를 사용하는 예입니다.

```
> student_eric <- Student(name="Eric", age=22, GPA=3.9)
> student_eric$inc_age(5)
> student_eric$age
[1] 27
> student_eric$dec_age(10)
> student_eric$age
[1] 17
```

5) 참조 클래스 상속

참조 클래스의 상속은 S4 클래스의 상속 과 매우 비슷합니다. contains 인수에서 파생시킬 기본 클래스를 정의합니다.

다음은 두 개의 메서드 inc_age()와 dec_age()를 가진 참조 클래스 Student의 예제입니다.

```
> Student <- setRefClass("Student",
+           fields=list(name="character", age="numeric", GPA="numeric"),
+           methods=list(
+                          inc_age = function(x) {
+                             age <<- age + x
+                          },
+                          dec_age = function(x) {
+                             age <<- age - x
+                          }
+                    )
+ )
```

이 클래스를 상속받는 클래스를 정의합니다. 이 클래스에서 dec_age() 메서드를 age가 음수가 되지 않도록 재정의 합니다.

```
> InternationalStudent <- setRefClass("InternationalStudent",
+         fields=list(country="character"),
+         contains="Student",
+         methods=list(
+             dec_age=function(x) {
+                 if((age - x)<0)  stop("나이는 음수가 될 수 없습니다.")
+                 age <<- age - x
+             }
+         )
+ )
```

테스트 해 보겠습니다.

```
> student_kei <- InternationalStudent(name="Kei", age=19, GPA=3.9,
country="Korea")
> student_kei$dec_age(10)
> student_kei$age
[1] 9
> student_kei$dec_age(10)
Error in student_kei$dec_age(10) : 나이는 음수가 될 수 없습니다.
> student_kei$age
[1] 9
```

6. 패키지 생성 및 배포

R 프로그래밍과 객체지향의 개념을 배웠다면 R의 패키지와 함수들을 사용만 하는 것이 아닌 직접 만들고 배포할 줄 알아야 합니다. 다음은 사용자의 패키지를 설치하고 배포하는 방법에 대해 설명합니다.

6.1. 패키지 만들기

1. 필요한 패키지를 설치합니다.

```
> install.packages("devtools")
> install.packages("roxygen2")
```

2. 작업 디렉토리를 설정하고 패키지 디렉토리를 생성합니다. 다음 코드는 myStars[26] 폴더에 R이라는 이름의 폴더와 몇 개의 파일을 생성합니다.

```
> setwd("~")
> devtools::create("myStars")
```

그림 4. 생성된 R폴더와 파일들

3. 패키지의 기본정보에 대해서는 DESCRIPTION파일을 수정해서 우리가 작성할 패키지에 대한 기본적인 정보를 입력하세요. 이메일 주소(예: first.last@example.com)는 윈도우용 패키지를 빌드하는데 필요하므로 윈도우 겸용 패키지를 만들 때는 반드시 여러분의 이메일 주소를 바르게 적으셔야 합니다.

```
Package: myStars
Title: What the Package Does (one line, title case)
Version: 1.0
Authors@R: person("JinKyoung", "Heo", email = "first.last@example.com",
role = c("aut", "cre"))
Description: What the package does (one paragraph).
Depends: R (>= 3.5.1)
License: What license is it under?
Encoding: UTF-8
LazyData: true
RoxygenNote: 6.1.0
```

26) 패키지 이름을 이 책의 패키지 이름과 다르게 지정하세요. 이 책과 패키지 이름이 같을 경우 윈도우용 배포파일이 생성되지 않을 수 있습니다.

4. 스크립트를 작성하고 R 폴더 안에 저장하세요. 이 예제는 파일명을 pyramid.R로 지정했습니다. #으로 시작하는 부분은 Document를 위한 부분입니다. roxygen2 패키지 덕분에 이젠 모든 것을 매우 간단하고 빠르게 작성할 수 있습니다. 단순히 각 함수 도입부에 코멘트를 삽입하기만 하면, 패키지 컴파일 시 그 내용이 해당 함수의 설명 문서에 삽입됩니다. 더 자세한 사항은 roxygen2의 문서[27]를 참고하세요.

```
#' A pyramid Function
#'
#' This function allows you to draw star pyramid.
#' @param row=5
#' @keywords pyramid
#' @export
#' @examples
#' pyramid(row=5)
pyramid <- function(row=5) {
  for(i in 1:row) {
    for(j in 1:i) {
      cat("*")
    }
    cat("\n")
  }
}
```

5. 패키지 디렉토리를 작업디렉토리로 설정한 후 앞서 작성한 주석으로 Document를 생성합니다. 이 명령은 자동적으로 man 디렉토리에 .Rd파일을 추가하고 주 디렉토리에 NAMESPACE파일 내용을 추가합니다. 세부 작업내용에 대한 설명은 패키지 메타데이터 문서[28]를 참조하시길 바랍니다.

```
> setwd("~/myStars")
> devtools::document()
Updating myStars documentation
Loading myStars
Updating roxygen version in C:\Users\COM\Documents\myStars/DESCRIPTION
Writing NAMESPACE
Writing pyramid.Rd
```

6. install() 함수를 이용해서 만들어진 패키지를 설치합니다. 이때는 install.packages() 함수를 사용하지 않습니다.

```
> devtools::install("myStars")
Installing myStars
"C:/PROGRA~1/R/R-35~1.1/bin/x64/R" --no-site-file --no-environ --no-save  \
  --no-restore --quiet CMD INSTALL "C:/Users/JK/Documents/myStars"  \
  --library="C:/Program Files/R/R-3.5.1/library" --install-tests

* installing *source* package 'myStars' ...
```

27) https://github.com/klutometis/roxygen#roxygen2
28) http://r-pkgs.had.co.nz/description.html

```
** R
** byte-compile and prepare package for lazy loading
** help
*** installing help indices
  converting help for package 'myStars'
    finding HTML links ... 완료
    pyramid                                 html
** building package indices
** testing if installed package can be loaded
*** arch - i386
*** arch - x64
* DONE (myStars)
In R CMD INSTALL
Reloading installed myStars
```

6.2. 패키지 배포파일 만들기

1) 리눅스용 배포파일 만들기

리눅스용 배포파일이라면 tar.gz 파일로 작성해야 합니다. myStars가 보이는 디렉토리에서 아래 명령으로 배포파일을 만들 수 있습니다.

```
tar cfz myStars.tar.gz myStars
```

2) 윈도우용 배포파일 만들기

윈도우용 배포파일을 만들기 위해서는 DESCRIPTION 파일의 이메일 주소를 바르게 작성해야 합니다.

1. build_win() 함수를 이용해 윈도우용 배포파일을 만듭니다.

```
> setwd("~")
> devtools::build_win("myStars")
Building windows version of myStars for R-devel with
win-builder.r-project.org.

Email results to first.last@example.com?
1: No
2: Yes
3: I forget

선택: 2
"C:/PROGRA~1/R/R-35~1.1/bin/x64/R" --no-site-file --no-environ  \
  --no-save --no-restore --quiet CMD build  \
```

```
  "C:\Users\COM\Documents\myStars" --no-resave-data --no-manual

* checking for file 'C:\Users\COM\Documents\myStars/DESCRIPTION' ... OK
* preparing 'myStars':
* checking DESCRIPTION meta-information ... OK
* checking for LF line-endings in source and make files and shell scripts
* checking for empty or unneeded directories
* building 'myStars_1.0.tar.gz'

Check first.last@example.com for a link to the built package in 30-60 mins.
```

2. 윈도우용은 이메일을 통해 빌드된 패키지 링크를 받습니다. 링크를 클릭하면 빌드파일을 다운로드 받을 수 있습니다.

this notification has been generated automatically.
Your package myStars_1.0.tar.gz has been built (if working) and checked for Windows.
Please check the log files and (if working) the binary package at:
https://win-builder.r-project.org/5bccU8Va270D
The files will be removed after roughly 72 hours.
Installation time in seconds: 2
Check time in seconds: 36
Status: 3 WARNINGs, 1 NOTE
R Under development (unstable) (2018-08-28 r75203)

All the best,
Uwe Ligges
(CRAN maintainer of binary packages for Windows)

그림 5. 빌드파일을 다운로드 받을 수 있는 링크를 포함한 이메일

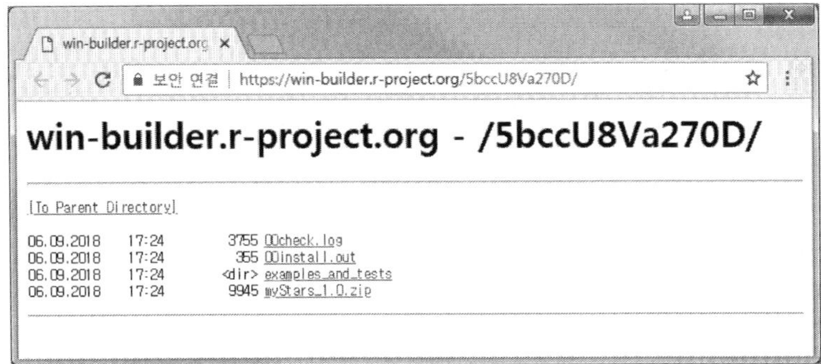

그림 6. 다운로드 링크

3. 윈도우 배포파일로 패키지 설치하고 테스트해 보세요.

```
> install.packages("~/myStars_1.0.zip", repos=NULL)
package 'myStars' successfully unpacked and MD5 sums checked
> myStars::pyramid(5)
*
**
***
****
*****
```

7. R 프로그래밍 실습

1) 소수(Prime Number) 체크

if 문과 for 문을 이용하여 입력한 값이 소수(Prime Number)인지 아닌지 체크하는 코드를 작성하세요.

```
> is_primenumber <- function() {
+     num = as.integer(readline(prompt="Enter a number: "))
+     flag = 0
+     if(num > 1) {
+         # check for factors
+         flag = 1
+         for(i in 2:(num-1)) {
+             if ((num %% i) == 0) {
+                 flag = 0
+                 break
+             }
+         }
+     }
+     if(num == 2) {
+         flag = 1
+     }
+     if(flag == 1) {
+         print(paste(num,"is a prime number"))
+     } else {
+         print(paste(num,"is not a prime number"))
+     }
+ }
```

```
> is_primenumber()
Enter a number: 19
[1] "19 is a prime number"
> is_primenumber()
Enter a number: 21
[1] "21 is not a prime number"
> is_primenumber()
Enter a number: 1279
[1] "1279 is a prime number"
```

2) 암스트롱(Armstrong) 번호 찾기

암스트롱 번호를 찾는 코드를 작성하세요. 암스트롱 번호는 각 자릿수의 숫자 세제곱이 원래의 수가 되는 수를 말합니다. 예를 들면 $1^3+3^3+5^3=153$이므로 153은 암스트롱 번호입니다.

```
> is_armstrong <- function() {
+     num = as.integer(readline(prompt="Enter a number: "))
+
+     temp = num
+     sum = 0
+     while(temp > 0) {
+         digit = temp %% 10
+
+         sum = sum + (digit ^ 3)
+         temp = floor(temp / 10)
+     }
+     if(num == sum) {
+         print(paste(num, "is an Armstrong number"))
+     } else {
+         print(paste(num, "is not an Armstrong number"))
+     }
+ }
```

```
> is_armstrong()
Enter a number: 153
[1] "153 is an Armstrong number"
> is_armstrong()
Enter a number: 135
[1] "135 is not an Armstrong number"
> is_armstrong()
Enter a number: 407
[1] "407 is an Armstrong number"
```

3) 피보나치수열

재귀 함수를 이용하여 피보나치수열을 출력하는 함수를 작성하고 함수를 실행시켜 피보나치수열을 출력하세요.

```
> recurse_fibonacci <- function(n) {
+   if(n <= 1) {
+       return(n)
+   } else {
+       return(recurse_fibonacci(n-1) + recurse_fibonacci(n-2))
+   }
+ }
```

```
> for(i in 0:10) {
+   cat(recurse_fibonacci(i), "")
+ }
0 1 1 2 3 5 8 13 21 34 55
> for(i in 0:20) {
+   cat(recurse_fibonacci(i), "")
+ }
0 1 1 2 3 5 8 13 21 34 55 89 144 233 377 610 987 1597 2584 4181 6765
> for(i in 0:35) {
+   cat(recurse_fibonacci(i), "")
+ }
0 1 1 2 3 5 8 13 21 34 55 89 144 233 377 610 987 1597 2584 4181 6765 10946
17711 28657 46368 75025 121393 196418 317811 514229 832040 1346269 2178309
3524578 5702887 9227465
```

5장. 데이터 전처리

1. 파일 입출력
2. apply 계열 함수와 함수 적용
3. 데이터 그룹화와 함수 적용
4. 데이터 분리
5. 데이터 합치기
6. 데이터 정렬
7. 데이터 프레임 이름 생략하기
8. 데이터 집계
9. 조건으로 색인 찾기
10. 데이터 전처리 실습

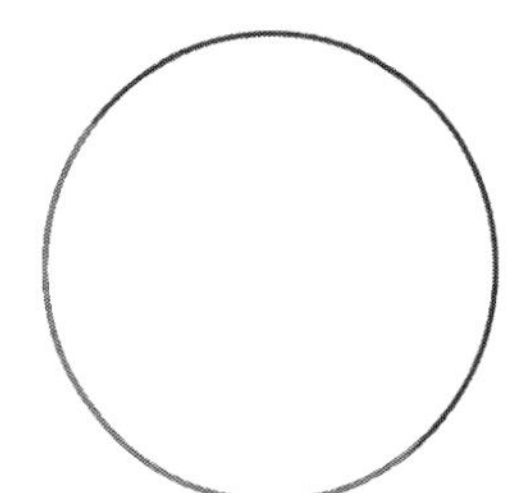

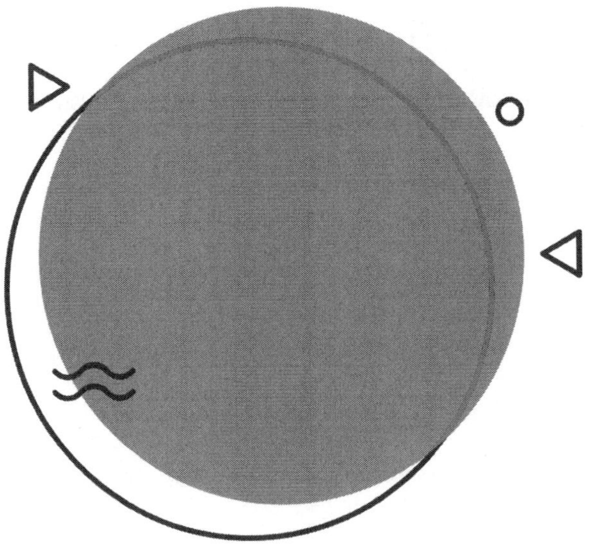

1. 파일 입출력

1.1. 문자셋과 인코딩

파일을 이용한 데이터 입출력에 대해 설명하기 전에 문자셋(Character Set)과 인코딩(endocing)에 대해 알아보겠습니다.

문자셋(charset; Character Set)은 하나의 언어권에서 사용하는 언어를 표현하기 위한 모든 문자(활자)의 모임을 문자셋이라고 합니다. 다시 말하면 우리가 얘기하는 언어를 책으로 출판할 때 필요한 문자(활자)를 모두 모은 것이라고 보면 됩니다. 그러므로 부호와 공백 등과 같은 특수 문자도 문자셋에 포함됩니다.

인코딩(encoding)은 문자셋을 컴퓨터가 이해할 수 있는 바이트와의 매핑 규칙입니다. 예를 들면 ASCII Code에서 ABC 등은 문자셋이고 A는 코드 65, B는 코드 66 등 바이트 순서와 매핑한 것이 인코딩입니다. 따라서 문자셋을 어떻게 매핑하느냐에 따라 하나의 문자셋이 다양한 인코딩을 가질 수 있습니다. 대한민국에서 가장 많이 사용하는 인코딩은 "UTF-8", "KSC5601", "ISO-8859-1" 이고 Windows는 "CP949"[29]를 사용합니다.

현재 시스템의 인코딩 정보를 확인하려면 Sys.getlocale() 함수를 이용합니다. 다음 코드는 윈도우에서 인코딩 정보를 확인한 결과입니다.

```
> Sys.getlocale()
[1] "LC_COLLATE=Korean_Korea.949;LC_CTYPE=Korean_Korea.949;LC_MONETARY=Ko
rean_Korea.949;LC_NUMERIC=C;LC_TIME=Korean_Korea.949"
```

시스템의 인코딩을 바꾸려면 Sys.setlocale() 함수를 이용하세요.

```
> Sys.setlocale(locale="English_United States.1252")
[1] "LC_COLLATE=English_United States.1252;LC_CTYPE=English_United States.
1252;LC_MONETARY=English_United States.1252;LC_NUMERIC=C;LC_TIME=English_
United States.1252"
```

다음은 문자셋과 인코딩 관련 R 명령어들입니다.

- Sys.getlocale() : R의 인코딩 정보 확인
- encoding(데이터명) : 데이터의 인코딩 정보 확인
- iconv(데이터, "CP949", "UTF-8") : CP949로 인코딩된 데이터를 "UTF-8"로 인코딩

29) Linux의 경우, "UTF-8"을 사용합니다. Windows와 Linux의 문자셋(charset) 설정에 따라 encoding 값이 달라집니다.

1.2. write.table

데이터를 파일에 저장하기 위해 write.table() 함수를 사용할 수 있습니다.

```
write.table(data, file="파일명", append=FALSE,
            quote=TRUE, sep=",", row.names=TRUE)
```

구문에서...

- data : data 변수에 저장된 데이터를 저장합니다.
- file : 저장할 파일명을 입력합니다.
- append : 기존에 파일이 있을 경우 덮어쓸지(append=FALSE, 기본값) 아니면 추가할지(append=TRUE)를 결정합니다.
- quote : TRUE이면(기본값) 필드의 값을 "로 묶습니다.
- sep : 필드의 구분자를 지정합니다. Default 필드 구분자는 공백(blank)입니다.
- row.names : TRUE(기본값)이면 각 행의 이름도 저장합니다.

다음 코드는 iris 데이터를 파일에 저장합니다. 파일명은 iris.csv로 지정합니다. 각 항목의 구분자는 ,(콤마)이며, 행 이름을 저장하지 않습니다.

```
> data(iris)
> write.table(iris, file="iris.csv", sep=",", row.names=FALSE)
```

코드를 실행시키면 현재 작업 디렉토리에 iris.csv 파일이 저장되는 것을 확인할 수 있습니다. 현재 작업 디렉토리는 getwd() 함수를 이용해 확인할 수 있습니다. 다음 그림은 Notepad++에서 불러온 iris.csv 파일입니다.

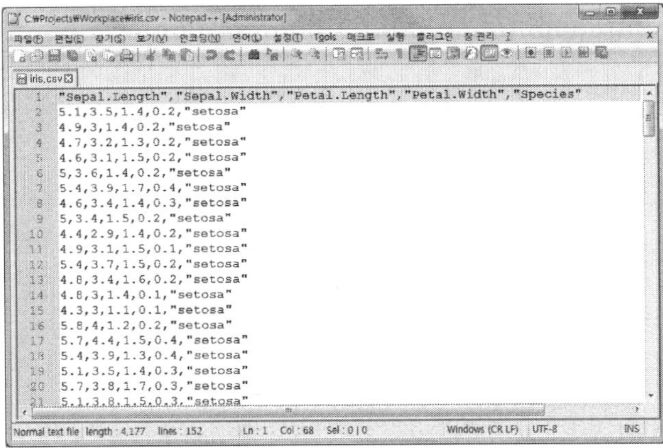

그림 1. iris.csv

1.3. read.table

read.table() 함수는 파일을 읽어 데이터 프레임 형태로 저장해 줍니다.

```
data <- read.table("파일명", header=TRUE, sep=",",
                   stringsAsFactors=FALSE, comment.char="#",
                   fileEncoding="UTF-8", encoding="CP949")
```

구문에서...

- header : TRUE이면 파일의 첫 번째 행을 열 이름으로 지정해 줍니다.
- sep : 데이터파일이 필드 구분자를 지정합니다. 디폴트 필드 구분자는 공백(blank)입니다.
- stringsAsFactors : TRUE이면 문자열을 Factor 형태로 저장합니다.
- comment.char : 주석의 시작 문자를 지정합니다. 디폴트는 #입니다.
- fileEncoding : 파일의 인코딩을 지정합니다.
- encoding : R의 인코딩을 지정합니다.

다음 코드는 앞에서 저장했던 iris.csv 파일을 읽는 예입니다,

```
> irisData <- read.table("iris.csv", header=TRUE, sep=",",
+                        stringsAsFactors=FALSE, comment.char="#",
+                        fileEncoding="UTF-8", encoding="CP949")
```

```
> head(irisData)
  Sepal.Length Sepal.Width Petal.Length Petal.Width Species
1          5.1         3.5          1.4         0.2  setosa
2          4.9         3.0          1.4         0.2  setosa
3          4.7         3.2          1.3         0.2  setosa
4          4.6         3.1          1.5         0.2  setosa
5          5.0         3.6          1.4         0.2  setosa
6          5.4         3.9          1.7         0.4  setosa
```

위 구문에서 stringsAsFactors=TRUE를 지정했습니다. 이는 문자열을 팩터 타입이 아닌 문자열 그대로 읽어 들이라는 의미입니다. 데이터를 읽어들인 다음 문자열이 저장되어 있는 열을 팩터로 변경하기 위해선 irisData$Species <- as.character (irisData$Species)를 이용하세요.

```
> str(irisData)
'data.frame': 150 obs. of  5 variables:
 $ Sepal.Length: num  5.1 4.9 4.7 4.6 5 5.4 4.6 5 4.4 4.9 ...
 $ Sepal.Width : num  3.5 3 3.2 3.1 3.6 3.9 3.4 3.4 2.9 3.1 ...
 $ Petal.Length: num  1.4 1.4 1.3 1.5 1.4 1.7 1.4 1.5 1.4 1.5 ...
```

```
 $ Petal.Width : num  0.2 0.2 0.2 0.2 0.2 0.4 0.3 0.2 0.2 0.1 ...
 $ Species     : chr  "setosa" "setosa" "setosa" "setosa" ...

> irisData$Species <- as.factor(irisData$Species)

> str(irisData)
'data.frame': 150 obs. of  5 variables:
 $ Sepal.Length: num  5.1 4.9 4.7 4.6 5 5.4 4.6 5 4.4 4.9 ...
 $ Sepal.Width : num  3.5 3 3.2 3.1 3.6 3.9 3.4 3.4 2.9 3.1 ...
 $ Petal.Length: num  1.4 1.4 1.3 1.5 1.4 1.7 1.4 1.5 1.4 1.5 ...
 $ Petal.Width : num  0.2 0.2 0.2 0.2 0.2 0.4 0.3 0.2 0.2 0.1 ...
 $ Species     : Factor w/ 3 levels "setosa","versicolor",..: 1 1 1 1 1 1 1 1 1 1 ...
```

1.4. write.csv

CSV(Comma-separated values) 파일 형식으로 저장할 것이라면 write.csv() 함수를 이용하면 설정 할 파라미터의 수를 줄일 수 있습니다.

write.csv 함수와 write.csv2 함수는 CSV 파일을 작성하기 위한 편리한 래퍼를 제공합니다. append, col.names, sep, dec 또는 qmethod 등 속성들의 수정은 경고와 함께 무시됩니다.

```
write.csv(data, file="파일명")
```

다음 코드는 irisData를 iris2.csv 파일에 저장합니다. 디폴트 옵션으로 저장하면 데이터의 열 이름과 행 이름이 함께 저장됩니다. 이때 각 열의 구분자는 ,(콤마)입니다.

```
> write.csv(irisData, file="iris2.csv")
```

- write.csv() 함수를 이용해 데이터를 저장할 때 주의해야 할 점이 있습니다. R-3.4.x 이하 버전에서는 write.csv() 함수의 row.names=FALSE 속성이 적용되지 않습니다. 그래서 저장되는 파일에 행의 이름도 같이 저장됩니다. R-3.4.x 이하 버전에서 데이터를 저장할 때 행의 이름을 제외시키려면 write.table() 함수를 이용하세요. R-3.5.x 이상 버전은 write.csv() 함수에 row.names=FALSE 속성이 적용됩니다.

1.5. read.csv

CSV 형식 파일을 조회할 때 read.csv() 함수를 사용할 수 있습니다.

```
data <- read.csv(file="파일명")
```

다음 코드는 파일에서 csv 데이터를 읽는 예입니다.

```
> newData <- read.csv("iris2.csv")
> head(newData)
  X Sepal.Length Sepal.Width Petal.Length Petal.Width Species
1 1          5.1         3.5          1.4         0.2  setosa
2 2          4.9         3.0          1.4         0.2  setosa
3 3          4.7         3.2          1.3         0.2  setosa
4 4          4.6         3.1          1.5         0.2  setosa
5 5          5.0         3.6          1.4         0.2  setosa
6 6          5.4         3.9          1.7         0.4  setosa
```

iris2.csv 파일은 write.csv() 함수를 이용했기 때문에 새로운 열이 추가됐습니다.

원본 데이터 프레임을 저장 후 그대로 다시 불러드리려면 데이터를 파일에 쓸 때 write.table()을 이용하세요. 그리고 읽을 때 read.csv()를 읽어드리면 행 이름이 새로운 데이터로 추가되는 것을 막을 수 있습니다.

다음 코드는 write.table() 함수를 이용해서 row.names=FLASE 옵션으로 저장한 파일을 read.csv()로 불러들이는 예입니다.

```
> irisData <- read.csv("iris.csv")
> head(irisData)
  Sepal.Length Sepal.Width Petal.Length Petal.Width Species
1          5.1         3.5          1.4         0.2  setosa
2          4.9         3.0          1.4         0.2  setosa
3          4.7         3.2          1.3         0.2  setosa
4          4.6         3.1          1.5         0.2  setosa
5          5.0         3.6          1.4         0.2  setosa
6          5.4         3.9          1.7         0.4  setosa
```

* 데이터를 읽거나 저장할 때 파일의 이름은 경로를 포함할 수 있습니다. R에서 디렉토리 구분자는 /를 이용하거나 ~~WW~~(백슬래시 두 개)를 이용합니다.

```
irisData <- read.csv("C:/Projects/Workplace/iris.csv")
irisData <- read.csv("C:\\Projects\\Workplace\\iris.csv")
```

1.6. cat

분석 결과 등을 저장할 때 cat()을 이용할 수 있습니다.

```
cat(... , file="", sep=" ", fill=FALSE, labels=NULL,
        append=FALSE)
```

cat()의 주요 용도는 문자열을 이어 출력하는데 사용하지만 file 인자를 지정하면 파일에 데이터를 저장할 수 있습니다.

다음 코드는 iris 데이터의 요약 정보를 파일에 저장하는 예입니다.

```
> irisSummary <- summary(iris)
> cat("iris 데이터 요약:", "\n", irisSummary, "\n",
+       file="summary.txt", append=TRUE)
```

위 코드는 summary.txt 파일에 iris 데이터의 summary 정보를 저장합니다. append=TRUE 속성 때문에 cat 구문을 실행시킬 때마다 기존 파일에 데이터를 추가 저장합니다.

다음 그림은 저장된 파일을 Notepad++로 확인한 결과입니다.

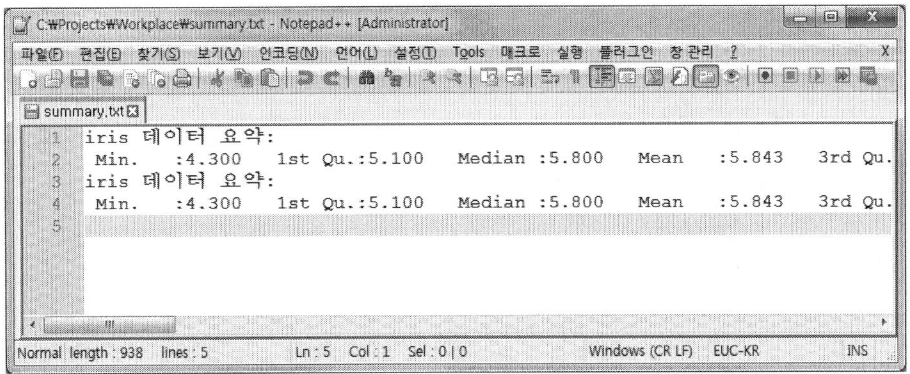

그림 2. summary.txt 파일

2. apply 계열 함수와 함수 적용

apply 계열 함수를 이용하면 데이터에 함수를 적용시킨 결과를 얻을 수 있습니다.

2.1. apply

apply() 함수는 행렬이나 배열의 차원 별로 지정한 함수를 적용시킬 수 있습니다. 이는 반복문을 사용하는 것보다 프로그램 코드를 최소화하고 수행 속도도 빠르게할 수 있습니다.

```
apply(X, MARGIN, FUN, ...)
```

구문에서...
- X : 대상 자료 객체(행렬, 배열)입니다.
- MARGIN : 차원을 입력합니다. 1이면 행별로 함수를 적용하고, 2이면 열별로 함수를 적용합니다. 3이면 차원(3차원 배열에서)별로 함수를 적용합니다. c(1,2)이면 (행,열) 별로 함수를 적용합니다.
- FUN : 적용할 함수 이름입니다.

다음 코드는 iris 데이터에서 setosa 종의 꽃받침의 길이와 평균, 꽃잎의 길이와 너비 평균을 구하는 예입니다.

```
> setosaData <- iris[iris$Species=="setosa", ]
> apply(setosaData[, 1:4], 2, mean)
Sepal.Length  Sepal.Width Petal.Length  Petal.Width
       5.006        3.428        1.462        0.246
```

- apply() 함수의 두 번째 인자 2는 열 별로 함수를 적용하라는 의미입니다.

다음 코드는 학생들의 국어, 영어, 수학 점수를 갖는 데이터셋을 정의합니다. 이를 이용해 학생들의 점수 총점과 각 과목별 평균을 알아보겠습니다.

```
> student_name <- c("Jin", "Eric", "Den", "Kei")
> student_kor <- c(70, 90, 85, 90)
> student_eng <- c(60, 85, 90, 95)
> student_math <- c(80, 95, 95, 90)

> studentData <- data.frame(student_name, student_kor, student_eng,
+                           student_math)
```

```
> studentData
  student_name student_kor student_eng student_math
1          Jin          70          60           80
2         Eric          90          85           95
3          Den          85          90           95
4          Kei          90          95           90
```

위 데이터에서 행(1) 별로 합(sum)을 구하면 각 학생들의 국어, 영어, 수학 점수의 총합이 출력됩니다.

```
> apply(studentData[,-1], 1, sum)
[1] 210 270 270 275
```

열(2) 별로 평균(mean)을 구하면 모든 학생의 영어, 국어, 수학 평균을 출력합니다.

```
> apply(studentData[,-1], 2, mean)
 student_kor  student_eng student_math
       83.75        82.50        90.00
```

2.2. lapply

lapply는 list apply입니다. lapply() 함수는 리스트에 지정한 함수를 적용합니다. 함수를 적용한 결과는 리스트로 반환합니다.

```
lapply(X, FUN, ...)
```

구문에서...

- X : 함수를 적용할 벡터 또는 리스트 객체입니다.
- FUN : 적용할 함수 이름입니다.
- ... : 함수에서 사용할 인수들입니다.

lappay() 함수 예제를 위해 list 객체를 생성합니다.
객체 x는 정수 1부터 10까지 갖는 a 변수와 -3부터 3까지 지수값을 갖는 beta 변수, 그리고 TRUE, FALSE, FALSE, TRUE 값을 갖는 logic 변수를 가지고 있습니다.

```
> x <- list(a=1:10, beta=exp(-3:3), logic=c(TRUE,FALSE,FALSE,TRUE))
> x
```

```
$a
 [1]  1  2  3  4  5  6  7  8  9 10

$beta
[1]  0.04978707  0.13533528  0.36787944  1.00000000  2.71828183
[6]  7.38905610 20.08553692

$logic
[1]  TRUE FALSE FALSE  TRUE
```

다음 코드는 x 리스트의 각 리스트별로 평균을 계산합니다.

```
> lapply(x, mean)
$a
[1] 5.5

$beta
[1] 4.535125

$logic
[1] 0.5
```

다음 코드는 quantile[30] 함수를 이용해 분위수를 계산합니다. quantile 함수에 probs 인수를 이용해 1사분위에서 3사분위수까지 출력하도록 합니다.

```
> lapply(x, quantile, probs=1:3/4)
$a
 25%  50%  75%
3.25 5.50 7.75

$beta
      25%       50%       75%
0.2516074 1.0000000 5.0536690

$logic
25% 50% 75%
0.0 0.5 1.0
```

30) quantile은 확률 분포의 범위를 동일한 확률을 가진 연속적인 간격으로 나누거나 동일한 방식으로 샘플의 관측 값을 나눈 컷 포인트입니다.

2.3. sapply

sapply는 simplification apply입니다. sapply() 함수는 lapply() 함수와 유사하지만 리스트대신 행렬, 벡터 등으로 결과를 반환하는 함수입니다.

```
sapply(X, FUN, ..., SIMPLIFY=TRUE, USE.NAMES=TRUE)
```

구문에서...

- X : 대상 리스트 객체입니다.
- FUN : 적용할 함수 이름입니다.
- ... : 함수에서 사용할 인수입니다.
- SIMPLIFY : TRUE(기본값) 이면 연산 결과를 벡터, 행렬 등으로 반환합니다. FALSE면 연산 결과를 리스트로 반환합니다.
- USE.NAMES : TRUE(기본값)이면 이름 속성도 반환합니다. FALSE이면 이름 속성 없이 반환합니다.

sapply()는 각 열에 저장된 데이터의 클래스를 알아내기 위해 사용합니다. sapply()는 한 가지 타입만 저장 가능한 데이터 타입인 벡터, 행렬, 배열을 반환하므로 sapply()에 인자로 주어진 함수의 반환 값에 여러 데이터 타입이 섞여있어서는 안됩니다.

다음 코드는 앞 예제의 x 변수에 사분위수를 출력합니다.

```
> sapply(x, quantile)
          a        beta logic
0%     1.00  0.04978707   0.0
25%    3.25  0.25160736   0.0
50%    5.50  1.00000000   0.5
75%    7.75  5.05366896   1.0
100% 10.00 20.08553692   1.0
```

다음 코드는 각 리스트별로 다섯 숫자 요약(Five-Number Summaries; 최솟값, 아래 사분위수, 중간값, 위 사분위수, 최댓값)을 출력합니다.

```
> i39 <- sapply(3:9, seq) # list of vectors
> sapply(i39, fivenum)
     [,1] [,2] [,3] [,4] [,5] [,6] [,7]
[1,]  1.0  1.0    1  1.0  1.0  1.0    1
[2,]  1.5  1.5    2  2.0  2.5  2.5    3
[3,]  2.0  2.5    3  3.5  4.0  4.5    5
[4,]  2.5  3.5    4  5.0  5.5  6.5    7
[5,]  3.0  4.0    5  6.0  7.0  8.0    9
```

```
i39                     List of 7
 : int [1:3] 1 2 3
 : int [1:4] 1 2 3 4
 : int [1:5] 1 2 3 4 5
 : int [1:6] 1 2 3 4 5 6
 : int [1:7] 1 2 3 4 5 6 7
 : int [1:8] 1 2 3 4 5 6 7 8
 : int [1:9] 1 2 3 4 5 6 7 8 9
```

그림 3. i39 변수

2.4. vapply

vapply는 values simplification apply입니다. vapply() 함수는 sapply() 함수와 비슷하지만, FUN의 모든 값이 FUN.VALUE와 호환되는지 확인합니다. vapply() 함수는 FUN.VALUE에 의해 미리 지정된 유형의 반환 값을 가지므로 사용하는 것이 더 안전할 수 있습니다. 그래서 sapply() 함수에 비해 더 안전하게 사용할 수 있고, 더 빠릅니다.

```
vapply(X, FUN, FUN.VALUE, ..., USE.NAMES=TRUE)
```

구문에서...

- X : 대상 리스트 객체입니다.
- FUN : 적용할 함수 이름입니다.
- FUN.VALUE : 반환하는 데이터의 유형을 지정합니다. FUN에서 리턴값을 위한 템플릿입니다. length(FUN.VALUE) == 1이면 X와 동일한 길이의 벡터가 반환되고, 그렇지 않으면 배열이 반환됩니다. FUN.VALUE가 배열이 아니면 결과는 FUN.VALUE의 길이 행과 X의 길이 열을 가진 행렬입니다. 그렇지 않으면 dim(a) == c(dim(FUN.VALUE), length(X)) 식에 의한 차원을 가집니다.
- ... : 함수에서 사용할 인수입니다.

FUN.VALUE에 대해 알아보기 위해 sapply() 함수와 비교해 보겠습니다.

다음 코드는 sapply 함수를 이용해 문자열의 길이를 출력합니다.

```
> cities <- c("Seoul", "Busan", "New York", "Tykyo")
> sapply(cities, nchar)
   Seoul    Busan New York    Tykyo
       5        5        8        5
```

문자열의 길이를 출력하기 위해 vapply() 함수를 사용할 수 있습니다. 그런데 다음 코드는 FUN.VALUE 인수가 빠져 있습니다.

```
> vapply(cities, nchar)
Error in vapply(cities, nchar) :
  argument "FUN.VALUE" is missing, with no default
```

vapply() 함수의 FUN.VALUE 인수의 길이와 타입은 함수를 적용한 결과의 길이 및 타입과 일치해야 합니다. nchar 함수의 리턴값은 숫자 타입 1개입니다. 그러므로 FUN.VALUE에 numeric(1)이라고 지정해야 합니다. 좀 더 쉽게 지정하는 방법은 numeric(1)에 0을 넣는 방법입니다.

```
> vapply(cities, nchar, numeric(1))
   Seoul    Busan New York    Tykyo
       5        5        8        5

> vapply(cities, nchar, 0)
   Seoul    Busan New York    Tykyo
       5        5        8        5
```

vapply()에 대해 알고 있으면 sapply()를 더이상 사용할 이유가 없습니다. lapply()가 생성하는 출력을 배열로 단순화할 수 있다면 vapply()를 사용하여 이 작업을 안전하게 수행할 수 있습니다. 단순화가 불가능한 경우 lapply()를 사용하세요.

다음 코드는 앞에서 리스트별로 다섯 숫자 요약(Five-Number Summaries; 최솟값, 아래 사분위수, 중간값, 위 사분위수, 최댓값)을 출력하는 sapply() 함수의 예를 FUN.VALUE를 지정하는 vapply() 함수 예로 바꾼 것입니다.

```
> i39 <- sapply(3:9, seq)
> vapply(i39, fivenum,
+        FUN.VALUE=c(Min.=0, "1st Qu."=0, Median=0, "3rd Qu."=0, Max.=0))
        [,1] [,2] [,3] [,4] [,5] [,6] [,7]
Min.     1.0  1.0    1  1.0  1.0  1.0    1
1st Qu.  1.5  1.5    2  2.0  2.5  2.5    3
Median   2.0  2.5    3  3.5  4.0  4.5    5
3rd Qu.  2.5  3.5    4  5.0  5.5  6.5    7
Max.     3.0  4.0    5  6.0  7.0  8.0    9
```

2.5. mapply

mapply()는 sapply()와 유사하지만 여러 인자를 함수에 전달한다는 데서 차이가 있습니다. mapply는 가변인자(...)를 통해 전달되는 두 번째 인자, 세 번째 인자 등이 첫 번째 인자인 FUN 함수의 인자로 적용됩니다.

```
mapply(FUN, ..., MoreArgs=NULL, SIMPLIFY=TRUE,
       USE.NAMES=TRUE)
```

구문에서...

- FUN : 적용할 함수 이름입니다.
- ... : FUN의 인자로 전달한 값들입니다.
- MoreArgs : FUN 함수에 전달할 다른 인자 목록입니다.
- SIMPLIFY : TRUE(기본값) 이면 연산 결과를 벡터, 행렬 등으로 반환합니다. FALSE면 연산 결과를 리스트로 반환합니다.
- USE.NAMES : TRUE(기본값)이면 이름 속성도 반환합니다. FALSE이면 이름 속성 없이 반환합니다.

다음 코드는 mapply 예입니다.

```
> mapply(rep, 1:4, 4:1)
[[1]]
[1] 1 1 1 1

[[2]]
[1] 2 2 2

[[3]]
[1] 3 3

[[4]]
[1] 4
```

```
> mapply(rep, times=1:4, x=4:1)
[[1]]
[1] 4

[[2]]
[1] 3 3
```

```
[[3]]
[1] 2 2 2

[[4]]
[1] 1 1 1 1
```

```
> mapply(rep, times=1:4, MoreArgs=list(x=42))
[[1]]
[1] 42

[[2]]
[1] 42 42

[[3]]
[1] 42 42 42

[[4]]
[1] 42 42 42 42
```

mapply() 함수의 사례를 하나 들어보겠습니다. 필자가 프로젝트 할 때 고객데이터를 분석하는 도중 고객들의 소득이 0이 고객들 데이터들이 있었습니다. 실제로 소득이 0인 고객들도 있었지만, 일부 고객들은 직업이 있음에도 소득이 0인 것은 결측값(缺測値, Missing Value)이라고 판단하고 이를 다른 값으로 대체한 후 분석해야 했습니다.

[그림 18]에서 income이 0에 해당하는 데이터는 소득이 0이 아니라 데이터가 누락된 것입니다. 직업이 숫자로 표기된 이유는 레이블 인코딩(문자를 숫자로 변환)했기 때문입니다.

결측값을 다른 값으로 대체하기 위해 다음 순서대로 데이터를 임의로 만들고 mapply() 함수를 사용하는 예를 설명하겠습니다.

	job	income
1	3	4879
2	3	6509
3	5	4183
4	2	0
5	2	3894
6	3	0
7	5	3611
8	3	6454
9	4	4975
10	4	8780
11	6	0
12	3	4362

그림 4. 고객 소득데이터

고객들의 직업과 소득을 임의로 샘플링해서 데이터 프레임으로 만들었습니다.

```
> job <- c(3, 3, 5, 2, 2, 3, 5, 3, 4, 4, 6, 3)
> income <- c(4879, 6509, 4183, 0, 3894, 0, 3611, 6454, 4975, 8780, 0, 4362)
> cust <- data.frame(job, income)
```

income.avg 변수는 미리 계산된 고객들의 직업별 평균 소득입니다.

```
> income.avg <- c(862, 0, 3806, 3990,  3891, 3359, 3556, 2199, 227)
> names(income.avg) <- 0:8
> income.avg     # 1은 주부이며 주부의 평균 소득은 0임
   0    1    2    3    4    5    6    7    8
 862    0 3806 3990 3891 3359 3556 2199  227
```

다음 함수는 고객의 소득이 0인 경우 미리 계산된 고객들의 직업별 평균 소득으로 대체하는 함수입니다. zero2mean 함수는 인수를 두 개 필요합니다. 인수 job은 고객의 직업이며, income은 고객의 소득입니다.

```
> zero2mean <- function(job, income) {
+   if(income==0) {
+     return (income.avg[job+1])  # job이 2이면 income.avg[3]이므로 1 더함
+   }else {
+     return (income)
+   }
+ }
```

다음 코드는 zero2mean 함수를 모든 고객 데이터에 적용시키는 예입니다.

```
> cust$income.new <- mapply(zero2mean, cust$job, cust$income)
```

다음 그림은 mapply() 함수를 이용하여 결측값을 전처리한 고객의 소득입니다.

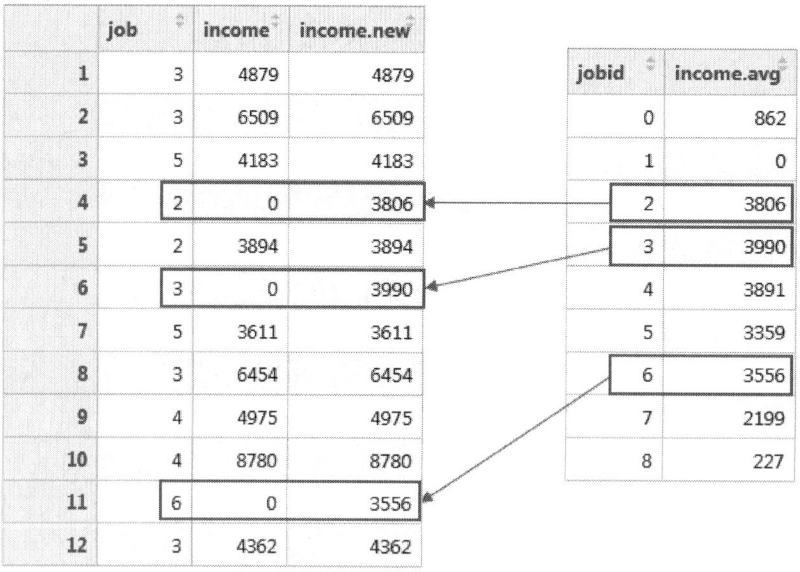

	job	income	income.new
1	3	4879	4879
2	3	6509	6509
3	5	4183	4183
4	2	0	3806
5	2	3894	3894
6	3	0	3990
7	5	3611	3611
8	3	6454	6454
9	4	4975	4975
10	4	8780	8780
11	6	0	3556
12	3	4362	4362

jobid	income.avg
0	862
1	0
2	3806
3	3990
4	3891
5	3359
6	3556
7	2199
8	227

그림 5. 전처리한 고객 소득데이터

3. 데이터 그룹화와 함수 적용

데이터를 그룹화하여 집계하는 것은 분석에 있어서 매우 중요한 일입니다.

3.1. tapply

tapply()는 그룹별 처리를 위한 apply 함수입니다. 데이터가 주어졌을 때 각 데이터가 속한 그룹별로 주어진 함수를 수행합니다.

```
tapply(X, INDEX, FUN=NULL, ..., default=NA, simplify=TRUE)
```

구문에서...

- X : 대상 리스트 객체입니다.
- INDEX : X와 같은 길이의 하나 이상의 범주형변수(factor) 목록입니다. as.factor() 함수에 의해 범주형변수 타입으로 강제 형변환됩니다.
- FUN : 적용할 함수입니다. NULL. +, % * % 등의 경우, 이름을 역 인용부호(`) 또는 인용 부호(')로 묶어야 합니다. FUN이 NULL이면 tapply는 벡터를 리턴합니다.
- ... : FUN의 인자로 전달한 값들입니다.
- default : 기본값은 NA이며 결측값일 경우 출력될 값을 지정합니다.
- simplify : TRUE(기본값)이면 FUN이 항상 스칼라를 반환하면 tapply는 스칼라 모드의 배열을 반환합니다. FALSE이면, tapply는 항상 "list" 모드의 배열을 리턴합니다. 즉, dim 속성이 있는 목록입니다.

다음 코드는 iris 데이터셋에서 종별 꽃받침의 길이 평균을 구합니다.

```
> tapply(iris$Sepal.Length, iris$Species, mean)
    setosa versicolor  virginica
     5.006      5.936      6.588
```

다음 코드는 iris 데이터셋에서 종별 꽃받침의 폭(너비)의 평균을 구합니다.

```
> tapply(iris$Sepal.Width, iris$Species, mean)
    setosa versicolor  virginica
     3.428      2.770      2.974
```

default 속성에 대해 알아보기 위해 앞에서 사용했던 고객의 직업과 소득 정보를 이용해 직업별 평균 소득을 계산해 보겠습니다. 이를 위해 먼저 데이터를 준비합니다.

```
> job <- c(3, 3, 5, 2, 2, 3, 5, 3, 4, 4, 6, 3)
> job <- factor(job, levels=c(0:8))
> str(job)
 Factor w/ 9 levels "0","1","2","3",..: 4 4 6 3 3 4 6 4 5 5 ...
> income <- c(4879, 6509, 4183, 0, 3894, 0, 3611, 6454, 4975, 8780, 0, 4362)
```

직업별로 평균을 구해야 하기 때문에 job을 범주형변수로 정의합니다. 이때 범주형변수의 레벨은 직업코드 전체인 0부터 8까지로 합니다.

다음 코드는 default 속성이 어떤 역할을 하는지 보여줍니다. job 범주형변수의 레벨에는 있지만, income 데이터에 존재하지 않는 직업들은 NA로 출력됩니다. default 속성은 NA로 출력되어야 할 값을 다른 값으로 바꿔 출력되게 할 수 있습니다. 다음 코드는 실제 평균이 0인 경우와 결측값을 구분하기 위해 결측값이 -1로 출력되게 한 것입니다.

```
> tapply(income, job, mean)
     0      1      2      3      4      5      6      7      8 
    NA     NA 1947.0 4440.8 6877.5 3897.0    0.0     NA     NA 

> tapply(income, job, mean, default=-1)
     0      1      2      3      4      5      6      7      8 
  -1.0   -1.0 1947.0 4440.8 6877.5 3897.0    0.0   -1.0   -1.0 
```

3.2. by

by()는 함수는 데이터 프레임에 적용되는 tapply를 위한 함수입니다.

```
by(data, INDICES, FUN, ..., simplify=TRUE)
```

구문에서...

- data : R 객체입니다. 일반적으로 데이터 프레임이거나 행렬입니다.
- INDICES : 팩터 또는 팩터 리스트입니다.
- FUN : 데이터의 서브세트에 적용되는 함수입니다.
- ... : FUN의 인자로 전달한 값들입니다.
- simplify : TRUE(기본값)이면 FUN이 항상 스칼라를 반환하면 by는 스칼라 모드의 배열을 반환합니다. FALSE이면, by는 항상 "list" 모드의 배열을 리턴합니다. 즉, dim 속성이 있는 목록입니다.

tapply() 함수는 한 번에 여러 열에 대하여 집계 연산을 수행할 수 없습니다.

```
> tapply(iris[,1:4], iris[,"Species"], sum)
Error in tapply(iris[, 1:4], iris[, "Species"], sum) :
  인자들은 반드시 같은 길이를 가져야 합니다
```

by() 함수는 데이터 프레임의 여러 열에 함수를 적용시킬 수 있습니다.

```
> by(iris[,1:4], iris[,"Species"], sum)
iris[, "Species"]: setosa
[1] 507.1
--------------------------------------------------
iris[, "Species"]: versicolor
[1] 714.6
--------------------------------------------------
iris[, "Species"]: virginica
[1] 857
```

다음 코드는 종별 요약정보를 출력합니다.

```
> by(iris[,1:4], iris[,"Species"], summary)
iris[, "Species"]: setosa
  Sepal.Length    Sepal.Width     Petal.Length    Petal.Width
 Min.   :4.300   Min.   :2.300   Min.   :1.000   Min.   :0.100
 1st Qu.:4.800   1st Qu.:3.200   1st Qu.:1.400   1st Qu.:0.200
 Median :5.000   Median :3.400   Median :1.500   Median :0.200
 Mean   :5.006   Mean   :3.428   Mean   :1.462   Mean   :0.246
 3rd Qu.:5.200   3rd Qu.:3.675   3rd Qu.:1.575   3rd Qu.:0.300
 Max.   :5.800   Max.   :4.400   Max.   :1.900   Max.   :0.600
--------------------------------------------------
iris[, "Species"]: versicolor
  Sepal.Length    Sepal.Width     Petal.Length   Petal.Width
 Min.   :4.900   Min.   :2.000   Min.   :3.00   Min.   :1.000
 1st Qu.:5.600   1st Qu.:2.525   1st Qu.:4.00   1st Qu.:1.200
 Median :5.900   Median :2.800   Median :4.35   Median :1.300
 Mean   :5.936   Mean   :2.770   Mean   :4.26   Mean   :1.326
 3rd Qu.:6.300   3rd Qu.:3.000   3rd Qu.:4.60   3rd Qu.:1.500
 Max.   :7.000   Max.   :3.400   Max.   :5.10   Max.   :1.800
--------------------------------------------------
iris[, "Species"]: virginica
  Sepal.Length    Sepal.Width     Petal.Length    Petal.Width
 Min.   :4.900   Min.   :2.200   Min.   :4.500   Min.   :1.400
 1st Qu.:6.225   1st Qu.:2.800   1st Qu.:5.100   1st Qu.:1.800
 Median :6.500   Median :3.000   Median :5.550   Median :2.000
 Mean   :6.588   Mean   :2.974   Mean   :5.552   Mean   :2.026
 3rd Qu.:6.900   3rd Qu.:3.175   3rd Qu.:5.875   3rd Qu.:2.300
 Max.   :7.900   Max.   :3.800   Max.   :6.900   Max.   :2.500
```

3.3. doBy 패키지

doBy 패키지에는 다양한 유틸리티 기능이 포함되어 있습니다. 이 패키지는 원래 SAS 시스템의 PROC 요약과 같은 그룹 별 요약 통계를 계산할 필요성에서 비롯되었지만, 현재 패키지에는 많은 유틸리티가 포함되어 있습니다.

doBy 패키지는 install.packages("doBy") 명령으로 설치할 수 있습니다.

```
> install.packages("doBy")
trying URL 'https://cran.rstudio.com/bin/windows/contrib/3.5/doBy_4.6-1.zip'
Content type 'application/zip' length 3353650 bytes (3.2 MB)
downloaded 3.2 MB

package ‘doBy’ successfully unpacked and MD5 sums checked

The downloaded binary packages are in
    C:\Users\COM\AppData\Local\Temp\Rtmp2ZAHIr\downloaded_packages
```

- 이 패키지를 설치할 때 doBy 패키지 외에 더 많은 다른 패키지가 설치될 수 있습니다.

패키지를 사용하기 위해서는 로드해야 합니다. 패키지 로드는 require() 또는 library() 함수를 사용합니다.

```
> require(doBy)
Loading required package: doBy
```

1) summaryBy

summaryBy() 함수는 그룹별로 그룹을 특징짓는 통계적 요약 값 계산에 사용됩니다. 예를 들면 두 요인 A와 B의 각 조합에 대한 x와 y의 평균과 분산 등의 계산에 사용됩니다.

```
summaryBy(formula, data=parent.frame(), id=NULL,
          FUN=mean, keep.names=FALSE, p2d=FALSE,
          order=TRUE, full.dimension=FALSE,
          var.names=NULL, fun.names=NULL, ...)
```

구문에서...

- formula : 포뮬러를 지정합니다. 포뮬러에 대한 자세한 내용은 다음 3.4절에서 설명됩니다.
- data : 데이터 프레임입니다.

- id : 데이터가 그룹화되지 않지만, 출력에 나타나야하는 변수를 지정하는 포뮬러입니다.
- FUN : 데이터에 적용되는 함수입니다. 벡터로 여러 개 함수를 지정할 수 있습니다.
- keep.names : TRUE이고 FUN에 하나의 함수만 있는 경우 출력의 변수는 입력의 변수와 동일한 이름을 갖습니다.
- p2d : TRUE이면 출력 변수 이름의 괄호를 점으로 대체합니다.
- order : TRUE(기본값)이면 결과 데이터 프레임을 수식의 오른쪽에 있는 변수에 따라 정렬합니다.
- full.dimension : TRUE이면 요약 통계 행이 반복되어 결과에 입력 데이터 세트와 동일한 수의 행이 출력됩니다.
- var.names : 출력될 변수의 이름을 지정합니다. 변수가 여러 개 일 경우 벡터로 지정합니다.
- fun.names : 출력될 함수의 이름을 지정합니다. 변수가 여러 개 일 경우 벡터로 지정합니다.
- ... : FUN의 인자로 전달한 값들입니다.

다음 코드는 iris 데이터의 종별 꽃받침의 폭과 길이의 통계적 요약을 출력합니다. 함수를 지정하지 않으면 평균(mean)을 출력합니다.

```
> summaryBy(Sepal.Width + Sepal.Length ~ Species, iris)
     Species Sepal.Width.mean Sepal.Length.mean
1     setosa            3.428             5.006
2 versicolor            2.770             5.936
3  virginica            2.974             6.588
```

다음 코드는 iris 데이터의 종별 꽃받침의 폭과 길이의 합(sum)을 출력합니다.

```
> summaryBy(Sepal.Width + Sepal.Length ~ Species, iris, FUN=sum)
     Species Sepal.Width.sum Sepal.Length.sum
1     setosa           171.4            250.3
2 versicolor           138.5            296.8
3  virginica           148.7            329.4
```

다음 코드는 FUN에 여러 개 함수를 지정하는 예입니다.

```
> summaryBy(Sepal.Width + Sepal.Length ~ Species, iris, FUN=c(mean,sum))
     Species Sepal.Width.mean  Sepal.Length.mean  Sepal.Width.sum
Sepal.Length.sum
1     setosa            3.428             5.006            171.4            250.3
2 versicolor            2.770             5.936            138.5            296.8
3  virginica            2.974             6.588            148.7            329.4
```

다음 코드는 id를 지정하는 예입니다. 실행 시 경고가 발생하는 이유는 Species가 두 번 반복되기 때문입니다. 실행결과의 Petal.Length와 Petal.Width는 종별 첫 번째 값이 출력됩니다.

```
> summaryBy(Sepal.Width + Sepal.Length ~ Species, iris,
+           id=Petal.Length+Petal.Width~Species)
    Species Sepal.Width.mean Sepal.Length.mean Petal.Length Petal.Width
Species
1     setosa            3.428             5.006          1.4         0.2
  setosa
2 versicolor         2.770            5.936        4.7        1.4 versicolor
3  virginica         2.974            6.588        6.0        2.5  virginica
Warning message:
dataframe contains replicate names
```

실행 후 변수의 이름이 바뀌지 않도록 keep.names=TRUE 인수를 지정한 예입니다.

```
> summaryBy(Sepal.Width + Sepal.Length ~ Species, iris, keep.names=TRUE)
    Species Sepal.Width Sepal.Length
1     setosa       3.428        5.006
2 versicolor       2.770        5.936
3  virginica       2.974        6.588
```

full.dimension=TRUE 이면 입력 데이터의 행의 수만큼 출력됩니다.

```
> summaryBy(Sepal.Width + Sepal.Length ~ Species, iris,
full.dimension=TRUE)
       Species Sepal.Width.mean Sepal.Length.mean
1       setosa            3.428             5.006
2       setosa            3.428             5.006
... 생략
49      setosa            3.428             5.006
50      setosa            3.428             5.006
51  versicolor            2.770             5.936
52  versicolor            2.770             5.936
... 생략
99  versicolor            2.770             5.936
100 versicolor            2.770             5.936
101  virginica            2.974             6.588
102  virginica            2.974             6.588
... 생략
149  virginica            2.974             6.588
150  virginica            2.974             6.588
```

var.names는 출력되는 변수의 이름을 지정합니다.

```
> summaryBy(Sepal.Width + Sepal.Length ~ Species, iris, var.names=c("A", "B"))
    Species A.mean B.mean
1     setosa  3.428  5.006
2 versicolor  2.770  5.936
3  virginica  2.974  6.588
```

다음 코드는 var.names와 fun.names를 이용하여 출력되는 변수의 이름과 함수의 이름을 지정하는 예입니다.

```
> summaryBy(Sepal.Width + Sepal.Length ~ Species, iris, FUN=c(mean,sum),
+          var.names=c("S.W", "S.L"), fun.names=c("AVG", "SUM"))
     Species S.W.AVG S.L.AVG S.W.SUM S.L.SUM
1     setosa   3.428   5.006   171.4   250.3
2 versicolor   2.770   5.936   138.5   296.8
3  virginica   2.974   6.588   148.7   329.4
```

2) orderBy

orderBy() 함수는 데이터 프레임의 특정 변수로 데이터 프레임의 행을 정렬(ordering, sorting)합니다. 이 함수는 본질적으로 order() 함수에 대한 래퍼입니다. 중요한 차이점은 정렬하기 위한 변수가 모델 포뮬러에 의해 제공될 수 있다는 것입니다.

```
orderBy(formula, data)
```

구문에서...
- formula : 포뮬러를 지정합니다.
- data : 데이터 프레임입니다.

orderBy를 이용한 데이터 프레임 데이터를 정렬하는 예를 살펴보겠습니다.
먼저 iris 데이터 원본 상위 6개 행 정보를 출력해 봅니다.

```
> head(iris)
  Sepal.Length Sepal.Width Petal.Length Petal.Width Species
1          5.1         3.5          1.4         0.2  setosa
2          4.9         3.0          1.4         0.2  setosa
3          4.7         3.2          1.3         0.2  setosa
4          4.6         3.1          1.5         0.2  setosa
5          5.0         3.6          1.4         0.2  setosa
6          5.4         3.9          1.7         0.4  setosa
```

다음 코드는 종(Species)과 꽃받침의 길이(Sepal.Length)를 이용해 오름차순으로 정렬한 코드입니다. 여러분은 head() 함수를 제외하고 실행해 보면 정렬 내용을 더 잘 확인할 수 있습니다.

```
> head(orderBy(~Species+Sepal.Length, data=iris))
   Sepal.Length Sepal.Width Petal.Length Petal.Width Species
14          4.3         3.0          1.1         0.1  setosa
9           4.4         2.9          1.4         0.2  setosa
39          4.4         3.0          1.3         0.2  setosa
```

```
43            4.4          3.2           1.3          0.2  setosa
42            4.5          2.3           1.3          0.3  setosa
4             4.6          3.1           1.5          0.2  setosa
```

다음 코드는 종(Species)으로 내림차순, 그리고 꽃받침의 길이(Sepal.Length)로 오름차순 정렬합니다.

```
> head(orderBy(~-Species+Sepal.Length, data=iris))
    Sepal.Length Sepal.Width Petal.Length Petal.Width   Species
107          4.9         2.5          4.5         1.7 virginica
122          5.6         2.8          4.9         2.0 virginica
114          5.7         2.5          5.0         2.0 virginica
102          5.8         2.7          5.1         1.9 virginica
115          5.8         2.8          5.1         2.4 virginica
143          5.8         2.7          5.1         1.9 virginica
```

다음 코드는 종(Species)과 꽃받침의 길이(Sepal.Length)를 이용해 내림차순으로 정렬합니다.

```
> head(orderBy(~-Species-Sepal.Length, data=iris))
    Sepal.Length Sepal.Width Petal.Length Petal.Width   Species
132          7.9         3.8          6.4         2.0 virginica
118          7.7         3.8          6.7         2.2 virginica
119          7.7         2.6          6.9         2.3 virginica
123          7.7         2.8          6.7         2.0 virginica
136          7.7         3.0          6.1         2.3 virginica
106          7.6         3.0          6.6         2.1 virginica
```

3) sampleBy[31)]

sampleBy() 함수에 의해 데이터 프레임은 포뮬러의 변수에 따라 분할되고 각각 분할된 그룹에서 특정 비율의 샘플이 추출됩니다.

```
sampleBy(formula, frac=0.1, replace=FALSE,
         data=parent.frame(), systematic=FALSE)
```

구문에서...

- formula : 포뮬러를 지정합니다. 포뮬러의 자세한 내용은 다음 3.4절에서 설명됩니다.
- frac : 추출할 샘플의 비율입니다. 기본값은 0.1(10%)입니다.
- replace : 복원추출 여부를 설정합니다. 기본값은 FALSE이며, 이 경우 비복원추출 입니

31) doBy 패키지 4.6에는 sampleBy() 함수가 없습니다. sampleBy() 함수를 사용하려면 doBy 패키지 4.5이하를 설치해야 합니다. 4.5 버전은 https://cran.r-project.org/bin/windows/contrib/2.16/ 에서 다운로드할 수 있습니다.

다. 비복원추출은 한번 뽑은 것은 다시 뽑을 수 없는 추출입니다. TRUE 이면 복원추출이고 한번 뽑은 데이터를 다시 뽑을 수 있습니다.

- data : 데이터 프레임입니다.
- Systematic : 계통추출을 사용할 지 여부를 결정합니다. 계통추출은 체계적 표집(systematic sampling)이라고도 하며 첫 번째 요소를 선정한 후 그 샘플로부터 동일한 간격에 있는 데이터를 샘플로 추출하는 방법입니다. 기본값은 임의추출(FALSE)입니다. 계통추출(TRUE)일 경우 frac=0.1 이면 1/0.1 즉 처음부터 각 열 번째(1, 11, 21, 31, 41, ...) 데이터가 추출되고, frac=0.2 이면 1/0.2 즉, 처음부터 각 다섯 번째(1, 6, 11, 16, 21, ...) 데이터가 추출됩니다. 계통추출법은 만약 표본이 추출되기 전 요소들의 목록이 무작위로 되어 있지 않고 주기성(periodicity)을 띠고 있다면, 계통추출법을 통해 추출된 표본은 매우 어긋난 표본이 될 수 있으며 모집단을 전혀 반영하지 못합니다.

다음 코드는 iris 데이터에서 종별로 각 10% 씩 데이터를 샘플링 합니다. 이는 비복원, 임의추출 방법입니다. 계통추출이 아니라면 실행 결과가 이 책의 내용과 다를 수 있습니다.

```
> sampleBy(~Species, data=iris, frac=0.1)
               Sepal.Length Sepal.Width Petal.Length Petal.Width    Species
setosa.5                5.0         3.6          1.4         0.2     setosa
setosa.12               4.8         3.4          1.6         0.2     setosa
setosa.36               5.0         3.2          1.2         0.2     setosa
setosa.45               5.1         3.8          1.9         0.4     setosa
setosa.47               5.1         3.8          1.6         0.2     setosa
versicolor.58           4.9         2.4          3.3         1.0 versicolor
versicolor.66           6.7         3.1          4.4         1.4 versicolor
versicolor.76           6.6         3.0          4.4         1.4 versicolor
versicolor.80           5.7         2.6          3.5         1.0 versicolor
versicolor.87           6.7         3.1          4.7         1.5 versicolor
virginica.103           7.1         3.0          5.9         2.1  virginica
virginica.114           5.7         2.5          5.0         2.0  virginica
virginica.123           7.7         2.8          6.7         2.0  virginica
virginica.136           7.7         3.0          6.1         2.3  virginica
virginica.148           6.5         3.0          5.2         2.0  virginica
```

다음 코드는 복원추출입니다. versicolor 데이터가 86번째 데이터가 두 번 샘플링 된 것을 확인할 수 있습니다.

```
> sampleBy(~Species, data=iris, frac=0.1, replace=TRUE)
                 Sepal.Length Sepal.Width Petal.Length Petal.Width
Species
setosa.2                  4.9         3.0          1.4         0.2     setosa
setosa.12                 4.8         3.4          1.6         0.2     setosa
setosa.16                 5.7         4.4          1.5         0.4     setosa
setosa.23                 4.6         3.6          1.0         0.2     setosa
setosa.47                 5.1         3.8          1.6         0.2     setosa
versicolor.55             6.5         2.8          4.6         1.5 versicolor
versicolor.57             6.3         3.3          4.7         1.6 versicolor
versicolor.86             6.0         3.4          4.5         1.6 versicolor
```

```
versicolor.86.1           6.0         3.4          4.5         1.6 versicolor
versicolor.100            5.7         2.8          4.1         1.3 versicolor
virginica.112             6.4         2.7          5.3         1.9  virginica
virginica.119             7.7         2.6          6.9         2.3  virginica
virginica.130             7.2         3.0          5.8         1.6  virginica
virginica.136             7.7         3.0          6.1         2.3  virginica
virginica.139             6.0         3.0          4.8         1.8  virginica
```

다음 코드는 비복원추출이며, 계통추출입니다.

```
> sampleBy(~Species, data=iris, frac=0.1, systematic=TRUE)
              Sepal.Length Sepal.Width Petal.Length Petal.Width    Species
setosa.1               5.1         3.5          1.4         0.2     setosa
setosa.11              5.4         3.7          1.5         0.2     setosa
setosa.21              5.4         3.4          1.7         0.2     setosa
setosa.31              4.8         3.1          1.6         0.2     setosa
setosa.41              5.0         3.5          1.3         0.3     setosa
versicolor.51          7.0         3.2          4.7         1.4 versicolor
versicolor.61          5.0         2.0          3.5         1.0 versicolor
versicolor.71          5.9         3.2          4.8         1.8 versicolor
versicolor.81          5.5         2.4          3.8         1.1 versicolor
versicolor.91          5.5         2.6          4.4         1.2 versicolor
virginica.101          6.3         3.3          6.0         2.5  virginica
virginica.111          6.5         3.2          5.1         2.0  virginica
virginica.121          6.9         3.2          5.7         2.3  virginica
virginica.131          7.4         2.8          6.1         1.9  virginica
virginica.141          6.7         3.1          5.6         2.4  virginica
```

4) 수정한 sampleBy2 함수

계통추출법을 사용하더라고 첫 번째 요소는 무작위로 선정되어야 합니다. 그러나 sampleBy 함수는 이용해서 계통추출 시 추출 비율(frac)이 같을 경우 첫 번째 요소가 같은 위치부터 샘플링 되는 단점이 있습니다.

다음 함수는 계통 추출 시 시작 위치를 랜덤함수를 이용하여 임의의 위치에서 샘플링이 되도록 수정한 것입니다.

```
> sampleBy2 <- function(formula, frac=0.1, replace=FALSE,
+                       data=parent.frame(), systematic=FALSE) {
+   temp <- splitBy(formula, data=data)
+   temp <- lapply(temp, function(dat) {
+      if (systematic==TRUE) {
+         rand <- sample(1:floor(1/frac), 1)
+         idx <- seq(rand, nrow(dat), 1/frac)
+      } else {
+         idx <- sort(sample(1:nrow(dat), size=round(frac*nrow(dat)),
+                   replace=replace))
```

```
+       }
+       dat[idx,]
+   })
+   temp <- do.call("rbind", temp)
+   return(temp)
+ }
```

새로 정의한 sampleBy2() 함수를 이용해 계통 추출을 하면 항상 같은 위치부터 샘플링 되는 단점을 없앨 수 있습니다. 다음은 새로 작성한 함수를 이용해 계통 추출하는 예입니다.

```
> sampleBy2(~Species, frac=0.1, data=iris, systematic=TRUE)
               Sepal.Length Sepal.Width Petal.Length Petal.Width    Species
setosa.4                4.6         3.1          1.5         0.2     setosa
setosa.14               4.3         3.0          1.1         0.1     setosa
setosa.24               5.1         3.3          1.7         0.5     setosa
setosa.34               5.5         4.2          1.4         0.2     setosa
setosa.44               5.0         3.5          1.6         0.6     setosa
versicolor.52           6.4         3.2          4.5         1.5 versicolor
versicolor.62           5.9         3.0          4.2         1.5 versicolor
versicolor.72           6.1         2.8          4.0         1.3 versicolor
versicolor.82           5.5         2.4          3.7         1.0 versicolor
versicolor.92           6.1         3.0          4.6         1.4 versicolor
virginica.104           6.3         2.9          5.6         1.8  virginica
virginica.114           5.7         2.5          5.0         2.0  virginica
virginica.124           6.3         2.7          4.9         1.8  virginica
virginica.134           6.3         2.8          5.1         1.5  virginica
virginica.144           6.8         3.2          5.9         2.3  virginica
```

같은 구문을 다시 실행했을 때 첫 번째 요소가 무작위로 선정되기 때문에 다른 데이터가 샘플링 됩니다.

```
> sampleBy2(~Species, frac=0.1, data=iris, systematic=TRUE)
               Sepal.Length Sepal.Width Petal.Length Petal.Width    Species
setosa.5                5.0         3.6          1.4         0.2     setosa
setosa.15               5.8         4.0          1.2         0.2     setosa
setosa.25               4.8         3.4          1.9         0.2     setosa
setosa.35               4.9         3.1          1.5         0.2     setosa
setosa.45               5.1         3.8          1.9         0.4     setosa
versicolor.53           6.9         3.1          4.9         1.5 versicolor
versicolor.63           6.0         2.2          4.0         1.0 versicolor
versicolor.73           6.3         2.5          4.9         1.5 versicolor
versicolor.83           5.8         2.7          3.9         1.2 versicolor
versicolor.93           5.8         2.6          4.0         1.2 versicolor
virginica.104           6.3         2.9          5.6         1.8  virginica
virginica.114           5.7         2.5          5.0         2.0  virginica
virginica.124           6.3         2.7          4.9         1.8  virginica
virginica.134           6.3         2.8          5.1         1.5  virginica
virginica.144           6.8         3.2          5.9         2.3  virginica
```

4. Formula

R 함수, 특히 선형 회귀를 맞추기 위한 lm()과 로지스틱 회귀[32]를 맞추기 위한 glm()들은 formula(포뮬러) 구문을 사용하여 통계 모델의 형식을 지정합니다. 회귀 분석을 위한 함수들만 아니라 많은 함수들이 포뮬러를 인수로 갖습니다. 포뮬러 형식을 잘 알아두기 바랍니다.

이러한 포뮬러의 기본 형식은 다음과 같습니다.

응답 변수 ~ 예측 변수

물결표(~)는 "함수로 모델링 되었습니다"라고 읽힙니다. 보통 회귀 분석에서 응답 변수는 종속 변수라 부르고, 예측 변수는 독립 변수라 부릅니다. 공식화 된 기본 회귀 분석 식은 다음과 같습니다.

$$Y \sim X$$

그러므로 X에 Y를 회귀하는 선형 모델을 다음과 같이 R 코드로 작성할 수 있습니다.

```
fit <- lm(Y ~ X)
```

추가 설명 변수는 "+"기호를 사용하여 포함할 수 있습니다. 다른 예측 변수 Z를 추가하려면 수식이 다음과 같이 됩니다.

Y ~ X + Z

이때의 선형 회귀 호출 식은 다음과 같이 됩니다.

```
fit <- lm(Y ~ X + Z)
```

문맥에서 "+"기호의 사용은 일반적인 의미와 다르며 R 수식 표기법은 통계 모델에 포함 할 변수 및 방법에 대한 간단한 설명일 뿐입니다.

32) 로지스틱 회귀(Logistic Regression)는 독립변수의 선형결합을 이용하여 사건의 발생 가능성을 예측하는데 사용되는 통계 기법입니다. 종속변수가 범주형 데이터를 대상으로 하며, 입력 데이터가 주어졌을 때 해당 데이터의 결과가 특정 분류로 나뉘기 때문에 분류의 기법으로 볼 수 있습니다.

다음 표는 R 모델링 포뮬러에서 사용될 때 기호의 의미를 나열합니다.

표 1. 포뮬러 기호

기호	의미	예
+	이 변수를 포함합니다.	+Z
-	이 변수를 제외합니다.	-Z
:	이 변수들 사이의 상호 작용(interaction)을 포함합니다.	X:Z
*	이 변수들과 그것들을 조합한 모든 상호 작용들을 포함합니다.	X*Z
^	예는 모든 상호 작용을 최대 세 가지 방법으로 포함합니다.	(X + Z + W)^3
I	수식으로 구성된 새 변수를 추가합니다.	I(*expr*)
-1	절편(intercept)을 삭제합니다. +0과 같습니다.	X - 1
.	데이터에서 종속변수를 제외한 모든 변수를 독립변수로 사용합니다.	Y ~ .

Y ~ (X : Z)는 $y = a + bxz$ 형식의 방정식을 생성합니다.

Y ~ X * Z는 Y ~ X + Z + X:Z와 동일합니다.

Y ~ I(X^2)+I(X)는 $y = a + bx^2 + cx$ 형식의 방정식을 생성합니다.

일반적으로 동일한 모델을 지정하는 방법은 여러 가지가 있습니다. 표기법은 고유하지 않습니다. 예를 들어 다음 세 가지 수식이 모두 동등합니다.

```
Y ~ X + Z + W + X:Z + X:W + Z:W + X:Z:W
Y ~ X * Z * W
Y ~ (X + Z + W)^3
```

마지막으로, 데이터 프레임을 사용할 때 시간을 절약하기 위해 "모든 변수 포함"을 나타내는 "."를 사용하는 것입니다. "."은 다른 기호와 함께 사용할 때 특히 편리합니다. 만일 열 Y, X, Z 및 W가 있는 데이터 프레임 D를 생각해 봅시다. 그런 다음 함수 호출 두 개는 동일합니다.

```
fit <- lm(Y ~ ., data = D)
fit <- lm(Y ~ X + Z + W, data = D)
```

"."은 다른 포뮬러 기호와 같이 사용할 수 있습니다. 다음 두 식은 동일합니다.

```
fit <- lm(Y ~ .-W, data = D)
fit <- lm(Y ~ X + Z)
```

이 표기법을 사용하면 데이터 분석가가 매번 스프레드시트의 열을 다시 구성하지 않고 회귀 분석을 실행할 수 있습니다.

다음 코드는 cars 데이터를 이용해 회귀식을 구하는 예입니다.

```
> lm(dist~speed, cars)

Call:
lm(formula = dist ~ speed, data = cars)

Coefficients:
(Intercept)        speed
    -17.579        3.932

> lm(dist~speed-1, cars)

Call:
lm(formula = dist ~ speed - 1, data = cars)

Coefficients:
speed
2.909
```

```
> plot(cars, xlim=c(0, 25), ylim=c(0, 120))
> abline(lm(dist~speed, cars))
> abline(lm(dist~speed-1, cars), lty="dotted")
> m <- lm(dist~I(speed*speed) + I(speed), data=cars)
> lines(cars$speed, predict(m))
```

다음 그림은 cars 데이터로 산점도 그래프를 그리고 그 위에 절편을 포함한 회귀 직선(실선), 절편을 포함하지 않는 회귀 직선(점선) 그리고 2차 회귀곡선(대시선)을 표시한 것입니다.

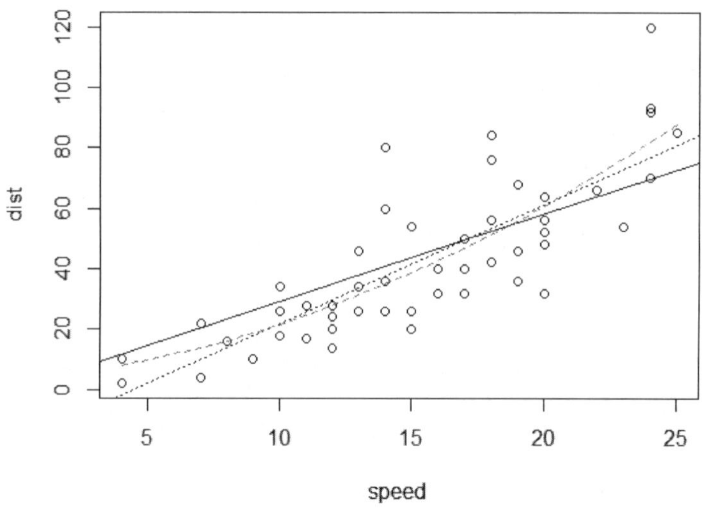

그림 6. 포뮬러로 구한 회귀식

5. 데이터 분리

5.1. split

split() 함수는 벡터 또는 데이터 프레임 x의 데이터를 범주형 변수(팩터, Factor) f로 정의된 그룹으로 나눕니다.

```
split(x, f, drop=FALSE, ...)
```

구문에서...
- x : 그룹으로 나눌 값을 포함한 벡터 또는 데이터 프레임입니다.
- f : 그룹화를 정의하기 위한 팩터 또는 팩터를 포함하는 리스트입니다.
- drop : 만일 f가 팩터 또는 리스트일 경우 발생하지 않는 레벨을 삭제해야 하는지를 나타내는 논리값입니다. 기본값은 FALSE입니다.
- ... : 함수에 전달한 인수들입니다.

다음 코드는 iris 데이터를 종(Species) 별로 분리하는 코드입니다.

```
> iris.species <- split(iris, iris$Species)
> str(iris.species)
List of 3
 $ setosa    :'data.frame':	50 obs. of  5 variables:
  ..$ Sepal.Length: num [1:50] 5.1 4.9 4.7 4.6 5 5.4 4.6 5 4.4 4.9 ...
  ..$ Sepal.Width : num [1:50] 3.5 3 3.2 3.1 3.6 3.9 3.4 3.4 2.9 3.1 ...
  ..$ Petal.Length: num [1:50] 1.4 1.4 1.3 1.5 1.4 1.7 1.4 1.5 1.4 1.5 ...
  ..$ Petal.Width : num [1:50] 0.2 0.2 0.2 0.2 0.2 0.4 0.3 0.2 0.2 0.1 ...
  ..$ Species     : Factor w/ 3 levels "setosa","versicolor",..: 1111111111...
 $ versicolor:'data.frame':	50 obs. of  5 variables:
  ..$ Sepal.Length: num [1:50] 7 6.4 6.9 5.5 6.5 5.7 6.3 4.9 6.6 5.2 ...
  ..$ Sepal.Width : num [1:50] 3.2 3.2 3.1 2.3 2.8 2.8 3.3 2.4 2.9 2.7 ...
  ..$ Petal.Length: num [1:50] 4.7 4.5 4.9 4 4.6 4.5 4.7 3.3 4.6 3.9 ...
  ..$ Petal.Width : num [1:50] 1.4 1.5 1.5 1.3 1.5 1.3 1.6 1 1.3 1.4 ...
  ..$ Species     : Factor w/ 3 levels "setosa","versicolor",..: 2222222222...
 $ virginica :'data.frame':	50 obs. of  5 variables:
  ..$ Sepal.Length: num [1:50] 6.3 5.8 7.1 6.3 6.5 7.6 4.9 7.3 6.7 7.2 ...
  ..$ Sepal.Width : num [1:50] 3.3 2.7 3 2.9 3 3 2.5 2.9 2.5 3.6 ...
  ..$ Petal.Length: num [1:50] 6 5.1 5.9 5.6 5.8 6.6 4.5 6.3 5.8 6.1 ...
  ..$ Petal.Width : num [1:50] 2.5 1.9 2.1 1.8 2.2 2.1 1.7 1.8 1.8 2.5 ...
  ..$ Species     : Factor w/ 3 levels "setosa","versicolor",..: 3333333333...
```

다음 코드는 꽃받침의 길이가 5보다 큰 데이터와 그렇지 않은 데이터로 나눕니다.

```
> iris.sepal.length <- split(iris, iris$Sepal.Length > 5)
> str(iris.sepal.length)
List of 2
 $ FALSE:'data.frame': 32 obs. of  5 variables:
  ..$ Sepal.Length: num [1:32] 4.9 4.7 4.6 5 4.6 5 4.4 4.9 4.8 4.8 ...
  ..$ Sepal.Width : num [1:32] 3 3.2 3.1 3.6 3.4 3.4 2.9 3.1 3.4 3 ...
  ..$ Petal.Length: num [1:32] 1.4 1.3 1.5 1.4 1.4 1.5 1.4 1.5 1.6 1.4 ...
  ..$ Petal.Width : num [1:32] 0.2 0.2 0.2 0.2 0.3 0.2 0.2 0.1 0.2 0.1 ...
  ..$ Species     : Factor w/ 3 levels "setosa","versicolor",..: 1111111111...
 $ TRUE :'data.frame': 118 obs. of  5 variables:
  ..$ Sepal.Length: num [1:118] 5.1 5.4 5.4 5.8 5.7 5.4 5.1 5.7 5.1 5.4 ...
  ..$ Sepal.Width : num [1:118] 3.5 3.9 3.7 4 4.4 3.9 3.5 3.8 3.8 3.4 ...
  ..$ Petal.Length: num [1:118] 1.4 1.7 1.5 1.2 1.5 1.3 1.4 1.7 1.5 1.7 ...
  ..$ Petal.Width : num [1:118] 0.2 0.4 0.2 0.2 0.4 0.4 0.3 0.3 0.3 0.2 ...
  ..$ Species     : Factor w/ 3 levels "setosa","versicolor",..: 1111111111...
```

그룹화하기 위해 조건식을 사용할 경우 그룹화 되는 서브 데이터의 변수 이름이 TRUE, FALSE로 만들어 집니다. 그런데 TRUE, FALSE는 논리형 값으로 정의되어 있기 때문에 직접 변수 이름으로 사용할 수 없습니다. 이럴 경우에는 TRUE, FALSE를 역따옴표(`) 또는 인용부호(' ' 또는 " ")로 열 이름을 둘러싸면 됩니다.

```
> head(iris.sepal.length$'TRUE')
   Sepal.Length Sepal.Width Petal.Length Petal.Width Species
1           5.1         3.5          1.4         0.2  setosa
6           5.4         3.9          1.7         0.4  setosa
11          5.4         3.7          1.5         0.2  setosa
15          5.8         4.0          1.2         0.2  setosa
16          5.7         4.4          1.5         0.4  setosa
17          5.4         3.9          1.3         0.4  setosa
```

```
> head(iris.sepal.length$'FALSE')
  Sepal.Length Sepal.Width Petal.Length Petal.Width Species
2          4.9         3.0          1.4         0.2  setosa
3          4.7         3.2          1.3         0.2  setosa
4          4.6         3.1          1.5         0.2  setosa
5          5.0         3.6          1.4         0.2  setosa
7          4.6         3.4          1.4         0.3  setosa
8          5.0         3.4          1.5         0.2  setosa
```

5.2. subset

subset() 함수는 조건을 만족하는 벡터, 행렬 또는 데이터 프레임의 하위 집합을 반환합니다.

```
subset(x, subset, select, drop=FALSE, ...)
```

구문에서...

- x : subset 될 객체입니다.
- subset : 유지할 변수 또는 행을 나타내는 논리식입니다. 결측값은 false로 간주됩니다.
- select : 데이터 프레임에서 선택할 열을 나타내는 표현식입니다.
- drop : drop 인수는 행렬 및 데이터 프레임의 인덱싱 방법으로 전달됩니다. 행렬의 기본값은 인덱싱의 기본값과 다릅니다. 요소는 부분 집합 후에 빈 레벨을 가질 수 있습니다. 사용하지 않은 레벨은 자동으로 제거되지 않습니다.
- ... : 다른 함수로 또는 다른 함수로부터 전달 될 추가 인수입니다.

다음 코드는 iris 데이터에스 setosa 종 데이터만 빼내는 예입니다.

```
> iris.species.setosa <- subset(iris, Species=="setosa")
> str(iris.species.setosa)
'data.frame':   50 obs. of  5 variables:
 $ Sepal.Length: num  5.1 4.9 4.7 4.6 5 5.4 4.6 5 4.4 4.9 ...
 $ Sepal.Width : num  3.5 3 3.2 3.1 3.6 3.9 3.4 3.4 2.9 3.1 ...
 $ Petal.Length: num  1.4 1.4 1.3 1.5 1.4 1.7 1.4 1.5 1.4 1.5 ...
 $ Petal.Width : num  0.2 0.2 0.2 0.2 0.2 0.4 0.3 0.2 0.2 0.1 ...
 $ Species     : Factor w/ 3 levels "setosa","versicolor",..: 1 1 1 1 1 1 1 1 1 1 ...
```

다음 코드는 iris 데이터에서 Sepal.Length, Sepal.Width 그리고 Species 열 만 빼내는 예입니다.

```
> iris.setosa.sepal <- subset(iris,
+                          select=c(Sepal.Length, Sepal.Width, Species))
> str(iris.setosa.sepal)
'data.frame':   150 obs. of  3 variables:
 $ Sepal.Length: num  5.1 4.9 4.7 4.6 5 5.4 4.6 5 4.4 4.9 ...
 $ Sepal.Width : num  3.5 3 3.2 3.1 3.6 3.9 3.4 3.4 2.9 3.1 ...
 $ Species     : Factor w/ 3 levels "setosa","versicolor",..: 1 1 1 1 1 1 1 1 1 1 ...
```

select 인수의 값에 -를 붙이면 해당 변수를 제외한 부분집합을 얻습니다.

```
> iris.sub <- subset(iris, select=-c(Sepal.Length, Sepal.Width, Species))
> str(iris.sub)
'data.frame': 150 obs. of  2 variables:
 $ Petal.Length: num  1.4 1.4 1.3 1.5 1.4 1.7 1.4 1.5 1.4 1.5 ...
 $ Petal.Width : num  0.2 0.2 0.2 0.2 0.2 0.4 0.3 0.2 0.2 0.1 ...
```

6. 데이터 합치기

rbind()와 cbind()는 데이터셋을 결합합니다.

```
cbind(..., deparse.level=1)
rbind(..., deparse.level=1)
```

구문에서...

- ... : 벡터들 또는 행렬들 입니다.
- deparse.level : 행렬이 아닌 인수의 경우 행 또는 열의 이름을 제어하는 정수입니다. 0일 경우 결합할 데이터의 파라미터 이름을 이용하여 레이블을 지정하며, 1(기본값)은 0의 레이블 지정에 추가로 파라미터 이름이 없을 경우 변수의 이름을 이용하여 레이블을 지정하고, 2는 0과 1의 레이블 지정에 추가로 표현식을 이용하여 레이블로 추가해 줍니다.

다음 코드는 rbind를 사용하여 행 단위로 데이터를 합칠 때 deparse.level 값에 따라 행의 이름이 어떻게 지정되는지 보여주는 예입니다.

```
> dd <- 10
> rbind(1:4, c=2, "a++"=10, dd, deparse.level=0)
    [,1] [,2] [,3] [,4]
       1    2    3    4
c      2    2    2    2
a++   10   10   10   10
      10   10   10   10

> rbind(1:4, c=2, "a++"=10, dd, deparse.level=1)
    [,1] [,2] [,3] [,4]
       1    2    3    4
c      2    2    2    2
a++   10   10   10   10
dd    10   10   10   10

> rbind(1:4, c=2, "a++"=10, dd, deparse.level=2)
    [,1] [,2] [,3] [,4]
1:4    1    2    3    4
c      2    2    2    2
a++   10   10   10   10
dd    10   10   10   10
```

6.1. cbind를 이용한 열 합치기

cbind()는 열 단위로 데이터를 합쳐줍니다.

벡터 데이터를 합칠 때 데이터의 길이가 다를 경우 길이가 짧은 벡터 데이터는 재활용 됩니다.

```
> (m <- cbind(1, 1:5))
     [,1] [,2]
[1,]    1    1
[2,]    1    2
[3,]    1    3
[4,]    1    4
[5,]    1    5
```

[,]는 행 또는 열 정보를 조회하는데 사용합니다. 이를 이용하면 합치는 열을 중간에 포함시킬 수 있습니다.

```
> (m <- cbind(m, 8:12)[, c(1, 3, 2)])
     [,1] [,2] [,3]
[1,]    1    8    1
[2,]    1    9    2
[3,]    1   10    3
[4,]    1   11    4
[5,]    1   12    5
```

다음 예는 벡터와 행렬을 열 단위로 합치려고 합니다. 벡터의 길이가 행렬의 행의 수와 같이 않을 경우 경고를 출력합니다. 벡터의 길이가 작으면 재활용되고, 더 길면 무시됩니다. diag() 함수는 행렬의 대각선을 추출하거나 대체하거나 대각선 행렬을 만듭니다.

```
> cbind(1:5, diag(3)) # vector is subset -> warning
     [,1] [,2] [,3] [,4]
[1,]    1    1    0    0
[2,]    2    0    1    0
[3,]    3    0    0    1
Warning message:
In cbind(1:5, diag(3)) :
  number of rows of result is not a multiple of vector length (arg 1)
```

합치는 열이 스칼라타입이면 해당 값으로 모두 채워집니다.

```
> cbind(0, rbind(1, 1:3))
     [,1] [,2] [,3] [,4]
[1,]    0    1    1    1
[2,]    0    1    2    3
```

다음 코드는 iris 데이터에서 꽃받침 정보와 종의 이름 데이터를 cbind()를 이용하여 합치는 예입니다.

```
> iris.sepal <- iris[,1:2]
> head(iris.sepal)
  Sepal.Length Sepal.Width
1          5.1         3.5
2          4.9         3.0
3          4.7         3.2
4          4.6         3.1
5          5.0         3.6
6          5.4         3.9
> head(cbind(iris.sepal, Species=iris$Species))
  Sepal.Length Sepal.Width Species
1          5.1         3.5  setosa
2          4.9         3.0  setosa
3          4.7         3.2  setosa
4          4.6         3.1  setosa
5          5.0         3.6  setosa
6          5.4         3.9  setosa
```

6.2. rbind를 이용한 행 합치기

rbind()는 행 단위로 데이터를 합쳐줍니다.

iris 데이터를 앞에서 배운 데이터 분리 방법들을 이용하여 종 별로 데이터를 나눈 다음 이것을 rbind()로 다시 묶는 예를 들겠습니다.

다음 코드는 데이터를 분리합니다.

```
> iris.setosa <- subset(iris, Species=="setosa")
> iris.versicolor <- iris[51:100, ]
> iris.virginica <- split(iris, iris$Species)[[3]]
```

다음 코드는 행 단위로 데이터를 합칩니다.

```
> iris.rbind <- rbind(iris.setosa, iris.versicolor, iris.virginica)
> head(iris.rbind)
  Sepal.Length Sepal.Width Petal.Length Petal.Width Species
1          5.1         3.5          1.4         0.2  setosa
2          4.9         3.0          1.4         0.2  setosa
3          4.7         3.2          1.3         0.2  setosa
4          4.6         3.1          1.5         0.2  setosa
5          5.0         3.6          1.4         0.2  setosa
6          5.4         3.9          1.7         0.4  setosa
```

6.3. merge를 이용한 데이터 병합

merge()는 공통된 열을 기준으로 데이터를 병합해 줍니다.

```
merge(x, y, by=intersect(names(x), names(y)),
      by.x=by, by.y=by, all=FALSE, all.x=all, all.y=all,
      sort=TRUE, suffixes=c(".x",".y"),
      incomparables=NULL, ...)
```

구문에서...

- x, y : 병합할 데이터 프레임 또는 객체입니다.
- by : 병합에 사용할 기준이 되는 열을 지정합니다. 기본값은 병합할 두 데이터의 교집합입니다.
- by.x, by.y : x 데이터에서 기준이 되는 열과, y 데이터에서 기준이 되는 열을 지정합니다. 기본값은 by 인수와 같습니다.
- all : TRUE 이면 기준이 되는 열에 값을 가지고 있지 않는 경우에도 행을 생성해 줍니다. 즉, 모든 행이 병합에 사용됩니다. 기본값은 FALSE 이며 기준이 되는 열의 값이 x와 y에 모두 있는 데이터만 병합됩니다.
- all.x, all.y : all.x는 x의 모든 행은 병합에 사용되고, all.y는 y의 모든 행이 병합에 사용되도록 합니다. 기본값은 all 인수와 같습니다.
- ... : 함수에 전달할 인수들입니다.

다음 코드는 merge() 함수를 실습하기 위해 임의의 데이터를 생성합니다.

```
> student_name <- c("Jin", "Eric", "Den", "Kei")
> student_eng <- c(60, 85, 90, 95)
> student_kor <- c(70, 90, 85, 90)
> studentData <- data.frame(student_name, student_eng, student_kor)

> student_name <- c("Jin", "Eric", "Kei")
> student_math <- c(95, 95, 90)
> studentMathData <- data.frame(student_name, student_math)
```

다음 그림은 위 코드로 만들어진 데이터입니다.

	student_name	student_eng	student_kor
1	Jin	60	70
2	Eric	85	90
3	Den	90	85
4	Kei	95	90

그림 7. merge에 사용할 studentData

	student_name	student_math
1	Jin	95
2	Eric	95
3	Kei	90

그림 8. merge에 사용할 studentMathData

다음 코드는 두 데이터를 병합하는 예입니다. 기본적으로 두 데이터의 기준열에 모두 있는 경우에만 병합됩니다.

```
> student_merged <- merge(studentData, studentMathData)
> student_merged
  student_name student_eng student_kor student_math
1         Eric          85          90           95
2          Jin          60          70           95
3          Kei          95          90           90
```

다음 코드는 all=TRUE 인수를 포함시켜 모든 데이터가 병합되도록 한 예입니다.

```
> student_merged <- merge(studentData, studentMathData, all=TRUE)
> student_merged
  student_name student_eng student_kor student_math
1          Den          90          85           NA
2         Eric          85          90           95
3          Jin          60          70           95
4          Kei          95          90           90
```

다음 코드는 위(all=TRUE) 실행 결과와 같습니다. studentData의 모든 행은 병합에 사용됩니다.

```
> student_merged <- merge(studentData, studentMathData, all.x=TRUE)
> student_merged
  student_name student_eng student_kor student_math
1          Den          90          85           NA
2         Eric          85          90           95
3          Jin          60          70           95
4          Kei          95          90           90
```

by.x와 by.y는 병합할 두 데이터 프레임이 같은 이름의 열을 가지고 있지 않을 경우 병합할 기준이 될 열을 지정할 때 사용합니다. 다음코드는 studentMathData의 열 이름을 바꾸고 데이터 프레임을 병합하는 예입니다.

```
> library(reshape)
> studentMathData <- rename(studentMathData, c(student_name="StudentName"))
> names(studentMathData)
[1] "StudentName"  "student_math"
> merge(studentData, studentMathData,
+       by.x="student_name", by.y="StudentName", all=TRUE)
  student_name student_eng student_kor student_math
1          den          40          50           NA
2         eric          60          50           80
3          jin          50          70           90
4          kei          40          60           40
```

7. 데이터 정렬

sort()와 order()는 데이터를 정렬하기 위해 사용합니다.

7.1. sort

sort()는 벡터 또는 팩터 데이터를 오름차순 또는 내림차순으로 정렬합니다. sort()는 값을 정렬한 그 결과를 반환할 뿐 인자로 받은 벡터 자체를 변경하지 않습니다.

```
sort(x, partial=NULL, decreasing=FALSE, na.last=NA,
     method=c("auto", "shell", "quick", "radix"),
     index.return=FALSE)
```

구문에서...

- x : 정렬할 데이터입니다.
- partial : NULL 또는 부분정렬 할 데이터입니다.
- decreasing : FALSE(기본값)일 경우 오름차순으로 정렬합니다. TRUE일 경우 내림차순으로 정렬합니다.
- na.last : 결측값들의 처리를 제어하기 위한 것입니다. TRUE 일 경우 데이터에 누락된 값을 마지막에 놓고 FALSE 일 경우 먼저 놓습니다. NA이면 제거됩니다.
- method : 사용 된 알고리즘을 지정하는 문자열입니다. 부분 정렬에는 사용할 수 없습니다. 약어로 표시할 수 있습니다. 알고리즘에 따라 실행 시간이 다를 수 있습니다.
- index.return : 정렬한 데이터의 색인이 반환되어야 하는지를 나타내는 논리값입니다. method가 "radix"일 때는 모든 na.last 모드와 모든 데이터타입을 지원하고, 팩터가 아닌 데이터를 전체 정렬하고 na.last=NA(기본값) 일 때 다른 method가 지원합니다.

다음 코드는 sort() 함수의 예입니다. decreasing=TRUE 이면 내림차순으로 정렬합니다. index.return=TRUE 이면 정렬한 결과와 색인을 반환합니다.

```
> head(sort(iris$Sepal.Length))
[1] 4.3 4.4 4.4 4.4 4.5 4.6

> head(sort(iris$Sepal.Length, decreasing=TRUE))
[1] 7.9 7.7 7.7 7.7 7.7 7.6

> sort(iris$Sepal.Length, index.return=TRUE)
$x
  [1] 4.3 4.4 4.4 4.4 4.5 4.6 4.6 4.6 4.6 4.7 4.7 4.8 4.8 4.8 4.8 4.8 4.9 4.9
```

```
 [19] 4.9 4.9 4.9 4.9 5.0 5.0 5.0 5.0 5.0 5.0 5.0 5.0 5.0 5.0 5.1 5.1 5.1 5.1
 [37] 5.1 5.1 5.1 5.1 5.1 5.2 5.2 5.2 5.2 5.3 5.4 5.4 5.4 5.4 5.4 5.4 5.5 5.5
 [55] 5.5 5.5 5.5 5.5 5.5 5.6 5.6 5.6 5.6 5.6 5.6 5.7 5.7 5.7 5.7 5.7 5.7 5.7
 [73] 5.7 5.8 5.8 5.8 5.8 5.8 5.8 5.8 5.9 5.9 5.9 6.0 6.0 6.0 6.0 6.0 6.0 6.1
 [91] 6.1 6.1 6.1 6.1 6.1 6.2 6.2 6.2 6.2 6.3 6.3 6.3 6.3 6.3 6.3 6.3 6.3 6.3
[109] 6.4 6.4 6.4 6.4 6.4 6.4 6.4 6.5 6.5 6.5 6.5 6.5 6.6 6.6 6.7 6.7 6.7 6.7
[127] 6.7 6.7 6.7 6.7 6.8 6.8 6.8 6.9 6.9 6.9 6.9 7.0 7.1 7.2 7.2 7.2 7.3 7.4
[145] 7.6 7.7 7.7 7.7 7.7 7.9

$ix
  [1]  14   9  39  43  42   4   7  23  48   3  30  12  13  25  31  46   2  10
 [19]  35  38  58 107   5   8  26  27  36  41  44  50  61  94   1  18  20  22
 [37]  24  40  45  47  99  28  29  33  60  49   6  11  17  21  32  85  34
37
 [55]  54  81  82  90  91  65  67  70  89  95 122  16  19  56  80  96  97 100
 [73] 114  15  68  83  93 102 115 143  62  71 150  63  79  84  86 120 139
64
 [91]  72  74  92 128 135  69  98 127 149  57  73  88 101 104 124 134 137 147
[109]  52  75 112 116 129 133 138  55 105 111 117 148  59  76  66  78  87 109
[127] 125 141 145 146  77 113 144  53 121 140 142  51 103 110 126 130 108 131
[145] 106 118 119 123 136 132
```

다음 코드는 method 인자에 따라 실행속도가 다름을 보이기 위한 예입니다. rnorm() 함수[33]는 평균(mean)이 0이고, 표준편차(sd)가 1인 정규분포를 따르는 데이터 n개를 만드는 함수입니다.

```
> x <- rnorm(1e7) #mean 0, sd 1

> system.time(x1 <- sort(x, method="shell"))
 사용자  시스템 elapsed
   1.34    0.04    1.39

> system.time(x2 <- sort(x, method="quick"))
 사용자  시스템 elapsed
   0.88    0.02    0.90

> system.time(x3 <- sort(x, method="radix"))
 사용자  시스템 elapsed
   0.95    0.07    1.03
```

- system.time() 함수는 표현식을 평가하는데 걸린 CPU 시간을 출력합니다.

33) rnorm(n, mean=0, sd=1)

7.2. order

order()는 주어진 인자를 정렬하기 위한 각 요소의 색인을 반환합니다. 큰 수부터 정렬한 결과를 얻고 싶다면 값에 -1 을 곱합니다.

```
order(..., na.last=TRUE, decreasing=FALSE,
      method=c("auto", "shell", "radix"))
```

구문에서...
- ... : 정렬할 데이터입니다.
- na.last : 결측값들의 처리를 제어하기 위한 것입니다. TRUE 일 경우 데이터에 누락된 값을 마지막에 놓고 FALSE 일 경우 먼저 놓습니다. NA이면 결측값들은 제거됩니다.
- decreasing : FALSE(기본값)일 경우 오름차순으로 정렬합니다. TRUE일 경우 내림차순으로 정렬합니다.
- method : 사용 된 알고리즘을 지정하는 문자열입니다. 부분 정렬에는 사용할 수 없습니다. 약어로 표시할 수 있습니다. 알고리즘에 따라 실행 시간이 다를 수 있습니다.

다음 코드는 iris 데이터에서 꽃받침(Sepal)의 폭(Width)을 내림차순으로 정렬하고 그의 색인을 출력합니다.

```
> order(iris$Sepal.Width, decreasing=TRUE)
  [1]  16  34  33  15   6  17  19  20  45  47 118 132  11  22  49   5  23  38
 [19] 110   1  18  28  37  41  44   7   8  12  21  25  27  29  32  40  86 137
 [37] 149  24  50  57 101 125 145   3  30  36  43  48  51  52  71 111 116 121
 [55] 126 144   4  10  31  35  53  66  87 138 140 141 142   2  13  14  26  39
 [73]  46  62  67  76  78  85  89  92  96 103 105 106 113 117 128 130 136 139
 [91] 146 148 150   9  59  64  65  75  79  97  98 104 108  55  56  72  74  77
[109] 100 115 122 123 127 129 131 133 134  60  68  83  84  95 102 112 124 143
[127]  80  91  93 119 135  70  73  90  99 107 109 114 147  58  81  82  42  54
[145]  88  94  63  69 120  61
```

order()를 이용하면 데이터 프레임의 데이터를 특정 열(변수)을 기준으로 정렬할 수 있습니다. 다음 코드는 Sepal.Length(꽃받침 길이)를 기준으로 내림차순으로 정렬하고, 만일 꽃받침의 길이가 같을 경우 Sepal.Width(꽃받침 폭)을 기준으로 오름차순으로 정렬합니다.

```
> temp <- iris[order(-iris$Sepal.Length, iris$Sepal.Width),]
> head(temp)
    Sepal.Length Sepal.Width Petal.Length Petal.Width   Species
132          7.9         3.8          6.4         2.0 virginica
119          7.7         2.6          6.9         2.3 virginica
123          7.7         2.8          6.7         2.0 virginica
136          7.7         3.0          6.1         2.3 virginica
```

```
118          7.7         3.8          6.7          2.2 virginica
106          7.6         3.0          6.6          2.1 virginica
```

다음 코드는 na.last 인수의 값에 따른 결과를 비교하기 위한 예입니다. 코드에서 세미콜론(;)은 한 라인에 여러 구문을 작성할 때 구문을 구분하기 위한 문자입니다.

```
> a <- c(3, 3, 2, NA, 1)
> b <- c(4, 2, NA, 7, 1)
> z <- cbind(a, b)
> z
      a  b
[1,]  3  4
[2,]  3  2
[3,]  2 NA
[4,] NA  7
[5,]  1  1

> (idx <- order(a, b))
[1] 5 3 2 1 4

> z[idx, ]
      a  b
[1,]  1  1
[2,]  2 NA
[3,]  3  2
[4,]  3  4
[5,] NA  7

> (idx <- order(a, b, na.last=FALSE))
[1] 4 5 3 2 1

> z[idx, ]
      a  b
[1,] NA  7
[2,]  1  1
[3,]  2 NA
[4,]  3  2
[5,]  3  4

> (idx <- order(a, b, na.last=NA))
[1] 5 3 1

> z[idx, ]
     a b
[1,] 1 1
[2,] 3 2
[3,] 3 4
```

8. 데이터 프레임 이름 생략하기

8.1. with, within

with()는 데이터로 구성된 로컬 환경에서 expr을 평가하는 함수입니다. 환경은 호출자의 환경을 부모로 가집니다. 데이터 프레임 또는 리스트의 필드를 데이터 이름 없이 접근할 수 있기 때문에 모델링 함수 호출을 단순화 할 때 유용합니다.

within()은 expr을 평가 한 후 환경을 검사하고 데이터 복사본에 해당 수정 사항을 적용한다는 점을 제외하면 with()와 비슷합니다.

```
with(data, expr, ...)
within(data, expr, ...)
```

구문에서...

- data : 데이터입니다.
- expr : 평가할 표현식입니다. 데이터 프레임 또는 리스트의 data의 이름을 생략하고 필드를 이용하여 표현식을 작성할 수 있습니다.
- ... : 함수에 전달될 인수입니다.

예제를 작성할 때 기존 iris데이터의 원본을 손상시키지 않기 위해 iris.temp 이름으로 사본을 생성하고 코드를 작성하세요. 다음 코드는 iris 데이터의 사본을 만들어 놓고 사본의 임의의 값을 NA로 만듭니다. 만일 꽃받침의 길이가 NA일 경우 종(Species) 별 메디안(median, 중위수)값을 이용해 NA값을 대체하는 코드입니다.

```
> iris.temp <- iris
> iris.temp[c(1,3), 1] <- NA
> head (iris.temp)
  Sepal.Length Sepal.Width Petal.Length Petal.Width Species
1           NA         3.5          1.4         0.2  setosa
2          4.9         3.0          1.4         0.2  setosa
3           NA         3.2          1.3         0.2  setosa
4          4.6         3.1          1.5         0.2  setosa
5          5.0         3.6          1.4         0.2  setosa
6          5.4         3.9          1.7         0.4  setosa
```

다음 코드는 with() 함수의 사용 예입니다. with()함수 안에서 데이터 프레임의 이름 없이 필드 이름으로만 참조가 가능함을 확인하세요. 그리고 with() 함수의 리턴 타입은 원본 데이터의 구조와 같지 않음을 확인하세요. iris.with 데이터는 with() 함수의 expr의 리턴 값 또는 가장 마지막 행의 결과를 갖습니다.

```
> iris.with <- with(iris.temp, {
+      mps <- sapply (split(Sepal.Length, Species), median, na.rm=TRUE)
+      Sepal.Length <- ifelse(is.na(Sepal.Length), mps[Species], Sepal.Length)
+ })
> str(iris.with)
 num [1:150] 5 4.9 5 4.6 5 5.4 4.6 5 4.4 4.9 ...
```

다음 코드는 within() 함수의 사용 예입니다. within() 함수는 expr을 평가 한 후 환경을 검사하고 데이터 복사본에 해당 수정 사항을 적용합니다.

```
> iris.within <- within(iris.temp, {
+      mps <- sapply (split(Sepal.Length, Species), median, na.rm=TRUE)
+      Sepal.Length <- ifelse(is.na(Sepal.Length), mps[Species], Sepal.Length)
+ })
> str(iris.within)
'data.frame': 150 obs. of  6 variables:
 $ Sepal.Length: num  5 4.9 5 4.6 5 5.4 4.6 5 4.4 4.9 ...
 $ Sepal.Width : num  3.5 3 3.2 3.1 3.6 3.9 3.4 3.4 2.9 3.1 ...
 $ Petal.Length: num  1.4 1.4 1.3 1.5 1.4 1.7 1.4 1.5 1.4 1.5 ...
 $ Petal.Width : num  0.2 0.2 0.2 0.2 0.2 0.4 0.3 0.2 0.2 0.1 ...
 $ Species     : Factor w/ 3 levels "setosa","versicolor",..: 1111111111...
 $ mps         : num  5 5.9 6.5 5 5.9 6.5 5 5.9 6.5 5 ...
```

8.2. attach, detach

attach()는 데이터 객체가 R 검색 경로에 첨부됩니다. 즉, 변수를 평가할 때 R이 데이터를 검색하므로 객체의 필드 이름을 지정하여 액세스할 수 있습니다. attach()를 이용하면 인자로 주어진 데이터 프레임이나 리스트의 필드를 곧바로 접근할 수 있게 해줍니다. 이를 해제하려면 detach()를 사용합니다. attach()한 변수 값은 detach()시 원래의 데이터 프레임에는 반영되지 않습니다.

```
attach(what, name=deparse(substitute(what)),
       warn.conflicts=TRUE)
```

구문에서...

- what : 데이터 프레임 또는 리스트 등 R 객체입니다.

- name : 작업공간의 이름을 지정합니다. what 이름을 다른 이름으로 사용할 때 지정합니다.
- warn.conflicts : TRUE(디폴트)이면 데이터가 현재 작업공간과 attach하는 작업공간에 같은 이름의 데이터를 포함하고 있을 경우 경고가 출력됩니다. FALSE이면 경고가 출력되지 않습니다.

iris 데이터 프레임의 Sepal.Length를 참조하기 위해서 데이터 프레임의 이름이 필요합니다.

```
> summary(iris$Sepal.Length)
   Min. 1st Qu.  Median    Mean 3rd Qu.    Max. 
  4.300   5.100   5.800   5.843   6.400   7.900 
```

다음 구문은 iris 데이터의 작업공간을 생성합니다. 이후 iris 데이터의 필드를 참조하기 위해 데이터 프레임의 이름이 필요 없습니다.

```
> attach(iris)
> summary(Sepal.Length)
   Min. 1st Qu.  Median    Mean 3rd Qu.    Max. 
  4.300   5.100   5.800   5.843   6.400   7.900 
```

attach() 후 다음 코드처럼 작성하면 새로운 변수가 작업공간 내에 만들어 집니다. 아래 코드는 iris 데이터의 Sepal.Length 변수를 변경시키지 못합니다. 다음 코드에서 <-를 이용하여 데이터를 변경시키려 했지만 전역변수 영역에 새로운 변수가 추가되는 것을 확인할 수 있습니다.

```
> Sepal.Length <- Sepal.Length*2.54
> find("Sepal.Length")
[1] ".GlobalEnv" "iris"
> summary(Sepal.Length)          #새로운 변수 추가됨
   Min. 1st Qu.  Median    Mean 3rd Qu.    Max. 
  10.92   12.95   14.73   14.84   16.26   20.07 
> summary(iris$Sepal.Length)   #원본 데이터(iris의 Sepal.Length)
   Min. 1st Qu.  Median    Mean 3rd Qu.    Max. 
  4.300   5.100   5.800   5.843   6.400   7.900 
> rm(Sepal.Length)               #작업공간에서 변수 삭제
> summary(Sepal.Length)          #원본 데이터
   Min. 1st Qu.  Median    Mean 3rd Qu.    Max. 
  4.300   5.100   5.800   5.843   6.400   7.900 
```

attach 한 환경에서 변수를 변경시키려면 <<-를 이용합니다. 이것이 원본 데이터의 변경을 의미하는 것은 아닙니다. detach 하면 이 작업공간을 사라집니다. attach 한 변수 값은 detach 시 원래의 데이터 프레임에는 반영되지 않습니다.

```
> Sepal.Length <<- Sepal.Length*25.4 # attach 한 환경 내에서 복사본의 변경
> find("Sepal.Length")
[1] "iris"
```

```
> summary(Sepal.Length)          # 작업환경내에서 변경된 데이터
   Min. 1st Qu.  Median    Mean 3rd Qu.    Max. 
  109.2   129.5   147.3   148.4   162.6   200.7 
> detach("iris")
> summary(iris$Sepal.Length)      # 원래의 작업공간 데이터는 변경되지 않음
   Min. 1st Qu.  Median    Mean 3rd Qu.    Max. 
  4.300   5.100   5.800   5.843   6.400   7.900 
```

다음 코드는 서로 다른 작업공간에 같은 이름의 객체가 있는 지 확인하는 예입니다. conflicts() 함수는 충돌하는 변수의 작업공간을 확인할 수 있습니다. 다음 코드에서 lm 변수를 추가했습니다. lm은 stats 패키지에 선형회귀식을 구하기 위한 함수가 lm()으로 정의되어 있습니다. 다음 코드는 이를 확인시켜 줍니다.

```
> lm <- 1:3
> conflicts(, TRUE)
$.GlobalEnv
[1] "lm"

$`package:stats`
[1] "lm"
```

다음 코드는 전역변수 영역에 Sepal.Length 변수를 추가하고 iris 데이터를 attach 합니다. iris 데이터의 Sepal.Length와 전역변수 영역(.GlovalEnv)의 Sepal.Length가 충돌나기 때문에 경고 메시지를 출력합니다.

```
> Sepal.Length <- 1:10
> attach(iris)
The following object is masked _by_ .GlobalEnv:

    Sepal.Length
```

find() 함수를 이용해 Sepal.Length가 있는 영역을 확인합니다.

```
> find("Sepal.Length")
[1] ".GlobalEnv" "iris"
> summary(Sepal.Length)
   Min. 1st Qu.  Median    Mean 3rd Qu.    Max. 
   1.00    3.25    5.50    5.50    7.75   10.00 
> summary(iris$Sepal.Length)
   Min. 1st Qu.  Median    Mean 3rd Qu.    Max. 
  4.300   5.100   5.800   5.843   6.400   7.900 
```

다음 예제를 위해 detach해 주세요.

```
> detach("iris")
```

warn.conflicts=FALSE 인수를 추가하면 충돌하는 변수가 있더라도 경고를 출력하지 않습니다.

```
> attach(iris, warn.conflicts=FALSE)
> find("Sepal.Length")
[1] ".GlobalEnv" "iris"

> summary(iris$Sepal.Length)
   Min. 1st Qu.  Median    Mean 3rd Qu.    Max.
  4.300   5.100   5.800   5.843   6.400   7.900

> detach("iris")
```

9. 데이터 집계

9.1. table

table()은 교차 분류 계수를 사용하여 각 팩터 수준의 조합마다 수의 표를 작성합니다. 즉, 데이터를 팩터로 묶을 수 있는 가능한 모든 쌍의 조합을 카운트 한 수의 표를 만듭니다. table() 함수의 결과를 이용하여 막대그래프(barplot) 또는 파이차트(pie)등을 통해 시각화 할 때 주로 사용합니다.

```
table(..., exclude=if (useNA=="no") c(NA, NaN),
      useNA=c("no", "ifany", "always"),
      dnn=list.names(...), deparse.level=1)
```

구문에서...

- ... : 팩터로 인터프리트 될 수 있는 한 개 또는 그 이상의 객체입니다. 리스트 또는 데이터 프레임이 될 수 있습니다.
- exclude : ... 에 대해 제거할 수준을 지정합니다. 만일 이 인수가 NA를 포함하지 않고 useNA 인수가 설정되지 않으면 useNA="ifany"를 의미합니다.
- useNA : NA 값을 테이블에 포함할지 여부를 지정합니다.
- dnn : dimnames names를 의미합니다. 결과의 차원에 부여 할 이름을 지정합니다.
- deparse.level : 기본 dnn(dimnames names)이 구성되는 방법을 제어합니다. deparse.level=0은 빈이름을 제공하고 deparse.level=1은 심볼인 경우 제공된 인수를 사용하고 deparse.level=2는 인수를 분리합니다.

다음 코드는 table() 함수의 가장 간단한 예입니다. iris 데이터의 종별 개수를 출력합니다.

```
> table(iris$Species)                #종별 개수
    setosa versicolor  virginica
        50         50         50
```

다음 코드는 NA를 갖는 임의의 데이터를 생성합니다. addNA는 데이터가 NA이더라도 NA를 레벨에 추가하여 데이터를 추가합니다. 이를 이용하면 NA 값이 테이블에서 계산되도록 합니다. addNA() 함수를 이용하여 데이터를 만든 이유는 table() 함수의 useNA 인수를 테스트하기 위한 용도입니다. is.na()는 어떤 엘리먼트가 결측값인지 확인하는 함수입니다. 그러나 is.na(...) <- ... 형식으로 사용하면 NA를 설정할 수 있습니다. is.na() 함수에 의해 NA가 추가될 때 NA는 팩터의 레벨에 포함되지 않습니다.

```
> d.temp <- addNA(c(1,NA,1:2,1:3))
> d.temp
```

```
[1] 1    <NA> 1    2    1    2    3
Levels: 1 2 3 <NA>
> is.na(d.temp) <- 3:4
> d.temp
[1] 1    <NA> <NA> <NA> 1    2    3
Levels: 1 2 3 <NA>
```

as.integer()는 엘리먼트를 정수로 형변환 합니다. 그런데 코드 결과에서 두 번째 값 〈NA〉가 4로 바뀐 이유는 두 번째 〈NA〉는 세 번째, 네 번째 〈NA〉와는 다르게 팩터의 요소이기 때문입니다. 〈NA〉가 팩터의 4번째 요소이기 때문에 as.integer()에 의해 4로 바뀐 것입니다.

```
> d.temp
[1] 1    <NA> <NA> <NA> 1    2    3
Levels: 1 2 3 <NA>

> as.integer(d.temp) # 1 4 NA NA 1 2 3
[1]  1  4 NA NA  1  2  3
```

이제 위의 d.temp 데이터를 이용해하여 table() 함수의 예를 살펴보겠습니다. table() 함수의 디폴트 인수를 이용한 결과는 팩터의 레벨별로 개수를 새는 것입니다. 이때 팩터의 레벨에 포함되지 않은 NA는 테이블에 포함시키지 않습니다.

```
> table(d.temp)
d.temp
   1    2    3 <NA>
   2    1    1    1
```

useNA="ifany"이면 NA 값을 테이블에 포함시킵니다.

```
> table(d.temp, useNA="ifany")
d.temp
   1    2    3 <NA>
   2    1    1    3
```

exclude=NULL 이면 useNA="ifany"와 동일하게 동작합니다.

```
> table(d.temp, exclude=NULL)
d.temp
   1    2    3 <NA>
   2    1    1    3
```

exclude=NA 이면 NA를 테이블에서 제외합니다. 그러므로 NA는 팩터의 레벨별로 개수를 새는 것에서 제외됩니다.

```
> table(d.temp, exclude=NA)
d.temp
1 2 3
2 1 1
```

9.2. aggregate

aggregate()는 데이터를 하위 집합으로 분할하고 각각에 대한 요약 통계를 계산 한 다음 결과를 편리한 형식으로 반환합니다.

```
aggregate(x, ...)
aggregate(x, by, FUN, ..., simplify=TRUE, drop=TRUE)
aggregate(formula, data, FUN, ..., subset, na.action=na.omit)
```

구문에서...
- x : R 객체입니다.
- ... : 함수에서 사용할 인수입니다.
- by : 데이터 프레임 x의 변수와 길이가 같은 그룹화 할 엘리먼트의 목록입니다. 엘리먼트는 사용 전에 팩터로 강제 변환됩니다.
- FUN : 모든 데이터 하위 집합에 적용할 수 있는 요약 통계를 계산하는 함수입니다.
- simplify : 가능한 경우 결과를 벡터 또는 행렬로 단순화할지 여부를 나타내는 논리값입니다. TRUE(기본값) 이면 연산 결과를 벡터, 행렬 등으로 반환합니다. FALSE 이면 연산 결과를 리스트로 반환합니다.
- drop : 그룹화 값의 사용되지 않은 조합을 삭제할지 여부를 나타내는 논리값입니다. 기본값(TRUE)이 아닌 경우 drop=FALSE는 R 3.3.0부터 사용할 수 있으며 사용되지 않은 조합이 여전히 삭제되는 경우도 있습니다.

다음 코드는 iris 데이터의 종별 꽃받침 폭과 길이의 평균(mean)을 계산합니다. 그러나 aggregate() 함수는 두 개 이상의 열을 이용하여 집계를 할 수 있다는 점을 기억해 두세요.

```
> aggregate(subset(iris, select=c(Sepal.Width, Sepal.Length)),
+           by=list(iris$Species), mean)
     Group.1 Sepal.Width Sepal.Length
1     setosa       3.428        5.006
2 versicolor       2.770        5.936
3  virginica       2.974        6.588
```

aggregate() 함수는 다음처럼 포뮬러를 이용할 수도 있습니다.[34]

```
> aggregate(cbind(Sepal.Width, Sepal.Length) ~ Species, data=iris, mean)
     Species Sepal.Width Sepal.Length
1     setosa       3.428        5.006
2 versicolor       2.770        5.936
3  virginica       2.974        6.588
```

34) 포뮬러를 사용할 때 응답변수 ~ 예측변수 형식에서 응답변수에 변수를 두 개 이상 포함시키려면 cbind() 함수로 묶어야 합니다. Sepal.Width + Sepal.Length ~ Species 형식처럼 사용하면 종별 Sepal.With와 Sepal.Length 합을 이용해 집계합니다.

그림 9를 이용해 aggregate() 함수의 다른 예를 설명해 보겠습니다. 그림 9는 H 보험회사의 고객들의 보험 청구 데이터 중에서 고객별로 병원에 입원한 입원일 정보만 조회한 데이터입니다.

실제 데이터를 이용해 aggregate() 데이터를 실습할 수 없으므로 먼저 오른쪽 그림과 같은 데이터를 임의로 만들고 실습해 보겠습니다. CUST_ID는 고객의 아이디를 저장하는 변수이며, HOST_DAY는 병원에 입원한 입원일 수를 저장하는 변수입니다.

```
> CUST_ID <- c(5936, 5936, 5936, 1043, 8545,
4734, 9416, 20267, 2778, 9019, 9019, 9019, 6989,
3372, 1274, 21906, 3362, 3362, 16781, 294)
> HOSP_DAY <- c(2, 2, 2, 6, 0, 4, 0, 23, 29, 13,
13, 13, 13, 0, 0, 13, 0, 12, 23, 0)
> data_claim <- data.frame(CUST_ID, HOSP_DAY)
> head(data_claim)
  CUST_ID HOSP_DAY
1    5936        2
2    5936        2
3    5936        2
4    1043        6
5    8545        0
6    4734        4
```

Filter

	CUST_ID	HOSP_DAY
1	5936	2
2	5936	2
3	5936	2
4	1043	6
5	8545	0
6	4734	4
7	9416	0
8	20267	23
9	2778	29
10	9019	13
11	9019	13
12	9019	13
13	6989	13
14	3372	0
15	1274	0
16	21906	13
17	3362	6
18	3362	6
19	16781	12
20	294	0

그림 9. 고객별 입원일

이 데이터에서 고객별로 보험 청구 데이터에서 병원에 입원한 평균 입원일수를 알고자 할 때 aggregate() 함수를 사용할 수 있습니다.

```
> hosp_day_per_cust <- aggregate(data_claim$HOSP_DAY,
+                          by=list(data_claim$CUST_ID), mean)
> names(hosp_day_per_cust) <- c("CUST_ID", "MEAN_DAY")
> hosp_day_per_cust
   CUST_ID MEAN_DAY
1      294        0
2     1043        6
3     1274        0
4     2778       29
5     3362        6
6     3372        0
7     4734        4
8     5936        2
9     6989       13
10    8545        0
11    9019       13
12    9416        0
```

```
13    16781        23
14    20267        23
15    21906        13
```

앞에서 배웠던 tapply() 함수를 이용해 같은 결과를 얻을 수 있습니다.

```
> tapply(data_claim$HOSP_DAY, data_claim$CUST_ID, mean)
  294  1043  1274  2778  3362  3372  4734  5936  6989  8545  9019  9416 
    0     6     0    29     6     0     4     2    13     0    13     0 
16781 20267 21906 
   23    23    13 
```

데이터에 table() 함수를 이용하면 고객별로 병원에 입원한 횟수를 알 수 있습니다.

```
> table(data_claim$CUST_ID)

  294  1043  1274  2778  3362  3372  4734  5936  6989  8545  9019  9416 
    1     1     1     1     2     1     1     3     1     1     3     1 
16781 20267 21906 
    1     1     1 
```

aggregate() 함수에 포뮬러를 이용해 데이터를 집계할 수 있습니다. 다음 코드는 chickwts[35] 데이터를 이용해 aggregate() 함수에 포뮬러 식을 사용한 예입니다. 코드는 먹이에 따른 병아리들의 평균 몸무게를 출력합니다.

```
> aggregate(weight ~ feed, data=chickwts, mean)
       feed   weight
1    casein 323.5833
2 horsebean 160.2000
3   linseed 218.7500
4  meatmeal 276.9091
5   soybean 246.4286
6 sunflower 328.9167
```

35) chickwts 데이터는 다음 두 변수에서 71개의 관측치를 가진 데이터 프레임입니다.
- weight : 병아리의 체중을 나타내는 숫자 변수
- feed : 먹이 유형을 지정하는 요소

10. 조건으로 색인 찾기

데이터의 색인을 찾는 방법에 대해 알아보기 전에 앞에서 배웠던 부분 데이터셋을 조회할 수 있는 subset()[36]에 대해 다시 언급해 보겠습니다. subset()은 조건에 맞는 데이터의 부분집합을 찾을 수 있습니다. 예를 들면 다음 코드는 데이터의 부분집합을 구합니다.

```
> head(subset(iris, Species=="versicolor"))
   Sepal.Length Sepal.Width Petal.Length Petal.Width    Species
51          7.0         3.2          4.7         1.4 versicolor
52          6.4         3.2          4.5         1.5 versicolor
53          6.9         3.1          4.9         1.5 versicolor
54          5.5         2.3          4.0         1.3 versicolor
55          6.5         2.8          4.6         1.5 versicolor
56          5.7         2.8          4.5         1.3 versicolor
```

위 코드는 지면상의 이유로 head() 함수를 이용해 결과에서 상위 6개 행만 출력했습니다.

그리고 [,]를 이용해서 부분집합을 구할 수도 있습니다.

```
> head(iris[iris$Species=="versicolor" ,])
   Sepal.Length Sepal.Width Petal.Length Petal.Width    Species
51          7.0         3.2          4.7         1.4 versicolor
52          6.4         3.2          4.5         1.5 versicolor
53          6.9         3.1          4.9         1.5 versicolor
54          5.5         2.3          4.0         1.3 versicolor
55          6.5         2.8          4.6         1.5 versicolor
56          5.7         2.8          4.5         1.3 versicolor
```

그러나 이처럼 데이터의 부분집합을 얻고자 하는 것이 아니고 조건에 맞는 데이터의 색인을 구하고 싶을 때가 있습니다. 조건에 맞는 데이터의 색인을 알 경우 이를 이용해 데이터 프레임 또는 배열 및 행렬에서 색인을 이용해 데이터를 조회하거나 연산에 사용할 수 있습니다.

which(), which.max(), which.min() 함수를 이용하면 조건에 맞는 데이터의 색인을 찾을 수 있습니다.

Instructor Note : 색인을 반환하는 함수들은?

- order, which, which.max, which.min 등은 색인을 반환합니다.
- sort 함수에 index.return=TRUE 인수를 이용하면 데이터와 인수를 반환합니다.

36) subset() 함수에 대해 기억이 나지 않는다면 5장 4.2절을 참고하세요.

10.1. which(), which.max(), which.min()

which()는 벡터 또는 배열에서 주어진 조건을 만족하는 값이 있는 곳의 색인을 찾습니다.

which.min()과 which.max()는 주어진 벡터에서 최솟값 또는 최댓값이 저장된 색인을 찾는 함수입니다.

```
which(x, arr.ind=FALSE, useNames=TRUE)
```

```
which.min(x)
which.max(x)
```

구문에서...
- x : 논리형 벡터 또는 배열입니다. NA 값은 가능하지만 FALSE로 처리됩니다.
- arr.ind : TRUE이면 x가 배열 인 경우 배열 색인을 반환합니다. 기본값은 FALSE입니다.
- useNames : which()의 결과가 dimnames를 가져야 하는지를 나타내는 논리값입니다.

다음 코드는 기본적인 which() 함수의 사용 예입니다. LETTERS 데이터에서 'R'의 위치를 찾습니다.

```
> LETTERS
 [1] "A" "B" "C" "D" "E" "F" "G" "H" "I" "J" "K" "L" "M" "N" "O" "P" "Q" "R"
[19] "S" "T" "U" "V" "W" "X" "Y" "Z"
> which(LETTERS == "R")
[1] 18
```

다음 코드는 iris 데이터에서 versicolor 종 데이터의 색인을 출력합니다.

```
> which(iris$Species=="versicolor")
 [1]  51  52  53  54  55  56  57  58  59  60  61  62  63  64  65  66  67  68
[19]  69  70  71  72  73  74  75  76  77  78  79  80  81  82  83  84  85  86
[37]  87  88  89  90  91  92  93  94  95  96  97  98  99 100
```

다음 코드는 iris 데이터에서 꽃받침의 길이가 5.0인 데이터의 색인을 출력합니다.

```
> head(iris$Sepal.Length)
[1] 5.1 4.9 4.7 4.6 5.0 5.4
> which(iris$Sepal.Length==5.0)
 [1]  5  8 26 27 36 41 44 50 61 94
```

which.max()는 가장 큰 데이터의 색인을 출력합니다. which.min()은 가장 작은 데이터의 색인을 출력합니다.

```
> which.max(iris$Sepal.Length)
[1] 132
> which.min(iris$Sepal.Length)
[1] 14
```

다음 코드는 arr.ind=TRUE인 경우의 예입니다. 행렬인 경우 행과 열의 색인을 출력합니다.

```
> ( m <- matrix(1:12, 3, 4) )
     [,1] [,2] [,3] [,4]
[1,]    1    4    7   10
[2,]    2    5    8   11
[3,]    3    6    9   12
> div.3 <- m %% 3 == 0
> which(div.3)
[1]  3  6  9 12
> which(div.3, arr.ind=TRUE)
     row col
[1,]   3   1
[2,]   3   2
[3,]   3   3
[4,]   3   4
```

다음 코드는 행렬에 행의 이름이 있을 경우 행렬의 이름이 출력됩니다.

```
> rownames(m) <- paste("Case", 1:3, sep="_")
> m
       [,1] [,2] [,3] [,4]
Case_1    1    4    7   10
Case_2    2    5    8   11
Case_3    3    6    9   12
> which(m %% 5 == 0, arr.ind=TRUE)
       row col
Case_2   2   2
Case_1   1   4
```

useNames=FALSE인 경우 행의 이름이 출력되지 않고 색인이 출력됩니다.

```
> which(m %% 5 == 0, arr.ind=TRUE, useNames=FALSE)
     [,1] [,2]
[1,]    2    2
[2,]    1    4
```

다음 코드는 3차원 배열에서 which()를 사용한 예입니다.

```
> (dim(m) <- c(2, 2, 3))
, , 1

     [,1] [,2]
[1,]    1    3
```

```
[2,]    2    4

, , 2

     [,1] [,2]
[1,]    5    7
[2,]    6    8

, , 3

     [,1] [,2]
[1,]    9   11
[2,]   10   12

> which(div.3, arr.ind=FALSE)
[1]  3  6  9 12

> which(div.3, arr.ind=TRUE)
     row col
[1,]   3   1
[2,]   3   2
[3,]   3   3
[4,]   3   4

> which(div.3, arr.ind=TRUE, useNames=FALSE)
     [,1] [,2]
[1,]    3    1
[2,]    3    2
[3,]    3    3
[4,]    3    4
```

11. 데이터 전처리 실습

1) 기본 정보 보회

iris 데이터에서 다음 기본 정보들을 조회하세요.

- 타입, 구조, 차원, 변수이름, 기본 통계량(평균, 표준편차, 사분위수)

```
> data(list="iris", package="datasets")
> class(iris)
> str(iris)
> dim(iris)
> names(iris)
> attributes(iris)
```

2) 정렬

iris 데이터의 Sepal.Width를 내림차순으로 정렬하세요.

```
> sort(iris$Sepal.Width, decreasing=TRUE)
```

Pepal.Length(꽃받침 길이)를 기준으로 내림차순으로 정렬하고, 만일 꽃받침의 길이가 같을 경우 Sepal.Width(꽃받침 폭)을 기준으로 오름차순으로 정렬하세요.

```
> iris.sort <- iris[order(-iris$Sepal.Length, iris$Sepal.Width),]
> head(iris.sort)
```

3) 개수 출력

iris 데이터의 종별 데이터의 개수를 출력하세요.

```
> table(iris$Species)
```

4) 합계

iris 데이터의 종별 꽃받침 길이(Sepal.Length)의 합(sum)을 계산하세요.(tapply() 함수 이용)

```
> tapply(iris$Sepal.Length, iris$Species, sum)
```

iris 데이터의 종별 꽃받침 길이(Sepal.Length)의 합(sum)을 계산하세요.(aggregate() 함수 이용)

```
> aggregate(iris$Sepal.Length, by=list(iris$Species), sum)
```

5) 평균

Sepal.Length Sepal.Width Petal.Length Petal.Width의 평균을 출력하세요.

- apply, lapply, sapply 이용

```
> apply(iris[,1:4], 2, mean)
> lapply(iris[,1:4], mean)
> sapply(iris[,1:4], mean)
```

종 별 Sepal.Length의 평균을 출력하세요.

```
> tapply(iris$Sepal.Length, iris$Species, mean)
```

6) 최댓값

꽃받침의 길이가 가장 긴 꽃의 종은 무엇인가요?

```
> iris[which.max(iris$Sepal.Length),]
> iris[which.max(iris$Sepal.Length), ]$Species
```

6장. 데이터베이스 이용

1. SQL을 이용한 데이터 처리
2. RJDBC를 이용한 오라클 데이터베이스 연결
3. RPostgreSQL을 이용한 PostgreSQL 데이터베이스 연결
4. RMySQL을 이용한 MySQL 데이터베이스 연결
5. 데이터베이스 연결 실습

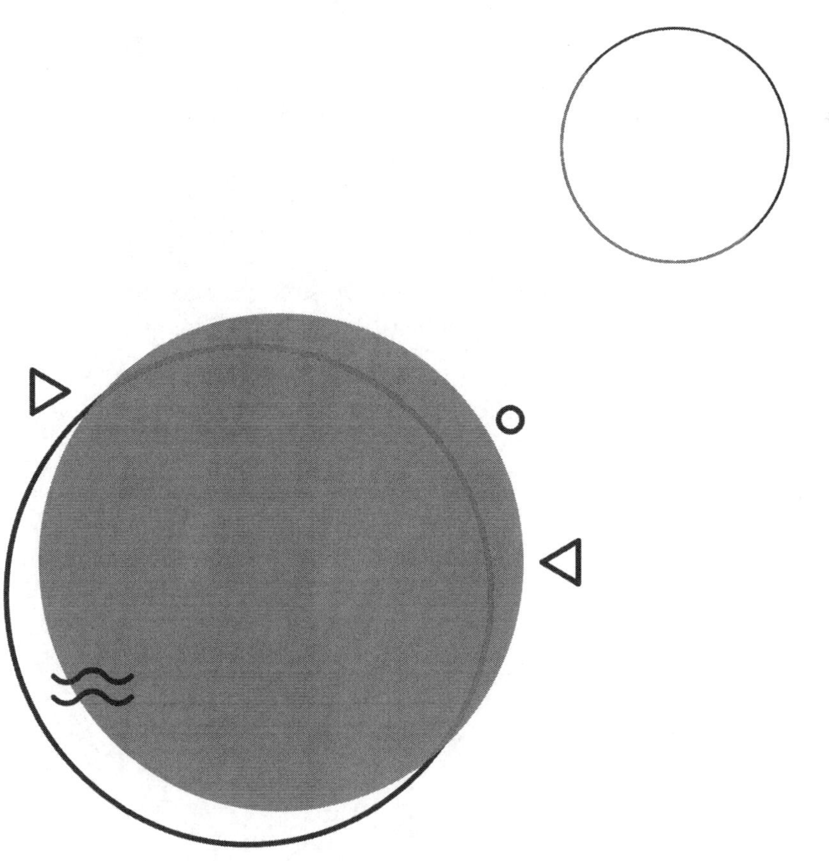

1. SQL을 이용한 데이터 처리

SQL(Structured Query Language)은 관계형 데이터베이스 관리 시스템(RDBMS)의 데이터를 관리하기 위해 설계된 프로그래밍 언어입니다. 관계형 데이터베이스 관리 시스템에서 자료의 검색과 관리, 데이터베이스 객체 접근 조정 관리 등을 위해 고안되었습니다. 많은 데이터베이스 관련 프로그램들이 SQL을 표준으로 채택하고 있습니다. R의 sqldf 패키지는 SQL문을 사용하여 데이터 프레임 데이터를 처리할 수 있도록 도와줍니다.

1.1. sqldf 패키지

sqldf() 함수를 사용하기 위해서 sqldf 패키지를 설치해야 합니다. sqldf 패키지는 'bit', 'prettyunits', 'digest', 'bit64', 'blob', 'memoise', 'gsubfn', 'proto', 'RSQLite', 'DBI', 'chron'에 의존합니다.[37]

```
> install.packages("sqldf")
also installing the dependencies 'bit', 'prettyunits', 'digest', 'bit64',
'blob', 'memoise', 'gsubfn', 'proto', 'RSQLite', 'DBI', 'chron'

... 생략

package 'bit' successfully unpacked and MD5 sums checked
package 'prettyunits' successfully unpacked and MD5 sums checked
package 'digest' successfully unpacked and MD5 sums checked
package 'bit64' successfully unpacked and MD5 sums checked
package 'blob' successfully unpacked and MD5 sums checked
package 'memoise' successfully unpacked and MD5 sums checked
package 'gsubfn' successfully unpacked and MD5 sums checked
package 'proto' successfully unpacked and MD5 sums checked
package 'RSQLite' successfully unpacked and MD5 sums checked
package 'DBI' successfully unpacked and MD5 sums checked
package 'chron' successfully unpacked and MD5 sums checked
package 'sqldf' successfully unpacked and MD5 sums checked

The downloaded binary packages are in
    C:\Users\COM\AppData\Local\Temp\RtmpeeAAj4\downloaded_packages
```

패키지를 설치했다면 로드해야 합니다.

```
> library(sqldf)
Loading required package: gsubfn
Loading required package: proto
Loading required package: RSQLite
```

37) 버전과 실행환경에 따라 설치되는 의존성 패키지는 다를 수 있습니다.

1.2. sqldf 함수

sqldf() 함수를 이용하면 데이터 프레임의 데이터를 SQL 문장을 이용하여 조회할 수 있습니다.

```
sqldf(x, stringsAsFactors=FALSE)
```

구문에서...
- x : SELECT 구문을 작성합니다.
- stringAsFactors : TRUE인 경우 문자열을 팩터로 읽습니다. 기본값은 FALSE입니다.

다음 구문은 SQL[38] SELECT 문장의 일반적인 구조입니다. SELECT 구문의 열 이름에 Sepal.Length처럼 점(.)이 포함돼 있으면 열 이름을 역따옴표(`Sepal.Length`) 또는 이중인용부호("Sepal.Length")로 묶어야 합니다.

```
SELECT [DISTINCT] { * ¦ 열이름 [[AS] 열별칭], ... }
FROM      데이터 프레임이름1
JOIN      데이터 프레임이름2
ON        조인조건
WHERE     행제한조건
GROUP BY  그룹화열
HAVING    그룹조건
ORDER BY  정렬할열 [[ASC]¦DESC]
LIMIT [m,] n
```

구문에서...
- SELECT : 하나 이상의 변수 이름을 나열합니다.
- DISTINCT : 중복된 값을 제거하여 한번만 출력되도록 합니다.
- * : 모든 열을 선택합니다.
- AS : 열 별칭(alias)을 정의합니다.
- FROM : 데이터 프레임의 이름을 지정합니다.
- JOIN : 조인할 데이터 프레임의 이름을 지정합니다.
- ON : 조인 조건을 작성합니다.
- WHERE : 조회할 조건 구문을 작성합니다.
- GROUP BY : 행을 그룹화하기 위한 기준이 될 열을 명시합니다.
- ORDER BY : 검색된 행이 출력 되는 순서를 명시합니다.
- ASC : Ascending, 오름차순으로 정렬합니다. 정렬 기본값입니다.
- DESC : Descending, 내림차순으로 정렬합니다.
- LIMIT : SELECT 문장으로 조회한 데이터의 상위 n개를 출력합니다. 또는 m번째 행부터 n개를 출력합니다.

38) SQL에 대한 더 자세한 내용은 [처음 시작하는 SQL 데이터베이스, 허진경, 2018] 책을 참고하세요.

1) 중복 행 제거

distinct는 중복된 행을 제거하여 한번만 출력되게 합니다.

```
> sqldf("select distinct Species from iris")
     Species
1     setosa
2 versicolor
3  virginica
```

2) 행 제한 조건 설정

where 절은 데이터를 조회하는 조건을 지정할 수 있습니다.

```
> sqldf("select * from iris where Species='virginica'")
   Sepal.Length Sepal.Width Petal.Length Petal.Width   Species
1           6.3         3.3          6.0         2.5 virginica
2           5.8         2.7          5.1         1.9 virginica
3           7.1         3.0          5.9         2.1 virginica
4           6.3         2.9          5.6         1.8 virginica
...
```

where 절은 조건이 두 개 이상 사용될 수 있습니다. 점(.)이 포함된 변수명은 `(역따옴표) 또는 "(쌍따옴표)로 묶어서 사용해야 합니다.

```
> sqldf("select * from iris where Species='virginica' and `Sepal.Length` > 7.5")
  Sepal.Length Sepal.Width Petal.Length Petal.Width   Species
1          7.6         3.0          6.6         2.1 virginica
2          7.7         3.8          6.7         2.2 virginica
3          7.7         2.6          6.9         2.3 virginica
4          7.7         2.8          6.7         2.0 virginica
5          7.9         3.8          6.4         2.0 virginica
6          7.7         3.0          6.1         2.3 virginica
```

3) 그룹핑

group by를 이용하면 해당 팩터별로 집계할 수 있습니다. 다음 코드는 종별 Sepal.Length의 합(sum)을 출력합니다.

```
> sqldf("select Species, sum('Sepal.Length') as SepalLength from iris group by Species")
     Species SepalLength
1     setosa       250.3
2 versicolor       296.8
3  virginica       329.4
```

4) 정렬

order by를 이용하면 정렬하여 데이터 조회할 수 있습니다. 기본 정렬은 오름차순(asc)입니다. desc는 내림차순으로 정렬합니다.

```
> sqldf("select Species, `Sepal.Length` from iris order by `Sepal.Length`")
  Species Sepal.Length
1  setosa          4.3
2  setosa          4.4
3  setosa          4.4
...
```

```
> sqldf("select Species, `Sepal.Length` from iris order by `Sepal.Length` desc)
    Species Sepal.Length
1 virginica          7.9
2 virginica          7.7
3 virginica          7.7
...
```

5) 출력 행 제한

limit는 일정 개수의 데이터만 출력해 줍니다. limit n 형식은 상위 n개 행을 출력합니다. 이때 행 번호는 0부터 시작합니다.

```
> sqldf("select * from iris limit 5")
  Sepal.Length Sepal.Width Petal.Length Petal.Width Species
1          5.1         3.5          1.4         0.2  setosa
2          4.9         3.0          1.4         0.2  setosa
3          4.7         3.2          1.3         0.2  setosa
4          4.6         3.1          1.5         0.2  setosa
5          5.0         3.6          1.4         0.2  setosa
```

limit m, n 형식은 m번째 행부터 n개 행을 출력합니다.

```
> sqldf("select * from iris limit 0, 5")
  Sepal.Length Sepal.Width Petal.Length Petal.Width Species
1          5.1         3.5          1.4         0.2  setosa
2          4.9         3.0          1.4         0.2  setosa
3          4.7         3.2          1.3         0.2  setosa
4          4.6         3.1          1.5         0.2  setosa
5          5.0         3.6          1.4         0.2  setosa
```

다음 코드는 5행(6번째 행)부터 5개 데이터를 출력합니다.

```
> sqldf("select * from iris limit 5, 5")
  Sepal.Length Sepal.Width Petal.Length Petal.Width Species
1          5.4         3.9          1.7         0.4  setosa
```

```
2          4.6         3.4          1.4         0.3  setosa
3          5.0         3.4          1.5         0.2  setosa
4          4.4         2.9          1.4         0.2  setosa
5          4.9         3.1          1.5         0.1  setosa
```

6) 함수 사용

출력하려는 변수에 함수 또는 수식을 사용할 수 있습니다. 다음 코드는 iris 데이터에서 종별 꽃 잎(Petal.Length)의 길이 평균과 표준편차를 출력합니다.

```
> sqldf("select avg(`Petal.Length`) as avg, stdev(`Petal.Length`) as sd
from iris group by Species")
    avg        sd
1 1.462 0.1736640
2 4.260 0.4699110
3 5.552 0.5518947
```

7) 조인

하나 이상의 데이터 프레임으로부터 데이터를 검색할 필요가 있을 때 조인(Join) 조건문을 사용합니다. 한 데이터 프레임의 행은 관련되는 열에 있는 공통 값에 따라서 다른 하나의 데이터 프레임 행과 조인할 수 있습니다. 그러므로 두 개의 데이터 프레임을 SELECT 문장 안에서 조인하려면 적어도 하나의 열이 그 두 테이블 사이에서 공유되어야 합니다.

조인을 사용하는 SELECT 구문입니다.

```
SELECT  data1.variable1, data2.variable2
FROM    data1
JOIN    data2
ON      join_condition;
```

다음은 조인 구문을 실행시키기 위해 부서정보를 저장하는 dept 데이터 프레임과 사원정보를 저장하는 emp 데이터 프레임을 만듭니다. dept 데이터 프레임은 부서번호(deptno), 부서이름(dname), 위치(loc) 변수를 가집니다. emp 데이터 프레임은 사원번호(empno), 사원이름(ename), 직무(job), 급여(sal), 부서번호(deptno) 변수를 가집니다.

```
> deptno = c(10, 20, 30, 40)
> dname = c("ACCOUNTING", "RESEARCH", "SALES", "OPERATIONS")
> loc = c("NEW YORK", "DALLAS", "CHICAGO", "BOSTON")
> dept = data.frame(deptno, dname, loc)
```

```
> dept
  deptno      dname      loc
1     10 ACCOUNTING NEW YORK
2     20   RESEARCH   DALLAS
3     30      SALES  CHICAGO
4     40 OPERATIONS   BOSTON
```

```
> empno = c(7369, 7499, 7521, 7566, 7654, 7698, 7782, 7839, 7844, 7900)
> ename = c("KING", "BLAKE", "CLARK", "JONES", "FORD", "SMITH", "ALLEN",
  "WARD", "MARTIN", "TURNER")
> job = c("PRESIDENT", "MANAGER", "MANAGER", "MANAGER", "ANALYST", "CLERK",
  "SALESMAN", "SALESMAN", "SALESMAN", "SALESMAN")
> sal = c(5000, 2850, 2450, 2975, 3000, 800, 1600, 1250, 1250, 1500)
> deptno = c(10, 30, 10, 20, 20, 20, 30, 30, 30, 30)
> emp = data.frame(empno, ename, job, sal, deptno)
```

```
> emp
   empno  ename       job  sal deptno
1   7369   KING PRESIDENT 5000     10
2   7499  BLAKE   MANAGER 2850     30
3   7521  CLARK   MANAGER 2450     10
4   7566  JONES   MANAGER 2975     20
5   7654   FORD   ANALYST 3000     20
6   7698  SMITH     CLERK  800     20
7   7782  ALLEN  SALESMAN 1600     30
8   7839   WARD  SALESMAN 1250     30
9   7844 MARTIN  SALESMAN 1250     30
10  7900 TURNER  SALESMAN 1500     30
```

다음 구문은 조인을 이용해 사원의 정보와 부서 이름을 출력합니다. SELECT 절 때는 ON 절에 변수(column) 이름을 사용할 때에 두 데이터 프레임이 같은 이름의 변수(column)를 가지고 있을 경우에는 데이터 프레임 이름을 접두어로 붙여야 합니다.

```
> sqldf("select empno, ename, job, sal, emp.deptno, dname from emp join
  dept on emp.deptno = dept.deptno")
   empno  ename       job  sal deptno      dname
1   7369   KING PRESIDENT 5000     10 ACCOUNTING
2   7499  BLAKE   MANAGER 2850     30      SALES
3   7521  CLARK   MANAGER 2450     10 ACCOUNTING
4   7566  JONES   MANAGER 2975     20   RESEARCH
5   7654   FORD   ANALYST 3000     20   RESEARCH
6   7698  SMITH     CLERK  800     20   RESEARCH
7   7782  ALLEN  SALESMAN 1600     30      SALES
8   7839   WARD  SALESMAN 1250     30      SALES
9   7844 MARTIN  SALESMAN 1250     30      SALES
10  7900 TURNER  SALESMAN 1500     30      SALES
```

2. RJDBC를 이용한 오라클 데이터베이스 연결

RJDBC는 R에서 JDBC를 이용하여 데이터베이스에 연결하기 위한 패키지입니다. RJDBC를 이용하여 데이터베이스에 연결하기 위해서 다음 일련의 작업들이 진행되어야 합니다.

1. 패키지 설치 및 로드
2. JDBC 드라이버 클래스 로드
3. 데이터베이스 연결
4. 테이블 데이터 조회
5. 테이블 데이터 수정
6. 데이터베이스 연결 종료

2.1. 패키지 설치 및 로드

RJDBC 패키지를 사용하여 데이터베이스에 연결하기 위해서 패키지를 설치하고 로드시켜야 합니다. RJDBC는 'DBI' 패키지와 'rJava' 패키지에 의존합니다.

```
> install.packages("RJDBC")
also installing the dependency 'rJava'

trying URL 'https://cran.rstudio.com/bin/windows/contrib/3.5/rJava_0.9-10.zip'
Content type 'application/zip' length 826966 bytes (807 KB)
downloaded 807 KB

trying URL 'https://cran.rstudio.com/bin/windows/contrib/3.5/RJDBC_0.2-7.1.zip'
Content type 'application/zip' length 87879 bytes (85 KB)
downloaded 85 KB

package 'rJava' successfully unpacked and MD5 sums checked
package 'RJDBC' successfully unpacked and MD5 sums checked

The downloaded binary packages are in
    C:\Users\COM\AppData\Local\Temp\RtmpMHFbFf\downloaded_packages
```

패키지가 설치된 후 패키지를 로드합니다.

```
> library(RJDBC)
Loading required package: DBI
Loading required package: rJava
```

2.2. 드라이버 클래스 로드

JDBC 드라이버 클래스파일이 있다면 데이터베이스에 연결하여 데이터를 조회하거나 조작할 수 있습니다. JDBC() 함수를 이용하면 JDBC 객체를 생성합니다. R의 JDBC 객체는 JDBCConnection 객체를 생성하기 위해 필요합니다.

```
JDBC(driverClass="", classPath="")
```

구문에서...

- driverClass="*driverClassFileName*" : JDBC 드라이더 클래스 파일 이름을 입력합니다. 오라클 데이터베이스에 접속하려면 'oracle.jdbc.OracleDriver"를 사용합니다.
- classPath="*driverClassPath*" : JDBC 드라이버 클래스 파일(jar 파일)의 위치[39]를 입력합니다. JDBC 드라이버클래스파일의 경로와 이름을 함께 입력해야 합니다. 만일 JDBC 드라이버 클래스파일이 현재 작업폴더(workplace)에 있다면 파일 이름만 입력해도 됩니다.

사용 예

```
drv <- JDBC("oracle.jdbc.OracleDriver", classPath="ojdbc6.jar")
```

2.3. 데이터베이스 연결

R의 JDBC 객체는 JDBCConnection 객체를 생성하기 위한 dbConnect() 함수를 가지고 있습니다. dbConnect() 함수는 JDBC 드라이버객체와 데이터베이스 접속 URL, 사용자 아이디와 비밀번호를 인자로 갖습니다.

```
dbConnect(drv, ...)
```

구문에서...

- *drv* : JDBC() 함수가 반환한 JDBC 드라이버 객체입니다.

사용 예

```
> con <- dbConnect(drv, "jdbc:oracle:thin:@localhost:1521:xe", "hr", "hr")
```

39) 윈도우에 오라클 11g Express Edition을 설치했을 경우 JDBC 드라이버 클래스파일의 위치는 C:₩oraclexe₩app₩oracle₩product₩11.2.0₩server₩jdbc₩lib입니다. 이곳에서 ojdbc6.jar 파일을 R 작업폴더로 복사해 놓으세요. 현재 작업폴더의 위치는 getwd()로 알 수 있습니다.

2.4. 테이블 데이터 조회

쿼리문[40]을 실행시키기 위해서 dbGetQuery() 함수를 이용할 수 있습니다. dbGetQuery() 함수는 SELECT 쿼리용으로만 사용할 수 있습니다. 쿼리문의 실행 결과는 데이터 프레임으로 반환됩니다.

```
dbGetQuery(con, "statement", ...)
```

구문에서...
- *con* : dbConnect() 함수가 반환한 JDBCConnection 드라이버 객체입니다.
- *"statement"* : SELECT 쿼리문입니다.

사용 예

```
> result <- dbGetQuery(con, "select count(*) from employees")
> summary(result)
```

테이블 전체 데이터를 가져오기 위해서라면 dbReadTable() 함수를 사용할 수 있습니다.

```
dbReadTable(con, "name", ...)
```

구문에서...
- *con* : dbConnect() 함수가 반환한 JDBCConnection 드라이버 객체입니다.
- *"name"* : 데이터베이스 테이블 이름을 입력합니다.

사용 예

```
> emp <- dbReadTable(con, "EMPLOYEES")
```

2.5. 테이블 데이터 수정

데이터를 조작하기 위해서는 dbSendUpdate() 함수를 이용해야 합니다. dbSendUpdate() 함수는 어떤 결과 셋도 반환하지 않는 쿼리문을 실행시킬 때 사용합니다. dbExecute() 함수

40) 쿼리문(query language)은 데이터베이스와 정보 시스템에 질의(質疑)를 할 수 있게 하는 컴퓨터 언어입니다

를 사용할 수 있지만 쿼리문에 이상이 없음에도 실행 시 에러가 출력될 때 dbSendUpdate() 함수는 좋은 대안으로 사용될 수 있습니다.

```
dbSendUpdate(con, "statement", ...)
```

사용 예

```
> dbSendUpdate(con, "update employees set salary=30000 where employee_id=100")
```

2.6. 데이터베이스 연결 종료

다음 구문은 데이터베이스 연결을 종료합니다.

```
dbDisconnect(con)
```

2.7. HR 스키마의 employees 테이블 조회 실습

다음 코드는 오라클 데이터베이스에 연결하여 HR 스키마의 테이블을 조회하는 실습입니다.

```
> drv <- JDBC("oracle.jdbc.OracleDriver", classPath="ojdbc6.jar")
> con <- dbConnect(drv, "jdbc:oracle:thin:@localhost:1521:xe", "hr", "hr")
> result <- dbGetQuery(con, "select count(*) from employees")
> result
  COUNT(*)
1      107
> emp <- dbReadTable(con, "EMPLOYEES")
> summary(emp)
  EMPLOYEE_ID      FIRST_NAME          LAST_NAME            EMAIL
 Min.   :100.0   Length:107         Length:107         Length:107
 1st Qu.:126.5   Class :character   Class :character   Class :character
 Median :153.0   Mode  :character   Mode  :character   Mode  :character
 Mean   :153.0
 3rd Qu.:179.5
 Max.   :206.0
```

```
 PHONE_NUMBER         HIRE_DATE            JOB_ID              SALARY
 Length:107         Length:107         Length:107         Min.   : 2100
 Class :character   Class :character   Class :character   1st Qu.: 3100
 Mode  :character   Mode  :character   Mode  :character   Median : 6200
                                                          Mean   : 6462
                                                          3rd Qu.: 8900
                                                          Max.   :24000

 COMMISSION_PCT     MANAGER_ID      DEPARTMENT_ID          DATA
 Min.   :0.0000   Min.   :100.0   Min.   : 10.00   Length:107
 1st Qu.:0.1500   1st Qu.:108.0   1st Qu.: 50.00   Class :character
 Median :0.2000   Median :122.0   Median : 50.00   Mode  :character
 Mean   :0.2167   Mean   :124.5   Mean   : 61.98
 3rd Qu.:0.3000   3rd Qu.:145.0   3rd Qu.: 80.00
 Max.   :0.4000   Max.   :205.0   Max.   :110.00
 NA's   :71                       NA's   :1
```

dbSendUpdate()를 이용하여 데이터베이스를 수정하기 위해 수정 전 데이터를 조회한 후 데이터를 수정합니다. 그리고 수정 후 데이터를 다시 조회하여 데이터베이스가 정상적으로 수정됐는지 확인합니다.

```
> before <- dbGetQuery(con, "select first_name, salary from employees where
employee_id=100")
> before
  FIRST_NAME SALARY
1     Steven  24000

> dbSendUpdate(con, "update employees set salary=30000 where
employee_id=100")

> after <- dbGetQuery(con, "select first_name, salary from employees where
employee_id=100")
> after
  FIRST_NAME SALARY
1     Steven  30000
```

작업을 모두 마쳤으면 연결을 종료합니다.

```
> dbDisconnect(con)
[1] TRUE
```

3. RPostgreSQL을 이용한 PostgreSQL 데이터베이스 연결

RPostgreSQL 패키지는 PostgreSQL(포스트그래스큐:엘) 데이터베이스를 R에서 접근하는데 사용됩니다. RPostgreSQL 패키지를 이용하여 PostgreSQL 데이터베이스에 연결하기 위해서 다음 일련의 작업들이 진행되어야 합니다.

1. 패키지 설치 및 로드
2. 드라이버 로드
3. 데이터베이스 연결
4. 쿼리문 실행
5. 데이터베이스 연결 종료
6. 드라이버 언로드

3.1. 패키지 설치 및 로드

R에서 PostgreSQL 데이터베이스에 연결하기 위해 RPostgreSQL 패키지를 설치하고 로드합니다.

```
> install.packages("RPostgreSQL")
trying URL 'https://cran.rstudio.com/bin/windows/contrib/3.5/RPostgreSQL_0.6-2.zip'
Content type 'application/zip' length 498194 bytes (486 KB)
downloaded 486 KB

package 'RPostgreSQL' successfully unpacked and MD5 sums checked

The downloaded binary packages are in
    C:\Users\COM\AppData\Local\Temp\RtmpgD5UVx\downloaded_packages
```

패키지가 설치된 후 패키지를 로드합니다.

```
> library(RPostgreSQL)
Loading required package: DBI
```

3.2. 드라이버 로드

dbDriver()는 데이터베이스 드라이버를 로드합니다. 드라이버의 이름은 PostgreSQL입니다.

```
drv <- dbDriver(drvName, ...)
```

사용 예

```
> drv <- dbDriver("PostgreSQL")
```

3.3. 데이터베이스 연결

dbConnect()는 데이터베이스와 접속을 개시합니다. 데이터베이스에 연결하기 위한 호스트의 주소, 포트번호, 데이터베이스 인스턴스 이름, 사용자이름, 비밀번호 등이 필요합니다. dbConnect() 함수는 DBIConnection 객체를 리턴합니다.

```
con <- dbConnect(drv, ...)
```

사용 예

```
> con <- dbConnect(drv, host="192.168.224.152", dbname="testdb",
+                  port="5432", user="scott", password="tiger")
```

3.4. 쿼리문 실행

dbSendQuery()는 SQL문을 PostgreSQL서버에 보내는 함수입니다.

```
dbSendQuery(con, statement, ...)
```

fetch()는 응답을 받아 R의 데이터 프레임으로 저장해 주는 함수입니다.

```
fetch(res, n=-1, ...)
```

dbGetQuery()는 dbSendQuery()와 fetch()를 동시에 수행하는 함수입니다.

```
dbGetQuery(con, statement, ...)
```

트랜잭션 처리와 관련해서 dbCommit(), dbRollback() 등 함수가 존재합니다. 트랜잭션 시작은 dbBegin()으로 합니다.

```
dbBegin(con, ...)
dbCommit(con, ...)
dbRollback(con, ...)
```

사용 예

```
> rs <- dbSendQuery(con, "select * from deparr")
> fetch(rs,n=-1)
```

3.5. 데이터베이스 연결 종료

dbDisconnect()는 데이터베이스 연결을 종료시킵니다.

```
dbDisconnect(con)
```

사용 예

```
> dbDisconnect(con)
[1] TRUE
```

3.6. 드라이버 언로드

dbUnloadDriver()는 데이터베이스 드라이버를 언로드합니다.

```
dbUnloadDriver(drv, ...)
```

사용 예

```
> dbUnloadDriver(drv)
[1] TRUE
```

3.7. 데이터베이스 연결 예제코드

다음 코드는 PostgreSQL 데이터베이스가 설치되어 있고, 생성되어 있는 데이터베이스 인스턴스의 이름은 testdb이며, testdb 데이터베이스 인스턴스에 sample 테이블이 있을 경우에 실행되는 구문입니다. host 속성은 데이터베이스가 설치된 컴퓨터의 주소로 변경해야 합니다.

```
> library(RPostgreSQL)

> drv <- dbDriver("PostgreSQL")
> con <- dbConnect(drv, dbname="testdb", host="192.168.224.152",
+                  port="5432", user="scott", password="tiger")
> rs <- dbSendQuery(con, "select * from sample")
> fetch(rs,n=-1)
                         name count
1 AirTran Airways Corporation   317
2     Northwest Airlines Inc.   366
3      Southwest Airlines Co.   992
> dbDisconnect(con)
[1] TRUE
> dbUnloadDriver(drv)
[1] TRUE
```

4. RMySQL을 이용한 MySQL 데이터베이스 연결

RMySQL 패키지는 R에서 MySQL 또는 MariaDB 데이터베이스에 접근하는데 사용됩니다. RMySQL 패키지를 이용하여 MySQL 데이터베이스에 연결하기 위해서 다음 일련의 작업들이 진행되어야 합니다.

1. 패키지 설치 및 로드
2. 드라이버 로드
3. 데이터베이스 연결
4. 쿼리문 실행
5. 데이터베이스 연결 종료
6. 드라이버 언로드

4.1. 패키지 설치 및 로드

R에서 MySQL 데이터베이스에 연결하기 위해 RMySQL 패키지를 설치하고 로드합니다.

```
> install.packages("RMySQL")
trying URL 'https://cran.rstudio.com/bin/windows/contrib/3.5/RMySQL_0.10.15.zip'
Content type 'application/zip' length 2371717 bytes (2.3 MB)
downloaded 2.3 MB

package ‘RMySQL’ successfully unpacked and MD5 sums checked

The downloaded binary packages are in
    C:\Users\COM\AppData\Local\Temp\RtmpgD5UVx\downloaded_packages
```

패키지가 설치된 후 패키지를 로드합니다.

```
> library(RMySQL)

다음의 패키지를 부착합니다: ‘RMySQL’

The following object is masked from ‘package:RSQLite’:

    isIdCurrent
```

4.2. 드라이버 로드

dbDriver()는 데이터베이스 드라이버를 로드합니다. 드라이버의 이름은 MySQL입니다.

```
drv <- dbDriver(drvName, ...)
```

사용 예

```
> drv <- dbDriver("MySQL")
```

4.3. 데이터베이스 연결

dbConnect()는 데이터베이스와 접속을 개시합니다. 데이터베이스에 연결하기 위한 호스트의 주소, 포트번호, 데이터베이스 인스턴스 이름, 사용자이름, 비밀번호 등이 필요합니다. dbConnect() 함수는 DBIConnection 객체를 리턴합니다.

```
con <- dbConnect(drv, ...)
```

사용 예

```
> con <- dbConnect(drv, host="192.168.100.151", port=3306,
+                  dbname="testdb", user="user01", password="user123")
```

4.4. 쿼리문 실행

dbSendQuery()는 SQL문을 MySQL서버에 보내는 함수입니다.

```
dbSendQuery(con, statement, ...)
```

fetch()는 응답을 받아 R의 데이터 프레임으로 저장해 주는 함수입니다.

```
fetch(res, n=-1, ...)
```

dbGetQuery()는 dbSendQuery()와 fetch()를 동시에 수행하는 함수입니다.

```
dbGetQuery(con, statement, ...)
```

dbListTables()는 데이터베이스에서 테이블의 목록을 조회하는 함수입니다.

```
dbListTables(con, ...)
```

트랜잭션 처리와 관련해서 dbCommit(), dbRollback() 등 함수가 존재합니다. 트랜잭션 시작은 dbBegin()으로 합니다.

```
dbBegin(con, ...)
dbCommit(con, ...)
dbRollback(con, ...)
```

사용 예

```
> sample.df <- dbGetQuery(con, "SELECT * FROM sample")
```

4.5. 데이터베이스 연결 종료

dbDisconnect()는 데이터베이스 연결을 종료시킵니다.

```
dbDisconnect(con)
```

사용 예

```
> dbDisconnect(con)
[1] TRUE
```

4.6. 드라이버 언로드

dbUnloadDriver()는 데이터베이스 드라이버를 언로드합니다.

```
dbUnloadDriver(drv, ...)
```

사용 예

```
> dbUnloadDriver(drv)
[1] TRUE
```

4.7. 데이터베이스 연결 예제코드

다음 코드는 MySQL 데이터베이스가 설치되어 있고, 생성되어 있는 데이터베이스 인스턴스의 이름은 testdb이며, testdb 데이터베이스 인스턴스에 sample 테이블이 있을 경우에 실행되는 구문입니다. host 속성은 데이터베이스가 설치된 컴퓨터의 주소를 입력해야 합니다.

```
> drv <- dbDriver("MySQL")
> con <- dbConnect(drv, dbname="testdb", host="192.168.100.151",
+                  port="3306", user="user01", password="user123")
> sample.df <- dbGetQuery(con, "select * from sample")
> sample.df
                        name count
1 AirTran Airways Corporation   317
2     Northwest Airlines Inc.   366
3      Southwest Airlines Co.   992
> dbDisconnect(con)
[1] TRUE
> dbUnloadDriver(drv)
[1] TRUE
```

앞에서 언급된 RPostgreSQL 패키지와 RMySQL 패키지를 이용할 때의 함수는 다르지 않습니다. 책에서는 예제를 조금 다르게 사용했을 뿐입니다. 이들은 DBI spec에 따라 구현되었기 때문에 대부분 함수가 같은 이름이며 쓰임새 또한 같습니다.

만일 여러분이 이 책에 언급되어 있지 않는 데이터베이스관련 함수들이 궁금하다면 여러분은 ??DBI::spec 명령을 이용하여 DBI specification 문서를 참고할 수 있습니다.

RStudio에서 [Show in new window( )] 아이콘을 클릭하면 새로운 윈도우에서 도움말을 좀 더 편하게 볼 수 있습니다.

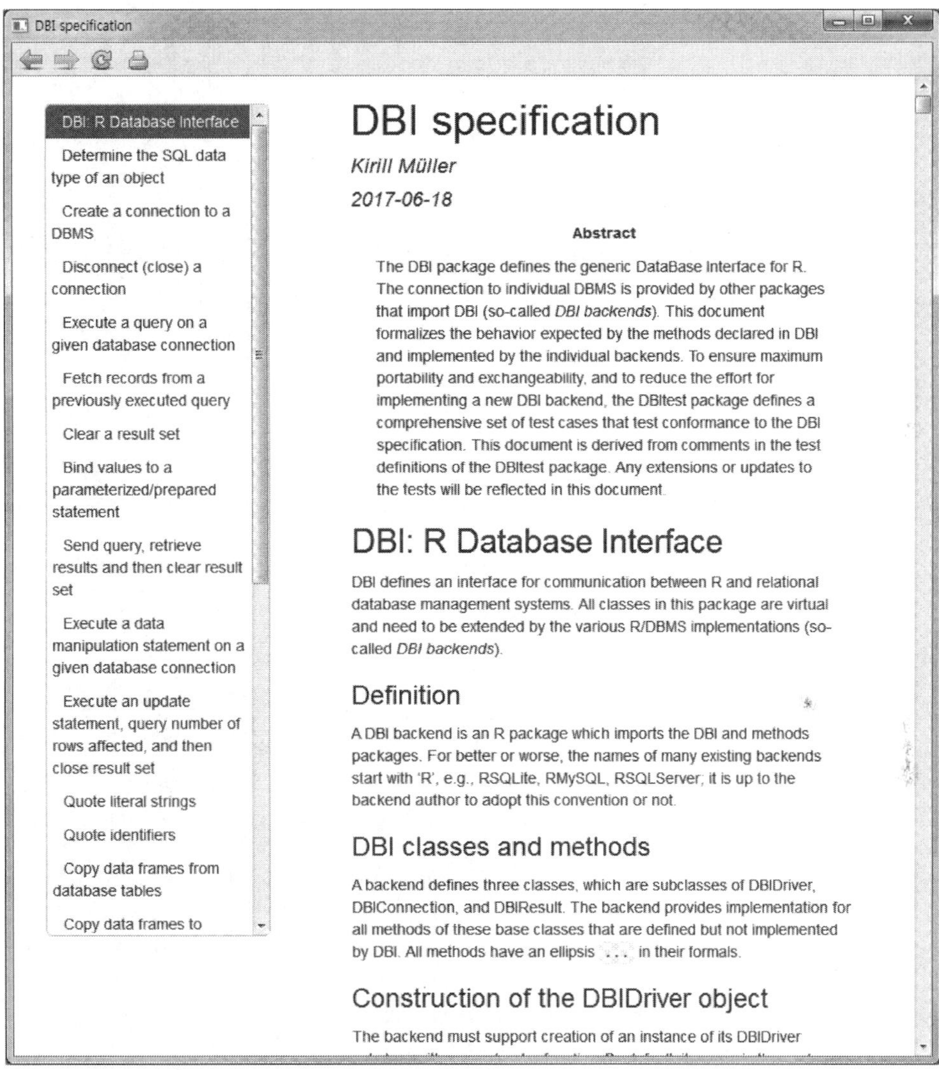

그림 1. DBI specification

5. 데이터베이스 연결 실습

MariaDB 데이터베이스를 설치하고 데이터베이스에 연결해 보겠습니다.

1) 데이터베이스 다운로드 및 설치

MariaDB 데이터베이스는 https://downloads.mariadb.org/에서 설치파일을 다운로드 합니다. 윈도우의 경우 msi파일(mariadb-10.2.12-winx64.msi[41])을 다운로드 받으면 설치파일을 더블클릭하면 쉽게 설치할 수 있습니다. 설치 시 root 사용자 비밀번호만 설정하면 됩니다.

2) 사용자 생성

MariaDB 설치 후 사용할 계정을 생성합니다. 데이터베이스 설치 후 시작 프로그램에서 [Command Prompt]를 실행시키세요.

```
C:\windows\system32>mysql -u root -p
Enter password: *******  <--설치 시 입력한 관리자 비밀번호 입력
Welcome to the MariaDB monitor.  Commands end with ; or \g.
Your MariaDB connection id is 11
Server version: 10.2.12-MariaDB mariadb.org binary distribution

Copyright (c) 2000, 2017, Oracle, MariaDB Corporation Ab and others.

Type 'help;' or '\h' for help. Type '\c' to clear the current input
statement.

MariaDB [(none)]> create database testdb;
Query OK, 1 row affected (0.00 sec)

MariaDB [(none)]> create user 'user01'@'%' identified by 'user123';
Query OK, 0 rows affected (0.00 sec)

MariaDB [(none)]> grant all privileges on testdb.* to 'user01'@'%';
Query OK, 0 rows affected (0.00 sec)

MariaDB [testdb]> exit;
Bye
```

41) https://downloads.mariadb.org/mariadb/에서 다운로드 버튼을 클릭하세요. 버전은 이책과 다를 수 있습니다.

3) 예제 테이블 및 데이터 추가

새로 생성한 사용자 계정으로 접속하여 예제 테이블 및 데이터를 생성해 줍니다.

```
C:\windows\system32>mysql -u user01 -p
Enter password: *******    # user123
Welcome to the MariaDB monitor.  Commands end with ; or \g.
Your MariaDB connection id is 11
Server version: 10.2.12-MariaDB mariadb.org binary distribution

Copyright (c) 2000, 2017, Oracle, MariaDB Corporation Ab and others.

Type 'help;' or '\h' for help. Type '\c' to clear the current input
statement.

MariaDB [(none)]> use testdb
Database changed
```

공유폴더에서 sql 파일(MySQL_HR_DDL.sql[42], MySQL_HR_DML.sql[43]) 다운로드해서 C:₩에 복사해 주세요.

그리고 MariaDB 프롬프트에서 아래 내용 입력해서 sql 파일을 실행시키세요. 테이블이 생성되는 도중에 경고가 있어도 무시하세요. MySQL_HR_DDL.sql 파일은 오라클 데이터베이스에 포함되어 있는 HR 스키마의 테이블들을 생성하는 구문입니다.

MySQL_HR_DML.sql 파일은 샘플 데이터를 insert 하는 구문입니다.

```
MariaDB [testdb]> source C:/MySQL_HR_DDL.sql
Query OK, 0 rows affected, 1 warning (0.01 sec)

Query OK, 0 rows affected (0.01 sec)

Query OK, 0 rows affected (0.03 sec)
Records: 0  Duplicates: 0  Warnings: 0

Query OK, 0 rows affected (0.02 sec)
Records: 0  Duplicates: 0  Warnings: 0
```

42) http://javaspecialist.co.kr/pds/340
43) http://javaspecialist.co.kr/pds/341

```
... 생략...

Query OK, 0 rows affected (0.03 sec)
Records: 0  Duplicates: 0  Warnings: 0

Query OK, 0 rows affected (0.00 sec)

Query OK, 0 rows affected (0.00 sec)

MariaDB [testdb]> source C:/MySQL_HR_DML.sql
Query OK, 1 row affected (0.00 sec)

Query OK, 1 row affected (0.00 sec)

Query OK, 1 row affected (0.00 sec)

... 생략...

Query OK, 1 row affected (0.00 sec)

Query OK, 0 rows affected (0.00 sec)

Query OK, 0 rows affected (0.00 sec)
```

예제 테이블이 생성되고 데이터가 입력되면 commit; 문으로 변경사항을 저장하고 select 문으로 employees 테이블에 저장되어 있는 행의 수를 조회해 보세요. 결과가 107이 출력되어야 합니다.

```
MariaDB [testdb]> commit;

MariaDB [testdb]> select count(*) from employees;
+----------+
| count(*) |
+----------+
|      107 |
+----------+
1 row in set (0.00 sec)
MariaDB [testdb]> exit;
Bye
```

4) R에서 데이터베이스 연결

MaraiDB는 RMySQL 패키지를 이용하여 데이터베이스에 연결합니다. 다음 코드는 R에서 MariaDB 데이터베이스에 연결하여 employees 테이블의 모든 정보를 가져옵니다.

```
> install.packages("RMySQL")
> library(RMySQL)
```

```
> drv <- dbDriver("MySQL")
```

```
> con <- dbConnect(drv,
+                  host="localhost", port=3306, dbname="testdb",
+                  user="user01", password="user123")
```

```
> emp <- dbGetQuery(con, "select * from employees")
> head(emp)
  employee_id first_name last_name    email phone_number  hire_date
1         100     Steven      King    SKING 515.123.4567 2003-06-17
2         101      Neena   Kochhar NKOCHHAR 515.123.4568 2005-09-21
3         102        Lex   De Haan  LDEHAAN 515.123.4569 2001-01-13
4         103  Alexander    Hunold  AHUNOLD 590.423.4567 2006-01-03
5         104      Bruce     Ernst   BERNST 590.423.4568 2007-05-21
6         105      David    Austin  DAUSTIN 590.423.4569 2005-06-25
   job_id salary commission_pct manager_id department_id
1 AD_PRES  24000             NA         NA            90
2   AD_VP  17000             NA        100            90
3   AD_VP  17000             NA        100            90
4 IT_PROG   9000             NA        102            60
5 IT_PROG   6000             NA        103            60
6 IT_PROG   4800             NA        103            60
```

이렇게 조회된 데이터의 타입은 데이터 프레임입니다.

```
> class(employees)
[1] "data.frame“
```

다음 코드는 SQL 구문을 이용해서 부서별 급여 평균을 계산하여 조회하는 예입니다.

```
> avg_sal_by_deptno <- dbGetQuery(con, "select department_id, avg(salary)
+                                 from employees group by department_id");
> avg_sal_by_deptno
```

```
   department_id avg(salary)
1             NA    7000.000
2             10    4400.000
3             20    9500.000
4             30    4150.000
5             40    6500.000
6             50    3475.556
7             60    5760.000
8             70   10000.000
9             80    8955.882
10            90   19333.333
11           100    8601.333
12           110   10154.000
```

다음 코드는 R의 tapply() 함수를 이용해 employees 데이터에서 부서별로 급여의 평균을 출력합니다.

```
> tapply(employees$salary, employees$department_id, mean)
       10        20        30        40        50        60 
 4400.000  9500.000  4150.000  6500.000  3475.556  5760.000 
       70        80        90       100       110 
10000.000  8955.882 19333.333  8601.333 10154.000 
```

그런데 이 결과는 SQL을 이용해 실행시킨 결과와 다릅니다. 그 이유는 데이터베이스의 employees 테이블에 있던 null값이 R에서는 NA 값으로 되기 때문입니다. department_id의 NA도 tapply() 함수에 의해 집계가 되려면 department_id 열을 팩터 타입으로 변환해야 합니다. factor() 함수의 exclude=NULL는 NA도 범주에 포함시키라는 의미입니다.

```
> is.factor(employees$department_id)
[1] FALSE
```

```
> employees$department_id <- factor(employees$department_id, exclude=NULL)
```

```
> is.factor(employees$department_id)
[1] TRUE
```

```
> tapply(employees$salary, employees$department_id, mean)
       10        20        30        40        50        60 
 4400.000  9500.000  4150.000  6500.000  3475.556  5760.000 
       70        80        90       100       110      <NA> 
10000.000  8955.882 19333.333  8601.333 10154.000  7000.000 
```

7장. 데이터 처리성능 향상

1. plyr 패키지
2. 데이터 구조 변경
3. 데이터 테이블
4. 데이터 테이블과 키
5. 예외 처리
6. 향상된 반복문 foreach
7. 병렬처리

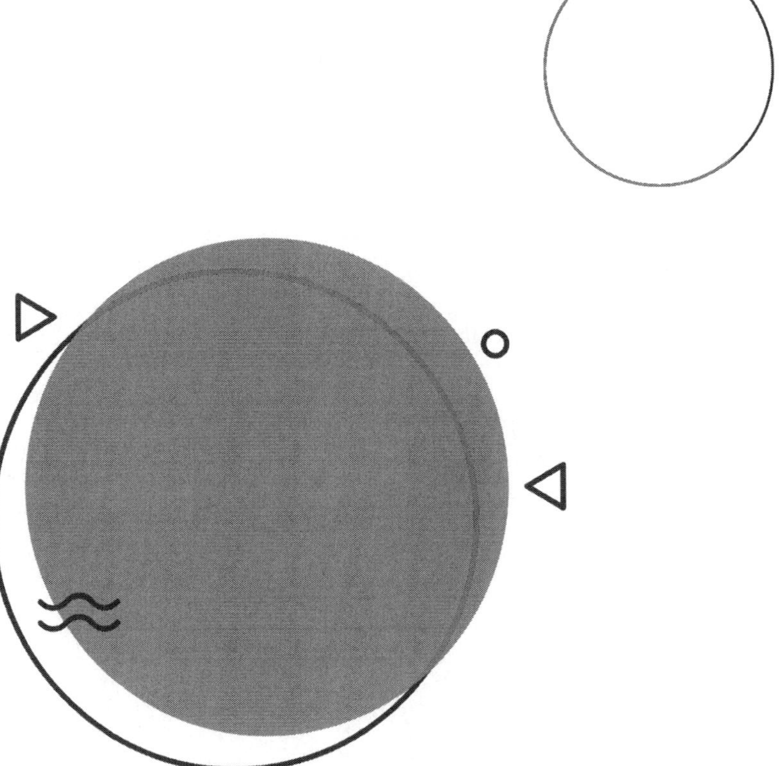

1. plyr 패키지

plyr(플라이어) 패키지는 R의 split-apply-combine 패턴[44]을 구현하는 깨끗하고 일관된 도구 세트입니다. 이 패키지는 데이터의 분할, 함수 적용, 재조합 등에 사용하는 함수를 포함합니다. plyr 패키지의 함수는 apply(), lapply(), sapply() 함수를 대체할 수 있습니다. plyr 패키지의 함수는 분할 된 데이터 구조의 종류와 반환하는 데이터 구조의 종류에 따라 이름이 지정됩니다.

함수의 이름은 입력 데이터의 타입에 따라 x, 출력 데이터의 타입에 따라 y가 달라집니다.

```
xyply(.data, ...)
```

구문에서...

- *x* : 입력 데이터의 타입을 지정합니다.(a: array, l: list, d: data.frame, m: multiple inputs, r: repeat multiple times)
- *y* : 출력 데이터의 타입을 지정합니다.(a: array, l: list, d: data.frame, m: multiple inputs, r: repeat multiple times, _: nothing)

이 책은 plyr 패키지의 모든 함수들의 구문을 설명하지 않습니다. 더 자세한 내용을 원하시면 https://cran.r-project.org/web/packages/plyr/plyr.pdf를 참고하세요. 이 책에서는 ddply()와 adply() 함수의 구문에 대해서만 설명합니다.

다음 구문은 ddply() 함수의 구문입니다.

```
ddply(.data, .variables, .fun=NULL, ...,
      .progress="none", .inform=FALSE, .drop=TRUE,
      .parallel=FALSE, .paropts=NULL)
```

구문에서...

- .data : 처리 될 데이터입니다.
- .variables : 포뮬러 또는 문자 벡터를 사용하여 데이터 프레임을 분할하는 변수입니다.
- .fun : 적용할 함수입니다.

44) 이것은 데이터 분석에서 매우 일반적인 패턴입니다. 복잡한 문제를 작은 조각으로 분해하고 각각에 대해 그 결과를 다시 결합하는 것입니다.

- .progress : 사용할 프로그래스바(progress bar)의 이름입니다.
- .inform : 오류 메시지를 생성할지 여부를 지정합니다. TRUE인 경우 처리 속도가 상당히 느려지지만 디버깅에는 매우 유용하기 때문에 기본적으로 해제되어 있습니다. 기본값은 FALSE입니다.
- .drop : 입력 데이터에 나타나지 않는 변수의 조합을 보존(FALSE) 또는 삭제(TRUE, 기본값) 여부를 설정합니다.
- .parallel : TRUE면 foreach가 제공하는 병렬 백엔드를 사용하여 함수를 병렬로 적용합니다.
- .paropts : 병렬 계산이 가능할 때 foreach 함수에 전달 된 추가 옵션 목록입니다. 예를 들어 코드가 외부 데이터 또는 패키지에 의존하는 경우 .export 및 .packages 인수를 사용하여 모든 클러스터 노드가 올바른 환경을 컴퓨팅하도록 설정해야합니다.

다음은 adply() 함수의 구문입니다.

```
adply(.data, .margins, .fun=NULL, ..., .expand=TRUE,
      .progress="none", .inform=FALSE, .parallel=FALSE,
      .paropts=NULL, .id=NA)
```

구문에서...
- .data : 처리 될 데이터입니다.
- .margins : 데이터를 나눌 첨자를 주는 벡터입니다. 1은 행으로 나누고, 2는 열로, c(1,2)는 행과 열로 나눕니다.
- .fun : 적용할 함수입니다.
- expand : 만일 .data가 데이터 프레임 인 경우 각 행에 요소가 있는 1d(expand=FALSE)를 출력해야합니다. 또는 각 변수의 차원을 갖는 nd(expand=TRUE)를 출력합니다.
- .progress : 사용할 프로그래스바(progress bar)의 이름입니다.
- .inform : 오류 메시지를 생성할지 여부를 지정합니다. TRUE인 경우 처리 속도가 상당히 느려지지만 디버깅에는 매우 유용하기 때문에 기본적으로 해제되어 있습니다. 기본값은 FALSE입니다.
- .parallel : TRUE면 foreach가 제공하는 기능을 사용하여 함수를 병렬로 적용합니다.
- .paropts : 병렬 계산이 가능할 때 foreach 함수에 전달 된 추가 옵션 목록입니다. 예를 들어 코드가 외부 데이터 또는 패키지에 의존하는 경우 .export 및 .packages 인수를 사용하여 모든 클러스터 노드가 올바른 환경을 컴퓨팅하도록 설정해야합니다.
- id : 색인 열의 이름입니다. 색인 컬럼을 생성하지 않으려면 NULL을 전달하세요. 기본 이름 "X1", "X2", ...을 사용하려면 NA를 전달하거나 생략하세요. 그렇지 않으면 이 인수의 크기는 .margins와 같아야 합니다.

다음 코드는 plyr 패키지를 설치하고 로드합니다.

```
> install.packages("plyr")
trying URL 'https://cran.rstudio.com/bin/windows/contrib/3.5/plyr_1.8.4.zip'
Content type 'application/zip' length 1296174 bytes (1.2 MB)
downloaded 1.2 MB

package 'plyr' successfully unpacked and MD5 sums checked

The downloaded binary packages are in
    C:\Users\COM\AppData\Local\Temp\RtmpeeAAj4\downloaded_packages
```

```
> library(plyr)
```

다음 코드는 adply() 함수를 이용하여 데이터셋의 열 별로 함수를 적용하는 예입니다. .margins 속성의 값은 열 별로 적용을 의미하는 2입니다. 아래 구문은 Sepal.Length, Sepal.Width, Sepal.Length, Sepal.Width의 합을 출력합니다.

```
> adply(iris[, 1:4], 2, function(col) { sum(col) })
            X1    V1
1 Sepal.Length 876.5
2  Sepal.Width 458.6
3 Petal.Length 563.7
4  Petal.Width 179.9
```

데이터를 group by하여 함수를 적용할 수 있습니다. 다음 코드는 ddply() 함수를 사용하는 예입니다.

```
> ddply(iris, .(Species),          # Species로 group by
+       function(group) { data.frame(mean=mean(group$Sepal.Length)) })
     Species  mean
1     setosa 5.006
2 versicolor 5.936
3  virginica 6.588
```

다음 코드는 임의의 데이터 프레임을 생성합니다. 그리고 group 변수와 sex 변수로 그룹화한 후 이들의 평균(mean)과 표준편차(sd)를 출력합니다.

```
> dfx <- data.frame(
+   group = c(rep('A', 8), rep('B', 15), rep('C', 6)),
+   sex = sample(c("M", "F"), size=29, replace=TRUE),
+   age = runif(n=29, min=18, max=54)
+ )

> head(dfx)
  group sex      age
1     A   M 42.22566
2     A   M 51.23283
```

```
3      A   M 52.88618
4      A   M 30.98525
5      A   F 39.69966
6      A   M 41.82389

> ddply(dfx, .(group, sex), summarize,
+       mean=round(mean(age), 2), sd=round(sd(age), 2))
  group sex  mean    sd
1     A   F 34.65 13.93
2     A   M 43.83  8.78
3     B   F 39.06 10.33
4     B   M 31.54  8.74
5     C   F 35.18  7.54
6     C   M 34.75 17.67
```

2. 데이터 구조 변경

reshape2 패키지는 데이터의 구조를 변경하기 위한 함수를 제공합니다. reshape2 패키지는 reshape 패키지가 다시 작성된 것입니다. reshape2 패키지는 훨씬 더 집중적이고 훨씬 더 빠릅니다[45]. reshape2 버전은 기능성으로 인해 속도가 향상되므로 기존 사용자에게 문제가 발생되지 않도록 reshape2로 이름을 변경했습니다.

2.1. 패키지 설치 및 로드

다음 구문은 reshape2 패키지를 설치하고 로드합니다.

```
> install.packages("reshape2")
also installing the dependencies ‘stringi’, ‘stringr’

  There is a binary version available but the source version is
  later:
        binary source needs_compilation
stringi  1.1.7  1.2.4              TRUE

  Binaries will be installed
trying URL 'https://cran.rstudio.com/bin/windows/contrib/3.5/stringi_1.1.7.zip'
Content type 'application/zip' length 14368013 bytes (13.7 MB)
downloaded 13.7 MB

trying URL 'https://cran.rstudio.com/bin/windows/contrib/3.5/stringr_1.3.1.zip'
Content type 'application/zip' length 194126 bytes (189 KB)
downloaded 189 KB

trying URL 'https://cran.rstudio.com/bin/windows/contrib/3.5/reshape2_1.4.3.zip'
Content type 'application/zip' length 625012 bytes (610 KB)
downloaded 610 KB

package ‘stringi’ successfully unpacked and MD5 sums checked
package ‘stringr’ successfully unpacked and MD5 sums checked
package ‘reshape2’ successfully unpacked and MD5 sums checked

The downloaded binary packages are in
    C:\Users\COM\AppData\Local\Temp\RtmpeeAAj4\downloaded_packages
```

```
> library(reshape2)
```

45) 초기 벤치마킹을 통해 melt의 속도는 최대 10배, cast의 속도는 최대 100배, 집계하는 cast의 용도는 최대 10배 더 빨라졌음이 확인됐습니다.

2.2. melt

melt() 함수는 열 이름과 값을 variable, value 열에 저장된 형태로 변환하는 함수를 제공합니다. 이는 열 단위 데이터 구조를 행 단위 데이터 구조로 바꿉니다.

```
melt(data, ..., na.rm=FALSE, value.name="value")
```

구문에서...
- data : melt 할 데이터셋입니다.
- ... : 함수에 전달할 인수입니다. id를 이용해서 기준이 될 열(고정 열)을 지정합니다.
- na.rm : NA 값을 데이터셋에서 삭제할지 여부를 지정합니다. FALSE(기본값)이면 NA 값도 재구조화에 사용합니다.
- value.name : 값을 저장하기 위해 사용할 변수의 이름입니다.

다음 그림은 melt() 함수를 이용해 airquality[46] 데이터의 구조를 변경시키는 것을 설명하기 위한 것입니다. 그림에서 열의 이름은 variable 열의 값으로 저장이 되고, 해당 열의 값은 value 열에 저장되는 것을 알 수 있습니다.

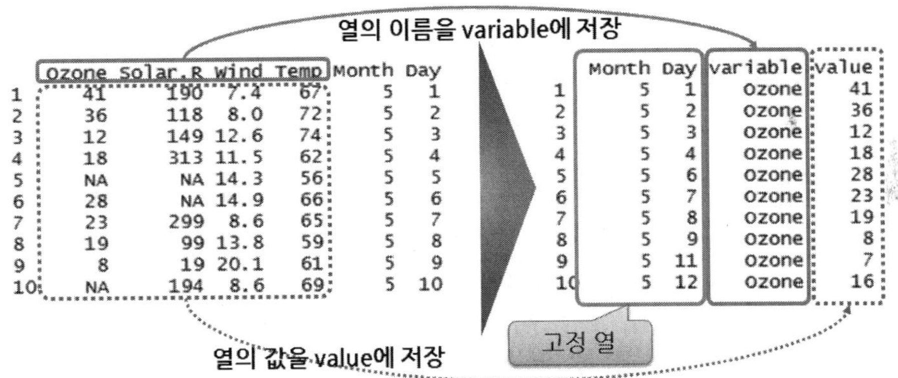

그림 1. 데이터 구조 변경(melt)

다음 코드는 melt() 함수를 이용하여 열 단위 데이터 구조를 행 단위 데이터 구조로 변경하는 예입니다. airquality 데이터의 Month열과 Day 열을 고정하고 나머지 열을 variable과 value로 변환합니다.

```
> head(airquality)
  Ozone Solar.R Wind Temp Month Day
1    41     190  7.4   67     5   1
2    36     118  8.0   72     5   2
3    12     149 12.6   74     5   3
```

46) 1973년 5월에서 9월까지 뉴욕의 일일 대기 질을 측정한 데이터셋입니다.

```
4    18      313 11.5    62     5   4
5    NA       NA 14.3    56     5   5
6    28       NA 14.9    66     5   6
> airquality.melt <- melt(airquality, id=c("Month", "Day"), na.rm=TRUE)
> head(airquality.melt)
  Month Day variable value
1     5   1    Ozone    41
2     5   2    Ozone    36
3     5   3    Ozone    12
4     5   4    Ozone    18
6     5   6    Ozone    28
7     5   7    Ozone    23
```

2.3. cast

cast() 함수는 molten(melt의 형용사) 데이터 프레임을 배열 또는 데이터 프레임으로 캐스팅합니다. cast() 함수는 reshape 패키지의 함수 이름입니다. reshape2 패키지에서는 dcast()와 acast() 함수를 제공합니다. dcast()는 캐스팅 한 결과가 데이터 프레임(data.frame) 타입이고, acast()는 캐스팅 한 결과의 타입이 벡터(vector)/행렬(matrix)/배열(array) 입니다.

```
dcast(data, formula, fun.aggregate=NULL, ..., margins=NULL,
      subset=NULL, fill=NULL, drop=TRUE,
      value.var=guess_value(data))
```

```
acast(data, formula, fun.aggregate=NULL, ..., margins=NULL,
      subset=NULL, fill=NULL, drop=TRUE,
      value.var=guess_value(data))
```

구문에서...

- data : 캐스팅할 데이터 프레임입니다.
- formula : 캐스팅 포뮬러입니다.
- fun.aggregate : 변수가 각 출력 셀에 대한 단일 관찰을 식별하지 못하는 경우 집계 함수가 필요합니다. 필요하지만 지정되지 않았으면 기본값은 길이(메시지 포함)입니다.
- ... : 집계함수에 전달할 인수입니다.
- margins : 여백들을 계산하기 위한 변수 이름의 벡터입니다. ("grand₩_col, "grand₩_row"를 포함할 수 있음) 또는 모든 여백을 계산하기 위해 TRUE입니다. 여백을 넘길 수 없는 변수는 자동으로 삭제됩니다.
- subset : 모양을 바꾸기 전에 데이터를 부분 집합하는데 사용되는 인용식입니다. 예를 들면 subset=.(variable=="length")처럼 사용합니다.

- fill : 구조적 누락을 채울 값입니다. fun.aggregate를 길이가 0인 벡터에 적용한 값이 기본값으로 설정됩니다.
- drop : 누락된 조합이 삭제될지 유지될지를 결정합니다.
- value.var : 값을 저장하는 열의 이름입니다. 생략하면 값이 있는 열 또는 가장 마지막 열이 선택됩니다.

캐스트를 수행할 데이터 프레임에서 출력 셀의 값이 새로운 데이터 프레임의 열 이름이 되며, value.var 속성으로 지정한 열의 값이 새로운 데이터 프레임의 값이 됩니다.

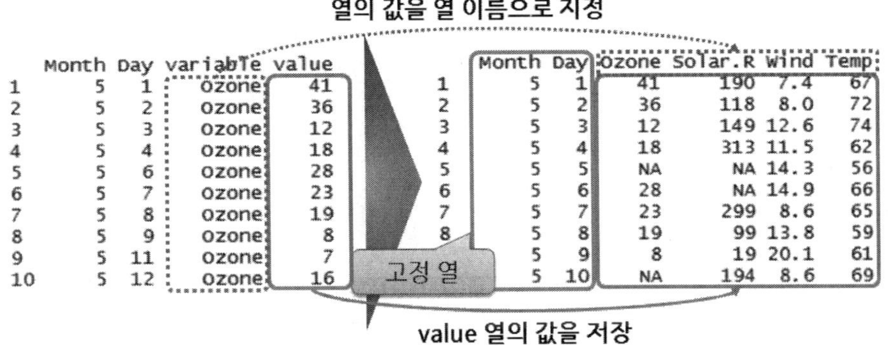

그림 2. 데이터 구조 변경(dcast)

다음 코드는 앞에서 melt 한 데이터를 dcast() 함수로 캐스팅하는 예입니다.

```
> airquality.cast <- dcast(airquality.melt, Month + Day ~ variable,
+                          fun.aggregate=NULL, value.var="value")
> head(airquality.cast)
  Month Day Ozone Solar.R Wind Temp
1     5   1    41     190  7.4   67
2     5   2    36     118  8.0   72
3     5   3    12     149 12.6   74
4     5   4    18     313 11.5   62
5     5   5    NA      NA 14.3   56
6     5   6    28      NA 14.9   66
```

원본 데이터 airquality와 캐스팅한 데이터를 비교해 보세요. 열의 순서는 다르지만, 값은 같은 것을 확인할 수 있습니다.

- acast() 함수는 캐스팅 데이터를 3차원 배열로 만들어줍니다. 다음 코드는 변수별 행과 열이 Day와 Month로 표현되는 2차원 데이터를 만들고, 전체 3차원 데이터로 반환합니다.

```
acast(air_melt, Day~Month~variable, fun.aggregate=NULL, value.var="value")
```

3. 데이터 테이블

데이터 테이블(data.table)은 데이터 프레임(data.frame)에서 상속받습니다. 빠른 개발을 위해 짧고 유연한 구문을 사용하여 파일 읽기와 쓰기, 집계, 업데이트, 동등 비교, 범위 및 내부 조인 등을 빠르고 메모리 효율적으로 제공합니다. 데이터 테이블은 R의 기본 타입인 데이터 프레임을 대신하여 사용할 수 있는 더 빠르고 편리한 데이터 타입입니다.[47)]

3.1. 데이터 테이블 개요

데이터 테이블을 이용한 분석에서 데이터 분할, 부분 집합, 그룹, 수정, 조인 등과 같은 데이터 조작 작업은 모두 데이터 프레임의 기능을 상속받습니다. 데이터 테이블을 이용하면 다음 장점이 있을 수 있습니다.

- 간결함과 일관성 : 최종 목표를 달성하기 위해 수행하고자 하는 작업 세트와 상관없이 간결하고 일관성 있는 구문을 제공합니다.
- 유동적 : 분석을 수행하기 전에 사용할 수 있는 함수 집합에서 특정 함수로 각 작업을 매핑해야 하는 인지적 부담 없이 데이터를 유동적으로 분석을 수행합니다.
- 자동화 : 각 작업에 필요한 데이터를 정확하게 파악함으로써 매우 빠르고 효율적으로 내부적으로 작업을 자동으로 최적화합니다.

1) 패키지 설치 및 로드

데이터 프레임(data.frame)에 성능 개선을 위해 색인(index)을 추가한 데이터형입니다. 데이터 테이블은 "data.table" package를 설치해야 사용할 수 있습니다.

```
> install.packages("data.table")
trying URL 'https://cran.rstudio.com/bin/windows/contrib/3.5/data.table_1.11.4.zip'
Content type 'application/zip' length 1829604 bytes (1.7 MB)
downloaded 1.7 MB

package ‘data.table’ successfully unpacked and MD5 sums checked

The downloaded binary packages are in
    C:\Users\COM\AppData\Local\Temp\RtmpeeAAj4\downloaded_packages
```

47) 데이터 테이블에 관한 도움말은 다음 주소를 통해 참고할 수 있습니다.
https://cran.r-project.org/web/packages/data.table/vignettes/

```
> library(data.table)
data.table 1.11.4  Latest news: http://r-datatable.com
  The fastest way to learn (by data.table authors):
https://www.datacamp.com/courses/data-analysis-the-data-table-way
  Documentation: ?data.table, example(data.table) and
browseVignettes("data.table")
  Release notes, videos and slides: http://r-datatable.com
```

2) 데이터

데이터 테이블을 설명하기 위해 NYC-flights14 데이터[48]를 사용합니다. 여기에는 2014년 뉴욕시 공항에서 출발 한 모든 항공편에 대한 운송 통계 국(Bureau of Transportation statics[49])의 온-타임(On-Time) 항공편 데이터가 포함되어 있습니다. 이 데이터는 2014년 1월부터 10월 데이터만 제공됩니다.

fread() 함수는 read.table() 함수와 비슷하지만, 더 빠르고 더 편리합니다. sep, colClasses 및 nrows와 같은 모든 컨트롤이 자동으로 감지됩니다. fread() 함수는 로컬의 파일 뿐만 아니라 http 및 https URL을 직접 허용합니다. fread() 함수로 웹 사이트의 데이터를 직접 연결해서 데이터 프레임으로 만들기 위해 curl 패키지를 설치해야 합니다.

```
> install.packages("curl")
trying URL 'https://cran.rstudio.com/bin/windows/contrib/3.5/curl_3.2.zip'
Content type 'application/zip' length 2986352 bytes (2.8 MB)
downloaded 2.8 MB

package 'curl' successfully unpacked and MD5 sums checked

The downloaded binary packages are in
    C:\Users\COM\AppData\Local\Temp\RtmpeeAAj4\downloaded_packages
```

```
> library(data.table)
```

```
> flights <- fread("https://raw.githubusercontent.com/wiki/arunsrinivasan/flights/NYCflights14/flights14.csv")
  % Total    % Received % Xferd  Average Speed   Time    Time     Time  Current
                                 Dload  Upload   Total   Spent    Left  Speed
100 5014k  100 5014k    0     0  1301k      0  0:00:03  0:00:03 --:--:-- 1301k

> flights
```

48) https://github.com/arunsrinivasan/flights/wiki/NYC-Flights-2014-data
https://raw.githubusercontent.com/wiki/arunsrinivasan/flights/NYCflights14/flights14.csv
49) https://www.transtats.bts.gov/DL_SelectFields.asp?Table_ID=236

```
        year month day dep_time dep_delay arr_time arr_delay cancelled
     1: 2014     1   1      914        14     1238        13         0
     2: 2014     1   1     1157        -3     1523        13         0
     3: 2014     1   1     1902         2     2224         9         0
     4: 2014     1   1      722        -8     1014       -26         0
     5: 2014     1   1     1347         2     1706         1         0
    ---
253312: 2014    10  31     1459         1     1747       -30         0
253313: 2014    10  31      854        -5     1147       -14         0
253314: 2014    10  31     1102        -8     1311        16         0
253315: 2014    10  31     1106        -4     1325        15         0
253316: 2014    10  31      824        -5     1045         1         0
        carrier tailnum flight origin dest air_time distance hour min
     1:      AA  N338AA      1    JFK  LAX      359     2475    9  14
     2:      AA  N335AA      3    JFK  LAX      363     2475   11  57
     3:      AA  N327AA     21    JFK  LAX      351     2475   19   2
     4:      AA  N3EHAA     29    LGA  PBI      157     1035    7  22
     5:      AA  N319AA    117    JFK  LAX      350     2475   13  47
    ---
253312:      UA  N23708   1744    LGA  IAH      201     1416   14  59
253313:      UA  N33132   1758    EWR  IAH      189     1400    8  54
253314:      MQ  N827MQ   3591    LGA  RDU       83      431   11   2
253315:      MQ  N511MQ   3592    LGA  DTW       75      502   11   6
253316:      MQ  N813MQ   3599    LGA  SDF      110      659    8  24
> dim(flights)
[1] 253316     17
```

* 공항 코드 상세 정보는 https://www.world-airport-codes.com/에서 찾을 수 있습니다.

3) data.table

데이터 테이블은 향상된 버전의 데이터 프레임을 제공하는 R 패키지입니다. 앞의 데이터 섹션에서 fread()를 사용하여 데이터 테이블을 이미 만들었습니다. data.table() 함수를 사용하여 생성할 수도 있습니다.

```
data.table(..., keep.rownames=FALSE, check.names=FALSE,
           key=NULL, stringsAsFactors=FALSE)
```

구문에 대한 설명은 이 섹션을 진행하면서 설명합니다.

다음 코드는 데이터 테이블을 만드는 예입니다.

```
> dt <- data.table(ID=c("b","b","b","a","a","c"), a=1:6, b=7:12, c=13:18)
> dt
   ID a  b  c
```

```
1:  b 1  7 13
2:  b 2  8 14
3:  b 3  9 15
4:  a 4 10 16
5:  a 5 11 17
6:  c 6 12 18
```

as.data.table()을 사용하여 기존 객체를 데이터 테이블로 변환할 수도 있습니다.
주의 :
- 데이터 프레임과는 달리 문자 유형의 열은 기본적으로 팩터(factor)로 변환되지 않습니다.
- 행 번호는 첫 번째 열과 행 번호를 시각적으로 구분하기 위해 :로 인쇄됩니다.
- 인쇄할 행의 수가 datatable.print.nrows(기본값=100) 전역 옵션[50]을 초과하면 처음 5행과 마지막 5행만 자동으로 인쇄합니다.
- 데이터 테이블은 행 이름을 설정하거나 사용하지 않습니다. "키와 빠른 이진 검색 기반 서브 세트" 절에서 왜 그런지 살펴볼 것입니다.

3.2. 데이터 부분집합 만들기

데이터 프레임과는 달리 데이터 테이블의 [...]에서 행을 부분 집합하고 열을 선택하는 것보다 훨씬 많은 작업을 수행할 수 있습니다. 이를 이해하기 위해 아래와 같이 일반적인 형식의 데이터 테이블 구문을 살펴보아야 합니다.

먼저 i와 j를 살펴보고 행의 하위 집합과 열에서 작업을 시작하겠습니다.

```
dt[i, j, by, keyby, WITH=TRUE,
   nomatch=getOption("datatable.nomatch"), mult="all",
   .SDcols ]
```

구문에서...

- R에서	i,	j,	by	는...
- SQL에서	where,	select | update,	group by	와 같습니다.

- 위 구문은 'dt를 사용하고, i를 사용하여 부분 집합을 만들고 j를 계산하며, by를 이용하여 그룹화합니다.'라고 할 수 있습니다.
- by, keyby, mult, .SDcols 등은 이 섹션을 통해 후반부에 설명됩니다.

50) > getOption ("datatable.print.nrows")
[1] 100

1) i로 행 부분집합 만들기 : 조건으로 부분집합 만들기

다음 코드는 flights 데이터 테이블에서 origin이 JFK이고 month가 5L인 모든 행을 얻습니다.

```
> result <- flights[origin=="JFK" & month==5L]
> head(result)
   year month day dep_time dep_delay arr_time arr_delay cancelled carrier
1: 2014     5   1     1743        43     1955         5         0      AA
2: 2014     5   1      759        -1     1057       -38         0      AA
3: 2014     5   1     1540         0     1854        14         0      AA
4: 2014     5   1     1823        78     2104        54         0      AA
5: 2014     5   1      756        -4      912         2         0      AA
6: 2014     5   1     1527        -3     1845       -15         0      AA
   tailnum flight origin dest air_time distance hour min
1:  N3ELAA     45    JFK  LAS      288     2248   17  43
2:  N789AA     59    JFK  SFO      330     2586    7  59
3:  N3JEAA     65    JFK  DFW      219     1391   15  40
4:  N3KEAA     67    JFK  SAN      308     2446   18  23
5:  N3AEAA     84    JFK  BOS       42      187    7  56
6:  N351AA     85    JFK  SFO      339     2586   15  27
```

데이터 테이블의 프레임 내에서 열은 변수인 것처럼 참조될 수 있습니다. 따라서 origin과 month를 단순히 변수로 간주합니다. 매번 접두사 flights$를 추가할 필요가 없습니다. 그러나 flights$origin 및 flights$month를 사용해도 정상적으로 작동합니다.

조건 origin=="JFK"및 month==5L을 만족시키는 행 색인이 계산되고 나머지 작업이 없으므로 데이터 테이블은 해당 행 색인에 해당하는 항공편의 모든 열을 반환합니다.

i의 조건 뒤에 쉼표는 필요하지 않습니다. 그러나 flights[origin=="JFK" & month==5L,]도 정상적으로 작동합니다. 그러나 데이터 프레임에서는 쉼표가 반드시 필요합니다.

2) i로 행 부분집합 만들기 : 색인으로 부분집합 만들기

다음 코드는 처음 두 행의 부분집합을 생성합니다.

```
> result <- flights[1:2]
> result
   year month day dep_time dep_delay arr_time arr_delay cancelled carrier
1: 2014     1   1      914        14     1238        13         0      AA
2: 2014     1   1     1157        -3     1523        13         0      AA
   tailnum flight origin dest air_time distance hour min
1:  N338AA      1    JFK  LAX      359     2475    9  14
2:  N335AA      3    JFK  LAX      363     2475   11  57
```

이 경우 조건이 없습니다. 행 색인은 이미 i에서 제공됩니다. 따라서 우리는 해당 행 색인에 대한 모든 열이 있는 데이터 테이블을 반환합니다.

3) i로 행 부분집합 만들기 : 정렬하기

다음 코드는 flights 데이터를 origin으로 오름차순, desc로 내림차순 정렬합니다. 이를 위해 R의 함수인 order()를 사용할 수 있습니다. 컬럼 이름에 "-"를 사용하여 내림차순으로 정렬할 수 있습니다.

```
> result <- flights[order(origin, -dest)]
> head(result)
   year month day dep_time dep_delay arr_time arr_delay cancelled carrier
1: 2014     1   5      836         6     1151        49         0      EV
2: 2014     1   6      833         7     1111        13         0      EV
3: 2014     1   7      811        -6     1035       -13         0      EV
4: 2014     1   8      810        -7     1036       -12         0      EV
5: 2014     1   9      833        16     1055         7         0      EV
6: 2014     1  13      923        66     1154        66         0      EV
   tailnum flight origin dest air_time distance hour min
1:  N12175   4419    EWR  XNA      195     1131    8  36
2:  N24128   4419    EWR  XNA      190     1131    8  33
3:  N12142   4419    EWR  XNA      179     1131    8  11
4:  N11193   4419    EWR  XNA      184     1131    8  10
5:  N14198   4419    EWR  XNA      181     1131    8  33
6:  N12157   4419    EWR  XNA      188     1131    9  23
```

데이터 테이블에서 order() 함수는 내부적으로 최적화 되어 있습니다. 데이터 테이블에서 order(...)는 데이터 테이블의 내부 기수 순서 forder()를 사용합니다. 그러므로 base::order() 보다 훨씬 빠릅니다.

4) j로 열 부분집합 만들기 : j로 열 조회

다음 코드는 arr_delay 열을 조회합니다. 단일 열을 조회하는 경우 리턴하는 데이터타입은 벡터입니다.

```
> result <- flights[, arr_delay]
> head(result)
[1]  13  13   9 -26   1   0
> is.vector(result)
[1] TRUE
```

열은 데이터 테이블에서 변수인 것처럼 참조될 수 있으므로 우리는 하위 집합으로 만들 변수를 직접 참조합니다. 위 구문은 열에 대한 모든 행을 반환합니다.

다음 코드는 컬럼 이름에 list() 함수를 사용했습니다.

```
> result <- flights[, list(arr_delay)]
> head(result)
   arr_delay
1:        13
2:        13
3:         9
4:       -26
5:         1
6:         0
> is.vector(result)
[1] FALSE
> is.data.frame(result)
[1] TRUE
```

- list() 함수에 변수(컬럼) 이름을 표기하면 데이터 테이블이 반환됩니다. 단일 열 이름의 경우 list()를 사용하지 않으면 앞의 예와 같이 벡터가 반환됩니다.

데이터 테이블은 .()을 사용하여 열을 감싸는 것을 허용합니다. .()은 list()의 별명입니다. 둘 다 같은 기능이므로 선호하는 것을 사용하세요. 이 책에서 이후부터는 list() 대신 .()을 사용할 것입니다.

```
> result <- flights[, .(arr_delay, dep_delay)]
> head(result)
   arr_delay dep_delay
1:        13        14
2:        13        -3
3:         9         2
4:       -26        -8
5:         1         2
6:         0         4
```

5) j로 열 부분집합 만들기 : 열 이름을 바꿔 조회

다음 코드에서처럼 리스트를 만들 때 열 이름을 지정할 수 있습니다.

```
> result <- flights[, .(delay_arr=arr_delay, delay_dep=dep_delay)]
> head(result)
   delay_arr delay_dep
1:        13        14
2:        13        -3
3:         9         2
4:       -26        -8
```

```
5:          1        2
6:          0        4
```

6) j로 열 부분집합 만들기 : j에서 표현식

다음 코드는 delay 〈 0 인 전체 여행이 몇 번인지 출력합니다.

```
> result <- flights[, sum((arr_delay + dep_delay) < 0)]
> result
[1] 141814
```

데이터 테이블의 j는 단순히 열을 선택하는 것 이상을 처리할 수 있습니다. 즉, 열을 계산할 수 있습니다. 열이 변수인 것처럼 참조될 수 있으므로 이는 놀랄만한 일이 아닙니다. 그런 다음 해당 변수에 대한 함수를 호출하여 계산할 수 있어야 합니다.

7) i와 j로 부분집합 만들기

다음 코드는 6월에 출발 공항이 "JFK"인 모든 항공편의 도착지연 및 출발지연 시간의 평균을 계산합니다.

```
> result <- flights[origin=="JFK" & month==6L,
+                   .(m_arr=mean(arr_delay), m_dep=mean(dep_delay))]
> result
     m_arr    m_dep
1: 5.839349 9.807884
```

출발 공항이 "JFK"이고 6월인 행 색인을 찾기 위해 i를 먼저 하위 집합으로 만듭니다. 이 시점에서 해당 행에 해당하는 전체 데이터 테이블을 부분 집합하지 않습니다. j를 살펴보면 두 개의 열만 사용한다는 것을 알 수 있습니다. 그리고 우리가 해야 할 일은 그들의 평균을 계산하는 것입니다. 따라서 일치하는 행에 해당하는 열의 하위 집합을 만들어 mean()을 계산합니다.

쿼리의 세 가지 주요 구성 요소 (i, j 및 by)가 [...] 내부에 함께 있어서 data.table은 세 가지 모두를 보고 각각 별도로 평가하기 전에 쿼리를 모두 최적화할 수 있습니다. 따라서 우리는 속도와 메모리 효율성 모두를 위해 전체 하위 집합을 피할 수 있습니다.

다음 코드는 2014년 6월에 JFK 공항에서 출발 한 여행이 몇 번 있었는지 출력합니다.

```
> result <- flights[origin=="JFK" & month==6L, length(dest)]
> result
[1] 8422
```

length() 함수는 입력 인수가 필요합니다. 부분 집합의 행의 수를 계산하면 됩니다. 그러므로 length()에 대한 입력 인자로 다른 컬럼을 사용할 수 있었습니다. 사실 이러한 유형의 작업은 꽤 자주 발생합니다. 특히 다음 절에서 살펴볼 것처럼 그룹화하기 위해 데이터 테이블에 .N이 있습니다.

.N 기호는 현재 그룹에서 관측 수를 보유하는 특수 내장 변수입니다. by와 결합 할 때 특히 유용합니다. 작업 별 그룹이 없으면 단순히 하위 집합의 행의 수를 반환합니다. 다음 코드는 직전 코드와 같습니다.

```
> result <- flights[origin=="JFK" & month==6L, .N]
> result
[1] 8422
```

- 위 코드를 통해 다시 i에서 출발 공항이 "JFK"이고 6월인 행 색인을 얻습니다.
- j는 .N만 사용하고 다른 열은 사용하지 않습니다. 따라서 전체 하위 집합은 구체화되지 않습니다. 부분 집합의 행의 수(단순히 행 색인의 길이)를 반환합니다.
- list() 또는 .()를 사용하여 .N을 래핑하지 않았습니다. 따라서 벡터가 반환됩니다.
- nrow(flight [origin=="JFK" and month==6L])를 수행하여 동일한 작업을 수행할 수 있었습니다. 그러나 i의 행 색인에 먼저 해당하는 전체 데이터 테이블의 하위 집합을 작성한 다음 불필요하고 비효율적인 nrow()를 사용하여 행을 반환해야 합니다. 이 책에서는 데이터 테이블을 이용한 이러한 최적화 측면과 다른 최적화 측면을 자세히 다룰 것입니다.

8) 데이터 프레임처럼 j에서 이름으로 열 참조하기

데이터 프레임처럼 j에서 이름으로 열을 참조할 수 있습니다. with=FALSE를 사용하여 데이터 프레임 방식으로 열 이름을 참조할 수 있습니다.

다음 코드는 데이터 프레임 방식으로 arr_delay 및 dep_delay 열을 모두 선택합니다.

```
> result <- flights[, c("arr_delay", "dep_delay"), with=FALSE]
> head(result)
   arr_delay dep_delay
1:        13        14
2:        13        -3
3:         9         2
4:       -26        -8
5:         1         2
6:         0         4
```

with 인수는 with() 함수와 유사한 기능을 합니다. 다음 코드에서 데이터 프레임 DF가 있다고 가정하고 x 〉 1인 모든 행을 부분 집합화하려고 합니다.

```
> DF = data.frame(x=c(1,1,1,2,2,3,3,3), y=1:8)
> DF[DF$x > 1, ]          # (1)
  x y
4 2 4
5 2 5
6 3 6
7 3 7
8 3 8
> DF[with(DF, x > 1), ]   # (2)
  x y
4 2 4
5 2 5
6 3 6
7 3 7
8 3 8
```

위 코드 (2)에서 with()를 사용하면 DF 열 x를 변수인 것처럼 사용할 수 있습니다. 따라서 데이터 테이블에 있는 인수 with=FALSE로 설정하면 열을 변수로 참조할 수 없으므로 "data.frame 모드"로 사용됩니다.

마이너스 기호(-) 또는 Not 기호(!)를 사용하여 열의 선택을 취소할 수도 있습니다. 다음 두 코드는 같습니다. 아래 코드를 굳이 실행시킬 필요까지는 없을 것입니다.

```
> result <- flights[, !c("arr_delay", "dep_delay"), with=FALSE]
> result <- flights[, -c("arr_delay", "dep_delay"), with=FALSE]
```

v1.9.5+ 부터 시작 및 끝 열 이름(예 : year:day)을 지정하여 열을 선택할 수도 있습니다.

```
> result <- flights[, year:day, with=FALSE]
> head(result)
   year month day
1: 2014     1   1
2: 2014     1   1
3: 2014     1   1
4: 2014     1   1
5: 2014     1   1
6: 2014     1   1
```

열의 순서를 반대로 시정할 수 있습니다.

```
> result <- flights[, day:year, with=FALSE]
> head(result)
   day month year
1:   1     1 2014
```

```
2:   1     1 2014
3:   1     1 2014
4:   1     1 2014
5:   1     1 2014
6:   1     1 2014
```

열 순서에 포함된 모든 열이 출력됩니다.

```
> result <- flights[, day:cancelled, with=FALSE]
> head(result)
   day dep_time dep_delay arr_time arr_delay cancelled
1:   1      914        14     1238        13         0
2:   1     1157        -3     1523        13         0
3:   1     1902         2     2224         9         0
4:   1      722        -8     1014       -26         0
5:   1     1347         2     1706         1         0
6:   1     1824         4     2145         0         0
```

-를 이용해 해당 열을 제외하고 추출할 수 있습니다.

```
> result <- flights[, -(year:day), with=FALSE]
> head(result)
   dep_time dep_delay arr_time arr_delay cancelled carrier tailnum flight
1:      914        14     1238        13         0      AA  N338AA      1
2:     1157        -3     1523        13         0      AA  N335AA      3
3:     1902         2     2224         9         0      AA  N327AA     21
4:      722        -8     1014       -26         0      AA  N3EHAA     29
5:     1347         2     1706         1         0      AA  N319AA    117
6:     1824         4     2145         0         0      AA  N3DEAA    119
   origin dest air_time distance hour min
1:    JFK  LAX      359     2475    9  14
2:    JFK  LAX      363     2475   11  57
3:    JFK  LAX      351     2475   19   2
4:    LGA  PBI      157     1035    7  22
5:    JFK  LAX      350     2475   13  47
6:    EWR  LAX      339     2454   18  24
```

- 기호 대신 ! 연산자를 이용해도 해당 열 들을 제외하고 추출합니다.

```
> result <- flights[, !(year:day), with=FALSE]
> head(result)
   dep_time dep_delay arr_time arr_delay cancelled carrier tailnum flight
1:      914        14     1238        13         0      AA  N338AA      1
2:     1157        -3     1523        13         0      AA  N335AA      3
3:     1902         2     2224         9         0      AA  N327AA     21
4:      722        -8     1014       -26         0      AA  N3EHAA     29
5:     1347         2     1706         1         0      AA  N319AA    117
6:     1824         4     2145         0         0      AA  N3DEAA    119
   origin dest air_time distance hour min
1:    JFK  LAX      359     2475    9  14
```

```
2:    JFK  LAX       363      2475   11  57
3:    JFK  LAX       351      2475   19   2
4:    LGA  PBI       157      1035    7  22
5:    JFK  LAX       350      2475   13  47
6:    EWR  LAX       339      2454   18  24
```

이러한 표현식은 대화형으로 작업하는 동안 특히 유용합니다. with=TRUE는 데이터 테이블에서 기본값입니다. 왜냐하면, j가 표현식을 처리하도록 허용함으로써 훨씬 더 많은 작업을 수행할 수 있기 때문입니다.

3.3. 데이터 집계하기

앞에서 데이터 테이블의 일반 형식에서 i와 j를 보았습니다. 이 섹션에서는 이들을 함께 결합하여 그룹 단위로 작업을 수행하는 방법을 살펴봅니다. 몇 가지 예를 살펴보겠습니다.

1) by에 의한 그룹화

다음 코드는 출발 공항별 여행의 수를 출력합니다.

```
> result <- flights[, .(.N), by=.(origin)]
> result
   origin     N
1:    JFK 81483
2:    LGA 84433
3:    EWR 87400
```

위 구문은 다음 구문과 같습니다.

```
> result <- flights[, .(.N), by="origin"]
```

- .N은 현재 그룹의 행의 수를 저장하는 특수 변수입니다. 출발 공항별로 그룹화하면 각 그룹에 대해 행 수(.N)가 확보됩니다.
- head(flights) 구문을 수행하면 출발 공항이 "JFK", "LGA"및 "EWR"순으로 표시됨을 알 수 있습니다. 변수를 그룹화하는 원래 순서는 결과에 보존됩니다.
- j에서 반환 된 열의 이름을 제공하지 않았으므로 특수 기호 .N을 인식하여 자동으로 N이라는 이름이 지정되었습니다.
- by는 열 이름의 문자 벡터도 허용합니다. 예를 들어, 그룹화 할 열이 있는 함수를 함수 인수로 설계하는 경우에 프로그래밍 할 때 특히 유용합니다.
- j 및 by에서 참조할 열 또는 표현식이 하나만 있으면 .() 표기법을 삭제할 수 있습니다. 이는 편의를 위한 것입니다. 그러므로 다음과 같이 할 수 있습니다.

```
> result <- flights[, .N, by="origin"]
```

```
> result
   origin     N
1:    JFK 81483
2:    LGA 84433
3:    EWR 87400
```

다음 코드는 항공사 코드 "AA"에 대한 각 출발 공항의 여행 횟수를 계산합니다.

```
> result <- flights[carrier=="AA", .N, by=origin]
> result
   origin     N
1:    JFK 11923
2:    LGA 11730
3:    EWR  2649
```

- 먼저 i에서 표현식 carrier=="AA"에 대한 행 색인을 얻습니다.
- 이러한 행 색인을 사용하여 출발 공항별로 그룹화된 행의 수를 얻습니다. j-표현식은 어떤 열도 실제로 서브 셋 될 필요가 없으므로 빠르고 효율적입니다.

다음 코드는 항공사 코드 "AA"에 대한 각 origin, dest 별로 여행의 총수를 계산합니다.

```
> result <- flights[carrier=="AA", .N, by=.(origin,dest)]
> head(result)
   origin dest    N
1:    JFK  LAX 3387
2:    LGA  PBI  245
3:    EWR  LAX   62
4:    JFK  MIA 1876
5:    JFK  SEA  298
6:    EWR  MIA  848
```

위의 코드는 다음과 같습니다.

```
> result <- flights[carrier=="AA", .N, by=c("origin", "dest")]
```

by는 여러 열을 허용합니다. 그룹화 할 모든 열을 제공하기만 하며 됩니다.

다음 코드는 항공사 코드 "AA"에 대한 각 월별로 그리고 origin 및 dest별로 출발지연과 도착지연의 평균을 계산합니다.

```
> result <- flights[carrier=="AA",
+                   .(mean(arr_delay), mean(dep_delay)),
+                   by=.(origin, dest, month)]
> result
    origin dest month        V1         V2
  1:    JFK  LAX     1  6.590361 14.2289157
```

```
  2:    LGA  PBI     1  -7.758621  0.3103448
  3:    EWR  LAX     1   1.366667  7.5000000
  4:    JFK  MIA     1  15.720670 18.7430168
  5:    JFK  SEA     1  14.357143 30.7500000
 ---
196:    LGA  MIA    10  -6.251799 -1.4208633
197:    JFK  MIA    10  -1.880184  6.6774194
198:    EWR  PHX    10  -3.032258 -4.2903226
199:    JFK  MCO    10 -10.048387 -1.6129032
200:    JFK  DCA    10  16.483871 15.5161290
```

- j에서 표현식에 대한 열 이름을 제공하지 않았고 자동으로 (V1, V2)가 생성되었습니다.
- 다시 한번, 그룹화 열의 입력 순서가 결과에 유지된다는 점에 유의하십시오.

이제 출발지, 목적지 및 월을 그룹화한 결과를 정렬하려면 어떻게 해야 합니까?

2) keyby

데이터 테이블은 그룹의 원래 순서를 유지하도록 설계되었습니다. 원래 순서를 보존하는 것이 필수적인 경우가 있습니다. 그러나 우리는 그룹화한 변수별로 정렬하고 싶을 때가 있습니다.

다음 코드는 모든 그룹화 하는 변수별로 정렬하는 예입니다.

```
> result <- flights[carrier=="AA",
+                   .(mean(arr_delay), mean(dep_delay)),
+                   keyby=.(origin, dest, month)]
> result
     origin dest month         V1         V2
  1:    EWR  DFW     1   6.427673 10.0125786
  2:    EWR  DFW     2  10.536765 11.3455882
  3:    EWR  DFW     3  12.865031  8.0797546
  4:    EWR  DFW     4  17.792683 12.9207317
  5:    EWR  DFW     5  18.487805 18.6829268
 ---
196:    LGA  PBI     1  -7.758621  0.3103448
197:    LGA  PBI     2  -7.865385  2.4038462
198:    LGA  PBI     3  -5.754098  3.0327869
199:    LGA  PBI     4 -13.966667 -4.7333333
200:    LGA  PBI     5 -10.357143 -6.8571429
```

- 이 코드에서 우리가 한 것은 keyby로 바꾸는 것이었습니다. 이렇게 하면 자동으로 결과가 그룹화 변수에 따라 오름차순으로 정렬됩니다. keyby()는 연산을 수행한 후, 즉 계

산된 결과에 적용됩니다.
- Keys : 실제로 keyby는 정렬 이상의 것을 합니다. 또한 sorted라는 속성을 설정으로 정렬하는 것 뒤에 keys를 설정합니다. 다음 절에서 keys에 대해 더 많이 배웁니다.

3) Chaining

항공사 코드 "AA"에 대한 각 출발지, 목적지 쌍에 대한 총 여행수를 계산하는 작업을 다시 생각해 봅시다.

```
> result <- flights[carrier=="AA", .N, by=.(origin, dest)]
```

이 결과를 origin의 오름차순으로, 그리고 dest의 내림차순으로 정렬할 수 있을까요? 우리는 결과를 변수에 저장할 수 있고, 그리고 그 변수에 order(origin, -dest)를 이용할 것입니다. 이것은 상당히 간단합니다.

```
> result <- result[order(origin, -dest)]
> head(result)
   origin dest    N
1:    EWR  PHX  121
2:    EWR  MIA  848
3:    EWR  LAX   62
4:    EWR  DFW 1618
5:    JFK  STT  229
6:    JFK  SJU  690
```

- 데이터 테이블에서 order()의 문자열에 "-"를 사용할 수 있다는 것을 기억하세요. 이것은 데이터 테이블의 내부 쿼리 최적화로 인해 가능합니다.
- 또한 데이터 테이블 프레임의 순서 (...)는 자동으로 데이터 테이블의 내부 기수 순서 forder()를 사용하도록 최적화되었음을 기억하세요. 따라서 데이터 테이블이 제공하는 속도 나 메모리 효율성을 저하하지 않으면서 이미 익숙한 기본 R 기능을 계속 사용할 수 있습니다.

그러나 위 코드는 이를 위해서는 중간 결과를 할당한 다음 그 결과를 덮어써야 합니다. 우리는 표현식을 연결함으로써 변수에 이 중간 할당을 피할 수 있습니다.

```
> result <- flights[carrier=="AA", .N, by=.(origin, dest)][order(origin,
-dest)]
> head(result, 10)
    origin dest    N
 1:    EWR  PHX  121
 2:    EWR  MIA  848
 3:    EWR  LAX   62
 4:    EWR  DFW 1618
```

```
 5:     JFK  STT  229
 6:     JFK  SJU  690
 7:     JFK  SFO 1312
 8:     JFK  SEA  298
 9:     JFK  SAN  299
10:     JFK  ORD  432
```

표현을 하나씩 차례로 붙이면 일련의 작업을 형성할 수 있습니다.

```
DT [...] [...] [...]
```

또는 수직으로 연결할 수도 있습니다.

```
DT [ ...
 ] [ ...
 ] [ ...
 ]
```

4) by에서 표현식

by가 열을 갖는 것처럼 수식도 가질 수 있습니까?

네, 그렇습니다. 예를 들어, 늦게 출발했지만 일찍 도착하거나 정시에 도착한 항공편이 몇 개 있는지 알고 싶을 때 사용할 수 있습니다. 다음 코드는 그러한 예입니다.

```
> result <- flights[, .N, .(dep_delay>0, arr_delay>0)]
> result
   dep_delay arr_delay      N
1:      TRUE      TRUE  72836
2:     FALSE      TRUE  34583
3:     FALSE     FALSE 119304
4:      TRUE     FALSE  26593
```

- 실행 결과의 마지막 행은 dep_delay>0 = TRUE 이고 arr_delay>0 = FALSE에 해당합니다. 이것을 통해 우리는 26593 편의 비행이 늦게 출발했지만 일찍(또는 정시에) 도착했다는 것을 알 수 있습니다.
- 구문에서 by-expression에 어떤 이름도 제공하지 않았습니다. 그러므로 결과에 이름이 자동으로 지정되었습니다.
- 표현식과 함께 다른 열을 제공할 수도 있습니다.
  예 : DT[, .N, by=.(a, b> 0)]

5) j에서 다중 열 - .SD

각 열에 대해 개별적으로 mean()을 계산해야 할 수 있을까요?

물론 모든 열에 대해 하나씩 mean(열이름)을 입력해야하는 것은 실용적이지 않습니다. mean()을 계산할 100 개의 열이 있다면 어떻게 될까요?

어떻게 하면 이것을 효율적으로 할 수 있습니까? *'j-표현식이 리스트를 반환할 때, 리스트의 각 요소가 결과 데이터 테이블의 열로 변환됩니다.'* 라는 팁을 상기해 보세요. 그룹화하는 동안 각 그룹의 데이터 하위 집합을 변수로 참조할 수 있다고 가정하면 기본 함수 lapply()를 사용하여 해당 변수의 모든 열을 반복할 수 있습니다. 우리는 새로운 함수를 배울 필요가 없습니다.

특수 기호 .SD : 데이터 테이블은 .SD라는 특별한 기호를 제공합니다. 그것은 데이터의 부분 집합(Subset of Data)을 의미합니다. 그 자체로는 by를 사용하여 정의 된 현재 그룹의 데이터를 보유하는 데이터 테이블입니다.

데이터 테이블은 내부적으로 길이가 같은 열들을 갖는 리스트라는 것을 기억하세요.

데이터 테이블 DT를 사용하여 .SD가 어떻게 보이는지 엿볼 수 있습니다.

```
> DT = data.table(ID=c("b","b","b","a","a","c"), a=1:6, b=7:12, c=13:18)
> DT
   ID a  b  c
1:  b 1  7 13
2:  b 2  8 14
3:  b 3  9 15
4:  a 4 10 16
5:  a 5 11 17
6:  c 6 12 18
> DT[, print(.SD), by=ID]
   a b  c
1: 1 7 13
2: 2 8 14
3: 3 9 15
   a  b  c
1: 4 10 16
2: 5 11 17
   a  b  c
1: 6 12 18
Empty data.table (0 rows) of 1 col: ID
```

- .SD는 기본적으로 그룹화 열을 제외한 모든 열을 포함합니다.
- 또한 ID="b", ID="a" 및 ID="c"에 해당하는 데이터의 원래 순서를 유지하면서 생성됩니다.

여러 컬럼들을 계산하기 위해 간단히 R의 기본 함수 lapply()를 사용할 수 있습니다.

```
> DT[, lapply(.SD, mean), by=ID]
   ID   a    b    c
1:  b 2.0  8.0 14.0
2:  a 4.5 10.5 16.5
3:  c 6.0 12.0 18.0
```

- .SD는 해당 그룹에 대해 열 a, b 및 c에 해당하는 행을 보유합니다. 이미 익숙 기본 함수 lapply()를 사용하여 각 열의 mean()을 계산합니다.
- 각 그룹은 결과 데이터 테이블의 열이 될 평균값을 포함하는 리스트를 반환합니다.
- lapply()는 목록을 반환하기 때문에 추가로 .()로 묶을 필요가 없습니다.

여기에서 해결해야 할 작은 것이 하나 있습니다. flights 데이터 테이블에서는 arr_delay와 dep_delay의 두 열의 mean()을 계산하기 원했습니다. 그러나 .SD에는 기본적으로 그룹화 변수 이외의 모든 열이 포함됩니다.

mean()을 계산할 열을 어떻게 지정할 수 있습니까?

.SDcols 인수를 사용하여 열 이름 또는 열 색인을 허용합니다. 예를 들어 .SDcols = c("arr_delay", "dep_delay")는 .SD가 각 그룹에 대해 이 두 열만 포함하도록 합니다.

with=FALSE 섹션과 마찬가지로 계속 열을 사용하지 않고 제거 할 열을 제공할 수도 있습니다. colA:colB 형식으로 연속 열을 선택하고 반대로 연속 열을 !(colA:colB) 또는 -(colA:colB)로 선택되게 하지 않을 수 있습니다.

다음 코드는 .SDcols와 함께 .SD를 사용하여 origin, dest 및 month별로 그룹화 된 arr_delay 및 dep_delay 열의 mean()을 얻으려고 합니다.

```
> flights[carrier=="AA",                  # 항공사 코드 AA에 대해서
+         lapply(.SD, mean),              # 평균을 계산
+         by=.(origin, dest, month),      # origin, dest, month 별로
+         .SDcols=c("arr_delay", "dep_delay")] # arr_delay와 dep_delay 만
    origin dest month  arr_delay  dep_delay
  1:   JFK  LAX     1   6.590361 14.2289157
  2:   LGA  PBI     1  -7.758621  0.3103448
  3:   EWR  LAX     1   1.366667  7.5000000
  4:   JFK  MIA     1  15.720670 18.7430168
```

```
  5:     JFK  SEA     1  14.357143 30.7500000
 ---
196:     LGA  MIA    10  -6.251799 -1.4208633
197:     JFK  MIA    10  -1.880184  6.6774194
198:     EWR  PHX    10  -3.032258 -4.2903226
199:     JFK  MCO    10 -10.048387 -1.6129032
200:     JFK  DCA    10  16.483871 15.5161290
```

6) 각 그룹을 위한 서브 셋 .SD

다음 구문은 월 별 처음 두 행을 리턴합니다.

```
> result <- flights[, head(.SD, 2), by=month]
> head(result)
   month year day dep_time dep_delay arr_time arr_delay cancelled carrier
1:     1 2014   1      914        14     1238        13         0      AA
2:     1 2014   1     1157        -3     1523        13         0      AA
3:     2 2014   1      859        -1     1226         1         0      AA
4:     2 2014   1     1155        -5     1528         3         0      AA
5:     3 2014   1      849       -11     1306        36         0      AA
6:     3 2014   1     1157        -3     1529        14         0      AA
   tailnum flight origin dest air_time distance hour min
1:  N338AA      1    JFK  LAX      359     2475    9  14
2:  N335AA      3    JFK  LAX      363     2475   11  57
3:  N783AA      1    JFK  LAX      358     2475    8  59
4:  N784AA      3    JFK  LAX      358     2475   11  55
5:  N784AA      1    JFK  LAX      375     2475    8  49
6:  N787AA      3    JFK  LAX      368     2475   11  57
```

- .SD는 해당 그룹의 모든 행을 보유하는 데이터 테이블입니다. 여기에서 위 코드에서 보듯이 처음 두 행을 부분 집합으로 간단히 지정합니다.
- 각 그룹에 대해 head(.SD, 2)는 처음 두 행을 list인 데이터 테이블로 반환합니다. 그래서 우리는 그것을 .()로 감쌀 필요가 없습니다.

7) 왜 j를 유연하게 유지해야 합니까?

일관된 구문을 가지고 새로운 기능을 배우는 대신 기존의 기본 함수를 계속 사용하기 위해서 j를 유연하게 유지해야합니다. 예를 들어 DT 데이터 테이블을 통해 설명하겠습니다.

```
> DT = data.table(ID=c("b","b","b","a","a","c"), a=1:6, b=7:12, c=13:18)
> DT
   ID a  b  c
1:  b 1  7 13
```

```
2:  b 2  8 14
3:  b 3  9 15
4:  a 4 10 16
5:  a 5 11 17
6:  c 6 12 18
```

ID의 각 그룹에 대해 어떻게 열 a와 b를 연결할 수 있습니까?

```
> DT[, .(val=c(a,b)), by=ID]
    ID val
 1:  b   1
 2:  b   2
 3:  b   3
 4:  b   7
 5:  b   8
 6:  b   9
 7:  a   4
 8:  a   5
 9:  a  10
10:  a  11
11:  c   6
12:  c  12
```

- 여기에서 특별한 구문을 요구하지 않습니다. 우리가 알아야 할 것은 벡터와 앞부분을 연결하는 기본 함수 c()입니다.

그러면 열 a와 b의 모든 값을 연결하고 리스트로 반환하려면 어떻게 해야 합니까?

```
> DT[, .(val=list(c(a,b))), by=ID]
   ID         val
1:  b 1,2,3,7,8,9
2:  a  4, 5,10,11
3:  c        6,12
```

- 여기서는 먼저 각 그룹의 값을 c(a, b)와 연결하고 list()로 래핑합니다. 그러면 각 그룹에 대해 연결된 모든 값의 목록을 반환합니다.
- 결과에서 쉼표는 표시 전용입니다. 목록 열에는 각 셀의 객체가 포함될 수 있습니다. 이 예에서 각 셀은 그 자체가 벡터이고 일부 셀은 다른 셀보다 긴 벡터를 포함합니다.

j에서 내부화 사용을 시작하면 구문이 얼마나 강력한지를 알게 됩니다. 이를 이해하는 데 매우 유용한 방법은 print()를 사용해보는 것입니다.

```
> DT[, print(c(a,b)), by=ID]            # (1)
[1] 1 2 3 7 8 9
[1]  4  5 10 11
[1]  6 12
```

```
Empty data.table (0 rows) of 1 col: ID
> DT[, print(list(c(a,b))), by=ID]     # (2)
[[1]]
[1] 1 2 3 7 8 9

[[1]]
[1]  4  5 10 11

[[1]]
[1]  6 12

Empty data.table (0 rows) of 1 col: ID
```

- (1)에서 각 그룹에 대해 길이가 6, 4, 2인 벡터가 반환됩니다. 그러나 (2)는 각 그룹에 대해 길이가 1인 리스트를 반환하며, 첫 번째 요소는 길이가 6, 4, 2인 벡터를 포함합니다. 따라서 (1)은 길이가 6+4+2=12 인 반면, (2)는 1+1+1=3을 반환합니다.

3.4. 데이터 테이블 요약

데이터 테이블은 여러분의 분석 능력을 한 단계 업그레이드 시켜줍니다. 데이터 테이블의 i, j, k에 대해 요약 정리해 보겠습니다.

```
DT[i, j, by]
```

1) i

- 데이터 테이블 내의 열은 변수 인 것처럼 보이기 때문에 DT$를 반복적으로 사용할 필요가 없다는 점을 제외하면 데이터 프레임과 비슷한 행을 부분 집합화할 수 있습니다.
- order()를 사용하여 데이터 테이블을 정렬할 수 있는데, 내부적으로 데이터 테이블의 빠른 정렬을 사용하여 성능을 향상시킵니다.

데이터 테이블을 키잉하여 훨씬 더 많은 일을 할 수 있습니다. 이렇게 하면 빠른 하위 집합과 조인을 할 수 있습니다. "Keys and fast binary search based subsets"[51]에서 더 자세하게 설명하고 있습니다.

51) https://cran.r-project.org/web/packages/data.table/vignettes/datatable-keys-fast-subset.html

2) j

- 데이터 테이블 방식으로 열을 선택 : DT[, .(colA, colB)]
- 데이터 프레임 방식으로 열을 선택 : DT[, c("colA", "colB"), with=FALSE]
- 열에 대한 계산 : DT[, .(sum (colA), mean(colB))]
- 필요한 경우 이름을 제공 : DT[, .(sA=sum(colA), mB=mean(colB))].
- i와 결합 : DT[colA>value, sum(colB)].

3) by

- by를 사용하면 열 이름이나 심지어 표현식의 열이나 문자 벡터를 지정하여 열별로 그룹화할 수 있습니다. by와 and와 결합 된 j의 유연성은 매우 강력한 구문을 만듭니다.
- by는 여러 열과 표현식을 처리할 수 있습니다.
- 그룹화 된 결과를 자동으로 정렬하도록 열을 그룹화할 수 있습니다.
- .SD와 .SDcols를 사용하여 기본 함수를 사용하여 여러 열을 조작할 수 있습니다. 아래는 예입니다.
  DT[, lapply(.SD, fun), by=..., .SDcols=...] : by에 의해 지정된 열로 그룹화 하는 동안 .SDcols에 지정된 모든 열에 fun를 적용합니다.
  DT[, head(.SD, 2), by=...] : 각 그룹의 처음 두 행을 반환합니다.
  DT[col>val, head(.SD, 1), by=...] : by로 j와 i를 결합합니다.

4. 데이터 테이블과 키

이 섹션은 데이터 테이블의 구문, 일반 형식, i 행을 부분 집합하는 방법, 열을 선택하고 계산하는 방법, j를 사용하여 참조로 열을 추가 및 삭제하는 방법을 익히고 나서 봐야 합니다.

이 섹션에서는 데이터 테이블 섹션에서 사용했던 flights 데이터를 사용합니다.
데이터는 https://github.com/arunsrinivasan/flights/wiki/NYC-Flights-2014-data 에서 [Flights 2014]를 다운로드 받으면 됩니다.

```
> flights <- fread("flights14.csv")
> flights
        year month day dep_time dep_delay arr_time arr_delay cancelled
     1: 2014     1   1      914        14     1238        13         0
     2: 2014     1   1     1157        -3     1523        13         0
     3: 2014     1   1     1902         2     2224         9         0
     4: 2014     1   1      722        -8     1014       -26         0
     5: 2014     1   1     1347         2     1706         1         0
   ---
253312: 2014    10  31     1459         1     1747       -30         0
253313: 2014    10  31      854        -5     1147       -14         0
253314: 2014    10  31     1102        -8     1311        16         0
253315: 2014    10  31     1106        -4     1325        15         0
253316: 2014    10  31      824        -5     1045         1         0
        carrier tailnum flight origin dest air_time distance hour min
     1:      AA  N338AA      1    JFK  LAX      359     2475    9  14
     2:      AA  N335AA      3    JFK  LAX      363     2475   11  57
     3:      AA  N327AA     21    JFK  LAX      351     2475   19   2
     4:      AA  N3EHAA     29    LGA  PBI      157     1035    7  22
     5:      AA  N319AA    117    JFK  LAX      350     2475   13  47
   ---
253312:      UA  N23708   1744    LGA  IAH      201     1416   14  59
253313:      UA  N33132   1758    EWR  IAH      189     1400    8  54
253314:      MQ  N827MQ   3591    LGA  RDU       83      431   11   2
253315:      MQ  N511MQ   3592    LGA  DTW       75      502   11   6
253316:      MQ  N813MQ   3599    LGA  SDF      110      659    8  24
```

- 이 섹션은 데이터 테이블에서 키(key)의 개념을 소개하고 키를 설정하여 사용하여 i에서 빠른 이진(binary) 검색 기반 하위 집합을 수행하고,
- 이전과 동일한 방식으로 j와 by로 키 기반 하위 집합을 결합할 수 있는지 보여줍니다.
- 그리고 다른 유용한 인자들 mult와 nomatch에 대해서도 살펴봅니다.
- 마지막으로 키 설정의 이점을 검토합니다. 빠른 이진 검색 기반 서브 셋을 추출하는 방법과 기존 벡터 접근 방식과 비교하십시오.

4.1. Keys

우리는 논리 표현식, 행 번호 및 order()함수를 사용하여 행을 부분 집합 화하는 방법을 보았습니다. 이 섹션에서는 키를 사용하여 엄청나게 빨리 하위 집합을 만드는 또 다른 방법을 살펴볼 것입니다.

1) Data

먼저 데이터를 살펴봅시다. 프레임. 모든 데이터 프레임은 행 이름 속성이 있습니다. 아래 데이터 프레임 객체 DF를 통해 그 내용을 확인하겠습니다.

```
> set.seed(1L)
> DF <- data.frame(ID1 = sample(letters[1:2], 10, TRUE),
+                  ID2 = sample(1:3, 10, TRUE),
+                  val = sample(10),
+                  stringsAsFactors = FALSE,
+                  row.names = sample(LETTERS[1:10]))
> DF
  ID1 ID2 val
C   a   3   5
D   a   1   6
E   b   2   4
G   a   1   2
B   b   1  10
H   a   2   8
I   b   1   9
F   b   2   1
J   a   3   7
A   b   2   3
> rownames(DF)
 [1] "C" "D" "E" "G" "B" "H" "I" "F" "J" "A"
```

이 데이터 프레임에서 아래와 같이 행 이름을 사용하여 특정 행을 선택할 수 있습니다.

```
> DF["C", ]
  ID1 ID2 val
C   a   3   5
```

이 코드를 통해 우리가 알 수 있는 것은 행 이름은 데이터 프레임의 행에 대한 색인이라는 것입니다. 각 행은 정확히 하나의 행 이름으로 제한됩니다. 그리고 행 이름은 고유해야합니다. 그러나 사람은 적어도 두 개의 이름(예를 들면 성과 이름)을 가집니다. 만일 전화번호부를 구성한다면 성을 기준으로 하고 이름을 정리하는 것이 유용합니다.

이제 위의 DF 데이터 프레임을 데이터 테이블로 바꾸어 보겠습니다.

```
> DT <- as.data.table(DF)
> DT
   ID1 ID2 val
 1:   a   3   5
 2:   a   1   6
 3:   b   2   4
 4:   a   1   2
 5:   b   1  10
 6:   a   2   8
 7:   b   1   9
 8:   b   2   1
 9:   a   3   7
10:   b   2   3
> rownames(DT)
 [1] "1"  "2"  "3"  "4"  "5"  "6"  "7"  "8"  "9"  "10"
```

위 코드의 실행 결과를 보면 행 이름이 다시 설정되었습니다. 데이터 테이블은 행 이름을 사용하지 않습니다. 데이터 테이블은 데이터 프레임을 상속하므로 여전히 행 이름 속성을 갖습니다. 그러나 사용하지 않습니다. 행 이름을 유지하려면 as.data.table()에서 keep.rownames=TRUE를 사용하세요. 그러면 rn이라는 새로운 열이 만들어지고 이 열에 행 이름이 지정됩니다.

데이터 테이블에서 키(key)를 설정하고 사용합니다. 우리는 여러 개의 열에 키를 설정할 수 있으며 열은 정수, 숫자, 문자, 인수, 정수(64비트) 등 다양한 유형이 될 수 있습니다. 리스트 및 복합 유형은 아직 지원되지 않습니다.

키는 고유성이 강제되지 않습니다. 즉, 중복 키 값이 허용됩니다. 행은 키순으로 정렬되기 때문에 키 열의 복제본이 연속적으로 나타납니다.

키 설정은 다음 두 가지 작업을 수행합니다.

- 참조에 의해 제공된 열(들)에 의해 데이터 테이블의 행을 물리적으로 순서대로 재배열합니다.
- 정렬 된 속성을 데이터 테이블로 설정하여 해당 열을 키 열로 표시합니다.

행이 재정렬되므로 데이터 테이블은 둘 이상의 방식으로 정렬 될 수 없기 때문에 하나의 키를 가질 수 있습니다.

2) 데이터 테이블에서 key 사용 및 설정

이 섹션의 나머지 부분에 대해서는 flights 데이터 세트로 작업 할 것입니다.

다음 코드는 flights 데이터 테이블에서 origin 컬럼을 키로 설정하는 예입니다.

```
> setkey(flights, origin)
> head(flights)
   year month day dep_time dep_delay arr_time arr_delay cancelled carrier
1: 2014     1   1     1824         4     2145         0         0      AA
2: 2014     1   1     1655        -5     2003       -17         0      AA
3: 2014     1   1     1611       191     1910       185         0      AA
4: 2014     1   1     1449        -1     1753        -2         0      AA
5: 2014     1   1      607        -3      905       -10         0      AA
6: 2014     1   1      949         4     1243       -17         0      AA
   tailnum flight origin dest air_time distance hour min
1:  N3DEAA    119    EWR  LAX      339     2454   18  24
2:  N5CFAA    172    EWR  MIA      161     1085   16  55
3:  N471AA    300    EWR  DFW      214     1372   16  11
4:  N4WNAA    320    EWR  DFW      214     1372   14  49
5:  N5DMAA   1205    EWR  MIA      154     1085    6   7
6:  N491AA   1223    EWR  DFW      215     1372    9  49
```

* setkey() 함수 대신 setkeyv() 함수를 사용할 수 있습니다. setkeyv(flights, "origin") 형식으로 사용하면 프로그래밍 방식으로 코딩할 때 유용합니다.

- setkey() 함수를 사용하고 열 이름을 제공할 수 있습니다(따옴표 제외). 이는 대화식으로 사용하는 동안 도움이 됩니다. 또는 setnamev() 함수에 열 이름의 문자 벡터를 전달할 수 있습니다. 이것은 함수 인수로 키를 설정하기 위해 열을 전달하는 함수를 설계하는 동안 특히 유용합니다.
- 결과를 변수에 다시 할당 할 필요는 없었습니다. 이는 setkey() 및 setkeyv()가 입력 데이터 테이블을 참조로 수정하기 때문입니다. 그러므로 결과를 눈에 보이지 않게 돌려줍니다.
- 데이터 테이블은 이제 우리가 제공 한 컬럼인 origin에 의해 재정렬(또는 정렬)됩니다. 우리는 참조에 의해 재정렬하기 때문에 데이터 테이블의 행의 수와 동일한 길이의 1 열의 추가 메모리 만 필요하므로 메모리가 매우 효율적입니다.
- 키 인수를 사용하여 data.table() 함수를 사용하여 data.tables를 만들 때 키를 직접 설정할 수도 있습니다. 열 이름의 문자 벡터를 사용합니다.

* 데이터 테이블에서 := 연산자 및 모든 set*(예 : setkey, setorder, setnames 등) 함수는 참조로 입력 객체를 수정하는 함수입니다.

데이터 테이블에 특정 열을 입력하면 i에서 .() 표기법을 사용하여 키 열을 쿼리하여 하위 집합을 만들 수 있습니다. .()는 list()의 별명입니다.

다음 코드는 키 컬럼 origin을 사용하여 origin 공항이 "JFK"와 일치하는 모든 행을 서브세트합니다.

```
> flights[.("JFK")]
       year month day dep_time dep_delay arr_time arr_delay cancelled
    1: 2014     1   1      914        14     1238        13         0
    2: 2014     1   1     1157        -3     1523        13         0
    3: 2014     1   1     1902         2     2224         9         0
    4: 2014     1   1     1347         2     1706         1         0
    5: 2014     1   1     2133        -2       37       -18         0
   ---
81479: 2014    10  31     1705        -4     2024       -21         0
81480: 2014    10  31     1827        -2     2133       -37         0
81481: 2014    10  31     1753         0     2039       -33         0
81482: 2014    10  31      924        -6     1228       -38         0
81483: 2014    10  31     1124        -6     1408       -38         0
       carrier tailnum flight origin dest air_time distance hour min
    1:      AA  N338AA      1    JFK  LAX      359     2475    9  14
    2:      AA  N335AA      3    JFK  LAX      363     2475   11  57
    3:      AA  N327AA     21    JFK  LAX      351     2475   19   2
    4:      AA  N319AA    117    JFK  LAX      350     2475   13  47
    5:      AA  N323AA    185    JFK  LAX      338     2475   21  33
   ---
81479:      UA  N596UA    512    JFK  SFO      337     2586   17   5
81480:      UA  N568UA    514    JFK  SFO      344     2586   18  27
81481:      UA  N518UA    535    JFK  LAX      320     2475   17  53
81482:      UA  N512UA    541    JFK  SFO      343     2586    9  24
81483:      UA  N590UA    703    JFK  LAX      323     2475   11  24
```

위의 구문은 다음 구문과 동일합니다.

```
> flights[J("JFK")]
> flights[list("JFK")]
```

- 키 열은 이미 origin으로 설정되었습니다. 따라서 여기서 "JFK"라는 값을 직접 제공하는 것으로 충분합니다. .() 구문은 태스크가 데이터 테이블의 키 열(여기에서는 flights 데이터 테이블의 origin)에서 값 "JFK"를 조회해야 함을 식별하는 데 도움이 됩니다.
- origin에 있는 값 "JFK"에 해당하는 행 색인이 먼저 얻어집니다. j에 표현식이 없으므로 해당 행 색인에 해당하는 모든 열이 리턴됩니다.
- 문자 유형의 단일 열 키에서는 .() 표기법을 삭제하고 하위 집합과 같이 값을 직접 사용할 수 있습니다(예 : 데이터 프레임의 행 이름을 사용하는 하위 집합, flights["JFK"])
- 필요에 따라 값의 일부를 부분 집합화할 수 있습니다.(예: flights[c("JFK", "LGA")], 이

것은 origin 열이 "JFK" 또는 "LGA"와 일치하는 행에 해당하는 모든 열을 반환합니다.)

다음 코드는 데이터 테이블의 키로 입력한 열 정보를 조회합니다.

```
> key(flights)
[1] "origin"
```

3) 다중 컬럼 키

키에 여러 열을 설정할 수 있으며 여러 유형이 있을 수 있습니다.

다음 코드는 origin과 dest 열을 키로 설정합니다.

```
> setkey(flights, origin, dest)
> head(flights)
   year month day dep_time dep_delay arr_time arr_delay cancelled carrier
1: 2014     1   2      724        -2      810       -25         0      EV
2: 2014     1   3     2313        88        9        79         0      EV
3: 2014     1   4     1526       220     1618       211         0      EV
4: 2014     1   4      755        35      848        19         0      EV
5: 2014     1   5      817        47      921        42         0      EV
6: 2014     1   5     2301        66        2        62         0      EV
   tailnum flight origin dest air_time distance hour min
1:  N11547   4373    EWR  ALB       30      143    7  24
2:  N18120   4470    EWR  ALB       29      143   23  13
3:  N11184   4373    EWR  ALB       32      143   15  26
4:  N14905   4551    EWR  ALB       32      143    7  55
5:  N19966   4470    EWR  ALB       26      143    8  17
6:  N19966   4682    EWR  ALB       31      143   23   1
> key(flights)
[1] "origin" "dest"
```

위 setkey() 함수는 다음처럼 setkeyv() 함수를 사용할 수 있습니다.

```
> setkeyv(flights, c("origin", "dest"))
```

- 위 코드는 데이터 테이블을 먼저 origin 열로 정렬한 다음 dest 열을 기준으로 정렬합니다.

다음 코드는 첫 번째 키 열 origin이 "JFK"와 일치하고 두 번째 키 열 dest가 "MIA"와 일치하는 모든 행을 부분 집합합니다.

```
> flights[.("JFK", "MIA")]
      year month day dep_time dep_delay arr_time arr_delay cancelled
   1: 2014     1   1     1509        -1     1828       -17         0
```

```
   2: 2014     1   1      917          7     1227        -8         0
   3: 2014     1   1     1227          2     1534        -1         0
   4: 2014     1   1      546          6      853         3         0
   5: 2014     1   1     1736          6     2043       -12         0
  ---
2746: 2014    10  31     1659         -1     1956       -22         0
2747: 2014    10  31      826         -3     1116       -20         0
2748: 2014    10  31      647          2      941       -17         0
2749: 2014    10  31      542         -3      834       -12         0
2750: 2014    10  31     1944         29     2232         4         0
      carrier tailnum flight origin dest air_time distance hour min
   1:      AA  N5FJAA    145    JFK  MIA      161     1089   15   9
   2:      AA  N5DWAA   1085    JFK  MIA      166     1089    9  17
   3:      AA  N635AA   1697    JFK  MIA      164     1089   12  27
   4:      AA  N5CGAA   2243    JFK  MIA      157     1089    5  46
   5:      AA  N397AA   2351    JFK  MIA      154     1089   17  36
  ---
2746:      AA  N5FNAA   2351    JFK  MIA      148     1089   16  59
2747:      AA  N5EYAA   1085    JFK  MIA      146     1089    8  26
2748:      AA  N5BTAA   1101    JFK  MIA      150     1089    6  47
2749:      AA  N3ETAA   2299    JFK  MIA      150     1089    5  42
2750:      AA  N5FSAA   2387    JFK  MIA      146     1089   19  44
```

- 이것이 내부적으로 어떻게 작동하는지 이해하는 것이 중요합니다. 먼저 "JFK"는 첫 째 키 열 origin과 처음으로 대응됩니다. 일치하는 행 내에서 "MIA"는 두 번째 키 열 dest와 비교되어 origin 및 dest가 모두 주어진 값과 일치하는 행 인덱스를 얻습니다.
- j가 제공되지 않기 때문에, 우리는 단순히 그 행 색인에 해당하는 모든 열을 반환합니다.

다음 코드는 첫 번째 키 열 origin 만 "JFK"와 일치하는 모든 행을 부분 집합합니다.

```
> key(flights)
[1] "origin" "dest"
> flights[.("JFK")]   # flights["JFK"]
       year month day dep_time dep_delay arr_time arr_delay cancelled
    1: 2014     1   1     2011        10     2308         4         0
    2: 2014     1   2     2215       134      145       161         0
    3: 2014     1   7     2006         6     2314         6         0
    4: 2014     1   8     2009        15     2252       -15         0
    5: 2014     1   9     2039        45     2339        32         0
   ---
81479: 2014    10  31      800         0     1040       -18         0
81480: 2014    10  31     1932         1     2228        -8         0
81481: 2014    10  31     1443        -2     1726       -22         0
81482: 2014    10  31      957        -8     1255        -5         0
81483: 2014    10  31      831        -4     1118       -18         0
```

```
         carrier tailnum flight origin dest air_time distance hour min
    1:        B6  N766JB     65    JFK  ABQ      280     1826   20  11
    2:        B6  N507JB     65    JFK  ABQ      252     1826   22  15
    3:        B6  N652JB     65    JFK  ABQ      269     1826   20   6
    4:        B6  N613JB     65    JFK  ABQ      259     1826   20   9
    5:        B6  N598JB     65    JFK  ABQ      267     1826   20  39
  ---
81479:        DL  N915AT   2165    JFK  TPA      142     1005    8   0
81480:        B6  N516JB    225    JFK  TPA      149     1005   19  32
81481:        B6  N334JB    325    JFK  TPA      145     1005   14  43
81482:        B6  N637JB    925    JFK  TPA      149     1005    9  57
81483:        B6  N595JB   1025    JFK  TPA      145     1005    8  31
```

- 두 번째 키 열 dest에 대한 값을 제공하지 않았으므로 "JFK"를 첫 번째 키 열 origin과 비교하고 일치하는 모든 행을 반환합니다.

다음 코드는 두 번째 키 열 dest가 "MIA"와 일치하는 모든 행을 부분 집합합니다.

```
> flights[.(unique(origin), "MIA")]
      year month day dep_time dep_delay arr_time arr_delay cancelled
   1: 2014     1   1     1655        -5     2003       -17         0
   2: 2014     1   1      607        -3      905       -10         0
   3: 2014     1   1     1125        -5     1427        -8         0
   4: 2014     1   1     1533        43     1840        42         0
   5: 2014     1   1     2130        60       29        49         0
  ---
9924: 2014    10  31     1348       -11     1658        -8         0
9925: 2014    10  31      950        -5     1257       -11         0
9926: 2014    10  31      658        -2     1017        10         0
9927: 2014    10  31     1913        -2     2212       -16         0
9928: 2014    10  31     1530         1     1839       -11         0
      carrier tailnum flight origin dest air_time distance hour min
   1:      AA  N5CFAA    172    EWR  MIA      161     1085   16  55
   2:      AA  N5DMAA   1205    EWR  MIA      154     1085    6   7
   3:      AA  N3AGAA   1623    EWR  MIA      157     1085   11  25
   4:      UA  N491UA    244    EWR  MIA      155     1085   15  33
   5:      UA  N476UA    308    EWR  MIA      162     1085   21  30
  ---
9924:      AA  N3AMAA   2283    LGA  MIA      157     1096   13  48
9925:      AA  N3LFAA   2287    LGA  MIA      150     1096    9  50
9926:      AA  N3HNAA   2451    LGA  MIA      156     1096    6  58
9927:      AA  N3LFAA   2455    LGA  MIA      156     1096   19  13
9928:      US  N768US   1715    LGA  MIA      164     1096   15  30
```

- 두 번째 키 열 "MIA"에 제공된 값은 첫 번째 키 열 origin에서 제공되는 행에서 dest 키 열에 일치하는 값을 찾아야합니다. 이전 키 열의 값을 건너 뛸 수 없습니다. 따라서

키 열 origin에서 고유 한 값을 모두 제공합니다.
- "MIA"는 unique(origin) 길이 인 3에 맞게 자동으로 재활용됩니다.

```
> unique(flights$origin)
[1] "EWR" "JFK" "LGA"
```

4.2. j와 by를 이용한 키 조합

앞에서 우리가 배운 것은 i에서 행 인덱스를 얻지만 키를 사용하여 다른 방법을 사용하는 것입니다. j에서 똑같은 일을 할 수 있다는 것은 놀라운 일이 아닙니다.

1) j에서 선택

다음 구문은 origin="LGA" 및 dest="TPA"에 해당하는 arr_delay 컬럼을 데이터 테이블로 리턴합니다.

```
> key(flights)
[1] "origin" "dest"
> flights[.("LGA", "TPA"), .(arr_delay)]
      arr_delay
   1:         1
   2:        14
   3:       -17
   4:        -4
   5:       -12
  ---
1848:        39
1849:       -24
1850:       -12
1851:        21
1852:       -11
```

- origin=="LGA" 및 dest=="TPA"에 해당하는 행 인덱스는 키 기반 하위 집합을 사용하여 얻습니다.
- 행 인덱스가 있으면 arr_delay 열만 필요한 j를 봅니다. 따라서 해당 행 인덱스에 대한 열 arr_delay를 선택합니다.
- with=FALSE를 사용하여 다음 코드와 같이 결과를 반환할 수 있었습니다.

```
> flights[.("LGA", "TPA"), "arr_delay", with=FALSE]
```

2) Chaining

다음 코드는 위에서 얻은 결과에서 체인을 사용하여 열을 내림차순으로 정렬합니다.

```
> flights[.("LGA", "TPA"), .(arr_delay)][order(-arr_delay)]
      arr_delay
   1:       486
   2:       380
   3:       351
   4:       318
   5:       300
  ---
1848:       -40
1849:       -43
1850:       -46
1851:       -48
1852:       -49
```

3) j에서 계산 또는 수행

다음 코드는 origin="LGA" 및 dest="TPA"에 해당하는 최대 도착 지연을 찾습니다.

```
> flights[.("LGA", "TPA"), max(arr_delay)]
[1] 486
```

4) j에서 :=를 사용하여 참조에 의한 부분 집합

다음 코드는 flights 데이터 테이블에서 제공되는 모든 시간 정보를 출력합니다.

```
> flights[, sort(unique(hour))]
 [1]  0  1  2  3  4  5  6  7  8  9 10 11 12 13 14 15 16 17 18 19 20 21 22 23
24
```

- 이 데이터에는 0 시간과 24 시간 모두 존재하기 때문에 25개의 고유한 값이 있음을 알 수 있습니다. 이것은 잘 못된 것이므로 0 또는 24만 있어야 합니다.

키를 사용하여 24를 0으로 바꾸겠습니다.

```
> setkey(flights, hour)
> key(flights)
[1] "hour"
> flights[.(24), hour := 0L]
> flights
        year month day dep_time dep_delay arr_time arr_delay cancelled
```

```
      1: 2014    4  15      13      598     236      602      0
      2: 2014    5  22      19      289     225      267      0
      3: 2014    7  14       7      277     218      253      0
      4: 2014    2  14      37      128     124      117      0
      5: 2014    6  17      17      127     110      119      0
     ---
253312: 2014    8   3    2400        1     343      -13      0
253313: 2014   10   8    2400        1     347        1      0
253314: 2014    7  14    2400      211     325      219      0
253315: 2014    7   3    2400      440     208      418      0
253316: 2014    6  13    2400      300     246      280      0
        carrier tailnum flight origin dest air_time distance hour min
      1:      DL  N934AT    673    EWR  ATL      104      746    0  13
      2:      DL  N990AT   2142    EWR  ATL      102      746    0  19
      3:      DL  N921AT   2142    EWR  ATL      101      746    0   7
      4:      EV  N17984   3823    EWR  BDL       27      116    0  37
      5:      EV  N14570   4276    EWR  BDL       24      116    0  17
     ---
253312:      DL  N3749D    428    JFK  SJU      196     1598    0   0
253313:      B6  N828JB   1503    JFK  SJU      199     1598    0   0
253314:      B6  N562JB     71    JFK  SLC      282     1990    0   0
253315:      FL  N983AT    162    LGA  ATL      107      762    0   0
253316:      DL  N322NB   2370    LGA  PBI      140     1035    0   0
> key(flights)
NULL
```

- 위의 코드에서 key를 hour로 설정했습니다. 이렇게 하면 열이 시간별로 항공편 순서가 변경되며 해당 열을 키 열로 표시합니다.
- .() 표기법을 사용하여 hour에 하위 집합을 만들 수 있습니다. 값 24를 부분 집합하고 해당 행 인덱스를 얻습니다. 그런 행 인덱스에서 키 열을 값 0으로 바꿉니다.
- 키 열의 값을 대체 했으므로 flights 데이터 테이블은 더 이상 시간별로 정렬되지 않습니다. 따라서 NULL로 설정하면 키가 자동으로 제거됩니다.

이제는 시간 열에 24가 없어야합니다.

```
> flights[, sort(unique(hour))]
 [1]  0  1  2  3  4  5  6  7  8  9 10 11 12 13 14 15 16 17 18 19 20 21 22 23
```

5) by를 사용한 집계

예제를 위해 origin과 dest 열을 키로 설정합니다.

```
> setkey(flights, origin, dest)
> key(flights)
[1] "o
```

다음 코드는 origin="JFK"에 해당하는 매월 최대 출발 지연 시간을 출력합니다. 결과를 month로 정렬합니다.

```
> result <- flights["JFK", max(dep_delay), keyby=month]
> head(result)
   month   V1
1:     1  881
2:     2 1014
3:     3  920
4:     4 1241
5:     5  853
6:     6  798
> key(result)
[1] "month"
```

- "JFK"에 해당하는 행 인덱스를 얻기 위해 키 열 origin을 부분 집합화합니다.
- 일단 행 인덱스를 얻으면 각 그룹에 대해 max()를 얻기 위해 group by 하기 위한 month와 dep_delay라는 두 개의 열만 필요합니다. 따라서 데이터 테이블의 쿼리 최적화는 속도와 메모리 효율성을 위해 i에서 얻은 행 인덱스에 해당하는 두 개의 열만을 부분 집합합니다.
- 그리고 그 하위 집합에서 월별로 그룹화하고 max(dep_delay)를 계산합니다.
- keyby를 사용하여 그 결과를 자동으로 키로 입력합니다. 정렬과 함께 month를 키 열로 설정합니다.

4.3. mult와 nomatch 인수

1) mult 인수

mult 인수를 통해 각 쿼리에 대해 일치하는 행이 모두 반환되어야 하면 "all"을 그렇지 않으면 "first" 또는 "last"인지를 선택할 수 있습니다. 기본값은 "all"입니다.

다음 구문은 origin이 "JFK"이고 dest가 "MIA"인 모든 행에서 첫 번째로 일치하는 행만 부분 집합합니다.

```
> flights[.("JFK", "MIA"), mult="first"]
   year month day dep_time dep_delay arr_time arr_delay cancelled carrier
1: 2014     1   1      546         6      853         3         0      AA
   tailnum flight origin dest air_time distance hour min
1:  N5CGAA   2243    JFK  MIA      157     1089    5  46
```

다음 구문은 origin이 "LGA", "JFK", "EWR"이고 dest가 "XNA"인 모든 행에서 마지막으로 일치하는 행만 부분 집합합니다.

```
> flights[.(c("LGA", "JFK", "EWR"), "XNA"), mult="last"]
   year month day dep_time dep_delay arr_time arr_delay cancelled carrier
1: 2014     5  23     1803       163     2003       148         0      MQ
2:   NA    NA  NA       NA        NA       NA        NA        NA      NA
3: 2014     2   3     1208       231     1516       268         0      EV
   tailnum flight origin dest air_time distance hour min
1:  N515MQ   3553    LGA  XNA      158     1147   18   3
2:      NA     NA    JFK  XNA       NA       NA   NA  NA
3:  N14148   4419    EWR  XNA      184     1131   12   8
```

- 결과에서 origin이 "JFK"이고 dest가 "XNA"인 것은 항공편의 모든 행과 일치하지 않으므로 NA를 반환합니다.
- 두 번째 키 열 dest가 "XNA"인 것에 대한 쿼리는 길이가 3인 첫 번째 키 열 origin에 대한 쿼리의 길이에 맞게 재활용됩니다.

2) nomatch 인수

쿼리가 일치하지 않으면 NA를 반환합니다. 그러나 모두 건너뛰고 싶다면 nomatch 인수를 사용할 수 있습니다.

다음 구문은 앞의 예제에서 일치하는 것이 있을 때만 모든 행을 부분 집합합니다.

```
> flights[.(c("LGA", "JFK", "EWR"), "XNA"), mult="last", nomatch=0L]
   year month day dep_time dep_delay arr_time arr_delay cancelled carrier
1: 2014     5  23     1803       163     2003       148         0      MQ
2: 2014     2   3     1208       231     1516       268         0      EV
   tailnum flight origin dest air_time distance hour min
1:  N515MQ   3553    LGA  XNA      158     1147   18   3
2:  N14148   4419    EWR  XNA      184     1131   12   8
```

- nomatch의 기본값은 NA입니다. nomatch=0L을 설정하면 일치하는 항목이 없는 쿼리를 건너뜁니다.
- 검색어 "JFK", "XNA"는 항공편의 모든 행과 일치하지 않으므로 건너뜁니다.

4.4. 이진 검색 vs 벡터 검색

지금까지 어떻게 부분 집합 키를 설정하고 사용할 수 있는지를 보아 왔습니다.

그러나 origin, dest 컬럼 키에 의한 데이터 부분집합에서 어떤 이점이 있을까요?

```
> flights[.("JFK", "MIA")]
```

한 가지 이점은 구문이 짧을 가능성이 높습니다. 그러나 이보다 훨씬 더 중요한 것은 이진 검색 기반 부분 집합이 엄청나게 빠릅니다.

1) 이진 검색 접근의 성능

예를 들어 2천만 개의 행과 3개의 열이 있는 샘플 데이터 테이블을 만들고 x열과 y열로 키를 설정합니다.

```
> set.seed(2L)
> N <- 2e7L
> DT <- data.table(x = sample(letters, N, TRUE),
+                  y = sample(1000L, N, TRUE),
+                  val = runif(N), key = c("x", "y"))
> print(object.size(DT), units="Mb")
381.5 Mb
> key(DT)
[1] "x" "y"
```

- DT는 대략 380MB 정도 크기입니다. 정말 빅데이터는 아니지만 이 예를 설명하기에 충분합니다.

x="g"및 y=877인 행을 다음과 같이 선택할 수 있습니다.

```
> t1 <- system.time(result1 <- DT[x == "g" & y == 877L])          # (1)
> t1
 사용자  시스템 elapsed
   0.17    0.03    0.20
> head(result1)
   x   y       val
1: g 877 0.3946652
2: g 877 0.9424275
3: g 877 0.7068512
4: g 877 0.6959935
5: g 877 0.9673482
6: g 877 0.4842585
> dim(result1)
[1] 761   3
```

다음 코드는 키를 사용하여 부분집합을 얻습니다.

```
> t2 <- system.time(result2 <- DT[.("g", 877L)])                  # (2)
> t2
 사용자  시스템 elapsed
     0       0       0
> head(result2)
   x   y       val
1: g 877 0.3946652
2: g 877 0.9424275
3: g 877 0.7068512
4: g 877 0.6959935
5: g 877 0.9673482
6: g 877 0.4842585
> dim(result2)
[1] 761   3
```

- 필자의 시스템에서는 키를 사용하여 서브 세트 할 때의 시간이 0에 가깝게 나왔습니다. 이는 키를 사용하지 않을 때에 비하여 엄청난 차이 일 것입니다.

2) 데이터 테이블을 키잉하면 빠른 서브 세트가 생성되는 이유

데이터 테이블을 키잉하면 서브 세트가 빨리 생성되는 이유를 이해하기 위해 먼저 벡터 스캔 접근법이 무엇인지 살펴보겠습니다.

벡터 스캔 방식은...

- 열 x는 값이 "g"인 행을 기준으로 2천만 개가 검색됩니다. 결과 x 값에 해당하는 값이 TRUE, FALSE 또는 NA 인 2천만 크기의 논리 벡터가 생성됩니다.
- 유사하게, 열 y는 하나씩 2천만 행 전체에서 877이 하나씩 검색되고 다른 논리 벡터에 저장됩니다.
- 연산은 중간 논리 벡터에서 수행되고 표현식이 TRUE로 평가되는 모든 행이 반환됩니다.

이것이 우리가 벡터 스캔 방식이라고 부르는 것입니다. 그리고 이것은 특히 비효율적인데, 큰 테이블과 매번 모든 행을 스캔해야하기 때문입니다. 특히 반복되는 부분 집합이 필요할 때 특히 비효율적입니다.

이제 이진 검색(binary search) 접근법을 살펴보겠습니다. 키를 설정하면 데이터 테이블이 키 열로 정렬됩니다. 데이터가 정렬되기 때문에 열의 전체 길이를 스캔 할 필요가 없습니다. 검색 속도가 O(n)인 벡터 스캔 방식의 경우 대신 검색 속도가 O(log n)인 이진 검색을 사용할 수 있습니다. 여기서 n은 데이터 테이블의 행의 수입니다.

이진 검색 접근법을 설명하기 위한 아주 간단한 예가 있습니다. 아래에 표시된(정렬 된) 숫자를 생각해 보겠습니다.

```
1, 5, 10, 19, 22, 23, 30
```

우리는 이진 검색을 사용하여 값 1의 일치하는 위치를 찾고 싶습니다. 데이터를 정렬했음을 알기 때문에 이 방법을 진행할 것입니다.

- 중간 값=19로 시작합니다. 1==19입니까? 아닙니다. 1〈19입니다.
- 찾고 있는 값이 19보다 작기 때문에 19 이전이어야 합니다. 따라서 나머지 절반 19 이상은 버릴 수 있습니다.
- 우리의 세트는 이제 1, 5, 10으로 줄어들었습니다. 다시 중간 값=5를 얻습니다. 1==5입니까? 아닙니다. 1〈5입니다.
- 우리의 집합은 1로 줄어듭니다. 1==1입니까? 예. 해당 색인도 1입니다. 그리고 그것은 유일한 일치입니다.

반면에 벡터 스캔 방식은 모든 값(여기서는 7개)을 스캔해야합니다.

이진 검색 할 때마다 검색 횟수를 절반으로 줄일 수 있음을 알 수 있습니다. 이진 검색 기반 부분 집합이 믿기 어려울 정도로 빠른 이유입니다. 데이터 테이블의 각 열의 행은 메모리의 연속적인 위치를 가지므로 작업은 매우 효율적인 캐시 방식으로 수행됩니다.(또한 속도 향상에 기여합니다). 또한, 거대한 논리 벡터(데이터 테이블의 행의 수와 동일한 벡터)를 만들지 않고도 일치하는 행 인덱스를 직접 얻을 수 있기 때문에 꽤 효율적인 메모리입니다.

4.5. 데이터 테이블에서 키 사용 요약

이 섹션에서 데이터 테이블을 키잉(keying)하여 i의 행을 부분 집합하는 다른 방법을 배웠습니다. 키를 설정하면 이진 탐색을 사용하여 빠른 하위 집합을 수행할 수 있습니다. 특히, 데이터 테이블의 키를 사용하여 키와 하위 세트를 설정하세요.

- 하위 인덱스는 i의 행 인덱스를 가져 오는 키를 사용하지만 훨씬 빠릅니다.
- 키 기반 하위 집합을 j 및 by와 결합합니다. j 및 by 연산자는 이전과 완전히 동일합니다.
- 키 기반 하위 집합은 엄청나게 빠르며 반복되는 하위 집합과 관련된 작업에 특히 유용합니다. 그러나 키를 설정하고 물리적으로 data.table의 순서를 바꾸는 것이 항상 바람직한 것은 아닙니다.

5. 예외 처리

프로그램을 사용하면서 예기치 않는 상황이 발생하는데 이를 해결하기 위해 예외 처리(Exception Handling)라는 것을 할 수 있습니다. 다음은 R의 예외 처리 방법과 관련된 것들입니다. 예외는 프로그램이 실행되는 동안 발생될 수 있는 에러의 일종입니다.

warning() 함수는 경고를 만드며, stop() 함수는 에러를 만듭니다.

```
warning(…)
```

```
stop(…)
```

suppressWarnings() 함수는 expr을 실행시킬 때 발생하는 경고를 무시합니다.

```
suppressWarnings(expr)
```

tryCatch() 함수는 예외를 처리합니다. warning, error 속성은 경고 또는 에러가 발생할 경우 실행되는 함수를 지정하며, finally는 항상 실행하는 함수를 지정합니다.

```
tryCatch(…, warning, error, finally)
```

다음 코드는 tryCatch() 함수를 이용해 예외(에러)를 처리하는 예입니다. div 함수는 두 번째 인수가 0일 경우 에러를 발생시킵니다.

```
> div <- function(a, b) {
+   if(b==0)
+     stop("분모는 0이 될 수 없습니다.")
+   return (a/b)
+ }
```

다음은 분모가 0일 경우 에러가 발생되며 프로그램이 중단됩니다.

```
> div(10,0)
Error in div(10, 0) : 분모는 0이 될 수 없습니다.
```

다음 코드는 분모가 0이더라도 프로그램을 계속 실행됩니다. 에러가 발생되면 error 파라미터에 정의한 함수가 실행됩니다.

```
> tryCatch(
+   div(10, 0), print("Hello"),
+   error=function(e){
+     print(e)
+   }
+ )
[1] "Hello"
<simpleError in div(10, 0): 분모는 0이 될 수 없습니다.>
```

6. 향상된 반복문 foreach

foreach 패키지는 R 코드를 반복적으로 실행하기 위한 새로운 루핑 구조를 제공합니다. foreach 패키지를 사용하는 주된 이유는 병렬 실행을 지원한다는 것입니다. 즉, 컴퓨터의 여러 프로세서/코어 또는 클러스터의 여러 노드에서 이러한 반복 된 작업을 실행할 수 있습니다.

각 작업에 1분이 소요되고 수백 번 실행하려면 전체 런타임(runtime)에 몇 시간이 걸릴 수 있습니다. 그러나 foreach를 사용하면 클러스터의 수백 개의 프로세서에서 이 작업을 병렬로 실행할 수 있으므로 실행 시간이 몇 분으로 단축됩니다.

%do%와 %dopar%는 foreach 오브젝트와 R 표현식에서 작동하는 2항 연산자입니다. 수식은 foreach 오브젝트에 의해 생성 된 환경에서 여러 번 평가됩니다. 그리고 각 환경은 foreach 오브젝트가 지정한대로 각 평가가 수정됩니다.

%do%는 표현식을 순차적으로 평가하는 반면, %dopar%는 병렬로 평가합니다. ex를 평가한 결과는 기본적으로 목록으로 반환되지만 .combine 인수를 사용하여 수정할 수 있습니다.

foreach() 함수를 사용하려면 foreach 패키지를 설치하고 로드해야 합니다.

```
> install.packages("foreach")
also installing the dependency 'iterators'

trying URL 'https://cran.rstudio.com/bin/windows/contrib/3.5/iterators_1.0.10.zip'
Content type 'application/zip' length 339669 bytes (331 KB)
downloaded 331 KB

trying URL 'https://cran.rstudio.com/bin/windows/contrib/3.5/foreach_1.4.4.zip'
Content type 'application/zip' length 419020 bytes (409 KB)
downloaded 409 KB

package 'iterators' successfully unpacked and MD5 sums checked
package 'foreach' successfully unpacked and MD5 sums checked

The downloaded binary packages are in
    C:\Users\COM\AppData\Local\Temp\RtmpeeAAj4\downloaded_packages
```

```
> library(foreach)
foreach: simple, scalable parallel programming from Revolution Analytics
Use Revolution R for scalability, fault tolerance and more.
http://www.revolutionanalytics.com
```

6.1. foreach

foreach()는 함수이므로 for문과는 다르게 { }를 사용하지 않고 %do%, %dopar% 문을 사용해 블록을 지정합니다.

다음 예를 보겠습니다.

```
> x <- foreach(i=1:3) %do% sqrt(i)
> x
[[1]]
[1] 1

[[2]]
[1] 1.414214

[[3]]
[1] 1.732051
```

- 위 구문은 for 루프와 유사하지만 %do%라는 2진 연산자를 사용하여 구현되기 때문에 좀 이상하게 보입니다. 또한 for 루프와 달리 값을 반환합니다.
- 이 명령문의 목적은 결과 리스트를 계산하는 것입니다. 일반적으로 %do%가 있는 foreach는 R 표현식을 반복적으로 실행하고 결과를 일부 데이터 구조 또는 객체(기본값은 리스트)로 반환하는데 사용됩니다.

이전 예에서 변수 i를 sqrt 함수의 인수로 사용했음을 알 수 있습니다. foreach 함수에 명명된 인수를 사용하여 i 변수의 값을 지정했습니다. 그 변수를 우리가 원하는 어떤 것이라도 호출할 수 있습니다. 다음 예제와 같이 R 표현식에 사용될 다른 변수를 지정할 수도 있습니다.

```
> x <- foreach(a=1:3, b=rep(10, 3)) %do% (a + b)
> x
[[1]]
[1] 11

[[2]]
[1] 12

[[3]]
[1] 13
```

필요에 따라 { }를 사용할 수 있습니다.

```
> x <- foreach(a=1:3, b=rep(10, 3)) %do% {
+   a + b
+ }
```

```
> x
[[1]]
[1] 11

[[2]]
[1] 12

[[3]]
[1] 13
```

- a와 b를 반복 변수라고 부릅니다. 왜냐하면 그것들은 다중 실행 중에 변하는 변수이기 때문입니다.
- 병렬로 그것들을 반복하고 있음을 주목하세요. 즉, 그들은 동시에 변화하고 있습니다.
- 이 경우 두 개의 반복 변수 모두 동일한 수의 값이 지정되지만 그럴 필요는 없습니다.

다음 구문에서 보는 것처럼 b에 대해 두 개의 값만 제공 한 경우 a에 대해 1000개의 값을 지정 했더라도 결과는 길이가 2인 리스트가 됩니다.

```
> x <- foreach(a=1:1000, b=rep(10, 2)) %do% {
+   a + b
+ }
> x
[[1]]
[1] 11

[[2]]
[1] 12
```

- 중괄호 사이에 여러 개의 명령문을 넣을 수 있으며 할당 문을 사용하여 계산의 중간 값을 저장할 수 있습니다. 그러나 루프의 다른 실행 사이에서 통신하는 방법으로 할당을 사용하면 코드가 병렬로 올바르게 작동하지 않을 수 있습니다. 이것은 나중에 설명하겠습니다.

6.2. .combine 옵션

지금까지 모든 예제에서는 결과 목록을 반환했습니다. 리스트에는 모든 R 객체가 포함될 수 있기 때문에 기본값이 리스트인 것입니다. 그러나 결과가 숫자 벡터로 반환되기를 바란다면 foreach에 .combine 옵션을 사용하여 수행할 수 있습니다.

다음 구문을 보겠습니다.

```
> x <- foreach(i=1:3, .combine='c') %do% exp(i)
```

```
> x
[1]  2.718282  7.389056 20.085537
```

- 결과는 R 표준 c() 함수가 모든 결과를 연결하는 데 사용되므로 숫자 벡터로 반환됩니다.
- exp 함수는 숫자 값을 반환하므로 c() 함수와 연결하면 길이가 3 인 숫자 벡터가 됩니다.

R 표현식이 벡터를 반환하면 벡터를 매트릭스에 결합하고 싶을 경우 다음 구문처럼 cbind 함수를 사용하는 것입니다.

```
> x <- foreach(i=1:4, .combine='cbind') %do% rnorm(4)
> x
       result.1   result.2   result.3   result.4
[1,] -0.3578966 -1.4032445 -0.3484991 -0.7034229
[2,]  1.4625676 -0.3583842  1.0334154 -0.5343881
[3,] -0.4976701  0.5826040 -0.3943469 -0.8048735
[4,] -1.3210529  0.4980521 -0.9098516 -0.6346861
```

- 4개의 난수로 구성된 4개의 벡터를 생성하고 이를 4x4 매트릭스로 생성하기 위해 컬럼을 결합합니다.

다음 구문처럼 "+"또는 "*"를 사용하여 결과를 결합할 수도 있습니다.

```
> x <- foreach(i=1:4, .combine='+') %do% rnorm(4)
> x
[1]  2.1092126 -1.5699397  0.9157108 -0.6199966
```

사용자가 작성한 함수를 지정하여 결과를 결합할 수도 있습니다. 다음은 그 예입니다. 다음 구문에서 사용자 작성 함수는 결과를 버립니다.

```
> cfun <- function(a, b) NULL
> x <- foreach(i=1:4, .combine='cfun') %do% rnorm(4)
> x
NULL
```

- 이 cfun 함수는 두 개의 인수를 취합니다.
- foreach 함수는 c(), cbind() 및 rbind() 함수들이 많은 인수를 사용한다는 것을 알고 있으며 성능을 향상시키기 위해 기본적으로 최대 100개의 인수를 사용하여 호출합니다. 그러나 다른 함수(예: "+")가 지정되면 두 개의 인수 만 필요하다고 가정합니다.
- 함수가 많은 인수를 허용하는 경우에는 .multicombine 인수를 사용하여 지정할 수 있습니다.

다음 구문은 .multicombine 인수를 사용하는 예입니다.

```
> cfun <- function(...) NULL
> x <- foreach(i=1:4, .combine='cfun', .multicombine=TRUE) %do% rnorm(4)
> x
NULL
```

다음 구문처럼 10개 이하의 인수로 결합 함수를 호출하려면 .maxcombine 옵션을 사용하여 결합 함수를 지정할 수 있습니다.

```
> cfun <- function(...) NULL
> x <- foreach(i=1:4, .combine='cfun',
+              .multicombine=TRUE, .maxcombine=10) %do% rnorm(4)
> x
NULL
```

6.3. Iterators

반복 변수의 값은 벡터나 리스트만으로 지정 될 필요는 없습니다. iterator로 지정 될 수 있으며, 대부분 iterators 패키지와 함께 제공됩니다. 반복자는 추상 데이터 소스입니다. 벡터 자체는 반복자가 아니지만 foreach 함수는 벡터, 리스트, 행렬 또는 데이터 프레임에서 반복자를 자동으로 만듭니다. 데이터 소스인 파일 또는 데이터베이스 쿼리로 부터 반복자를 만들 수도 있습니다. iterators 패키지는 호출 될 때마다 지정된 수의 난수를 반환할 수 있는 irnorm()이라는 함수를 제공합니다.

다음 코드는 iterators 패키지를 설치하고 로드합니다.

```
> install.packages("iterators")
trying URL 'https://cran.rstudio.com/bin/windows/contrib/3.5/iterators_1.0.10.zip'
Content type 'application/zip' length 339669 bytes (331 KB)
downloaded 331 KB

package 'iterators' successfully unpacked and MD5 sums checked

The downloaded binary packages are in
    C:\Users\COM\AppData\Local\Temp\RtmpeeAAj4\downloaded_packages
```

```
> library(iterators)
```

다음 코드는 irnorm() 함수를 foreach에서 사용하는 예입니다.

```
> x <- foreach(a=irnorm(4, count=4), .combine='cbind') %do% a
> x
        result.1   result.2   result.3   result.4
```

```
[1,] -1.09876319  0.6451665 -1.7606726  1.3778332
[2,] -0.08336763  0.6847612 -0.4257780  1.0185695
[3,] -0.42899282 -0.6479650  1.7511953 -0.7852280
[4,] -0.98464205 -0.3937483 -0.4964981  0.8245291
```

이것은 많은 양의 데이터를 다룰 때 유용합니다. 반복자를 사용하면 처음부터 모든 데이터를 생성하지 않고도 작업에 필요한대로 즉석에서 데이터를 생성할 수 있습니다.

다음 코드는 1,000 개의 무작위 벡터를 합산합니다.

```
> x <- foreach(a=irnorm(4, count=1000), .combine='+') %do% a
> x
[1]   9.097676 -13.106472  14.076261  19.252750
```

이것은 다음 while 루프와 동일하므로 매우 적은 메모리를 사용합니다.

```
> x <- numeric(4)
> i <- 0
> while (i < 1000) {
+   x <- x + rnorm(4)
+   i <- i + 1
+ }
> x
[1]   9.097676 -13.106472  14.076261  19.252750
```

이것은 1에서 1000까지의 값을 생성하는 icount() 함수를 사용하여 수행할 수 있습니다.

```
> x <- foreach(icount(1000), .combine='+') %do% rnorm(4)
> x
[1]   9.097676 -13.106472  14.076261  19.252750
```

반복자를 사용하여 실제 데이터를 생성하는 것이 더 나을 때도 있습니다(나중에 병렬로 실행할 때 알 수 있습니다). 마지막 예제는 iterators 패키지에서 icount 함수를 도입 한 것 외에도 foreach 함수에 이름이 없는 인수도 사용했습니다. 변수 값을 생성하려고하지 않고 R 표현식이 실행되는 횟수 만 제어하려는 경우 유용할 수 있습니다. 반복자에 관해서는 더 많은 이야기가 있지만, 지금은 병렬 실행으로 넘어 갑시다.

6.4. 병렬 실행

foreach가 자체적으로 유용한 구조 일 수 있지만 foreach 패키지의 진정한 의미는 병렬 컴퓨팅을 수행하는 것입니다. 이전 예제를 병렬로 실행하려면 %do%를 %dopar%로 바꾸면 됩니다. 그러나 우리가 해왔던 빠른 실행 작업의 경우 병렬로 실행하는 것이 별로 중요하지 않습니다. 많은 작은 태스크를 병렬로 실행하는 것은 순차적으로 실행하는 것보다 실행하는데 더 많은 시간이 걸리며, 이미 빠르게 실행되는 경우 더 빠르게 실행되도록 할 동기가 없습니다. 그러나 우리가 동시에 실행하는 작업에 1분 또는 그 이상의 시간이 걸리면 약간의 동기가 생기기 시작합니다.

1) 병렬 랜덤 포레스트

실행에 시간이 걸릴 수 있는 작업의 예로 병렬 랜덤 포레스트(Random Forest)[52]를 예로 들어 봅시다. 입력이 행렬 x와 인자 y라고 가정 해 봅시다.

```
> x <- matrix(runif(500000), nrow=100) # 100개 행, 500개 열 갖는 행렬
> y <- gl(n=2, k=50)  # n개 factor를 k개씩 생성
```

우리는 이미 foreach 패키지는 로드 했지만 randomForest 패키지는 로드하지 않았습니다. 그러므로 패키지를 설치하고 로드합니다.

```
> install.packages("randomForest")
trying URL 'https://cran.rstudio.com/bin/windows/contrib/3.4/randomForest_4.6-12.zip'
Content type 'application/zip' length 179317 bytes (175 KB)
downloaded 175 KB

package ‘randomForest’ successfully unpacked and MD5 sums checked

The downloaded binary packages are in
    C:\Users\COM\AppData\Local\Temp\RtmpYnQOqg\downloaded_packages
```

```
> library(randomForest)
randomForest 4.6-12
Type rfNews() to see new features/changes/bug fixes.
```

1000개의 트리가 있는 랜덤 포레스트 모델을 만들고 컴퓨터에 코어가 4 개인 경우, randomForest() 함수를 네 번 실행하고 ntree 인수를 250으로 설정하여 문제를 네 조각으로 나눌 수 있습니다. 물론 randomForest 객체를 combine() 함수로 결합해야 합니다.

```
> rf <- foreach(ntree=rep(250, 4), .combine=combine) %do%
+   randomForest(x, y, ntree=ntree)
> rf

Call:
```

52) 랜덤 포레스트는 분류, 회귀 분석 등에 사용되는 학습 방법의 일종입니다. 자세한 내용은 다음 주소를 참고하세요.
https://ko.wikipedia.org/wiki/랜덤_포레스트

```
 randomForest(x = x, y = y, ntree = ntree)
               Type of random forest: classification
                     Number of trees: 1000
No. of variables tried at each split: 2
```

이것을 병렬로 실행하려면 %do%를 변경해야하고 다른 foreach 옵션을 사용해야 합니다. 패키지를 성공적으로 실행하려면 R 식에 randomForest 패키지가 로드 되어야 한다고 foreach 패키지에 알려야 합니다. 다음은 병렬 버전입니다.53)

```
> rf <- foreach(ntree=rep(250, 4), .combine=combine,
+               .packages='randomForest') %dopar%
+    randomForest(x, y, ntree=ntree)
> rf

Call:
 randomForest(x = x, y = y, ntree = ntree)
               Type of random forest: classification
                     Number of trees: 1000
No. of variables tried at each split: 2
```

클러스터에서 병렬 컴퓨팅을 수행 한 적이 있다면 x와 y를 처리하기 위해 특별한 조치를 취할 필요가 없는 이유가 궁금할 수 있습니다. 그 이유는 %dopar% 함수가 이러한 변수가 참조되었으며 현재 환경에서 정의되었음을 확인했기 때문입니다. 이 경우 %dopar%는 병렬 실행 작업자에게 자동으로 이를 한 번 내보내고 foreach 실행에 대한 모든 표현식 평가에 사용합니다. 이는 현재 환경에서도 정의 된 함수에서도 마찬가지지만, 이 경우에는 함수가 패키지에 정의되어 있으므로 대신 .packages 옵션을 사용하여 로드 할 패키지를 지정해야 합니다.

2) 병렬 Apply

이제 apply() 함수의 병렬 버전을 만드는 방법을 살펴보겠습니다. apply() 함수는 R로 작성 되었으며 약 100 줄의 코드이지만 처음 읽기에서는 이해하기가 약간 어렵습니다. 그러나 모든 것이 실제로 두 개의 루프에서 발생하며 약간 더 복잡해 보입니다.

```
> applyKernel <- function(newX, FUN, d2, d.call, dn.call=NULL, ...) {
+   ans <- vector("list", d2)
+   for(i in 1:d2) {
+     tmp <- FUN(array(newX[,i], d.call, dn.call), ...)
```

53) %dopar%에 의한 병렬 버전이 실행되지 않을 경우에는 병렬 처리할 수 있도록 설정해야 합니다. 자세한 내용은 [6.3 registerDoParalle]에서 다룹니다.

```
+     if(!is.null(tmp)) ans[[i]] <- tmp
+   }
+   ans
+ }
> applyKernel(matrix(1:16, 4), mean, 4, 4)
[[1]]
[1] 2.5

[[2]]
[1] 6.5

[[3]]
[1] 10.5

[[4]]
[1] 14.5
```

위 코드를 함수로 바꾸었습니다. 그렇지 않으면 R이 잘못된 컨텍스트에서 "..."을 사용하고 있다고 에러를 출력합니다. 다음과 같이 foreach를 사용하여 실행할 수 있습니다.

```
> applyKernel <- function(newX, FUN, d2, d.call, dn.call=NULL, ...) {
+   foreach(i=1:d2) %dopar%
+   FUN(array(newX[,i], d.call, dn.call), ...)
+ }
> applyKernel(matrix(1:16, 4), mean, 4, 4)
[[1]]
[1] 2.5

[[2]]
[1] 6.5

[[3]]
[1] 10.5

[[4]]
[1] 14.5
```

그러나 이 방법을 사용하면 전체 newX 배열이 각 병렬 실행 작업자에게 전송됩니다. 각 작업에는 배열의 한 열만 있으면 되기 때문에 여분의 데이터 전송을 피하고 싶습니다. 이 문제를 해결하는 한 가지 방법은 열을 기준으로 행렬을 반복하는 iterator를 사용하는 것입니다.

```
> applyKernel <- function(newX, FUN, d2, d.call, dn.call=NULL, ...) {
+   foreach(x=iter(newX, by='col')) %dopar%
+   FUN(array(x, d.call, dn.call), ...)
```

```
+ }
> applyKernel(matrix(1:16, 4), mean, 4, 4)
[[1]]
[1] 2.5

[[2]]
[1] 6.5

[[3]]
[1] 10.5

[[4]]
[1] 14.5
```

이제 행렬의 지정된 열을 하나의 병렬 실행 작업자에게 보냅니다. 그러나 우리가 더 큰 덩어리로 행렬을 보내면 훨씬 더 효율적입니다. 이를 위해 iblkcol이라는 함수를 사용합니다. 이 함수는 원래 행렬의 여러 열을 반환하는 반복자를 반환합니다. 즉, R 표현식은 해당 하위 행렬의 모든 열에 대해 사용자 함수를 한 번 실행해야 합니다.

3) List Comprehensions

파이썬 프로그래밍 언어에 익숙하다면, foreach 패키지가 파이썬의 리스트와 크게 다른 점이 없다는 것을 알았을 것입니다. 사실, foreach 패키지에는 when이라는 함수가 포함되어 있어 파이썬의 리스트에서 "if"절과 매우 흡사하게 평가의 일부를 제한할 수 있습니다.

예를 들어, 다음과 같은 경우를 사용하여 반복자의 음수 값을 필터링할 수 있습니다.

```
> x <- foreach(a=irnorm(1, count=10), .combine='c') %:%
+      when(a >= 0) %do%
+      sqrt(a)
> x
[1] 1.341023 0.648136 0.683429
```

이 주제에 관해서는 많이 말하지는 않겠지 만 고전적인 하스켈(Haskell) 방식으로 간단한 퀵 정렬 기능을 작성하는 데 foreach가 언제 사용될 수 있는지 보여줄 수는 없습니다.

```
> qsort <- function(x) {
+   n <- length(x)
+   if (n == 0) {
+     x
+   } else {
+     p <- sample(n, 1)
+     smaller <- foreach(y=x[-p], .combine=c) %:% when(y <= x[p]) %do% y
```

```
+     larger <- foreach(y=x[-p], .combine=c) %:% when(y > x[p]) %do% y
+     c(qsort(smaller), x[p], qsort(larger))
+   }
+ }
> qsort(runif(12))
 [1] 0.01422756 0.12197781 0.23920422 0.27439601 0.35642520 0.46052919
 [7] 0.54041427 0.64242351 0.81663939 0.83045982 0.85072515 0.87035515
```

표준 R 정렬 기능보다 권장하지 않습니다. 그러나 이것은 foreach의 꽤 흥미로운 예제 사용법입니다.

병렬 컴퓨팅의 대부분은 문제를 조각으로 분할하고, 조각을 병렬로 실행하며, 결과를 다시 결합하는 세 가지 작업을 수행합니다. foreach 패키지를 사용하면 반복자가 문제를 조각으로 나눌 수 있으며 %dopar% 함수는 조각을 병렬로 실행하고 지정된 .combine 함수는 결과를 다시 넣습니다.

7. 병렬처리

7.1. doParallel

doParallel 패키지는 foreach 패키지의 "병렬 백엔드(parallel backend)"입니다. foreach 루프를 병렬로 실행하는 데 필요한 메커니즘을 제공합니다. foreach 패키지는 코드를 병렬로 실행하기 위해 doParallel과 같은 패키지와 함께 사용해야 합니다. 사용자는 사용할 병렬 백엔드를 등록해야합니다. 그렇지 않으면 foreach는 %dopar% 연산자가 사용되는 경우에도 순차적으로 작업을 실행합니다.

doParallel 패키지는 foreach와 R2.14.0 이상의 병렬 패키지 사이의 인터페이스 역할을 합니다. 이 병렬 패키지는 본질적으로 사이먼 어번크(Simon Urbanek)가 작성한 멀티 코어 패키지와 Luke Tierney 및 다른 사람들이 작성한 snow[54] 패키지의 합병입니다. 멀티 코어 기능은 포크 시스템 호출을 지원하는 해당 운영 체제에서만 여러 작업자를 지원합니다.(여기에는 Windows가 제외됩니다.) 기본적으로 doParallel은 유닉스 계열의 시스템에서 멀티 코어 기능을, 윈도우에서 snow 기능을 사용합니다. 멀티 코어 기능은 컴퓨터 클러스터가 아닌 단일 컴퓨터에서만 작업을 실행합니다. 그러나 Snow 기능을 사용하여 Unix 계열 운영 체제, Windows 또는 조합을 사용하여 클러스터에서 실행할 수 있습니다. 단일 코어를 가진 프로세서가 하나 뿐인 시스템에서 doParallel 및 병렬을 사용하는 것은 의미가 없습니다. 속도 향상을 위해서는 다중 프로세서, 다중 코어 또는 둘 다 있는 시스템에서 실행해야 합니다.

멀티 코어 모드의 병렬 패키지는 후속 exec를 수행하지 않고 포크(fork)를 사용하여 작업자를 시작하므로 일부 제한 사항이 있습니다. 일부 작업은 분기 된 프로세스에 의해 올바르게 수행 될 수 없습니다. 예를 들어 연결 개체가 작동하지 않을 가능성이 높습니다. 경우에 따라 개체가 손상되어 R 세션이 중단 될 수 있습니다.

7.2. 패키지 설치 및 로드

다음 코드는 doParallel 패키지를 설치하고 로드합니다.

```
> install.packages("doParallel")
trying URL 'https://cran.rstudio.com/bin/windows/contrib/3.5/doParallel_1.0.11.zip'
Content type 'application/zip' length 198720 bytes (194 KB)
```

54) https://cran.r-project.org/web/packages/snow/snow.pdf

```
downloaded 194 KB

package 'doParallel' successfully unpacked and MD5 sums checked

The downloaded binary packages are in
    C:\Users\COM\AppData\Local\Temp\RtmpeeAAj4\downloaded_packages
```

```
> library(doParallel)
Loading required package: iterators
Loading required package: parallel
```

7.3. registerDoParallel

foreach와 함께 사용할 doParallel을 등록하려면 registerDoParallel() 함수를 호출해야합니다. 인수 없이 이 함수를 호출하면 Windows에서 3개의 작업자를 얻게 되며 유닉스 계열 시스템에서는 코어 수의 절반에 해당하는 수의 작업자를 얻게 됩니다. makeCluster() 함수를 이용하면 클러스터 또는 코어 수를 지정할 수도 있습니다.

```
> cl <- makeCluster(4)
> registerDoParallel(cl)
```

cores 인수는 doParallel이 작업을 실행하는 데 사용하는 작업자 프로세스의 수를 지정하며 기본적으로 시스템의 총 코어 수의 절반입니다. 그러나 값을 지정할 필요는 없습니다. 기본적으로 doParallel은 표준 "options" 함수에 지정된 대로 "core" 옵션의 값을 사용합니다. 설정되어 있지 않으면 doParallel은 코어의 수를 감지하고 그 중 절반을 많은 수의 작업자로 사용합니다.

주의 : registerDoParallel() 함수가 호출되지 않으면 foreach가 병렬로 실행되지 않습니다. 단순히 doParallel 패키지를 로드하는 것만으로는 충분하지 않습니다.

윈도우의 경우 makeCluster() 함수를 호출한 후 작업 관리자를 보면 오른쪽 그림처럼 Rscript.exe 프로세스가 시작된 것을 볼 수 있습니다.

그림 3. registerDoParallel(cores=4) 실행 후

병렬 실행하기 전에 %do%를 이용해 랜덤포레스트 실행시간을 측정해 봅니다.

```
> system.time(rf <- foreach(ntree=rep(250, 4), .combine=combine) %do%
+   randomForest(x, y, ntree=ntree))
 사용자  시스템 elapsed
   9.80    0.00    9.89
> rf

Call:
 randomForest(x = x, y = y, ntree = ntree)
               Type of random forest: classification
                     Number of trees: 1000
No. of variables tried at each split: 70
```

다음 코드는 registerDoParallel() 함수로 병렬 실행 설정을 하지 않을 경우에 %dopar%를 이용해 병렬 실행하려 했을 경우의 에러입니다.

```
> system.time(rf <- foreach(ntree=rep(250, 4), .combine=combine,
+              .packages="randomForest") %dopar%
+   randomForest(x, y, ntree=ntree))
Error in serialize(data, node$con) : error writing to connection
Timing stopped at: 0 0 0
```

다음 코드는 makeCluster()함수와 registerDoParallel() 함수를 사용한 예입니다.

```
> cl <- makeCluster(2)
> registerDoParallel(cl)
```

```
> system.time(rf <- foreach(ntree=rep(250, 4), .combine=combine,
+                            .packages="randomForest") %dopar%
+                 randomForest(x, y, ntree=ntree))
 사용자  시스템 elapsed
   0.03    0.02    2.84
> rf

Call:
 randomForest(x = x, y = y, ntree = ntree)
               Type of random forest: classification
                     Number of trees: 1000
No. of variables tried at each split: 70
```

클러스터를 중시하려면 stopCluster()를 사용합니다.

```
> stopCluster(cl)
```

- %do%에 비해 %dopar%를 이용했을 때 더 빨리 모델이 만들어 집니다.

8장. 데이터 시각화

1. 시각화 개요
2. 고 수준 그래프 함수
3. 저 수준 그래프 함수
4. ggplot2 패키지
5. 기타 시각화 함수
6. 시각화 실습

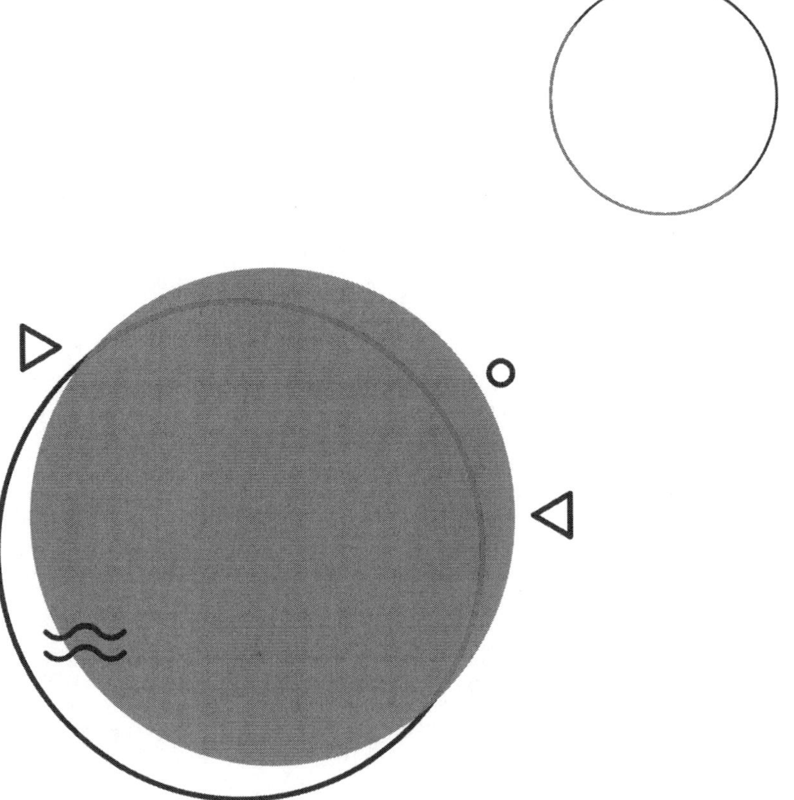

1. 시각화 개요

시각화는 R 언어를 이용하여 원본 데이터 또는 분석된 결과 데이터를 그래프로 표현하는 것을 의미합니다. R에서 생성된 시각화 이미지는 jpg, png, pdf 형태로 저장할 수 있습니다.

1.1. 시각화를 통한 정보 전달

시각화는 일반적으로 평면에 점, 선, 공간 등을 사용하여 원하는 정보를 표시합니다. 보다 많은 정보를 표시하기 위해서 여러 가지 조합을 사용하기도 합니다.

다음 표는 시각화를 위한 점, 선, 평면의 분류와 정보 전달 수단에 따른 예시를 나타낸 표입니다.

표 1. 점, 선, 평면에 따른 정보 전달 수단

분류	정보 전달 수단	예시
점	크기	
	색/ 명도	
	모양	
선	굵기	
	색/ 명도	
평면	위치	
	면적	
	색 / 명도	
	질감	

그래프는 여러 개 사용하여 보다 많은 정보를 제공할 수 있습니다. 여러 개의 그래프를 하나의 차트에 배치하는 그래프 중첩, 그래프를 가로 또는 세로로 배열 배열하는 공간 배열, 시간의 흐름에 따라 동적으로 변화하는 것을 표현하는 시간 배열, 그리고 사용자가 선택한

조건에 따라 동적으로 변화하는 그래프 표시하는 사용자 선택 등의 방법이 있습니다.

어쨌든 그래프는 사용자에게 정보를 효과적으로 전달하기 위한 수단으로 사용됩니다. 아무리 정확하고 좋은 정보라도 사용자가 알아보기 힘들면 좋은 분석이라 할 수 없습니다. 공들여 분석한 정보가 무의미하게 사용되어서는 안 될 것입니다. 그러므로 시각화는 분석에 있어서 아주 중요한 요소 중 하나입니다.

다음 표는 시각화의 종류들을 나열한 것입니다. 어떤 방법으로 시각화하느냐에 따라 정보를 표현하는 방법이 달라집니다. 아래 표에 나열한 방법들이 모두 시각화 함수로 존재하는 것은 아닙니다. 아래의 표는 정보를 시각화 하는 방법들에 대해 나열한 것입니다.

표 2. 시각화 종류

종류	유사어	상세
산점도	점 그래프 Scatter plot	• 색 추가, 모양 추가, 크기 추가 • 산점도 행렬 (Scatter plot matrix)
선 그래프	Line graph	• line : 방향, path : 무방향 • Time series plot (시계열 그래프)
히스토그램	Histogram	• 연속형 변수의 빈도수 분포, 단일 변수 차트
밀도 그래프	Density	• 값이 아니라 밀도값으로 그린 선 그래프
막대 그래프	Bar chart	• 이산형 변수의 빈도수 분포표, 단일 변수 차트 • 도수분포표(Frequency table) 또는 누적 막대 그래프
영역 차트	Area chart	• 중첩된 선 그래프에서 영역을 색으로 채운 그래프
타일 차트	Tile chart	• 사각 타일을 색으로 채워 보여 주는 그래프
파이 차트	Pie chart	• 이산형 변수의 빈도수 분포, 단일 변수 차트
트리맵	Tree map	• 사각형의 크기로 정보 표현
히트맵	Heat map	• 사각형의 크기가 동일, 색상으로 정보 표현
박스 그래프	Boxplot	• 사분위수와 이상값 표시
평행 좌표 그래프	Parallel coordinate plot	• 변수의 수만큼 평행 좌표선을 만들고 각 변수의 관측값을 점으로 표시한 후 이를 선으로 연결
체르노프 안형 그래프	Chernoff face diagram	• 변수 각각을 사람 얼굴의 윤곽 (넓이, 높이), 눈, 코,입, 귀, 눈동자, 눈썹 등에 대응시켜 표시
스타 차트	Radar chart Star chart	• 각 데이터가 변수별로 전체 데이터 중에서 최솟값과 최댓값 중 어느 정도의 위치에 있는지 확인
지터	Jitter	• 동일한 점이 겹쳐 표시되는 것을 피하려고 좌표의 값을 변경함
투시도	등고선 그래프	• 3차원 데이터를 마치 투시한 것처럼 표현한 그래프
지도	GEO Chart	• 지도 등을 사용하여 정보 표현
모자이크 플롯	Mosaic plot	• 이산형 데이터의 다차원 도수 분포표

1.2. 그래프 함수

R의 그래프 함수들은 고 수준 그래프 함수(High level plotting commands)와 저수준 그래프 함수(Low level plotting commands)로 나뉩니다.

1) High level plotting commands

고 수준 그래프 함수들은 그래프 영역에 그래프를 그릴 때 항상 새로운 그래프를 시작합니다. 그러므로 그래프 함수를 호출할 때마다 그림이 그려지는 영역을 초기화 하고 다시 그립니다.

표 3. 고수준 그래프 함수

고 수준 그래프 함수	설명
plot()	일반적인 기본 그래프 함수입니다.
barplot()	막대그래프 함수입니다.
boxplot()	박스플롯 그래프 함수입니다.
hist()	히스토그램 그래프 함수입니다.
curve()	수식을 그래프로 그립니다.
pie()	파이 그래프를 그립니다.
mosaicplot()	모자이크 플롯을 그립니다.
qqnorm()	분위수-분위수(Q-Q) 그래프 함수입니다.

2) Low level plotting commands

저 수준 그래프 함수는 새로운 그래프를 생성할 수는 없습니다. 그러므로 이미 그려진 그래프에 점, 선, 텍스트 그리고 장식 등을 더하기 위해 사용합니다.

표 4. 저 수준 그래프 함수

저 수준 그래프 함수	설명
points()	점을 추가하는 함수입니다.
lines()	선을 추가하는 함수입니다.
abline()	직선을 추가하는 함수입니다.
polygon()	닫힌 다각형을 추가하는 함수입니다.
text()	문자를 추가하는 함수입니다.
segments()	선분을 추가하는 함수입니다. segment(x1, y1, x2, y2)는 두 점 (x1, y1)과 (x2, y2)를 잇는 직선을 추가합니다.
arrows()	점 쌍을 연결하는 화살표를 그립니다.

1.3. 그래프 파라미터

R에서 그래프를 그리는 함수들은 다양한 파라미터(인수)가 존재하며, par()함수를 통해 변경할 수 있습니다.

다음 표는 그래프 파라미터와 설명을 정리한 표입니다.

표 5. 그래프 파라미터

파라미터	설명
ask	TRUE이면 그래프를 여러 개 그릴 때 다음 그래프를 그리기 위해 사용자의 입력을 받습니다.
bg	배경색을 설정합니다. 기본 배경색은 "white"입니다.
bty	그래프의 박스 타입(type of box)을 설정합니다. ("o", "L", "7", "c", "u", "]"), 문자 모양대로 테두리가 만들어짐, n은 박스 테두리가 없습니다. o가 기본값이며, 박스의 상/하/좌/우 모두 테두리를 표시합니다.
cex	텍스트 또는 기호(symbol)의 크기를 설정합니다.
col	기호의 색을 설정합니다. 숫자도 가능합니다. (1:black, 2:red, 3:green, 4:blue, 5:cyan, 6:purple, 7:yellow, 8:grey)
font	텍스트의 폰트를 설정합니다. (1:normal, 2:italics, 3:bold, 4:bold & italics, 5:expected)
las	axis label 스타일을 설정합니다. (0: axes와 평행, 1: 수평, 2: 축에 수직, 3: 수직)
lty	선의 유형을 설정합니다. (0=blank, 1=solid, 2=dashed, 3=dotted, 4=dotdash, 5=longdash, 6=twodash) 또는 ("blank", "solid", "dashed", "dotted", "dotdash", "longdash", "twodash", "blank")
mar	그래프의 여백을 조정합니다. par(mar=c(bottom margin, left, top, right)) 형식으로 설정합니다.
mfcol	nr개의 행, nc개의 열로 된 그래프 행렬을 만듭니다. c(nr,nc)를 matrix형태로 분할해서 그래프를 열 순서로 그립니다.
mfrow	nr개의 행, nc개의 열로 된 그래프 행렬을 만듭니다. c(nr,nc)를 matrix형태로 분할해서 그래프를 행 순서로 그립니다.
pch	점의 표시 유형을 설정합니다. pch="임의문자"를 이용하면 임의문자가 점 대신 출력되며, pch=*n*을 이용하면 숫자 n에 해당하는 기호를 출력합니다.
ps	글꼴을 설정합니다. (1: normal, 2: italics, 3: bold, 4: bold italics, 5: expected)
new	기본값은 FALSE입니다. TRUE이면 고수준 그래프 함수를 이용하더라도 이전 그래프를 삭제하지 않고 그립니다.

1) par()

par() 함수는 그래프를 조정하거나 그래프 창의 특성을 지정하기 위해서 사용하며, 선의 굵기와 종류, 문자의 크기와 글꼴, 색상 등 다양한 변경이 가능합니다. 전역변수를 수정하는 것이므로 모든 그래픽에 영향을 미칩니다. par() 함수의 리턴 값은 파라미터 설정 전 객체가 반환됩니다. 이를 이용하면 그래프를 그리기 전 파라미터 상태를 저장해 둘 수 있습니다.

```
> oldPar <- par(bty="L")   # 파라미터 지정 전의 객체를 저장합니다.
> plot(cars)               # 변경된 파라미터대로 그래프가 그려집니다.
> par(oldPar)              # 원래 파라미터로 설정을 되돌린다.
> plot(cars)               # 원래 파라미터로 그래프가 그려집니다.
```

파라미터 변경은 par() 함수를 이용하거나, 그래프 함수의 인자로 설정할 수 있습니다.

```
> plot(cars, bty="7")      # 그래프를 그릴 경우만 파라미터가 설정됩니다.
> plot(cars)
```

다음 코드는 파라미터를 사용한 예입니다.

```
> x <- 1:100
> y1 <- rnorm(100)    # 평균 0, 표준편차 1인 정규분포를 따르는 데이터 100개
> y2 <- rnorm(100) + 100

> oldPar <- par(mar=c(5,5,5,5))
> # (1) draw red line
> plot(x, y1, pch=0, type="b", col=2,
+      yaxt="n", ylim=c(-8,2), ylab="", bty="n")
> axis(side=2, at=c(-2,0,2))
> mtext("red line", side=2, line=2.5, at=0)

> par(new=TRUE)
> # (2) draw blue line
> plot(x, y2, pch=1, type="b", col="blue",
+      yaxt="n", ylim=c(98, 108), ylab="", bty="n")
> axis(side=4, at=c(98, 100, 102), label=c("98%", "100%", "102%"))
> mtext("blue line", side=4, line=2.5, at=100)

> par(oldPar)
```

- rnorm() 함수는 평균이 0이고 표준편차가 1인 정규분포를 따르는 임의 데이터를 생성합니다. 예에서는 임의 100개 데이터를 생성하여 y1 변수에 저장하고, y1 각각의 데이

터에 100을 더한 데이터를 y2에 저장합니다.

- par(mar=c(5,5,5,5))는 그래프의 바깥 여백(bottom, left, top, right)을 모두 5씩 설정합니다.
- (1)은 y1 데이터를 이용하여 점의 모양이 네모인 그래프를 그리고, 축을 설정하고 그래프의 왼쪽에 red line 텍스트를 출력합니다. 이 그래프는 red line에 해당하는 그래프입니다.
- par(new=TRUE)는 기존 그래프 영역을 지우지 않고 그래프를 덧그릴 수 있게 해줍니다.
- (2)는 y2 데이터를 이용하여 점의 모양이 동그란 그래프를 그립니다. 마찬가지로 축을 설정하고 텍스트를 표시합니다. 이 그래프는 아래쪽 blue line에 해당하는 그래프입니다.

다음 그림은 그래프 파라미터를 테스트하는 코드의 결과입니다.

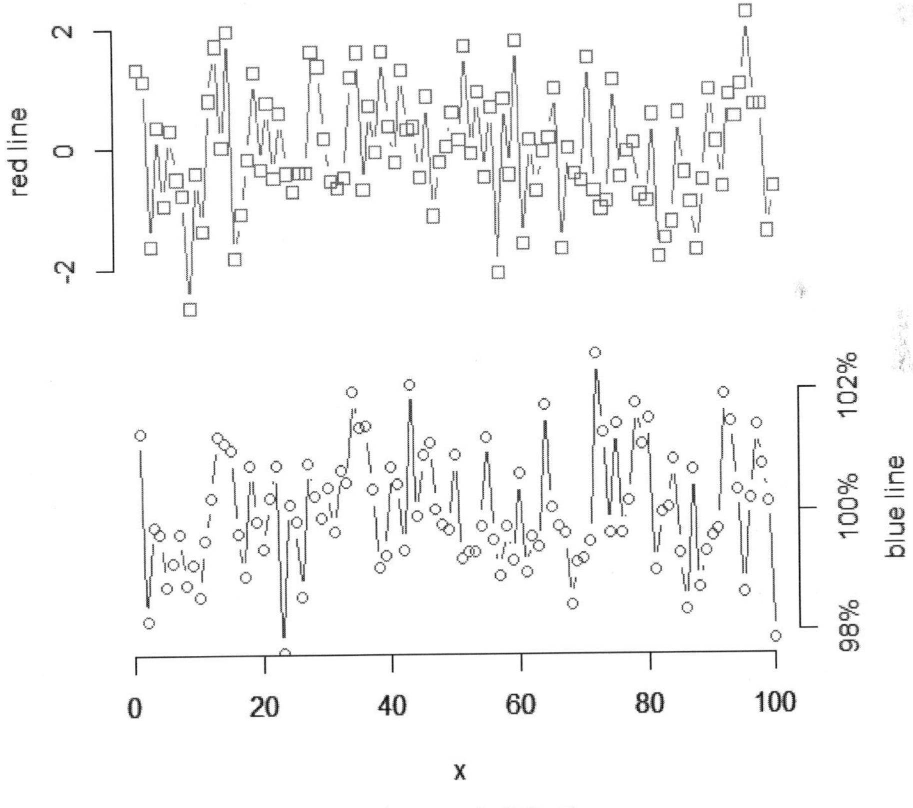

그림 1. par() 사용 예

2) pch 심볼

pch 파라미터는 그래프에 표시하는 점의 모양을 설정합니다. pch 파라미터는 문자로 표기할 수 있지만, 숫자로 표기할 수도 있습니다. 숫자는 1부터 25까지 사용할 수 있고 pch 21번부터 25번까지는 col 속성과 bg 속성을 설정할 수 있습니다.

다음 그림은 pch 번호와 해당 기호를 매핑해 보여줍니다. 맨 윗줄에서 가장 왼쪽의 0은 숫자이며, 가장 오른쪽의 "0"은 숫자 0을 문자 타입으로 값을 대입한 것입니다.

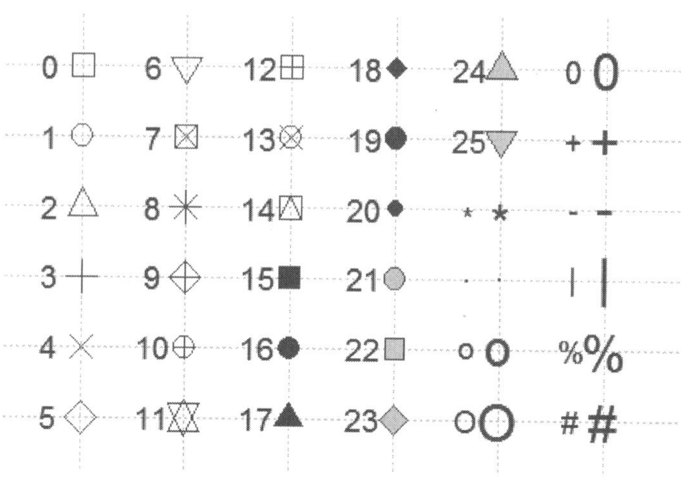

그림 2. pch 번호와 기호

다음 코드는 그림 2의 pch 심볼을 표시합니다. 숫자에 따라 어떤 모양으로 점이 표시되는지 알기 위한 함수 정의와 실행입니다. 다음 코드를 직접 작성하고 실행할 필요는 없습니다. 코드 다음에 보여주는 실행 결과에서 숫자와 기호를 찾아서 사용할 줄만 알면 됩니다.

```
> pchShow <- function(extras=c("*",".","o","O","0","+","-","|","%","#"),
+                      cex=2,
+                      col="red3", bg="gold",
+                      coltext="brown", cextext=1.2,
+                      main="plot symbols : points (... pch=*,cex=2)" )
+ {
+   nex<- length(extras)
+   np <- 26 + nex
+   ipch <- 0:(np-1)
+   k <- floor(sqrt(np))
+   dd <- c(-1,1)/2
```

```
+   rx <- dd +range(ix <- ipch %/%k)
+   ry <- dd +range(iy<- 3 + (k-1)- ipch %%k)
+   pch <- as.list(ipch) #list with integers & strings
+   if(nex > 0) pch[26+1:nex] <- as.list(extras)
+   plot(rx, ry,type="n", axes=FALSE, xlab="", ylab="", main=main)
+   abline(v=ix, h=iy, col="lightgray",lty="dotted")
+   for(i in 1:np) {
+     pc <- pch[[i]]
+     points(ix[i], iy[i], pch =pc, col=col, bg=bg, cex=cex)
+     if(cextext >0)
+       text(ix[i] -0.3, iy[i],pc, col=coltext, cex=cextext)
+   }
+ }

> pchShow()
```

2. 고 수준 그래프 함수

고 수준 그래프 함수(High level plotting commands)들은 그래프 영역에 그래프를 그릴 때 항상 새로운 그래프를 시작합니다. 그러므로 고 수준 그래프 함수를 호출할 때마다 그림이 그려지는 영역을 초기화하고 다시 그립니다.

2.1. plot

plot() 함수는 R 객체를 이용하여 그래프를 그리는 일반적인 함수입니다. type 인수에 따라 여러 유형의 그래프를 그려줍니다.

```
plot(x, y, ...)
```

구문에서...

- x : 그래프의 x축 점 좌표들입니다. plot() 함수는 함수 또는 임의의 R 객체를 가질 수도 있습니다.
- y : 그래프의 y축 점 좌표들입니다.
- ... : 함수에 전달할 인수들입니다. 그래프 파라미터들이 포함될 수 있습니다. 앞의 그래프 파라미터에서 설명하지 않은 인수들에는 type, main, sub, xlab, ylab, asp 등이 있습니다.
  - · type : 어떤 유형의 그래프가 그려질지를 지정합니다. p(points; 산점도 그래프), l(lines; 선 그래프), b(both; 점과 선을 잇는 그래프), c(b에서 p를 뺀 그래프), o(overplotted; 점과 선이 중첩된 그래프), h(histogram; 히스토그램 그래프), s(stair steps; 계단 그래프), S(stair steps; 거꾸로 그린 계단 그래프), n(그래프 표시 없음) 등이 있습니다. 기본값은 산점도 그래프를 그리는 p입니다.
  - · main : 그래프의 제목을 지정합니다.
  - · sub : 그래프의 부제목을 지정합니다.
  - · xlab : x 축의 제목을 지정합니다.
  - · ylab : y 축의 제목을 지정합니다.
  - · asp : y/x 종횡비를 지정합니다.

실습을 위해 cars 데이터셋을 사용합니다. cars 데이터셋은 자동차의 속도에 따른 멈추는 거리 데이터입니다. 이 데이터는 1920년대에 기록된 데이터입니다. cars 데이터는 2개 변수 speed와 dist에 대한 50개 관측 값을 가지고 있습니다.

다음 코드는 cars 데이터셋의 산점도 그래프를 그립니다. 그래프의 제목과 x 축, y 축의 제목, 그리고 축 눈금의 레이블은 수평으로 나타냅니다.

```
> plot(cars, main="Speed and Stopping Distances of Cars",
+      xlab="Speed (mph)", ylab="Stopping distance (ft)", las=1)
```

다음 그림은 cars 데이터를 이용하여 산점도 그래프를 그린 결과입니다.

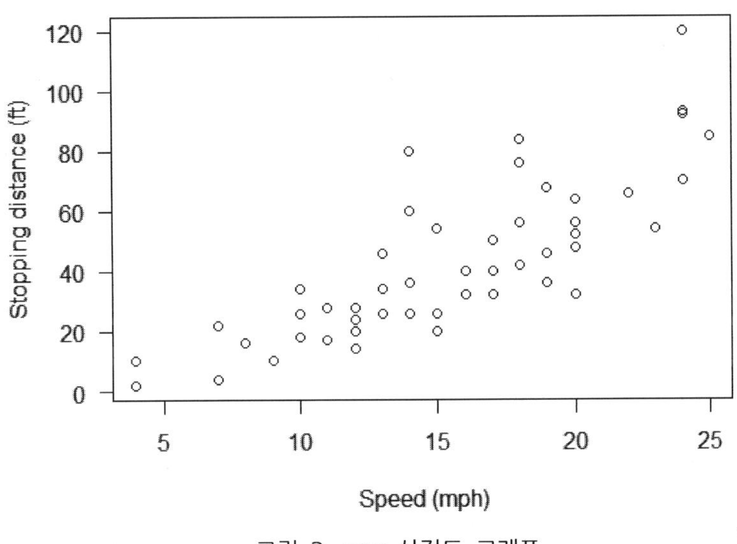

그림 3. cars 산점도 그래프

다음 코드는 그래프 영역을 3행 2열로 분리하고, type 속성이 다른 그래프를 그리는 코드입니다.

```
> oldPar <- par(mfrow=c(2,3))
> plot(cars, type="p", main="plot(type='p')")
> plot(cars, type="l", main="line(type='l')")
> plot(cars, type="b", main="plot + line(type='b')")
> plot(cars, type="c", main="both - point(type='c')")
> plot(cars, type="o", main="overplotted(type='o')")
> plot(cars, type="s", main="steps(type='s')")
> par(oldPar)
```

- par() 함수를 이용해 mfrow 파라미터를 지정하고 그래프를 그린 후 다시 원래대로 파라미터를 설정하기 위해 이전 파라미터 상태를 저장하고 있음을 주의하세요.
- type 속성을 테스트하기 위한 코드이므로 main 인수는 반드시 포함할 필요는 없습니다. 그려진 그래프가 type 속성에 따라 어떻게 출력되는지 확인하세요.

그림 4는 plot() 함수가 type 속성에 따라 다른 형식의 그래프를 출력하는 것을 확인시켜 줍니다.

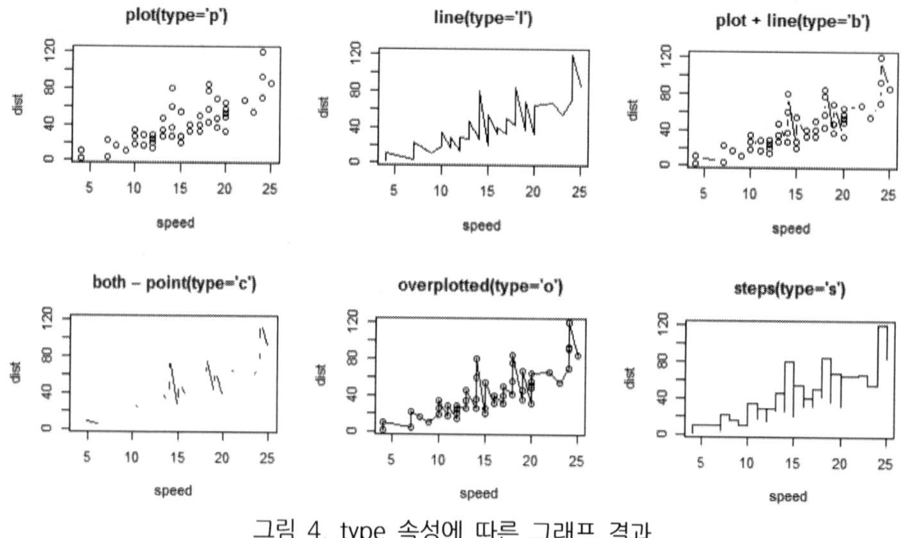

그림 4. type 속성에 따른 그래프 결과

plot() 함수의 첫 번째 인수에 수식 또는 함수를 넣어 그래프를 그릴 수 있습니다. 다음 코드는 sin 곡선을 그립니다.

```
> plot(sin, from=-pi, to=3*pi)
```

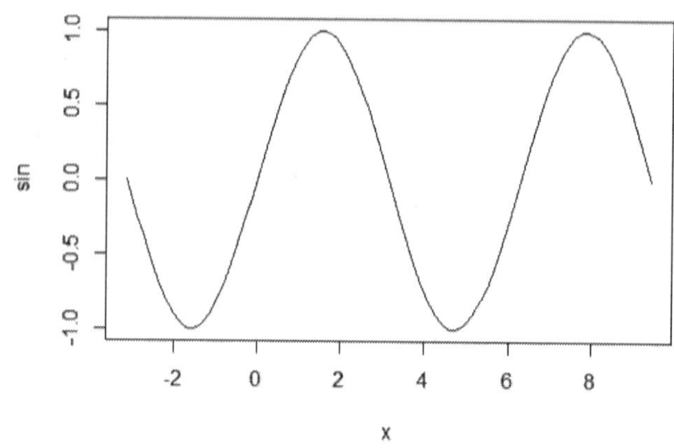

그림 5. plot() 함수로 그리는 sin 곡선

$y = 2x^2 + 3x + 1$ 수식으로 그래프를 그리려면 다음처럼 plot() 함수의 첫 번째 인수로 함수를 넣으면 됩니다.

```
> plot(function(x) {2*x^2 + 3*x + 1}, from=0, to=10)
```

2.2. barplot

막대그래프는 데이터를 표현하기 위한 가장 흔한 차트 중 하나입니다. barplot() 함수를 이용하면 다양한 데이터 유형을 막대그래프로 표현해 줍니다.

```
barplot(height, ...)
```

구문에서...

- height : 그래프를 구성하는 막대를 설명하는 값의 벡터 또는 행렬입니다. 높이가 벡터인 경우 그래프는 벡터의 값으로 지정된 높이의 사각형 막대들로 구성됩니다. 높이가 행렬이고 beside=FALSE이면 그래프의 각 막대는 높이 열에 해당하며 열의 값은 막대를 구성하는 누적 된 막대의 높이를 나타냅니다. 높이가 행렬이고 besides=TRUE 인 경우 각 열의 값은 누적되지 않고 나란히 배치됩니다.

다음 구문은 버지니아주의 사망률[55]을 막대그래프로 표현한 것입니다.

```
> op <- par(mfrow=c(1,2))
> barplot(VADeaths, main=list("버지니아주 사망율", font=2),
+         border="dark blue", legend=rownames(VADeaths), beside=TRUE,
+         angle=15+10*1:5, density=50, col=heat.colors(5))
> barplot(VADeaths, main=list("버지니아주 사망율", font=2),
+         border="dark blue", legend=rownames(VADeaths),
+         angle=15+10*1:5, density=50, col=topo.colors(5))
> par(op)
```

다음 그림은 barplot 예제 코드를 실행시킨 결과입니다.

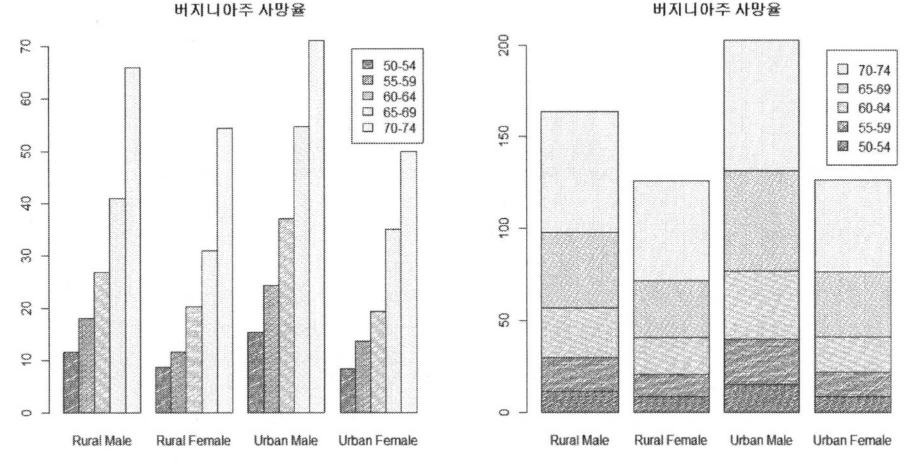

그림 6. 버지니아주 사망률 막대그래프

55) VADeaths 데이터셋은 1940년 미국 버지니아주의 1000명당 사망률데이터 셋입니다.

2.3. boxplot

boxplot() 함수는 주어진 값을 이용해 box-and-whisker(사분위수) 그래프를 생성합니다.

```
boxplot(formula, data=NULL, ..., subset, na.action=NULL)
```

구문에서...

- formula : y~grp 형식의 포뮬라입니다. y는 그룹화 변수 grp(일반적으로 팩터)에 따라 그룹으로 나눌 데이터의 숫자 벡터입니다.
- data : 포뮬라에서 변수를 취해야 하는 데이터 프레임 또는 리스트입니다.
- subset : 그래프를 그리기 위해 사용되는 관측치의 서브 세트를 지정하는 벡터입니다. 이 인수는 선택사항입니다.
- na.action : 데이터에 NA가 포함될 때 실행 할 함수입니다. 기본값(NULL)은 응답 또는 그룹에서 누락 된 값을 무시하는 것입니다.

실습을 위해 InsectSprays 데이터셋을 이용합니다. InsectSprays 데이터셋은 농업 실험에서 서로 다른 살충제를 사용했을 경우에 죽는 곤충의 수를 측정한 데이터입니다. 이 데이터는 numeric 타입 곤충의 수를 저장한 count 변수와 스프레이의 타입을 저장한 spray 팩터 변수를 가지고 있습니다.

다음 코드는 InsectSparys 데이터셋을 이용해 사분위수 그래프를 그립니다.

```
> boxplot(count ~ spray, data=InsectSprays, col="lightgray")
```

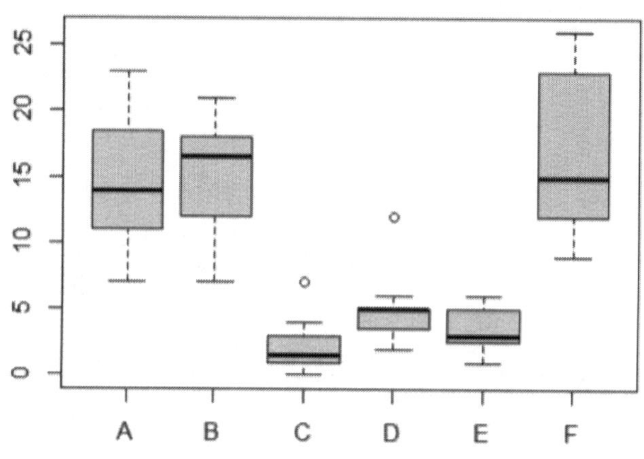

그림 7. InsectSprays 데이터의 사분위수 그래프

2.4. hist

hist() 함수는 주어진 데이터 값의 히스토그램을 계산합니다. plot=TRUE 인 경우 결과가 반환되기 전에 plot.histogram에 의해 "histogram"클래스의 결과 객체가 그려집니다.

```
hist(x, breaks="Sturges", ...)
```

구문에서...

- x : 히스토그램이 필요한 벡터입니다.
- breaks : 히스토그램 셀을 나누기 위한 벡터 또는 셀의 수를 지정합니다. 또는 셀의 수를 계산하기 위한 함수 또는 알고리즘을 지정할 수 있습니다. Sturges는 데이터의 범위를 이용해 크기를 나누는 것을 의미합니다.

실습을 위해 islands 데이터셋을 사용합니다. islands 데이터셋은 1만 평방마일을 초과하는 주요 대륙의 넓이 정보입니다.

다음 코드는 islands 데이터셋을 이용하여 히스토그램을 그립니다.

```
> op <- par(mfrow=c(2, 2))
> hist(islands)
> utils::str(hist(islands, col="gray", labels=TRUE))
List of 6
 $ breaks  : num [1:10] 0 2000 4000 6000 8000 10000 12000 14000 16000 18000
 $ counts  : int [1:9] 41 2 1 1 1 1 0 0 1
 $ density : num [1:9] 4.27e-04 2.08e-05 1.04e-05 1.04e-05 1.04e-05 ...
 $ mids    : num [1:9] 1000 3000 5000 7000 9000 11000 13000 15000 17000
 $ xname   : chr "islands"
 $ equidist: logi TRUE
 - attr(*, "class")= chr "histogram"
> hist(sqrt(islands), breaks=12, col="lightblue", border="pink")
> r <- hist(sqrt(islands), breaks=c(4*0:5, 10*3:5, 70, 100, 140),
+          col="blue1")
> text(r$mids, r$density, r$counts, adj=c(.5, -.5), col="blue3")
> sapply(r[2:3], sum)
   counts   density
48.000000  0.215625
> sum(r$density * diff(r$breaks))
[1] 1
> lines(r, lty=3, border="purple") # lines.histogram()
> par(op)
```

- 화면을 2x2 분할하여 4개의 그래프를 한 하나의 그래프 영역에 출력합니다.
- hist() 함수의 결과는 데이터의 히스토그램 값입니다. str() 함수를 이용하여 hist() 함수

결과값의 구조를 확인할 수 있습니다.

- 결과를 따로 변수로 받아 텍스트로 출력하거나 그래프를 그리는데 사용할 수 있습니다.

다음 그림은 앞의 코드를 실행시킨 결과입니다.

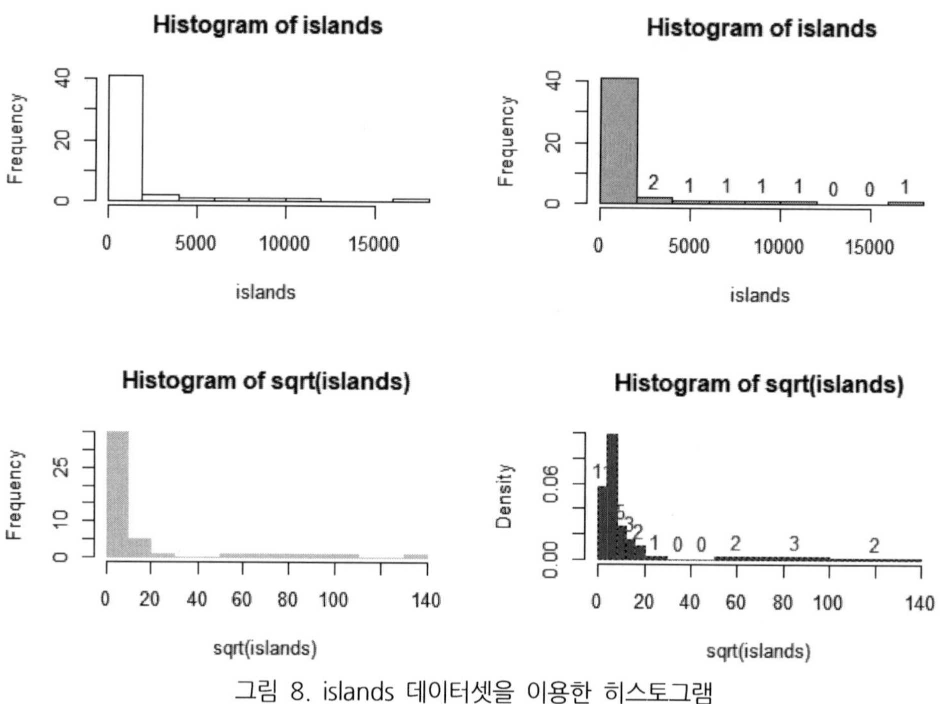

그림 8. islands 데이터셋을 이용한 히스토그램

히스토그램의 다른 예를 들기 위해 임의의 데이터를 생성하는 rchisq() 함수를 이용해 보겠습니다. rchisq() 함수는 자유도[56] df를 갖는 카이제곱 분포[57]를 따르는 임의 데이터 n개를 생성합니다. 카이제곱 분포를 얻기 위해 밀도(dchisq), 누적분포(pchisq), 분위수(qchisq) 등을 이용하는 함수도 있습니다.

다음 코드는 자유도 4인 카이제곱 분포를 따르는 임의 데이터 100개를 생성하고 이 데이터를 이용하여 히스토그램 그래프를 그립니다.

```
> set.seed(14)
> x <- rchisq(100, df=4)
> str(x)
```

56) 통계학에서 자유도(degrees of freedom)는 통계적 추정을 할 때 표본자료 중 모집단에 대한 정보를 주는 독립적인 자료의 수를 말합니다.

57) 카이제곱 분포, x2 분포(x제곱分布, chi-squared distribution)는 k개의 서로 독립적인 표준정규 확률변수를 각각 제곱한 다음 합해서 얻어지는 분포입니다. 이 때 k를 자유도라고 하며, 카이제곱 분포의 매개변수가 됩니다. 카이제곱 분포는 신뢰구간이나 가설검정 등의 모델에서 자주 등장합니다.

```
 num [1:100] 1.6 3.33 3.07 2.57 6.78 ...
> hist(x, freq=FALSE, ylim=c(0, 0.2))
```

- set.seed() 함수는 씨드(seeds)값을 설정하는 함수입니다. 이 함수는 R에서 난수(Random number)를 생성하기 위한 RNG(random number generator) 상태를 갖는 .Random.seed 변수의 값을 설정합니다. 좀 더 쉽게 이야기 하면 seed값이 같으면 난수를 생성할 때 항상 같은 시퀀스로 난수가 발생됩니다.
- rchisq(100, df=4)는 자유도가 4인 난수 100개를 출력합니다.

다음 그림의 앞의 코드를 실행시킨 결과입니다.

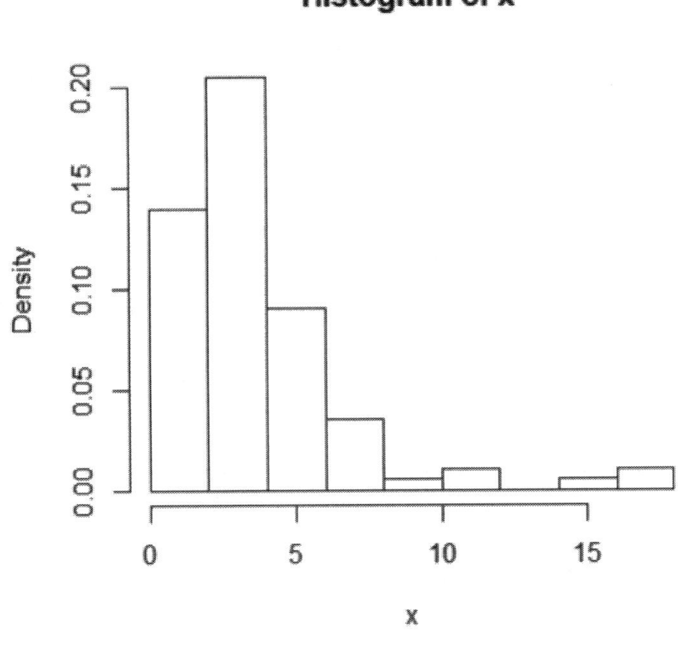

그림 9. x의 히스토그램

* 이 예제에서 사용한 카이제곱 분포를 지금 이해 할 필요는 없습니다. 지금 이해하고 넘어가야 할 것은 당연히 히스토그램을 그리는 방법과 어떻게 데이터가 그려지는지 입니다.

2.5. curve

curve()는 [from, to] 사이에 걸쳐 함수에 해당하는 곡선을 그립니다. curve() 함수를 반드시 알아야 할 필요는 없습니다. plot() 함수는 데이터셋 뿐만 아니라 함수를 이용해 그래프를 그릴 수 있습니다.

```
curve(expr, from=NULL, to=NULL, n=101, add=FALSE,
      type="l", xname="x", xlab=xname, ylab=NULL,
      xlim=NULL, ...)
```

구문에서...

- expr : 함수의 이름 또는 x와 같은 길이의 객체로 평가되는 x의 함수로 작성된 호출(call) 또는 표현식(expression)입니다.
- from, to : 함수가 그려지는 범위입니다.
- n : 정수이며, 평가할 x 값의 수입니다.
- add : TRUE이면 기존의 그래프에 추가합니다. NA이면 새로운 그래프는 이전 그래프에서 x 축의 한계를 취합니다. 그래픽 장치가 열려 있지 않으면 FALSE로 취해집니다.
- xname : x 축에 사용될 이름을 제공하는 문자열입니다.
- xlab, ylab : x 축과 y 축의 레이블을 지정합니다.
- xlim : NULL 또는 길이가 2 인 숫자 벡터입니다. NULL이 아닌 경우 c(from, to)에 대한 기본값을 제공하고 add=TRUE가 아니면 그래프의 x-limits를 선택합니다.

다음 코드는 sin 함수를 이용해 그래프를 그립니다.

```
> curve(sin, -2*pi, 2*pi, xname="t")
```

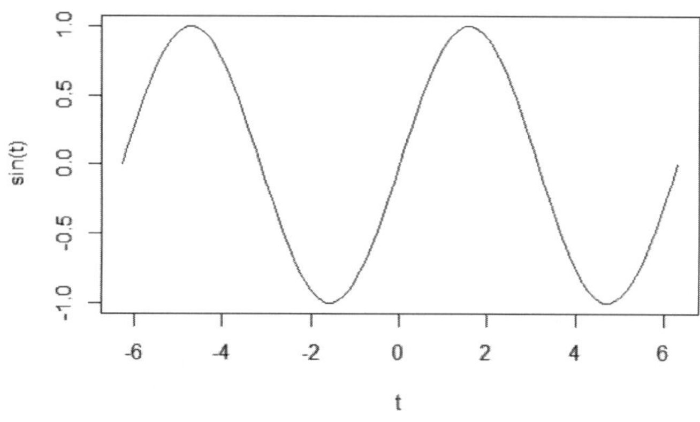

그림 10. sin 그래프

다음 코드는 [from, to] 인수가 없습니다. add=NA 인수에 의해 이전 그래프의 x 축 값이 그대로 사용됐습니다.

```
> curve(tan, xname="t", add=NA,
+       main="curve(tan)  --> x-scale이 이전 차트와 같음")
```

위의 sin 그래프에서 사용한 축의 범위가 tan 그래프를 그릴 때에서 그대로 사용된 것을 확인하세요.

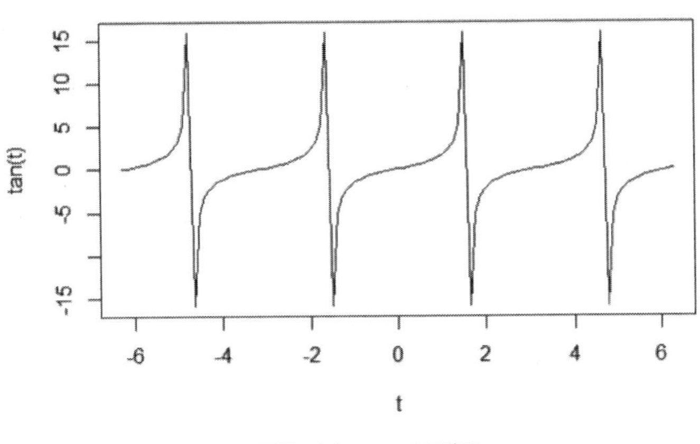

그림 11. tan 그래프

다음 코드는 curve() 함수를 이용하여 그래프를 그리는 몇 가지 예입니다.

```
> op <- par(mfrow=c(2, 2), mar=c(3,4,1,1))
> curve(x^3 - 3*x, -2, 2)
> curve(x^2 - 2, add=TRUE, col="violet")
>
> curve(cos, xlim=c(-pi, 3*pi), n=1001, col="blue")
>
> chippy <- function(x) sin(cos(x)*exp(-x/2))
> curve(chippy, -8, 7, n=2001)
>
> curve(chippy, -8, -5)
> par(op)
```

- 예에서는 화면을 2x2로 분할하고 그래프를 그렸습니다. 그러나 위의 코드처럼 반드시 하나의 그래픽 화면에 실행시킬 필요는 없습니다. 한 라인씩 실행시켜 그래프가 어떻게 그려지는지 확인할 수 있습니다.

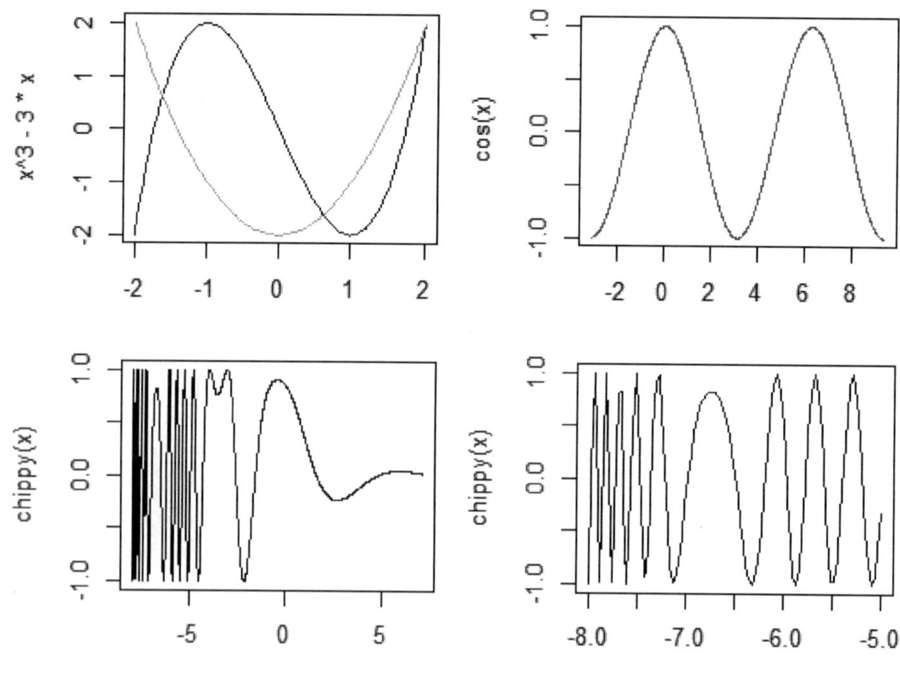

그림 12. curve()의 다양한 예

위 그래프는 plot() 함수를 이용해서 그릴 수 있습니다. 다음 코드는 위의 결과와 같은 그래프를 그립니다.

```
> op <- par(mfrow=c(2, 2), mar=c(3,4,1,1))
> f1 <- function(x) x^3 - 3*x
> plot(f1, -2, 2)
> f2 <- function(x) x^2 - 2
> plot(f2, -2, 2, add=TRUE, col="violet")
>
> plot(cos, -pi,  3*pi, col="blue")
>
> chippy <- function(x) sin(cos(x)*exp(-x/2))
> plot(chippy, -8, 7)
>
> plot(chippy, -8, -5)
> par(op)
```

2.6. pie

pie() 함수는 파이 차트를 그려줍니다.

```
pie(x, labels=names(x), edges=200, radius=0.8,
    clockwise=FALSE, init.angle=if(clockwise) 90 else 0,
    density=NULL, angle=45, col=NULL, border=NULL,
    lty=NULL, main=NULL, ...)
```

구문에서...

- x : 음수가 아닌 양의 벡터입니다. x의 값은 파이 조각의 영역으로 표시됩니다.
- labels : 슬라이스에 이름을 지정하는 하나 이상의 표현식 또는 문자열입니다. 다른 객체는 as.graphicsAnnot에 의해 강제로 형변환 됩니다. 비어 있거나 NA(강제 변환 이후) 레이블의 경우 레이블이나 지시선이 그려지지 않습니다.
- edges : 파이의 원형 윤곽은 이 수만큼 모서리를 가진 다각형으로 근사됩니다.
- radius : 파이는 측면이 -1에서 1 사이 인 정사각형 상자의 가운데에 그려집니다. 조각을 표시하는 문자열이 길면 작은 반경을 사용해야 할 수도 있습니다.
- clockwise : 슬라이스가 시계 방향(TRUE) 또는 반 시계 방향(FALSE, 수학적으로 양의 방향)으로 그려져야 하는 것을 논리값으로 표시합니다. 반 시계 방향이 기본값입니다.
- init.angle : 슬라이스의 시작 각도 (도)를 지정하는 숫자입니다. 기본값은 clockwise가 FALSE(반시계방향) 이면 0(3시 방향)이며, clockwise가 TRUE(시계방향) 이면 9(12시 방향)입니다.
- density : 1 인치 당 선의 음영 선의 밀도입니다. 기본값 NULL은 음영 라인이 그려지지 않은 것을 의미합니다. 양의 값이 아닌 경우 음영 선을 그릴 수도 없습니다.
- angle : 음영 선의 기울기를 각도로 표시(시계 반대 방향) 합니다.
- col : 조각을 채우거나 음영 처리 할 때 사용할 색상 벡터입니다. 누락 된 경우 par("fg")가 사용될 때 밀도가 지정되지 않은 한 6개의 파스텔 색상 세트가 사용됩니다.
- border, lty : 각 슬라이스를 그리는 다각형에 전달 된 인수입니다. 경계선과 선의 유형을 지정합니다.
- main : 그래프의 주 제목을 지정합니다.

다음 코드는 파이차트를 그리는 예입니다. 차트를 그리기 위해 임의로 데이터를 입력하고 차트를 그립니다.

```
> pie.sales <- c(0.12, 0.3, 0.26, 0.16, 0.04, 0.12)
> names(pie.sales) <- c("Blueberry", "Cherry",  "Apple", "Boston Cream",
"Other", "Vanilla Cream")
> pie(pie.sales, clockwise=TRUE) # 기본색상
```

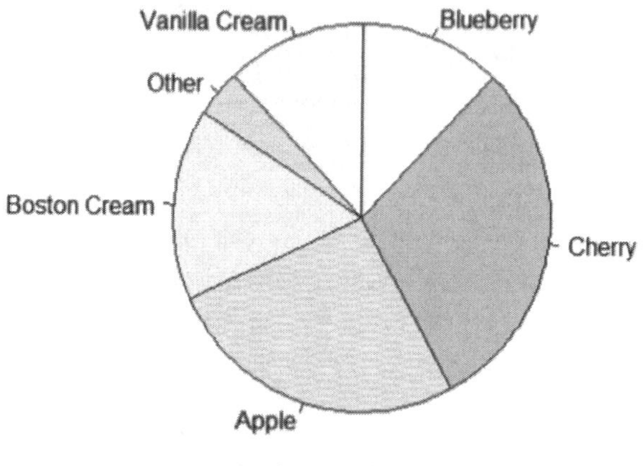

그림 13. 파이차트 예

다음 코드는 앞에서 그린 파이차트에 색상을 지정하는 예입니다.

```
> pie(pie.sales,
+     col=c("purple", "violetred1", "green3", "cornsilk", "cyan", "white"))
```

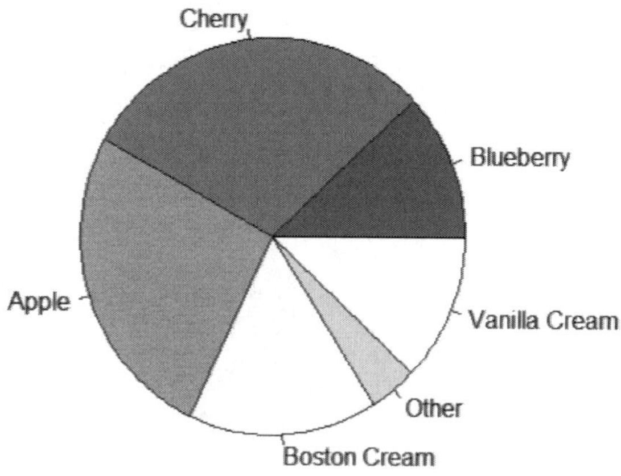

그림 14. 색상을 지정한 파이차트

2.7. mosaicplot

mosaicplot() 함수는 모자이크 플롯을 그려줍니다.

```
mosaicplot(x, main=deparse(substitute(x)), sub=NULL,
          xlab=NULL, ylab=NULL, sort=NULL, off=NULL,
          dir=NULL, color=NULL, shade=FALSE, margin=NULL,
          cex.axis=0.66, las=par("las"), border=NULL,
          type=c("pearson", "deviance", "FT"), ...)
```

구문에서...

- x : dimnames(x) 속성에 카테고리 레이블이 지정된 배열 형식의 표입니다.
- main : 모자이크 플롯의 제목을 지정합니다.
- sub : 모자이크 플롯의 부 제목을 지정합니다.
- xlab, ylab : 플롯에 사용되는 x축 및 y축 레이블입니다.
- sort : 변수의 순서를 지정합니다. 이것은 정수 1부터 length(dim(x)) 사이의 정수 벡터를 포함합니다. 기본값은 1:length(dim(x))입니다.
- off : 모자이크의 각 레벨에서 백분율 간격을 결정하는 오프셋 벡터(적절한 값은 0과 20 사이이고 기본값은 2차원 테이블의 분할 수의 20배, 그렇지 않으면 10)입니다. 최대 50으로 축소되고 만일 필요한 경우에 재사용됩니다.
- dir : 모자이크의 각 레벨에 대한 분할 방향 벡터(수직의 경우 "v", 수평의 경우 "h")입니다. 테이블의 각 차원에 대한 한 방향입니다. 기본값은 수직 분할로 시작하는 교차 방향으로 구성됩니다.
- color : 색상 쉐이딩을 위한 색상의 논리 또는 벡터입니다. shade 속성이 FALSE이거나 NULL(기본값)인 경우에만 사용됩니다. 기본적으로 회색 상자가 그려집니다. color=TRUE는 감마 보정 된 회색 팔레트를 사용합니다. color=FALSE는 음영이 없는 빈 상자를 제공합니다.
- shade : 확장 된 모자이크 플롯을 만들지 여부를 나타내는 논리 또는 잔차(residual)[58]에 대한 절단 점의 절대 값을 제공하는 최대 5개의 양수 인 숫자 벡터입니다. 기본적으로 shade=FALSE이며 간단한 모자이크가 만들어집니다. shade=TRUE를 사용하면 2와 4의 절대 값으로 자릅니다.
- margin : 로그 선형 모델에 적합해야 하는 벡터의 목록입니다. 자세한 내용은 loglin 도움말을 참고하세요.
- cex.axis : 축 주석에 사용되는 배율입니다. "cex"의 배수를 의미합니다.
- las : 축 레이블의 스타일을 숫자로 지정합니다. 일반적인 그래프 파라미터의 las와 같

58) 잔차(Residual)는 평균이 아닌 회귀식 등에 의해 추정된 값과의 차이를 의미합니다. 오차(Error)는 실제 값과 관찰값 사이를 의미합니다.

습니다.(0: axes와 평행, 1: 수평, 2: 축에 수직, 3: 수직)
- border : 테두리 색을 지정합니다.
- type : 표현 될 잔차의 유형을 나타내는 문자열입니다. "pearson"(피어슨의 카이 제곱), "deviance"(카이 제곱 가능성 우도[59]) 비율) 또는 Freeman-Tukey 잔차의 "FT"중 하나여야 합니다. 이 인수의 값은 축약 될 수 있습니다.
- formula : x대신 포뮬러를 사용할 수 있습니다. 포뮬러는 y ~ x와 같은 수식입니다.
- data : x대신 포뮬러를 사용하면 data 속성으로 데이터를 지정합니다. 데이터 프레임(또는 목록) 또는 수식의 변수를 가져 오기위한 테이블입니다.

다음 코드는 타이타닉(Titanic)[60]) 데이터셋을 이용해 모자이크 플롯을 출력하는 예입니다.

```
> str(Titanic)
 table [1:4, 1:2, 1:2, 1:2] 0 0 35 0 0 0 17 0 118 154 ...
 - attr(*, "dimnames")=List of 4
  ..$ Class   : chr [1:4] "1st" "2nd" "3rd" "Crew"
  ..$ Sex     : chr [1:2] "Male" "Female"
  ..$ Age     : chr [1:2] "Child" "Adult"
  ..$ Survived: chr [1:2] "No" "Yes"
> mosaicplot(Titanic, main="Survival on the Titanic", color=TRUE)
```

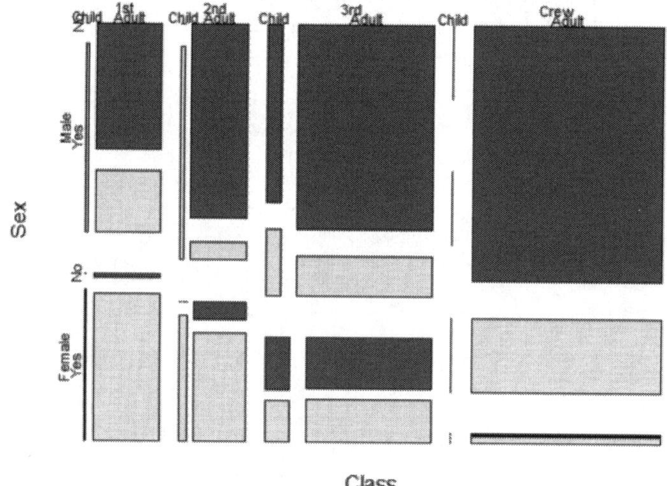

그림 15. 모자이크 플롯으로 나타낸 타이타닉호 생존자

모자이크 플롯을 그릴 때에 포뮬러를 사용할 수 있습니다.

59) 우도(Likelihood)는 어떤 시점의 결과(Evidence, E)가 주어졌다 할 때 만일 주어진 가설 A가 참이면 그러한 결과 E가 나올 정도는 얼마나 되겠느냐 하는 것입니다. 확률(Probability)이 모수로부터 관찰된 확률이라면 우도(Likelihood)는 현상에 대해 가장 가능성이 높은 모수를 의미합니다.

60) Titanic 데이터셋은 경제 지위(Class), 성별(Sex), 나이(Age) 및 생존(Survived)에 따라 요약 된 '타이타닉 호'의 첫 항해 때 승객의 운명에 대한 정보를 제공합니다.

```
> mosaicplot(~ Sex + Age + Survived, data=Titanic, color=TRUE)
```

- 이 코드는 성별, 나이 그리고 생존자 데이터를 이용해 모자이크 플롯을 그립니다.

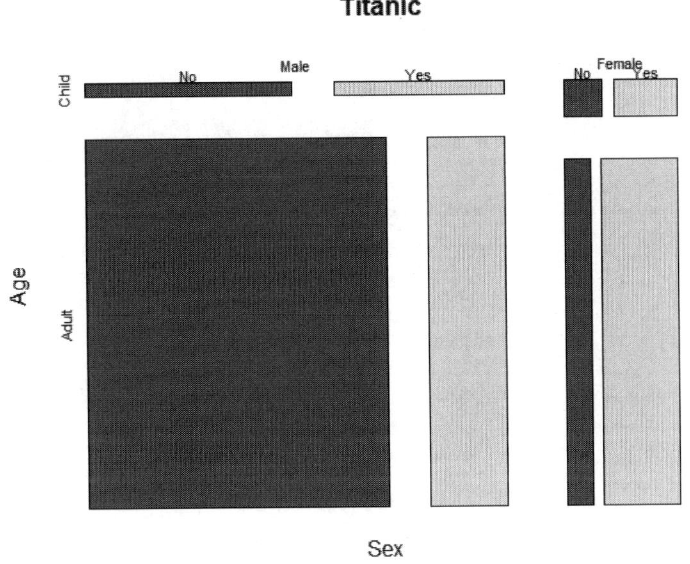

그림 16. 포뮬러를 이용해 그린 모자이크 플롯

다음 코드는 HairEyeColor[61] 데이터셋을 이용해서 모자이크 플롯을 그립니다.

```
> str(HairEyeColor)
 table [1:4, 1:4, 1:2] 32 53 10 3 11 50 10 30 10 25 ...
 - attr(*, "dimnames")=List of 3
  ..$ Hair: chr [1:4] "Black" "Brown" "Red" "Blond"
  ..$ Eye : chr [1:4] "Brown" "Blue" "Hazel" "Green"
  ..$ Sex : chr [1:2] "Male" "Female"
> mosaicplot(HairEyeColor, shade=TRUE)
```

- shade=TRUE이기 때문에 잔차를 2와 4의 절대값으로 자른 후 이를 색으로 표시해 줍니다.
- 이 모자이크 플롯은 머리카락과 눈 색깔과 성별의 독립 모델에 있어서 독립의 경우에 예상보다 푸른 눈동자 금발 여성이 더 많고(잔차가 4보다 큼) 갈색 눈동자 여성의 수가 너무 적음(-4보다 작음)을 나타냅니다.

61) 592명 학생의 머리카락(Hair)과 눈 색깔(Eye) 및 성별 분포(Sex)를 갖는 3차원 데이터셋입니다.

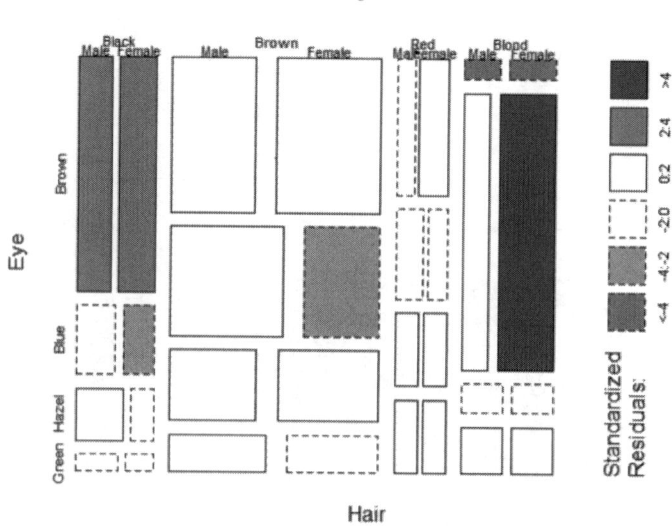

그림 17. shade=TRUE인 모자이크 플롯

다음 코드는 margin 속성을 이용해 머리카락과 눈 색깔에 따른 성별의 공동 독립 모델을 알아봅니다. margin=list(1:2, 3)) 속성은 margin=list(c("Hair","Eye"), "Sex"))와 같습니다.

```
> mosaicplot(HairEyeColor, shade=TRUE, margin=list(1:2, 3))
```

- 독립 모델에서 갈색 머리와 파란 눈을 가진 사람들 사이에서 남성은 과소 대표되며 갈색 머리와 파란 눈을 가진 사람들 사이에서 여성은 과대 대표되었습니다.

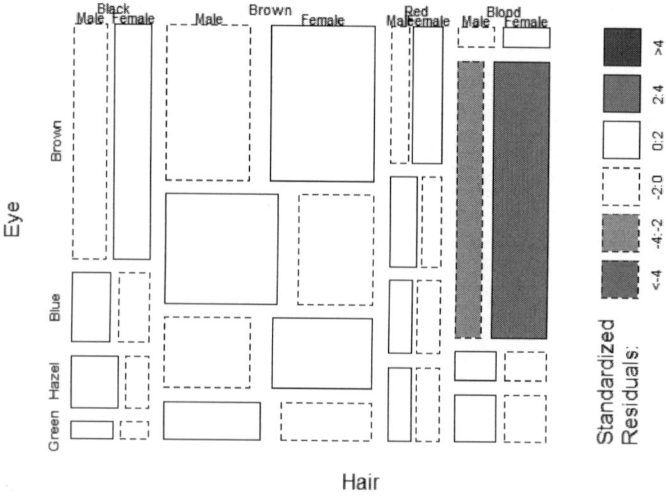

그림 18. 머리카락과 눈 색깔에 따른 성별의 공동 독립 모델

2.8. qqnorm

qqnorm() 함수는 stats 패키지에 있으며, y에 있는 값의 Q-Q 플롯(Quantile-Quantile Plots)을 생성하는 함수입니다. Q-Q 플롯은 데이터가 특정 분포를 따르는지를 시각적으로 검토하는 방법입니다. Q는 분위수(Quantile)의 약어입니다. Q-Q 플롯은 비교하고자 하는 분포의 분위수끼리 좌표 평면에 표시하여 그린 그래프입니다. Q-Q 플롯을 그리기 위해 사용하는 함수는 qqnorm() 함수외에도 qqline(), qqplot()이 있습니다. qqline은 이론적으로 1 분위와 3 분위를 통과시키는 선을 추가합니다. 이것은 Q-Q 플롯에서 데이터가 만족해야 하는 직선을 의미합니다. qqplot() 함수는 두 개 데이터셋의 Q-Q 플롯을 생성합니다.

뭔가 갑자기 어려워진 느낌입니다. 이것을 설명하기 위해 정규분포 이야기를 해야 하고, 정규 분포를 따르는 확률 변수가 정규화 된 뒤에 평균이 0, 분산이 1인 정규 분포를 따르는 식을 설명해야 합니다. 그런 부분은 이 책에서는 언급하지 않겠습니다. Q-Q 플롯에 대한 더 자세한 내용은 참고 문서[62]를 이용하시기 바랍니다.

```
qqnorm(y, ...)
```

```
qqline(y, datax=FALSE, distribution=qnorm,
       probs=c(0.25, 0.75), qtype=7, ...)
```

```
qqplot(x, y, plot.it=TRUE, xlab=deparse(substitute(x)),
       ylab=deparse(substitute(y)), ...)
```

구문에서...

- x : qqplot의 첫 번째 샘플입니다.
- y : qqplot에서 두 번째 샘플이고, qqnorm과 qqline에서 데이터입니다.
- xlab, ylab, main : 그래프의 레이블입니다. xlab 및 ylab은 datax=TRUE 인 경우 각각 y 및 x 축을 참조합니다.
- plot.it : 결과가 그래프로 그려져야 할지에 대한 논리값입니다. 기본값은 TRUE이며 결과가 그래프로 그려집니다.
- datax : 데이터 값이 x 축에 있어야 하는 지에 대한 논리값입니다.
- distribution : 이론적 분포를 참조할 분위수 함수입니다.
- probs : 확률을 나타내는 길이 2의 숫자 벡터입니다. 그려지는 선을 정의하는 해당하는 분위수 쌍입니다.
- gtype : quantile() 함수에 사용되는 분위수 계산의 타입입니다. 타입은 1부터 9까지 가

62) https://en.wikipedia.org/wiki/Q-Q_plot

질 수 있으며 기본값은 7입니다. 타입별로 자세한 수식을 확인하려면 quantile() 함수의 도움말을 참고하세요.

다음 코드는 Q-Q 플롯을 그리는 예입니다. 그래프를 그리기 위해 rt() 함수를 이용해 자유도 5이고 t분포를 따르는 임의 수 200개를 샘플링 합니다.

```
> set.seed(14)
> y <- rt(200, df=5)
> summary(y)
    Min.  1st Qu.   Median     Mean  3rd Qu.     Max.
-4.81700 -0.80150 -0.05595 -0.05015  0.87040  3.73000
> qqnorm(y)
> qqline(y, col=2)
```

- qqnorm() 함수에 의해 데이터들이 분포를 잘 따르는지 확인하기 위해 qqline() 함수를 이용하여 분위수 직선을 그립니다.

다음 그림은 기본 Q-Q 플롯을 그린 것입니다.

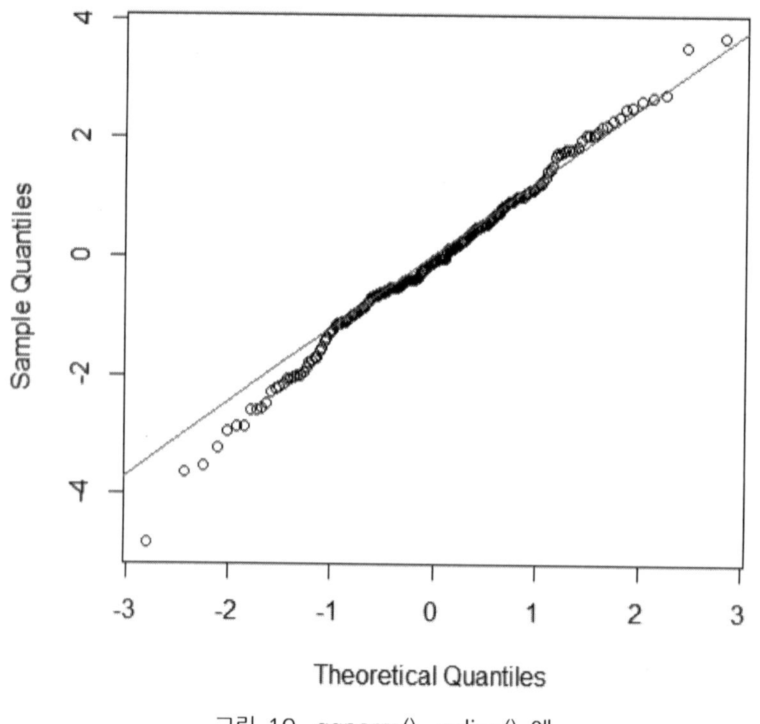

그림 19. qqnorm(), qqline() 예

다음 코드는 자유도가 4이고 갖는 카이제곱 분포를 따르는 임의 데이터 100개를 생성하고 이를 이용하여 그래프를 그립니다.

```
> set.seed(14)
> x <- rchisq(100, df=4)
> summary(x)
   Min. 1st Qu.  Median    Mean 3rd Qu.    Max. 
 0.3115  1.7950  2.9900  3.7340  4.3260 16.9800 
> y <- qchisq(ppoints(x), df=4)
> summary(y)
   Min. 1st Qu.  Median    Mean 3rd Qu.    Max. 
  0.207   1.936   3.357   3.992   5.358  14.860 
> qqplot(x, y)
> abline(0, 1, col=2, lty=2)
```

- qchisq() 함수는 카이제곱 분포 분위수를 계산합니다.
- ppoints() 함수는 주어진 값을 이용하여 확률 점의 순서쌍을 생성합니다. 이는 원래의 데이터와 그 임의로 생성된 데이터 사이의 차이를 두어 그래프에서 분포도를 확인할 수 있도록 합니다.

다음 그림은 이 코드의 실행 결과입니다.

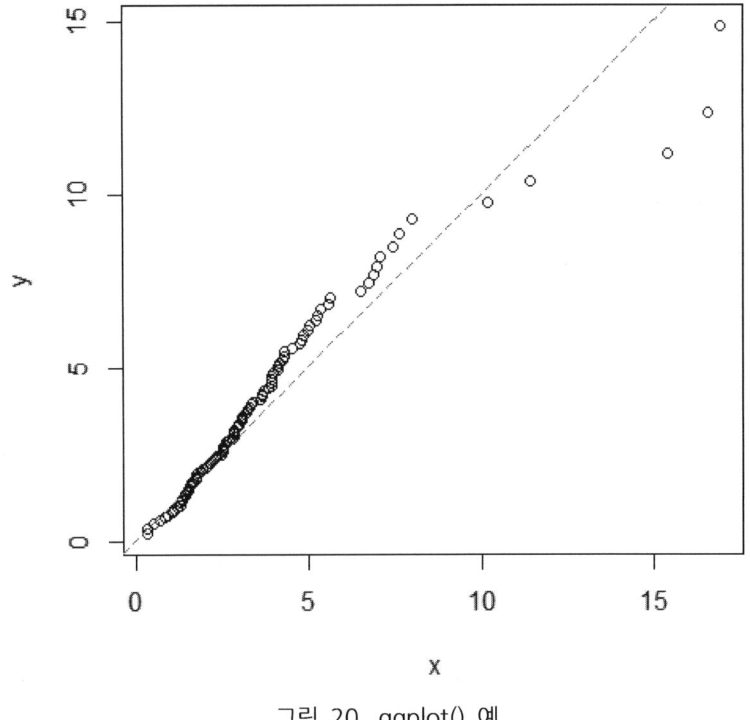

그림 20. qqplot() 예

3. 저 수준 그래프 함수

저 수준 그래프 함수(Low level plotting commands)들은 직접 그래프 영역을 생성하지 못합니다. 고 수준 그래프 함수에 의해 생성된 그래프 영역에 점, 선, 다각형, 텍스트 등 부가적인 정보를 제공하기 위해 사용하는 함수들입니다.

3.1. points

points() 함수는 지정된 좌표에 일련의 점을 그리는 일반적인 함수입니다. 지정된 문자가 좌표에 가운데에 표시됩니다.

```
points(x, y=NULL, type="p", ...)
```

구문에서...

- x, y : 그림을 그릴 점의 좌표 벡터입니다.
- type : 어떤 유형의 그래프가 그려질지를 지정합니다. 기본값은 p입니다. c(b에서 p를 뺀 그래프), o(overplotted; 점과 선이 중첩된 그래프), h(histogram; 히스토그램 그래프), s(stair steps; 계단 그래프), S(stair steps; 거꾸로 그린 계단 그래프), n(그래프 표시 없음) 등이 있습니다.

다음 코드는 x축과 y축이 각각 -4~4까지인 빈 그래프를 그린 후 점들을 그리는 예입니다.

```
> plot(-4:4, -4:4, type="n")
> points(rnorm(200), rnorm(200), col="red")
> points(rnorm(100)/2, rnorm(100)/2, col="blue", pch=3)
```

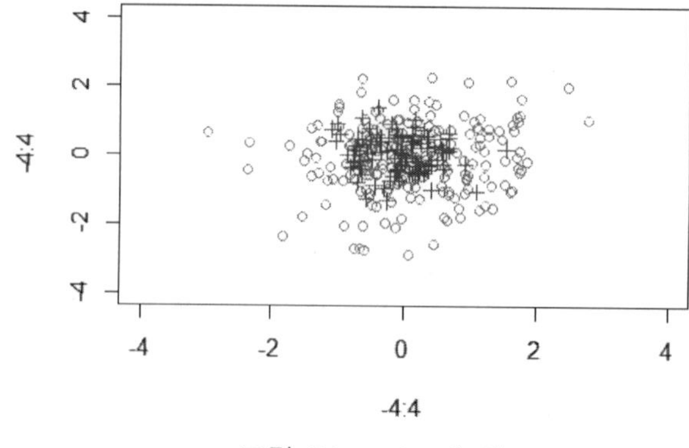

그림 21. points() 예

3.2. lines

lines() 함수는 좌표를 다양한 방법으로 가져 와서 해당 점을 선분으로 결합합니다.

```
lines(x, y=NULL, type="l", ...)
```

구문에서...

- x, y : 그림을 그릴 선의 좌표 벡터입니다.
- type : 선의 타입입니다. 숫자 또는 문자로 설정 가능합니다. 숫자는 0부터 6까지 사용할 수 있으며(0=blank, 1=solid(default), 2=dashed, 3=dotted, 4=dotdash, 5=longdash, 6=twodash) 숫자 외에 문자("blank", "solid", "dashed", "dotted", "dotdash", "longdash", "twodash")로 지정할 수 있습니다.

다음 코드는 cars 데이터셋을 이용하여 산점도를 그린 후 그 위에 가중 선형 회귀곡선을 그립니다.

```
> plot(cars, main="Stopping Distance versus Speed")
> lines(lowess(cars))
```

- stats::lowess()[63] 함수는 이변량 자료를 작은 윈도우로 나누어 각각의 구간에서 가중 선형 회귀를 하여 곡선을 구합니다. lowess(y~x, f) 형식으로 지정하며, f(smoother span, 평활기너비)의 디폴트는 2/3이고, f가 크면 회귀함수가 직선에 가까운 밋밋한 곡선이 되고, f가 작으면 회귀함수가 휜 정도가 큰 곡선이 됩니다. 너무 밋밋한 곡선이 되면 과소적합(under-fitting), 휜 정도가 큰 곡선이 되면 과다적합(over-fitting)이라 합니다.

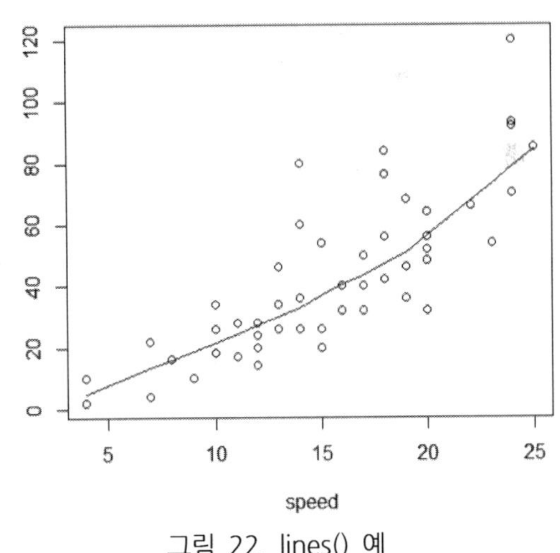

그림 22. lines() 예

63) Locally weighted scatterplot smoother, 통계학에서 회귀모형을 설정하려면 분석자가 직선모형, sqrt 변환, 로그변환 등을 통해 회귀모형을 설정해야 하는데 통계학에 문외한인 사람도 조금 더 확실하게 두 변수 사이의 관계를 파악하도록 컴퓨터가 회귀곡선을 추정하도록 하는 방법입니다.

3.3. abline

abline() 함수는 기존 그래프 위에 직선을 추가합니다.

```
abline(a=NULL, b=NULL, h=NULL, v=NULL, reg=NULL, coef=NULL,
        ...)
```

구문에서...

- a, b : 단일 값이어야 하며, 절편(intercept)과 기울기(slope)입니다.
- h : 수평선을 그리기 위한 y 값입니다.
- v : 수직선을 그리기 위한 x 값입니다.
- coef : 절편과 기울기를 주는 길이 2의 벡터입니다.
- reg : coef 함수가 있는 객체입니다.

다음 코드는 cars 데이터셋을 이용해 산점도를 그린 후 회귀직선을 그리는 예입니다.

```
> plot(cars, main="Stopping Distance versus Speed")
> (z <- lm(dist ~ speed, data=cars))

Call:
lm(formula = dist ~ speed, data = cars)

Coefficients:
(Intercept)        speed
    -17.579        3.932

> abline(z, col="red")
```

- lm()함수(Linear Models)는 선형 모델을 계산합니다. 이것은 회귀 분석을 수행하는 데 사용될 수 있습니다. 위의 코드는 산점도의 선형회귀식을 이용하여 직선을 그립니다.

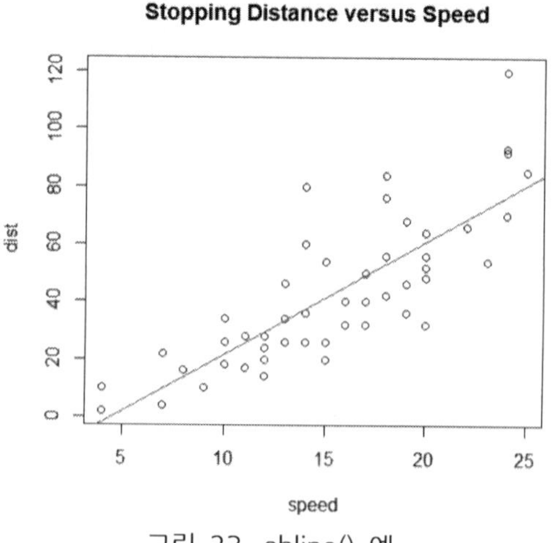

그림 23. abline() 예

3.4. polygon

polygon() 함수는 기존 그래프 위에 x와 y에 주어진 정점으로 다각형을 그립니다.

```
polygon(x, y=NULL, density=NULL, angle=45,
        border=NULL, col=NA, lty=par("lty"),
        ...)
```

구문에서...

- x, y : 다각형의 정점들의 좌표를 포함하는 벡터입니다.
- density : 1인치 당 음영을 주는 선의 밀도입니다. 기본값 NULL에서는 음영 선이 그려지지 않습니다. 밀도가 0 인 것은 음영 또는 채우는 값이 없음을 의미합니다. 음수 값과 NA는 음영 선을 그리지 않고 내부를 col 속성의 색으로 모두 채웁니다.
- angle : 음영을 주는 선의 방향(기울기)입니다.
- border : 경계선을 그릴 색입니다.
- col : 음영의 색입니다.
- lty : 경계선과 음영 선의 타입입니다. lines() 함수의 type 속성과 같습니다.

다음 코드는 polygon() 함수의 선과 관련된 파라미터를 확인하기 위한 예입니다.

```
> plot(c(1, 9), 1:2, type="n")
> polygon(1:9, c(2,1,2,1,NA,2,1,2,1),
+       border=c("black","red"), col=c("red","blue"), lty=c("dotted","solid"),
+       density=c(-1, 20), angle=c(-45, 45))
```

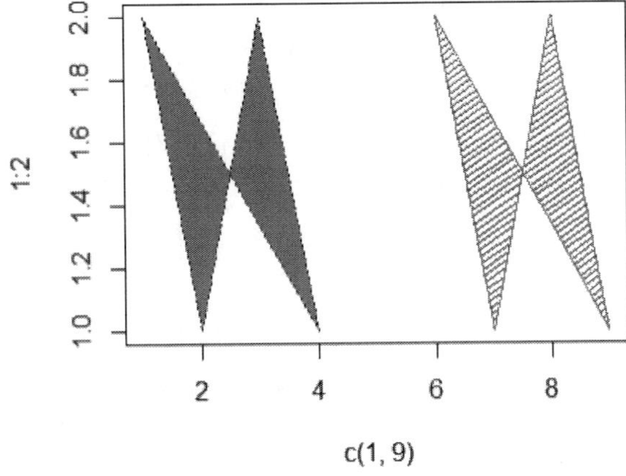

그림 24. polygon() 예

3.5. text

text() 함수는 기존 그래프 위에 x와 y로 지정된 좌표에 지정된 문자열을 그립니다.

```
text(x, y=NULL, labels=seq_along(x$x), adj=NULL, pos=NULL,
     offset=0.5, vfont=NULL, cex=1, col=NULL, font=NULL,
     ...)
```

구문에서...

- x, y : 텍스트 레이블을 써야하는 좌표의 숫자 벡터입니다. x와 y의 길이가 다른 경우, 더 짧은 것이 재활용됩니다.
- labels : 기입해지는 텍스트를 지정하는 캐릭터 벡터 또는 수식 표현(expression)입니다. 레이블이 x와 y보다 긴 경우 좌표는 레이블 길이만큼 재활용됩니다. expression을 이용하면 수식을 표현할 수 있습니다.
- adj : 레이블의 x(그리고 선택적으로 y) 위치를 조정을 지정하는 0~1 사이의 하나 또는 두 개의 값입니다. adj=(0,0)이면 텍스트의 왼쪽 아래가 기준 위치가 되도록 합니다. adj=(1,0)이면 텍스트의 오른쪽 아래가 기준 위치가 됩니다. 0.5는 중간입니다.
- pos : 텍스트의 위치 지시자입니다. 이 값을 지정하면 지정된 adj 값을 무시합니다. 값 1, 2, 3 및 4는 각각 지정된 좌표의 아래, 왼쪽, 위 및 오른쪽의 위치를 나타냅니다.
- offset : pos가 지정되면 이 값은 지정된 좌표로부터의 label의 오프셋(offset)을 문자 폭의 분수로 나타냅니다.
- vfont : 현재 글꼴 군의 경우 NULL이거나 허시(hershey)[64] 벡터 글꼴의 경우 길이가 2 인 문자 벡터입니다. 벡터의 첫 번째 요소는 서체를 선택하고 두 번째 요소는 스타일을 선택합니다. 레이블이 표현식이면 무시됩니다.
- cex : 숫자 문자 확장 요소입니다. par("cex")를 곱하면 최종 문자 크기가 됩니다. NULL 및 NA는 1.0과 같습니다.
- col, font : 색상과 글꼴(vfont=NULL 인 경우)을 사용합니다. par()에 있는 전역 그래픽 매개 변수 값의 기본값입니다.

다음 코드는 텍스트를 출력하는 예입니다.

```
> plot(1:10, 1:10, main="text(...) examples\n~~~~~~~~~~~~~~",
+      sub="R is GNU ©, but not ® ...")
> mtext("«Latin-1 accented chars»: 텍스트", side=3)
> points(c(6,2), c(2,1), pch=3, cex=4, col="red")
> text(6, 2, "the text is CENTERED around (x,y) = (6,2) by default", cex=.8)
> text(2, 1, "or Left/Bottom - JUSTIFIED at (2,1) by 'adj=c(0,0)'", adj=c(0,0))
```

64) 허시 폰트는 1967년 앨런 허시(Allen V. Hershey) 박사에 의해 개발된 벡터 폰트를 의미합니다. 보통 우리는 허시 이름을 생략하고 벡터 폰트라고 부릅니다.

```
> text(4, 9, expression(hat(beta)==(X^t * X)^{-1} * X^t * y))
> text(4, 8.4, "expression(hat(beta) == (X^t * X)^{-1} * X^t * y)", cex=.75)
> text(4, 7, expression(bar(x)==sum(frac(x[i], n), i==1, n)))
```

- mtext() 함수는 텍스트를 현재 그림 영역의 네 가지 여백 중 하나 또는 장치 영역의 바깥 쪽 여백 중 하나에 표시합니다. side(1=bottom, 2=left, 3=top, 4=right) 파라미터를 이용하여 텍스트가 표시될 위치를 지정할 수 있습니다. 기본값은 side=3입니다.
- 텍스트를 표시하는 코드를 한 번에 실행시키지 말고 한 라인씩 실행시켜 보세요. 텍스트가 표시되는 위치와 수식[65]이 어떻게 표시되는지 경험할 수 있습니다.

다음 그림은 위의 코드를 실행한 결과입니다.

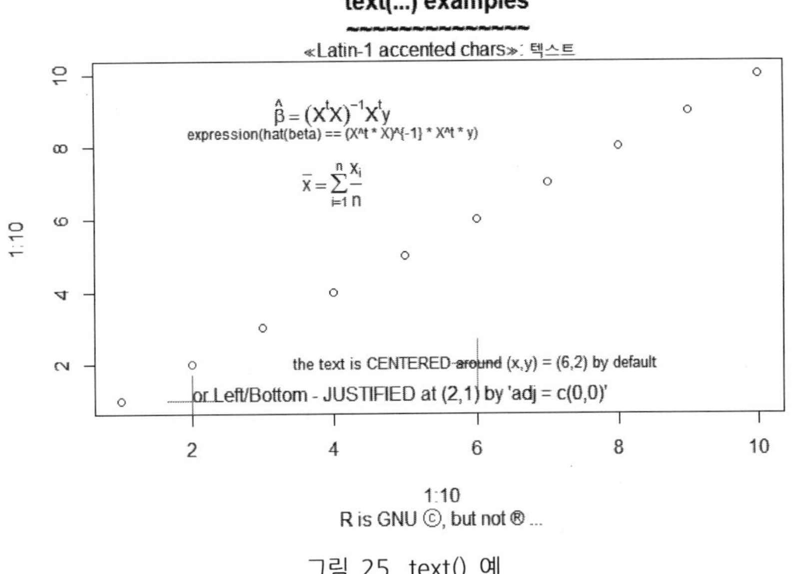

그림 25. text() 예

다음 코드는 adj 파라미터를 테스트하기 위한 예입니다.

```
> plot(-1:1, -1:1, type="n", xlab="X", ylab="Y")
> points(0,0, cex=4, pch=3)
> text(0,0, "Hello")
> text(0,0, "Red", adj=c(0,0), col="red")
> text(0,0, "Blue", adj=c(1,0), col="blue")
> text(0,0, "Green", adj=c(0,1), col="Green")
> text(0,0, "Purple", adj=c(1,1), col="purple")
```

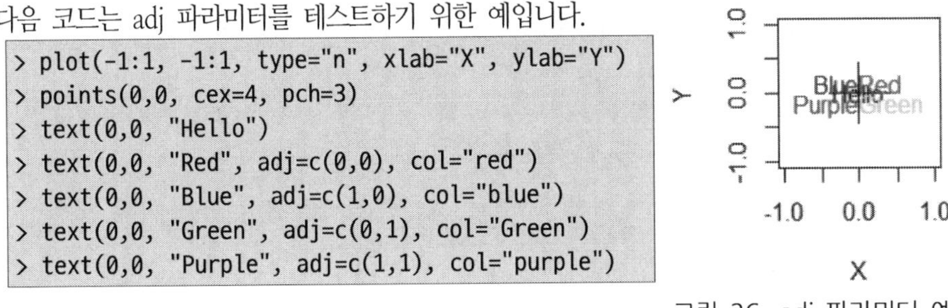

그림 26. adj 파라미터 예

65) 수식을 표현하기 위한 표기법은 ?plotmath 명령을 이용하여 plotmath의 도움말(Mathematical Annotation in R)문서를 참고하세요.

3.6. segments

segments() 함수는 기존 그래프 위에 점 쌍을 연결하는 선을 그립니다.

```
segments(x0, y0, x1=x0, y1=y0,
         col=par("fg"), lty=par("lty"), lwd=par("lwd"),
         ...)
```

구문에서...
- x0, y0 : 점을 그릴 시작점의 위치입니다.
- x1, y1 : 점을 그릴 끝 점의 위치입니다.
- col : 선의 색상을 지정합니다.
- lty : 선의 타입을 지정합니다.
- lwd : 선의 두께를 지정합니다.

다음 코드는 segments() 함수를 테스트 하는 예입니다. 예제에서는 임의 점을 12개 생성합니다.

```
> x <- runif(12); y <- rnorm(12)
> i <- order(x, y); x <- x[i]; y <- y[i]
> plot(x, y, main="segments(.)")
> s <- seq(length(x)-1)
> segments(x[s], y[s], x[s+1], y[s+1], col='red')
> segments(x[s], y[s], x[s+2], y[s+2], col='blue', lty="dotted")
```

- runif(n, min=0, max=1)는 min과 max 사이의 n개 난수를 생성합니다.
- rnorm(n, mean=0, sd=1) 함수는 평균이 mean, 표준편차가 sd를 따르는 난수 n개를 생성합니다.
- x, y 값을 이용해 정렬한 인덱스를 이용해 x와 y를 정렬합니다.
- segments() 함수는 x, y를 이용해 산점도를 출력한 다음 각 점을 잇는 선은 빨간색 실선으로 표시하며, 점을 한 단계씩 건너뛰어 잇는 선은 파란색 점선으로 표시합니다.

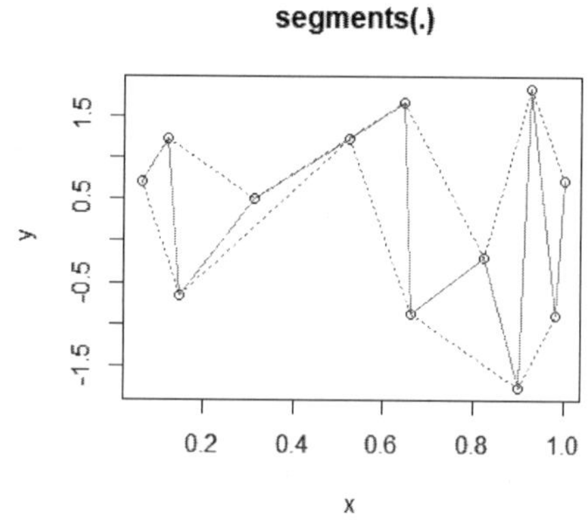

그림 27. segments() 예

3.7. arrows

arrows() 함수는 기존 그래프 위에 점 쌍을 연결하는 화살표를 그립니다.

```
arrows(x0, y0, x1=x0, y1=y0, length=0.25, angle=30,
       code=2, col=par("fg"), lty=par("lty"),
       lwd=par("lwd"), ...)
```

구문에서...

- length : 화살촉 가장자리의 길이입니다. 단위는 인치입니다.
- angle : 화살표의 샤프트에서 화살촉의 가장자리까지의 각도입니다.
- code : 그릴 화살표의 종류를 결정하는 정수 값입니다. 2(기본값)이면 끝점에 화살표를 표시하며, 1이면 시작점에 화살표를 표시합니다. 0이면 양쪽에 모두 화살표를 표시하지 않습니다. 3이면 양쪽 모두 화살표를 표시합니다.
- length, angle, code를 제외하고 segments() 함수의 인수와 같습니다.

다음 구문은 segments() 함수 예에서 사용했던 데이터를 이용해 각 점들끼리 화살표를 이용해 연결합니다.

```
> x <- runif(12)
> y <- rnorm(12)
> i <- order(x, y)
> x <- x[i]
> y <- y[i]
> plot(x, y, main="arrows(.)")
> arrows(x[s], y[s], x[s+1], y[s+1], col=1:3, code=2)
```

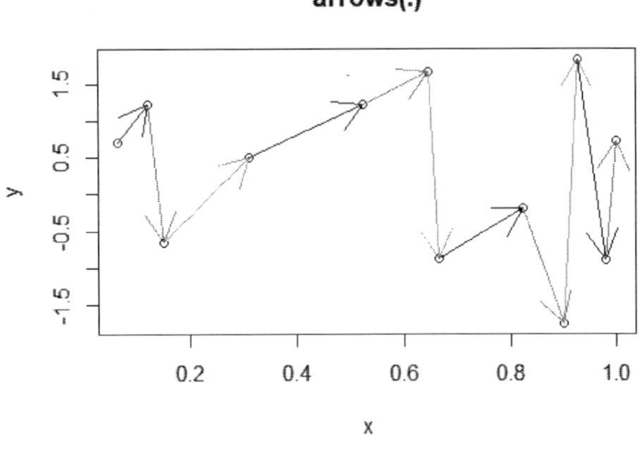

그림 28. arrow() 예

4. ggplot2 패키지

ggplot2 패키지는 RStudio의 해들리 위컴(Hadley Wichham) 교수가 만든 데이터를 시각화 하는데 도구입니다. ggplot2 패키지는 "그래픽 문법"을 기반으로 "선언적으로" 데이터와 시각화 요구를 객체화 시켜 그래픽을 만드는 시스템입니다. ggplot2 패키지를 이용하면 더 우아하게 시각화를 할 수 있습니다.

4.1. 패키지 설치 및 로드

ggplot2는 데이터 사이언스를 위한 R 패키지인 tidyverse[66]의 일부입니다. 그러므로 ggplot2 패키지를 사용하기 위해서 ggplot2 패키지를 설치해도 되지만 tidyverse 패키지를 설치해도 ggplot2를 사용할 수 있습니다[67]. ggplot2 패키지는 'stringi', 'magrittr', 'colorspace', 'Rcpp', 'stringr', 'RColorBrewer', 'dichromat', 'munsell', 'labeling', 'R6', 'viridisLite', 'rlang', 'digest', 'gtable', 'plyr', 'reshape2', 'scales', 'tibble', 'lazyeval' 패키지에 의존합니다.

```
> install.packages("ggplot2")
also installing the dependencies 'stringi', 'magrittr', 'colorspace',
'Rcpp', 'stringr', 'RColorBrewer', 'dichromat', 'munsell', 'labeling',
'R6', 'viridisLite', 'rlang', 'digest', 'gtable', 'plyr', 'reshape2',
'scales', 'tibble', 'lazyeval'

... 생략 ...

package 'stringi' successfully unpacked and MD5 sums checked
package 'magrittr' successfully unpacked and MD5 sums checked
package 'colorspace' successfully unpacked and MD5 sums checked
package 'Rcpp' successfully unpacked and MD5 sums checked
package 'stringr' successfully unpacked and MD5 sums checked
package 'RColorBrewer' successfully unpacked and MD5 sums checked
package 'dichromat' successfully unpacked and MD5 sums checked
```

66) Tidyverse 패키지는 데이터 사이언스를 위한 R 패키지입니다. 이 패키지는 ggplot2, dplyr, tidyr, readr, purrr, tibble 패키지 등을 가지고 있습니다. 공식 사이트는 https://www.tidyverse.org/ 입니다.

67) tidyverse의 ggplot2 패키지는 깃허브(github)를 통해 설치할 수 있습니다. 깃허브를 통해 설치하려면 먼저 devtools 패키지를 설치해야 합니다. 패키지를 깃허브에서 설치하려면 Rtools가 설치되어야 합니다. Rtools는 대략 100MB 정도 크기입니다.

```
> install.packages("devtools")
> devtools::install_github("tidyverse/ggplot2")
```

```
package 'munsell' successfully unpacked and MD5 sums checked
package 'labeling' successfully unpacked and MD5 sums checked
package 'R6' successfully unpacked and MD5 sums checked
package 'viridisLite' successfully unpacked and MD5 sums checked
package 'rlang' successfully unpacked and MD5 sums checked
package 'digest' successfully unpacked and MD5 sums checked
package 'gtable' successfully unpacked and MD5 sums checked
package 'plyr' successfully unpacked and MD5 sums checked
package 'reshape2' successfully unpacked and MD5 sums checked
package 'scales' successfully unpacked and MD5 sums checked
package 'tibble' successfully unpacked and MD5 sums checked
package 'lazyeval' successfully unpacked and MD5 sums checked
package 'ggplot2' successfully unpacked and MD5 sums checked

The downloaded binary packages are in
    C:\Users\GangSa\AppData\Local\Temp\RtmpCIYcuK\downloaded_packages
```

패키지가 설치되면 라이브러리를 로드합니다.

```
> library(ggplot2)
```

ggplot2 패키지는 tidyverse 패키지의 서브 패키지입니다. 다음 코드는 tidyverse 패키지를 설치하는 예입니다. 아래의 패키지 설치는 참고만 하세요.

```
> install.packages("tidyverse")
also installing the dependencies 'mnormt', 'bindr', 'rematch', 'psych',
'assertthat', 'bindrcpp', 'glue', 'pkgconfig', 'BH', 'plogr', 'mime',
'openssl', 'cellranger', 'selectr', 'tidyselect', 'broom', 'dplyr',
'forcats', 'haven', 'httr', 'hms', 'jsonlite', 'lubridate', 'modelr',
'purrr', 'readr', 'readxl', 'rvest', 'tidyr', 'xml2'


  There are binary versions available but the source versions
  are later:
          binary source needs_compilation
openssl    0.9.7  0.9.8              TRUE
lubridate  1.6.0  1.7.1              TRUE

  Binaries will be installed

... 생략 ...
```

ggplot2는 데이터를 표시하기 위한 데이터셋, 좌표시스템, 그리고 geom_* 시각화 함수 등 같은 구성요소를 이용하여 모든 그래프를 작성할 수 있는 그래픽 문법을 기반으로 합니다.

4.2. ggplot2 그래픽 시스템

ggplot2 패키지는 aes() 함수를 이용하여 미적 변수를 매핑(aesthetic mapping)시키고, 기하 객체(geometric object)를 이용해 점, 선 등 그래프를 그리는 요소를 지정합니다. 다음 그림은 ggplot2에 의해 그래프가 그려지는 개념도를 표현한 것입니다. 데이터에 geom 객체를 이용하여 x, y 값을 설정하면 좌표시스템에 의해 그래프로 그려집니다. 우리는 단지 ggplot 객체를 생성하고 어떤 그래프가 그려져야 할지 geom_*함수를 이용하여 지정하면 됩니다.

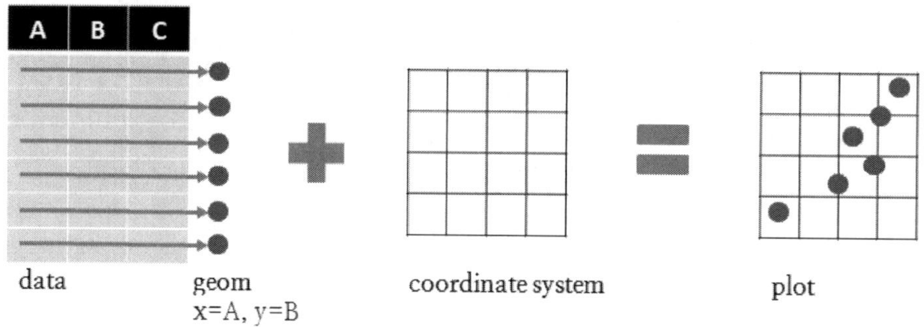

그림 29. ggplot2 그래픽 시스템

데이터를 디스플레이하기 위해 데이터의 변수가 geom 객체의 size, color 등의 미적 속성으로 사용될 수 있으며 x, y 위치로도 사용될 수 있습니다.

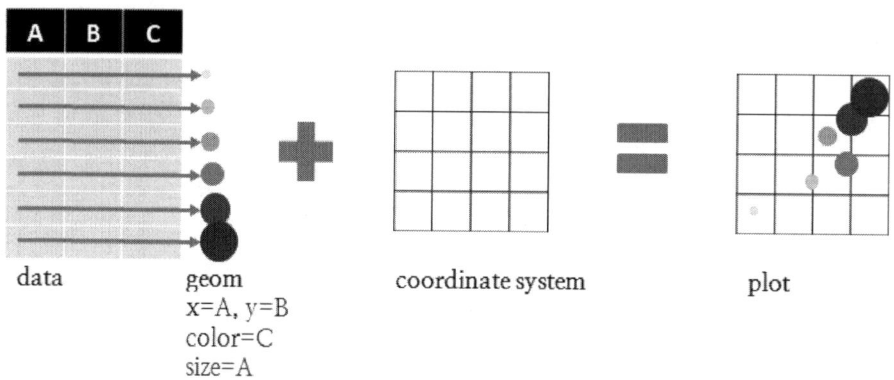

그림 30. ggplot2 그래픽에서 변수를 미적매핑에 사용

4.3. ggplot2 구문과 주요 기하 객체 함수

다음은 ggplot를 이용해 시각화하기 위한 구문입니다.

```
ggplot (data = <DATA> ) +
  <GEOM_FUNCTION> (mapping = aes( <MAPPINGS> ),      ] 필수
  stat = <STAT> , position = <POSITION> ) +          ]
  <COORDINATE_FUNCTION> +                             ]
  <FACET_FUNCTION> +                                  ] 선택
  <SCALE_FUNCTION> +                                  ]
  <THEME_FUNCTION>                                    ]
```

그림 31. ggplot2 구분

구문에서...

- ggplot : 그래프를 그리기 위해서는 ggplot 객체를 생성해야 합니다.
- GEOM_FUNCTION : ggplot 그래프를 그리는 기하객체 함수들입니다. 자주 사용되는 기하객체 함수들은 <표 6>에 나타냈습니다[68].
- aes() : aes() 함수는 ggplot() 또는 GEOM_FUNCTION에서 사용할 수 있습니다. aes는 미적(aesthetic) 요소들을 설정합니다. 미적 속성에는 x, y 좌표의 값, color, shape, size, alpha, fill 등이 있습니다.

표 6. 기하객체 함수

그래프	geom함수
산점도	geom_point()
선그래프	geom_line()
히스토그램	geom_histogram()
분포도	geom_density()
막대그래프	geom_bar()
Point Range	geom_pointrange()
박스그래프	qplot(geom="boxplot")

68) 이 교재에 설명되지 않은 ggplot2의 함수들은 http://ggplot2.tidyverse.org/reference/ 문서를 참고하세요.

4.4. 산점도 그래프

다음 코드는 iris 데이터를 이용해 Petal.Width와 Petal.Length의 산점도를 그립니다. ggplot() 함수의 aes()로 x와 y축 데이터를 지정했습니다.

```
> ggplot(iris, aes(x=Petal.Width, y=Petal.Length)) +
+   geom_point()
```

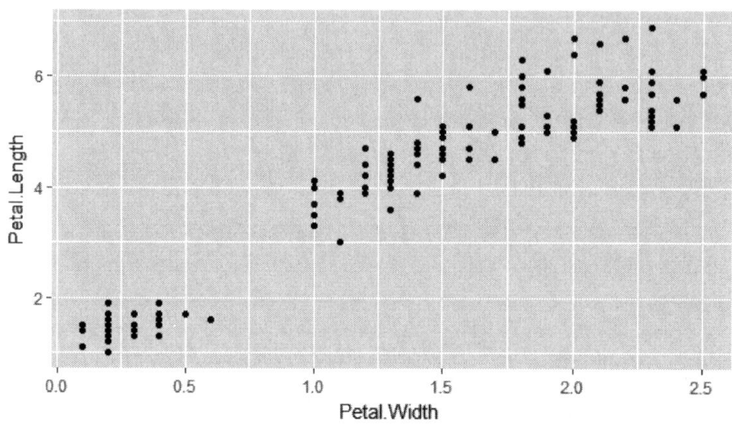

그림 32. geom_point() 예

다음 코드는 geom_point() 함수에서 aes()로 산점도의 색상을 Species 열을 이용해 지정했습니다. ggplot2는 aes() 함수로 미적 속성을 지정할 때 데이터의 변수를 이용해 지정할 수 있습니다.

```
> ggplot(iris, aes(x=Petal.Width, y=Petal.Length)) +
+   geom_point(aes(color=Species))
```

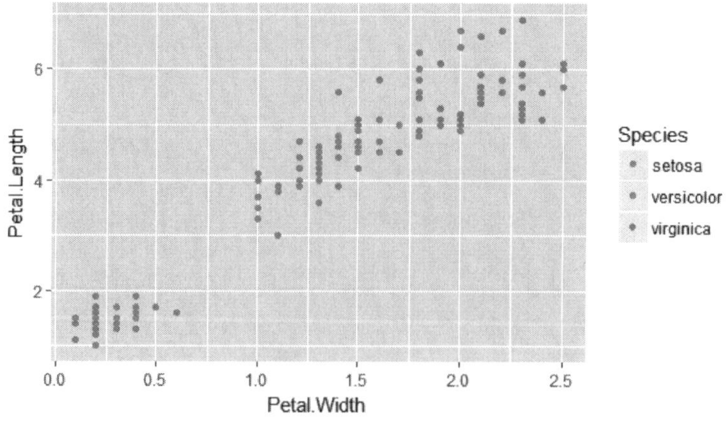

그림 33. Species 별로 구분된 산점도 그래프

다음 코드는 점의 크기를 Petal.Width를 이용해 그립니다. 이렇게 하면 Petal.Width 값을 좀 더 잘 표현할 수 있습니다.

```
> ggplot(iris, aes(x=Petal.Width, y=Petal.Length)) +
+   geom_point(aes(color=Species, size=Petal.Width))
```

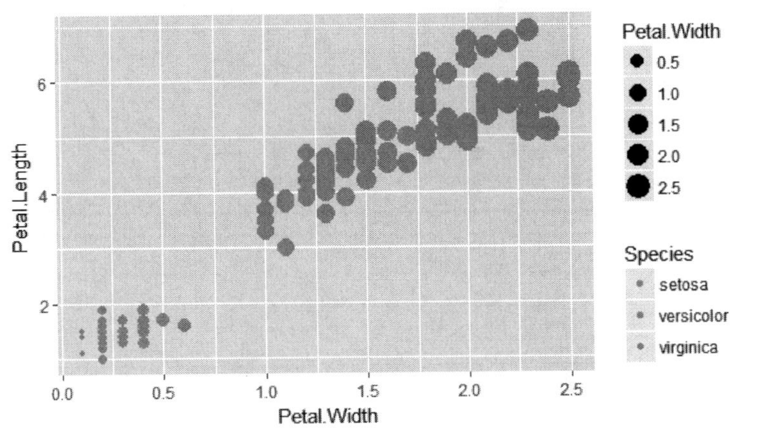

그림 34. size 속성을 지정한 그래프

위의 예처럼 점들이 같은 위치 또는 비슷한 위치에 있을 때 분포를 확인하기 어려운 단점이 있습니다. 다음 코드는 그것을 해결하기 위해 alpha 값을 지정한 예입니다. alpha 값은 투명도를 지정하며 0(투명)~1(불투명)까지 값을 가질 수 있습니다. 이렇게 하면 같은 위치에 점들이 표시될 때 더 진하게 표시되므로 데이터의 분포를 더 잘 확인할 수 있습니다.

```
> ggplot(iris, aes(x=Petal.Width, y=Petal.Length)) +
+   geom_point(aes(color=Species, size=Petal.Width), alpha=0.3)
```

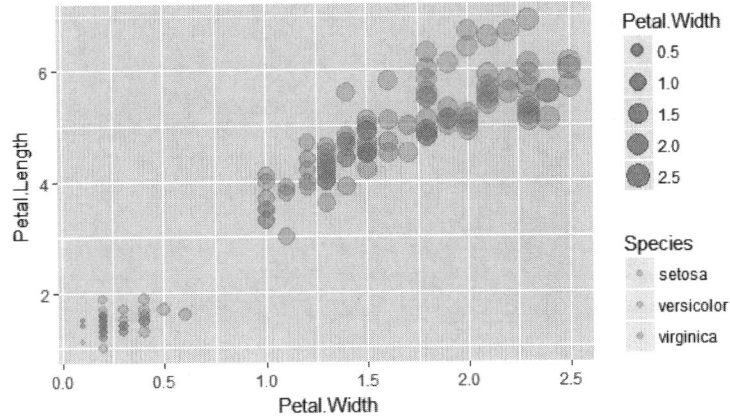

그림 35. alpha 속성을 지정한 그래프

다음 코드는 추세선[69]을 산점도와 함께 표현한 그래프입니다. 추세선을 직선으로 그리고 싶다면 method="lm"으로 설정하면 됩니다. 추세선에 신뢰 구간을 표시하지 않으려면 geom_smooth 함수의 se 파라미터를 FALSE로 설정하면 됩니다.

```
> ggplot(iris, aes(x=Petal.Width, y=Petal.Length)) +
+   geom_point(aes(color=Species, size=Petal.Width), alpha=0.3) +
+   geom_smooth(method="loess", color="blue")
```

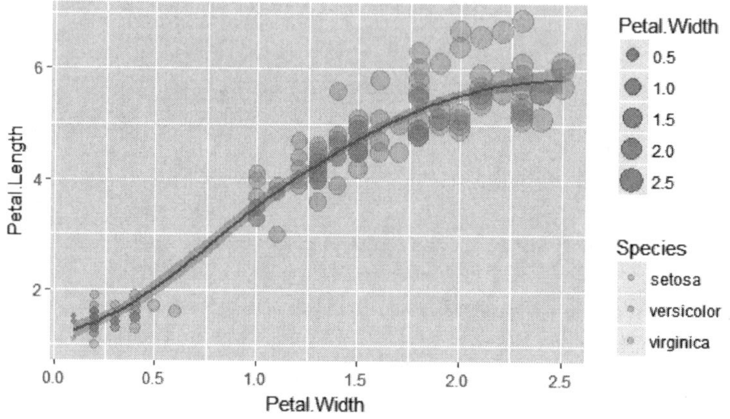

그림 36. geom_smooth() 함수를 이용해 회귀곡선을 추가한 그래프

다음은 cars 데이터셋을 이용해 산점도, 추세선, 신뢰구간을 그리는 예입니다.

```
> ggplot(cars, aes(speed, dist)) +
+   geom_point() +
+   geom_smooth(method="loess")
```

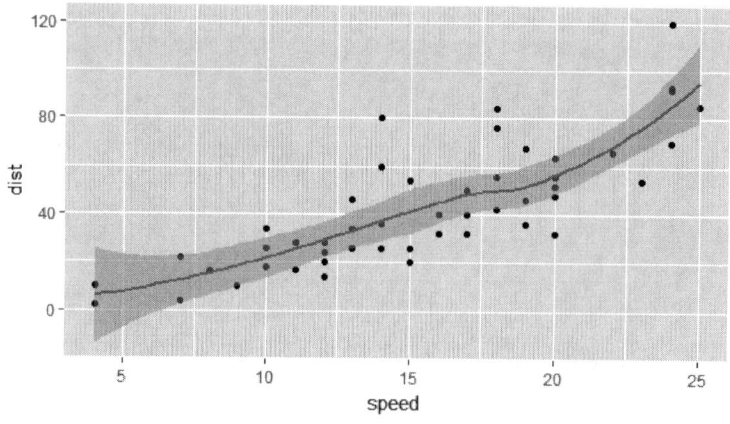

그림 37. cars 데이터를 이용한 신뢰구간 표현

69) 추세선은 데이터의 추세를 그래픽으로 표시하고 예측 문제를 분석하는데 사용됩니다.

4.5. 히스토그램

geom_histogram() 함수는 히스토그램을 그릴 수 있습니다. 히스토그램을 그리는 예에 ggplot2 패키지에 포함되어 있는 mpg 데이터를 사용하겠습니다. mpg 데이터는 1999년 ~ 2008년 사이의 인기 있는 자동차 모델 38개에 대한 연비 데이터입니다.

```
> head(mpg)
# A tibble: 6 x 11
  manufacturer model displ  year   cyl      trans   drv   cty   hwy
         <chr> <chr> <dbl> <int> <int>      <chr> <chr> <int> <int>
1         audi    a4   1.8  1999     4   auto(l5)     f    18    29
2         audi    a4   1.8  1999     4 manual(m5)     f    21    29
3         audi    a4   2.0  2008     4 manual(m6)     f    20    31
4         audi    a4   2.0  2008     4   auto(av)     f    21    30
5         audi    a4   2.8  1999     6   auto(l5)     f    16    26
6         audi    a4   2.8  1999     6 manual(m5)     f    18    26
# ... with 2 more variables: fl <chr>, class <chr>
```

다음 코드는 mpg 데이터를 이용해 히스토그램을 그리는 예입니다.

```
> g1 <- ggplot(mpg, aes(displ))
> g1 + geom_histogram(aes(fill=class),
+                     binwidth=.1,
+                     col="black", size=.1) +
+      labs(title="Histogram with Auto Binning",
+           subtitle="Engine Displacement across Vehicle Classes")
```

- 히스토그램을 그릴 때 binwidth 속성을 이용하면 히스토그램의 너비를 설정할 수 있습니다. 여러분은 히스토그램으로 데이터의 스토리를 보여주기 위해 여러 너비를 탐색해야 합니다. 기본값은 데이터 범위를 포함하는 bins 속성을 사용하는 것입니다.

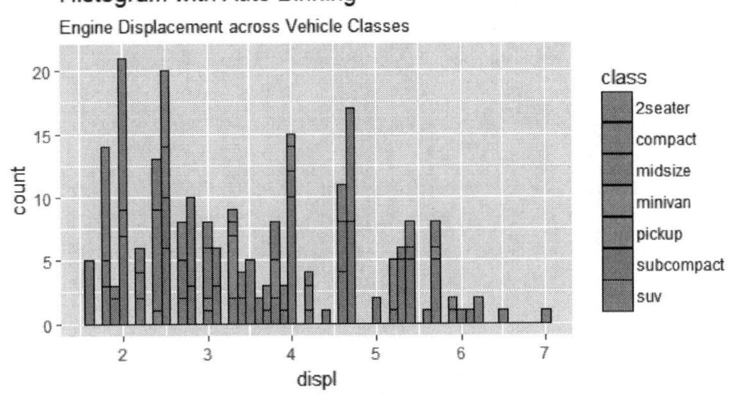

그림 38. geom_histogram(binwidth=.1)

다음 코드는 bins 속성을 지정하여 히스토그램을 그리는 예입니다. 앞의 예에서 binwidth 속성을 bins 속성으로 바꾼 것입니다.

```
> g2 <- ggplot(mpg, aes(displ))
> g2 + geom_histogram(aes(fill=class),
+                     bins=5,
+                     col="black", size=.1) +
+     labs(title="Histogram with Fixed Bins",
+          subtitle="Engine Displacement across Vehicle Classes")
```

- bins는 히스토그램 막대(bin)의 수입니다. 기본값은 30입니다. binwidth를 지정하면 bins 속성은 무시됩니다. col과 size 속성은 막대의 선의 색과 두께를 지정합니다.

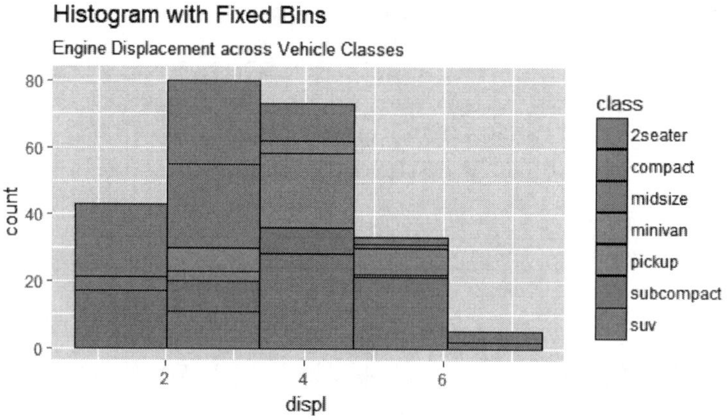

그림 39. geom_histogram(bins=5)

다음 그림은 위의 코드에서 bins 속성과 binwidth 속성을 설정하지 않았을 경우의 히스토그램입니다.

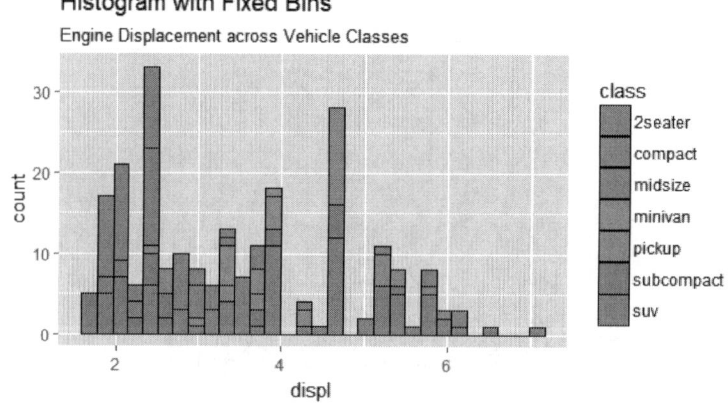

그림 40. geom_histogram(), binwidth와 bins를 설정하지 않을 경우

4.6. 막대그래프

geom_bar() 함수를 이용하면 막대그래프를 그릴 수 있습니다.

다음 코드는 geom_bar() 함수를 이용하여 막대그래프를 그리는 예입니다. 이전 예에서와 마찬가지로 mpg 데이터를 이용했습니다.

```
> g3 <- ggplot(mpg, aes(manufacturer))
> g3 <- g3 + geom_bar(aes(fill=class), width = 0.5) +
+       theme(axis.text.x = element_text(angle=65, vjust=0.6)) +
+       labs(title="Histogram on Categorical Variable",
+            subtitle="Manufacturer across Vehicle Classes")
> g3
```

- x축의 레이블들이 겹쳐 보이지 않도록 theme()함수를 이용해서 레이블의 표시 각도를 반시계방향으로 65도, 위치를 아래로 0.6 내리도록 지정했습니다.
- 제조회사별로 자동차 수를 히스토그램 형식으로 출력한 예입니다.

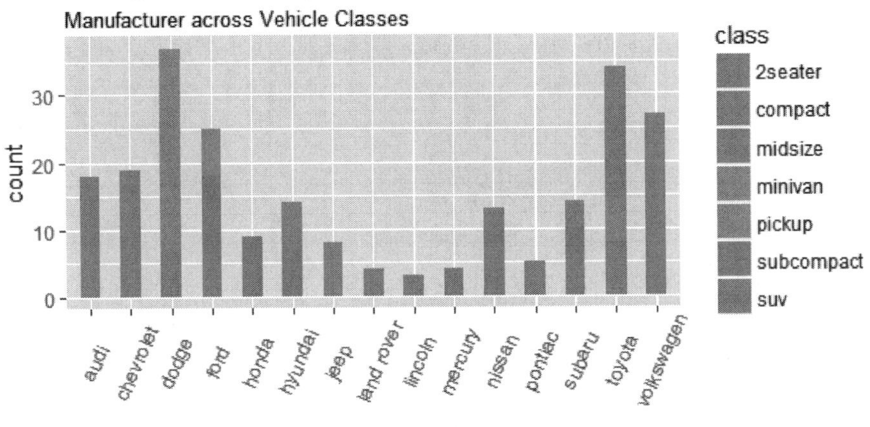

그림 41. geom_bar()

* 위 그림은 막대그래프를 그렸지만 결과적으로 제조사별로 자동차의 수를 히스토그램으로 표현한 것과 같습니다. 히스토그램을 반드시 geom_histogram() 함수를 이용해 나타낼 필요는 없습니다.

4.7. 밀도그래프

geom_density() 함수를 이용하면 밀도그래프를 그릴 수 있습니다.

다음 코드는 밀도 그래프를 그리는 예입니다.

```
> g4 <- ggplot(mpg, aes(cty))
> g4 <- g4 + geom_density(aes(fill=factor(cyl)), alpha=0.8) +
+      labs(title="Density plot",
+           subtitle="City Mileage Grouped by Number of cylinders",
+           caption="Source: mpg",
+           x="City Mileage",
+           fill="# Cylinders")
> g4
```

- 이 코드는 실린더 수에 따른 시내주행거리의 밀도그래프를 표현한 것입니다.

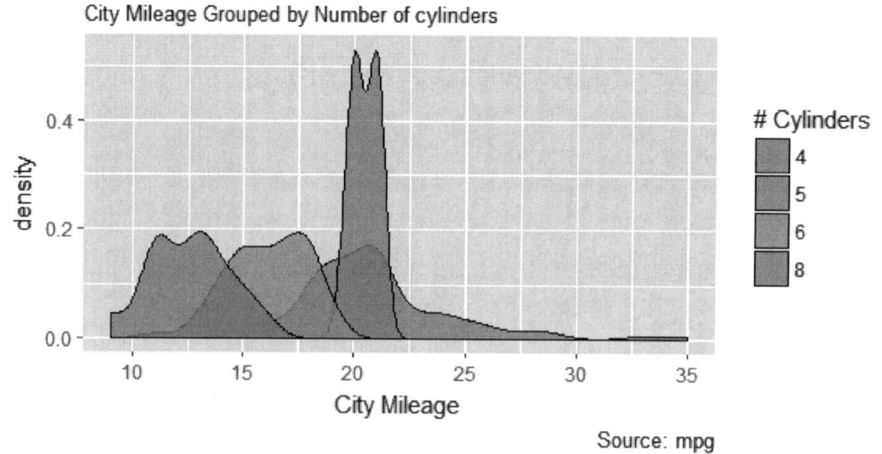

그림 42. geom_density()

위 그래프에서 배경색을 바꾸고 싶다면 theme_set() 함수로 테마를 지정하면 됩니다. 기본 테마는 theme_grey() 이며 아래 코드를 그래프를 그리기 전에 실행시키면 테마를 지정할 수 있습니다.

```
> theme_set(theme_classic())
```

4.8. 차트 분할 출력

ggplot2 패키지는 그래프 파라미터 mfcol 또는 mfrow를 이용해 화면을 분할 해 출력할 수 없습니다. ggplot 함수로 그래프를 그릴 때 화면을 분할해 출력하고 싶다면 gridExtra 패키지를 사용하면 됩니다. gridExtra 패키지의 grid.arrange() 함수는 챠트를 분할해 출력해 줍니다.

다음 코드는 gridExtra 패키지를 설치하고 로드 합니다.

```
> install.packages("gridExtra")
> library(gridExtra)
```

다음 코드는 그래프 영역을 분할해서 ggplot,객체를 출력하는 예입니다. 이 예는 앞에서 설명했던 히스토그램과 밀도그래프의 예를 이용했습니다. 주의 할 점은 그래프 객체를 반드시 할당받아야 한다는 점입니다.

```
> g3 <- ggplot(mpg, aes(manufacturer))
> g3 <- g3 + geom_bar(aes(fill=class), width = 0.5) +
+           theme(axis.text.x = element_text(angle=65, vjust=0.6)) +
+           labs(title="Histogram on Categorical Variable",
+                subtitle="Manufacturer across Vehicle Classes")
> g4 <- ggplot(mpg, aes(cty))
> g4 <- g4 + geom_density(aes(fill=factor(cyl)), alpha=0.8) +
+           labs(title="Density plot",
+                subtitle="City Mileage Grouped by Number of cylinders",
+                caption="Source: mpg",
+                x="City Mileage",
+                fill="# Cylinders")
> grid.arrange(g3, g4, ncol=2)
```

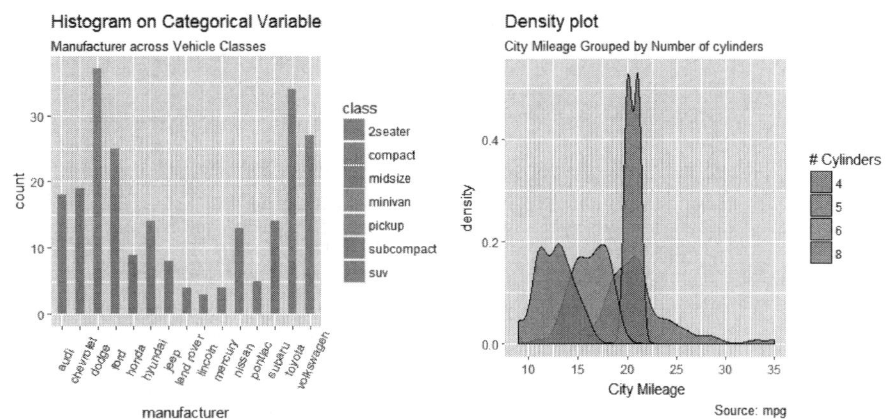

그림 43. 챠트 분할 출력

4.9. 참고 사이트

ggplot2 패키지를 이용하면 시각화를 더 풍부하게 할 수 있습니다. 그러나 이 책에 ggplot2의 모든 내용을 담을 수는 없었습니다. 여러분이 ggplot2 패키지의 레퍼런스가 필요하다면 아래의 사이트를 참고하세요.

- ggplot2 패키지를 포함하는 Tidyverse의 공식 사이트입니다.
  https://www.tidyverse.org/
- ggplot2 패키지를 설치하는 방법과 기본 사용법을 소개한 페이지입니다.
  http://ggplot2.tidyverse.org/
- ggplot2를 이용해 그린 그래프 예제 50가지를 소개합니다.
  http://r-statistics.co/Top50-Ggplot2-Visualizations-MasterList-R-Code.html
- ggplot2, dplyr, tidyr, readr, purrr, stringr 패키지의 요약정리한 PDF파일(CheetSheets)을 내려받을 수 있습니다.
  https://www.rstudio.com/resources/cheatsheets/

● R에서 코드를 이용해 그래프를 파일에 저장할 수 있습니까?

- 네. R 코드를 이용해 그래프를 파일에 저장하려면 그래프가 그려질 캔버스를 파일로 지정해 주면 됩니다. 다음은 그 예입니다.

```
> png(filename="cars.png", width=800, height=600)
> plot(cars)
> dev.off()
```

- png() 함수는 그래프가 그려질 캔버스를 파일로 설정해 줍니다.
- 파일 캔버스에 그래프를 그리고 dev.off() 함수를 이용해 파일 캔버스를 닫아야 합니다.
- png() 함수 외에도 jpeg(), bmp(), tiff() 함수가 있습니다.
- ggplot2 패키지의 ggsave(filename, plot) 함수를 이용하는 방법도 있습니다.

● ggmap 패키지를 이용하면 지도위에 쉽게 데이터를 시각화할 수 있습니다.

```
> library(ggplot2)
> library(ggmap)
> pop <- read.csv(file.choose(), header=TRUE) # 데이터 파일 불러오기
> kor <- c(left=124, bottom=33, right=131, top=39) # 위도/경도 기준
> map <- get_stamenmap(kor, zoom=8) # 줌 배율이 크면 더 많은 이미지가 필요
> ggmap(map) + geom_point(data=pop, aes(x=jitter(LON), y=jitter(LAT),
+                              size=총인구수, alpha=0.3))
```

- 만일 ggmap 라이브러리를 로드할 때 sp 패키지가 없다는 에러가 발생하면 sp 패키지를 https://cran.r-project.org/web/packages/sp/index.html에서 내려받은 후 R 라이브러리 폴더(예: C:/Users/*사용자명*/Documents/R/win-library/4.1)에 압축을 풀어 놓으세요.
- 예제에 사용할 데이터 파일은 http://javaspecialist.co.kr/board/1106에 있습니다.

5. 기타 시각화 함수

이 책의 고수준 그래프 함수에서 설명하지 않은 다른 많은 시각화 함수들이 있습니다. 이 절에서는 이러한 함수들에 대해 예를 들어 보여줍니다. 이 절에서 언급한 시각화 함수들에 대해 자세한 내용은 도움말 문서를 참고하세요.

5.1. 산점도 행렬

pairs() 함수를 이용하면 산점도 행렬을 그릴 수 있습니다. 여러 변수를 가진 데이터에서 각 변수를 이용해 산점도 그래프를 그려줍니다. panel=panel.smooth 속성을 추가하면 추세선을 그려줍니다.

```
> pairs(iris[-5], log="xy", panel=panel.smooth)
```

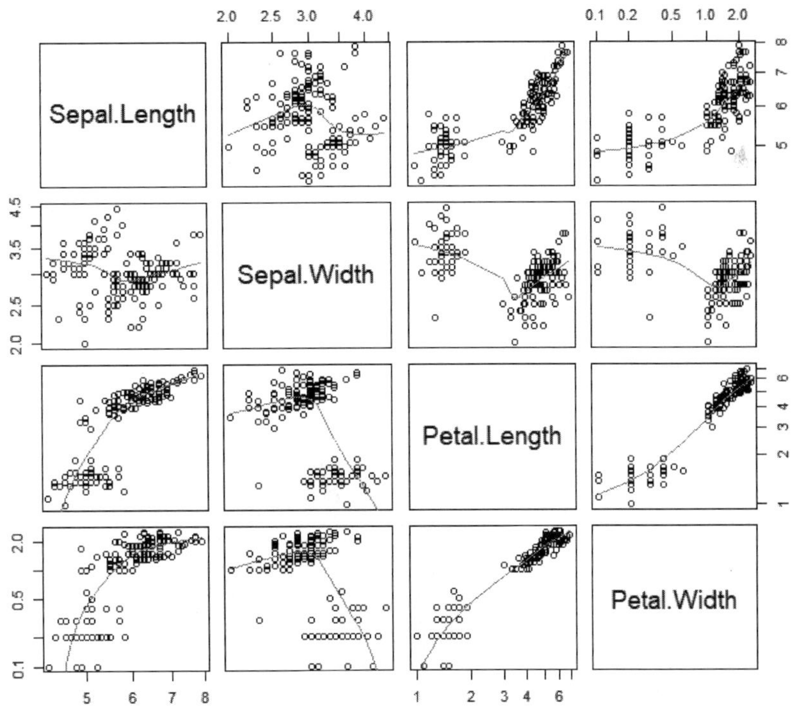

그림 44. pairs() 예

5.2. 투시도

persp() 함수는 투시도를 그려줍니다.

```
> x <- seq(-10, 10, length=30)
> y <- x
> f <- function(x, y) { r <- sqrt(x^2+y^2); 10 * sin(r)/r }
> z <- outer(x, y, f)
> z[is.na(z)] <- 1
> persp(x, y, z, theta=30, phi=30, expand=0.5, col="lightblue")
```

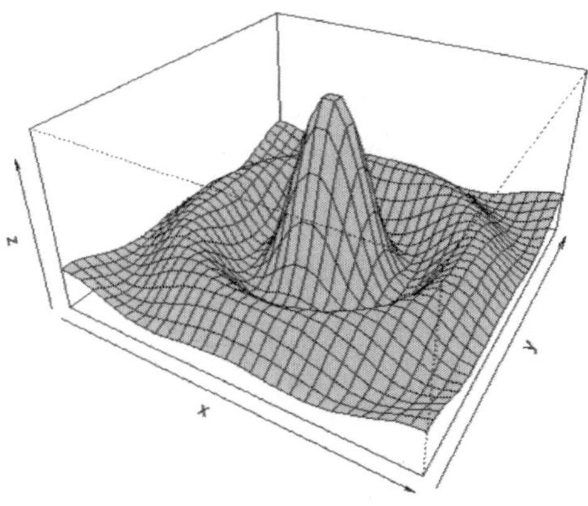

그림 45. persp() 함수 이용한 투시도 예 1

다음 코드는 투시도에 음영을 표시해 줍니다. 그렇게 하면 3차원에 더 가깝게 보입니다.

```
> persp(x, y, z, theta=30, phi=30, expand=0.5, col="lightblue",
+       ltheta=120, shade=0.75, ticktype="detailed",
+       xlab="X", ylab="Y", zlab="Sinc(r)")
```

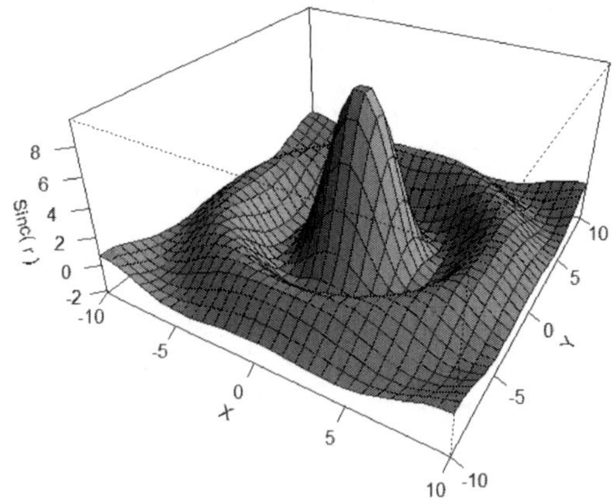

그림 46. persp() 함수 이용한 투시도 예 2

5.3. 등고선 그래프

contour() 함수는 값이 같은 데이터를 연결하여 등고선 형태로 표현해 줍니다. 다음 코드는 그래프 영역을 2행 2열로 나누고 4개 등고선그래프 예를 표시합니다.

```
> x <- -6:16
> op <- par(mfrow=c(2, 2))
> contour(outer(x, x), method="edge", vfont=c("sans serif", "plain"))
> z <- outer(x, sqrt(abs(x)), FUN="/")
> image(x, x, z)
> contour(x, x, z, col="pink", add=TRUE, method="edge",
+         vfont=c("sans serif", "plain"))
> contour(x, x, z, ylim=c(1, 6), method="simple", labcex=1,
+         xlab=quote(x[1]), ylab=quote(x[2]))
> contour(x, x, z, ylim=c(-6, 6), nlev=20, lty=2, method="simple",
+         main="20 levels; \"simple\" labelling method")
> par(op)
```

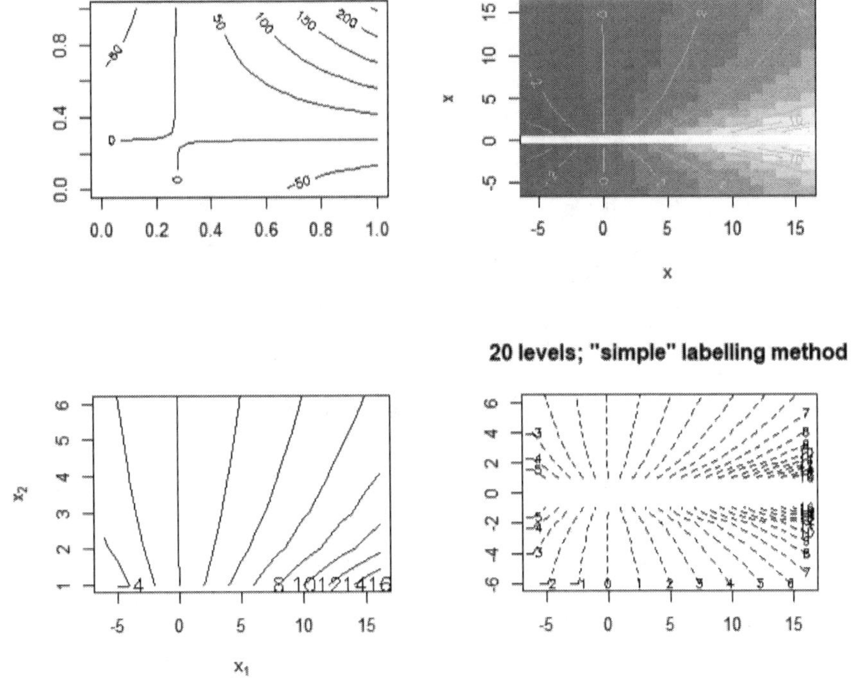

그림 47. contour() 함수를 이용한 등고선 그래프 예

5.4. 히트맵

heatmap() 함수는 히트맵을 그리기 위해 사용합니다. 히트맵은 많은 양의 다차원 데이터를 시각화하는 데 적합하며 유사한 값의 행 클러스터를 유사한 색 영역으로 표시하여 식별하는 데 사용할 수 있습니다.

```
> library(RColorBrewer)
> x  <- as.matrix(mtcars)
> # 차종별 사양비교
> heatmap(x, Rowv=NA, Colv=NA, scale="column",
+         col=brewer.pal(9,"Reds"), xlab="specification variables",
+         main="heatmap(차종별 사양 비교)")
```

- 색상 지정을 위해 RColorBrewer 패키지를 로드했습니다.

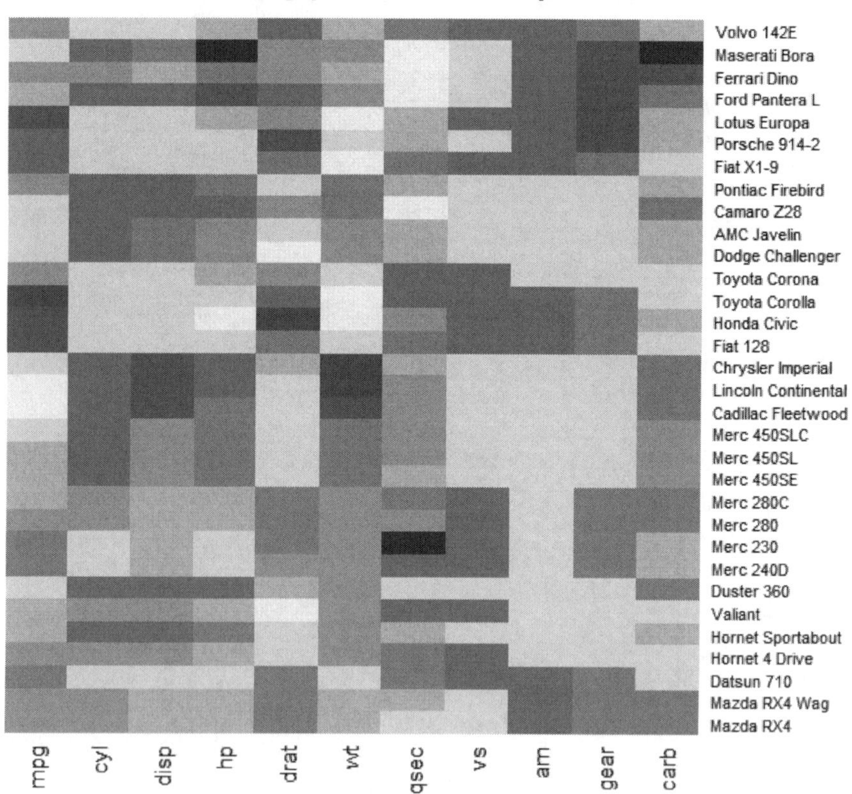

그림 48. heatmap() 함수를 이용한 예

5.5. 평행좌표 그래프

paralleleplot() 함수는 평행좌표 그래프를 그립니다. 평행좌표 그래프에서는 데이터 테이블의 각 행을 선 또는 프로파일로 매핑합니다. 행의 각 속성은 선 위에 점으로 표시됩니다. 이로 인해 평행 좌표 그래프와 선 그래프의 모양은 비슷하지만, 데이터를 그래프로 변환하는 방법은 많이 다릅니다.

다음 코드는 평행좌표 그래프를 출력하는 예입니다.

```
> install.packages("lattice")
> library(lattice)
> parallelplot(~iris[1:4] | Species, iris)
```

- paralleleplot() 함수를 사용하기 위해 lattice 패키지를 설치하고 로드해야 합니다.

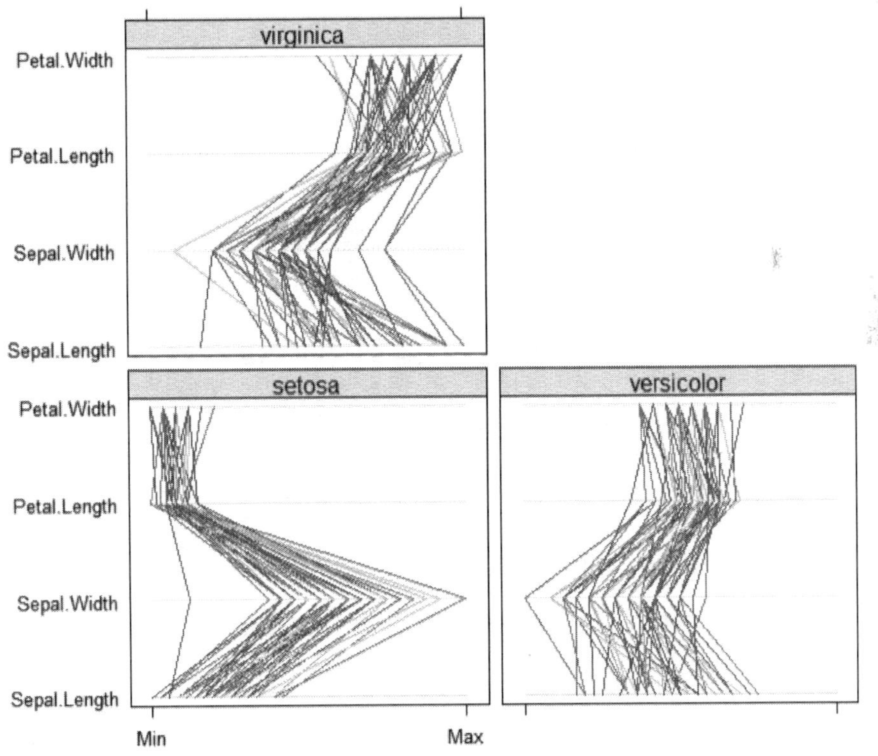

그림 49. parallelplot() 함수를 이용한 예

5.6. 스타차트

stars() 함수는 스타차트를 그려줍니다. 스타차트는 레이더차트, 또는 거미차트라고 불립니다. 스타차트는 몇 개의 축을 그리고, 전체 공간에서 하나의 변수마다 축 위의 중앙으로부터의 거리로 수치를 표현합니다.

다음 코드는 mtcars 데이터를 이용하여 스타차트를 그립니다.

```
> require(grDevices)
> stars(mtcars[, 1:7], key.loc=c(14, 1.5),
+       main="Motor Trend Cars : full stars()", flip.labels=FALSE)
```

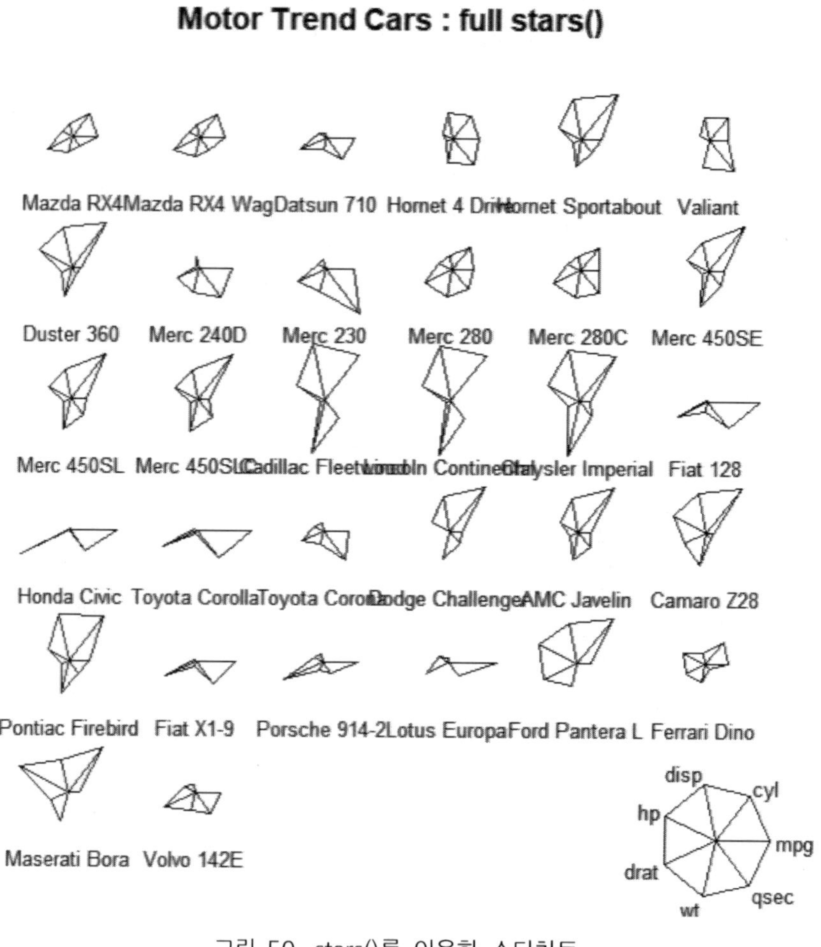

그림 50. stars()를 이용한 스타차트

다음 코드는 팔래트(pallette())를 이용해 색상을 지정하고 스타차트를 그리는 예입니다.

```
> palette(rainbow(12, s=0.6, v=0.75))
> stars(mtcars[, 1:7], len=0.8, key.loc=c(12, 1.5),
+       main="Motor Trend Cars", draw.segments=TRUE)
```

- rainbow(n, s, v) 함수는 채도(saturation, 0~1)와 진하기(value, 0~1)를 지정하여 n개의 색상을 사용할 수 있게 해줍니다.

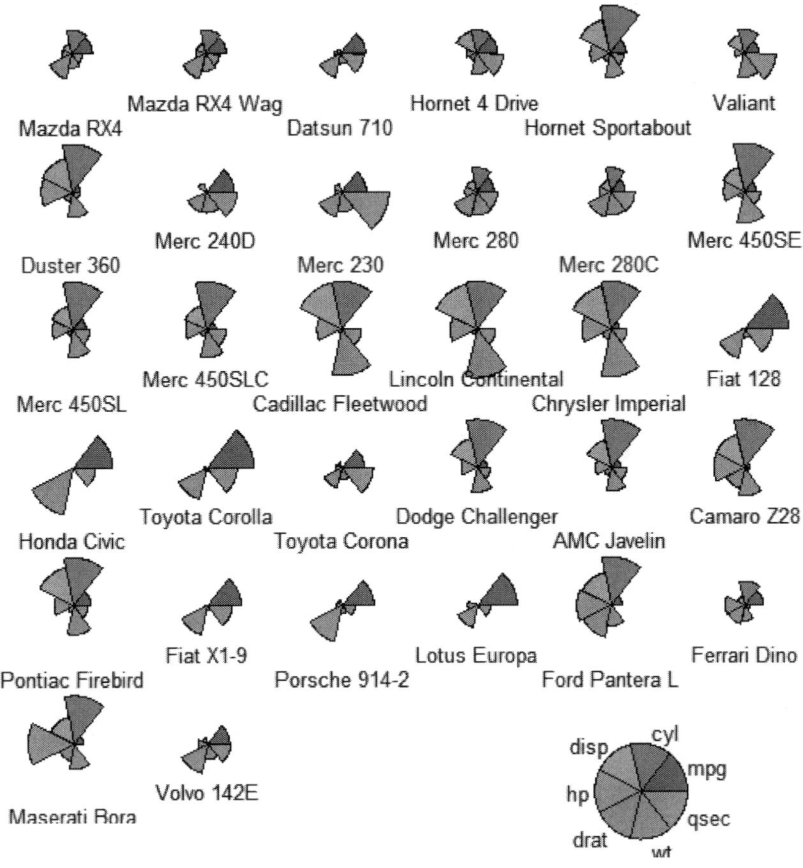

그림 51. stars() 함수에 팔레트를 지정한 예

6. 시각화 실습

1) 신뢰구간 구하기

cars 데이터를 이용하여 속도에 대한 제동거리의 신뢰구간 그래프로 나타내세요.

힌트 1 : lm(formula, data=데이터)은 선형 회귀식을 구합니다. formula는 '종속변수 ~ 독립변수'의 형식입니다.

힌트 2 : 예측은 predict()로 수행합니다. 함수 호출 시 인자로 interval="confidence"를 지정해 신뢰구간까지 구합니다. predict() 함수의 interval 파라미터의 값은 신뢰구간을 구할 때 "confidence", 예측 구간을 구할 때 "predict" 입니다.

힌트 3 : polygon()으로 신뢰구간을 그리려면 그래프에 그릴 다각형의 x 좌표, y 좌표를 구해야 합니다. 이는 cars의 speed를 x좌표, 앞서 코드에서 구한 p의 lwr과 upr을 각각 y좌표로 한 점들을 나열해 구할 수 있습니다

```
> plot (cars)
> m <- lm(dist~speed, data=cars) # 선형 회귀식을 구함
> abline (m)
> abline (h=mean(cars$dist), lty=2, col="blue")
> abline (v=mean(cars$speed), lty=2, col="green")
> p <- predict (m, interval="confidence")  # 신뢰구간을 구함
> x <- c(cars$speed, rev(cars$speed))
> y <- c(p[, "lwr"], rev(p[, "upr"]))
> polygon (x, y, col= rgb (.7, .7, .7, .5))
```

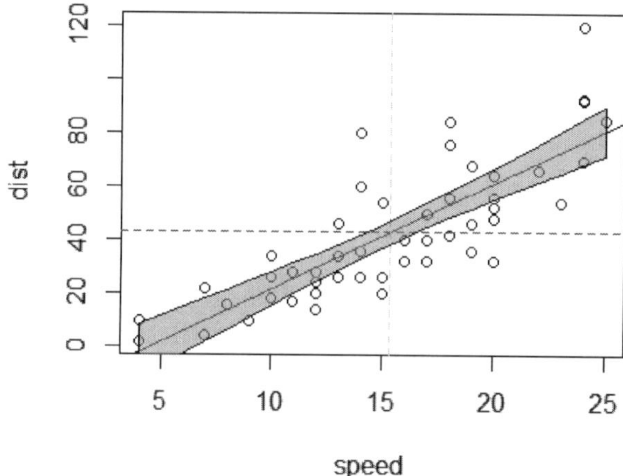

그림 52. cars 데이터를 이용한 신뢰구간 구하기

참고 : speed가 30일 때 dist의 예측구간을 구하고 싶다면 x값에 대한 정보를 가진 데이터가 있어야 합니다. 그래야 y값의 예측구간을 구할 수 있습니다.

```
> newData <- data.frame(speed=c(30,35,40,45,50))#예측구간을 구할 데이터
> predict(m, newData, interval="predict")       #예측구간 구하기
       fit       lwr      upr
1 100.3932  66.86529 133.9210
2 120.0552  84.79233 155.3181
3 139.7173 102.33114 177.1034
4 159.3793 119.54375 199.2148
5 179.0413 136.48646 221.5962
```

2) 활성화 함수 그리기

다음 그림처럼 출력되도록 활성화 함수 그래프를 그리세요.

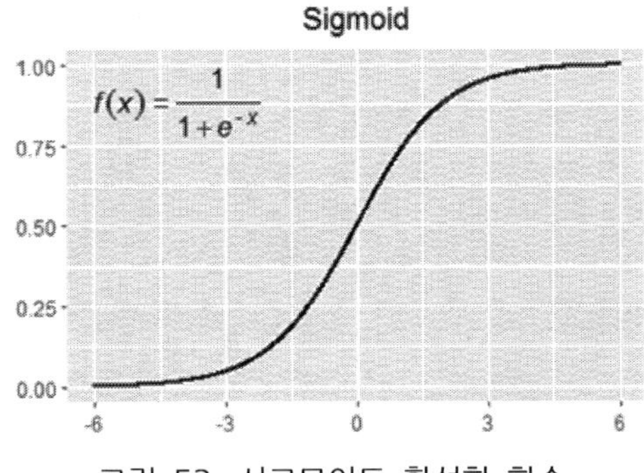

그림 53. 시그모이드 활성화 함수

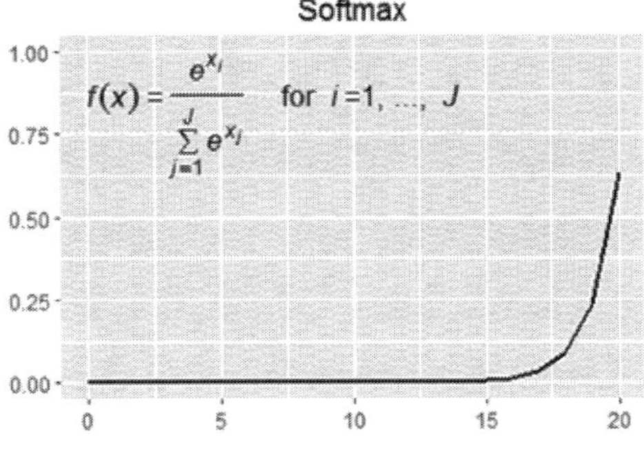

그림 54. 소프트맥스 활성화 함수

시그모이드 함수

```
> x = seq(-6, 6, 0.01)
> y = 1/(1+exp(-x))
> ggplot() +
+   geom_point(aes(x, y), size=0.1) +
+   ggtitle("Sigmoid") +
+   theme(plot.title = element_text(hjust=0.5),
+         axis.title.x=element_blank(),
+         axis.title.y=element_blank()) +
+   annotate('text', x=-6, y=1, hjust=0, vjust=1,
+            label="italic(f(x))~'='~frac(1, 1 +
italic('e')^{'-'~italic(x)})",
+            parse=TRUE, size=4.5)
```

소프트맥스 함수

```
> x = seq(0, 20, 1)
> softmax <- function(input) {
+   return (exp(input) / (sum(exp(input))))
+ }
> y = softmax(x)

> ggplot() +
+   geom_line(aes(x, y), size=1) +
+   ggtitle("Softmax") +
+   theme(plot.title = element_text(hjust=0.5),
+         axis.title.x=element_blank(),
+         axis.title.y=element_blank()) +
+   annotate('text', x=0, y=1, hjust=0, vjust=1,
label="italic(f(x))~'='~frac(italic('e')^{italic('x')[italic('i')]},
sum(italic('e')^{italic('x')[italic('j')]}, italic('j')==1,
italic('J')))~'   '~'for '~italic(i)~'=1, ..., '~italic('J')",
+            parse=TRUE, size=4.5)
```

- 위 코드에서 label 속성으로 그래프에 텍스트를 표시하는 코드는 한 줄로 작성해야 합니다.
- 수식을 표현 방법은 Mathematical Annotation in R[70]문서를 참고하세요.

70) https://stat.ethz.ch/R-manual/R-devel/library/grDevices/html/plotmath.html
http://vis.supstat.com/2013/04/mathematical-annotation-in-r/

9장. 탐색적 데이터 분석

1. 통계 분석
2. 데이터 탐색
3. 상관 분석
4. 주성분 분석
5. 연습문제

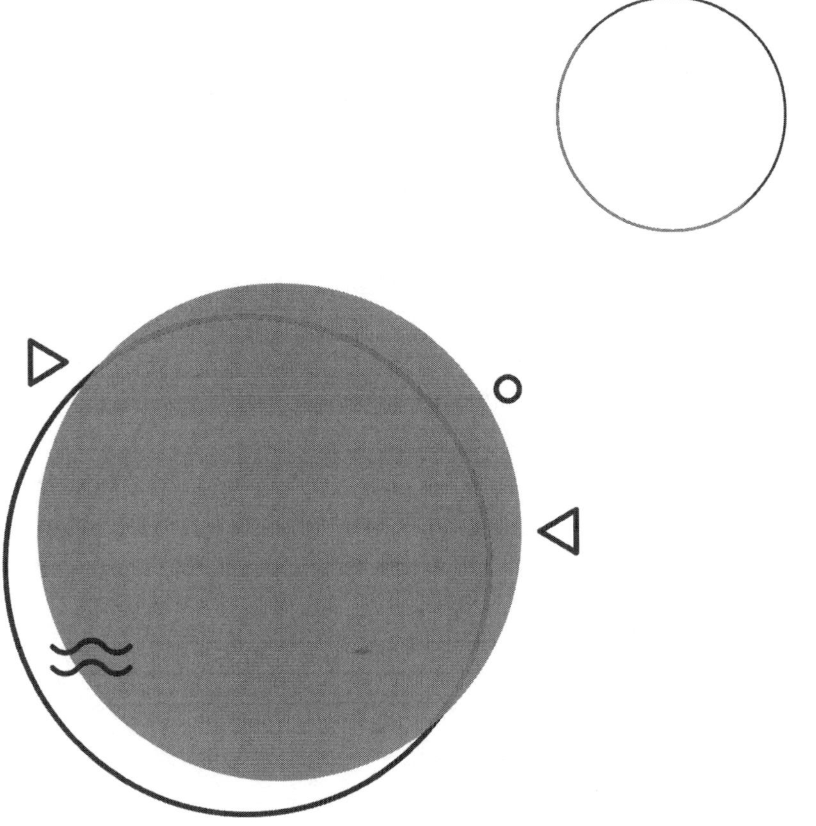

1. 통계 분석

통계 분석은 특정한 집단이나 불확실한 현상을 대상으로 자료를 수집해 대상 집단에 대한 정보를 구하고, 적절한 통계 분석 방법을 이용해 의사결정을 하는 과정입니다.

1.1. 용어 정리

우리는 통계 분석을 할 때 모집단, 표본, 모평균, 표본 평균 등 용어를 사용합니다. 통계 분석에 대해 설명하기 전에 이러한 용어들에 대해 먼저 소개하겠습니다.

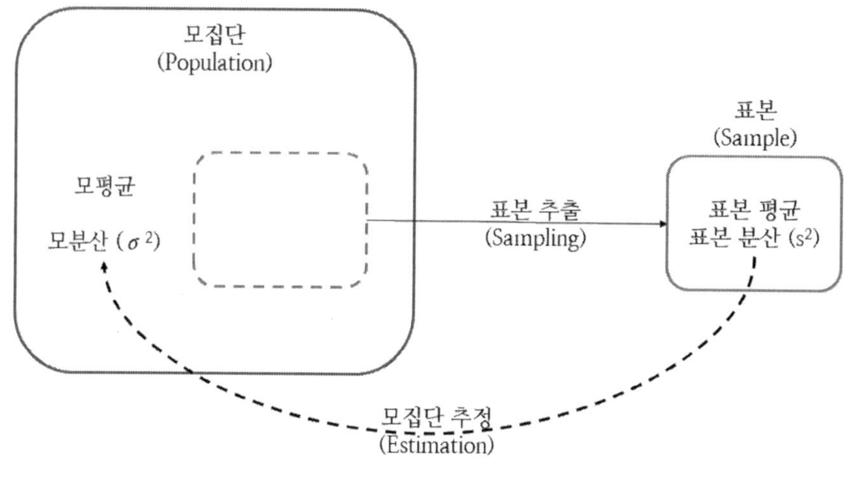

그림 1. 모집단과 표본

모집단(Population)은 조사하고자 하는 대상 집단 전체를 의미합니다. 모집단에서 조사하기 위해 뽑은 모집단의 일부 원소를 표본(Sample)이라고 합니다. 이때 표본의 개수를 표본의 크기라고 부릅니다.

통계 조사 방법에는 모집단 전체를 조사하는 전수조사와 표본을 추출해 어떤 현상을 관측 또는 조사해 자료를 수집하는 표본조사 방법이 있습니다. 우리가 잘 알고 있는 전수조사의 예로는 인구 총 조사(Census)가 있습니다.

모수(Parameter)는 모집단에 대한 정보입니다. 다시 말해 모집단의 분포를 결정하는 것입니다. 모수의 예로는 평균, 분산 등이 있습니다.

표본조사를 바탕으로 분석한 결과를 사용하거나 이해할 때는 모집단의 정의, 표본의 크기, 조사방법 면접조사, 우편조사, 전화조사, 이메일조사 등), 조사기간, 표본 추출 방법을 명확히 밝히거나 확인해야 합니다.

확률표본(Random sample)은 특정한 확률분포로부터 독립적으로 반복 추출한 표본을 의미합니다. 각 관찰값은 서로 독립적이며 동일한 분포를 가집니다.

1.2. 실험

'실험(Experiment)'은 특정 목적 하에서 실험 대상에게 처리를 가한 후에 그 결과를 관측해 자료를 수집하는 방법을 의미합니다. 추출된 원소들이나 실험 단위로부터 주어진 목적에 적합하도록 관측해 자료를 얻는 것은 '측정(Measurement)'이라고 합니다.

어떤 실험을 실시할 때 나타날 수 있는 모든 결과들의 집합을 표본공간(Sample space, Ω)이라고 하며, 표본 공간에 있는 몇 개의 원소들로 이루어진 부분 집합을 사건(Event, E)이라고 합니다. 이 때 특정 사건이 일어날 가능서의 척도를 확률(Probability)이라고 하며, 특정 사건에 대해 실수 값을 갖는 변수(x)를 정의하면, 특정 사건이 일어날 확률은 변수가 특정 값을 가질 확률(f(x))로 표현할 수 있습니다. 변수 x를 확률 변수(Random variable)이라고 하며, f(x)는 확률분포함수라고 합니다.

표 1. 표본공간과 사건

용어	설명
표본공간 (Sample space, Ω)	• 어떤 실험을 실시할 때 나타날 수 있는 모든 결과들의 집합

사건
(Event, E)
	• 표본공간에 있는 몇 개의 원소들로 이루어진 부분 집합
	• 확률 (Probability)
	  • 특정 사건이 일어날 가능성의 척도
	  • P(E) = n(E) / n(Ω)
	• 확률 변수 (Random variable)
	  • 특정 사건에 대해 실수값을 갖는 변수(x)를 정의하면, 특정 사건이 일어날 확률은 변수가 특정 값을 가질 확률(f(x))로 표현할 수 있다.
	  • x : 특정 값이 나타날 가능성이 확률적으로 주어지는 변수
	  • f(x) : 확률분포함수 (Probability distribution Function), 정의역(Domain)이 표본공간이고 치역(Range)이 실수값인 함수

1.3. 확률 변수와 확률 분포

확률 변수는 이산형 확률변수(Discrete random variable)와 연속형 확률변수(Continuous random variable)가 있습니다.

이산형 확률변수 (Discrete random variable)는 0이 아닌 확률 값을 갖는 실수 값이 셀 수 있는 경우를 의미합니다. 이산형 확률변수에서는 확률 질량 함수(probability mass function)가 사용되는데 이것은 각 이산점에 있어서 확률의 크기를 표현하는 함수를 의미합니다.

$$P_r(X = x_i) = P_{i,} \quad i = 1,2,\ldots,n \qquad \text{수식 7}$$

이산형 확률분포의 종류에는 베르누이 확률분포(Bernoulli distribution), 이항분포(Binomial distribution), 기하분포(Geometric distribution), 다항분포(Multinomial distribution), 포아송분포(Poisson distribution) 등이 있습니다[71].

연속형 확률변수(Continuous random variable)는 가능한 값이 실수의 어느 특정구간 전체에 해당하는 확률변수를 의미합니다. 연속형 확률변수에서 확률밀도함수(probability density function)가 사용되는데, 연속형 확률변수 X의 확률함수 f(x)를 의미합니다.

연속형 확률분포의 종류에는 균일분포(Uniform distribution), 정규분포(Normal distribution), 지수분포(Exponential distribution), t-분포(t-distribution), X2-분포(X2 distribution), F-분포(F-distribution)등이 있습니다.

결합 확률분포(joint probability distribution)는 두 확률변수 X, Y의 결합 확률분포를 의미합니다. 결합 확률 질량함수(joint probability mass function)는 다음 수식 2처럼 표현할 수 있습니다.

$$P_r(X = x_i, Y = y_i) = P_{ij,} \quad i = 1,2,\cdots,n,\ j = 1,2,\cdots,m \qquad \text{수식 8}$$

결합 확률 밀도함수(joint probability density function)는 $f(x,\ y)$로 표현합니다.

71) 이 책은 이러한 통계의 기본적인 이론들에 대해서는 설명하지 않습니다. 통계의 기본 이론들은 통계학 서적을 참고하세요.

1.4. 통계적 추론

통계적 추론 (Statistical inference)은 수집된 자료를 이용해 대상 집단(모집단)에 대해 의사결정을 하는 것을 의미합니다. 통계적 추론을 할 때에 추정(Estimation)과 가설검정(Hypothesis test)이라는 말을 많이 사용합니다.

1) 추정

추정(Estimation)은 점추정(Point estimation)과 구간추정(Interval estimation)이 있습니다. 점추정은 '모수가 특정한 값일 것'이라고 추정하는 것이며, 구간추정은 '확률로 표현된 신뢰도하에서 모수가 특정한 구간에 있을 것'이라고 선언하는 것입니다. 구간추정은 항상 분포에 대한 전제가 주어져야 하고, 구해진 구간 안에 모수가 있을 가능성이 주어져야 합니다.

다음 그림은 신뢰수준(Confidence level)과 신뢰구간(Confidence interval)을 보여주고 있습니다. 신뢰수준은 구해진 구간 안에 모수가 있을 가능성의 크기를 의미하며 주로 90%, 95%, 99% 등이 사용됩니다. 신뢰구간은 각각의 신뢰수준 하에서 구한 구간을 의미하며 신뢰수준 90%, 95%, 99%의 각 값들에 대응해서 1.645, 1.96, 2.575가 사용됩니다.

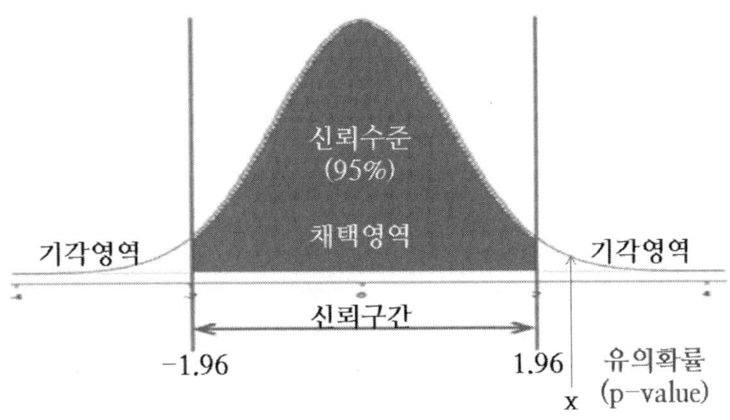

그림 2. 통계적 추론에서 신뢰수준과 신뢰구간

2) 가설 검정

가설검정(Hypothesis test)은 모집단의 모수에 대한 어떤 가설을 설정한 뒤에 표본 관찰을 통해 그 가설의 채택 여부를 결정하는 분석 방법입니다.

가설에는 귀무가설(Null hypothesis, H0)과 대립 가설(Alternative hypothesis, H1)이 있습니다. 귀무가설(Null hypothesis, H0)은 검정하고자 하는 모수에 대한 가설이며, 버릴 것을 예상하는 가설입니다. 대립가설 (Alternative hypothesis, H1)은 귀무가설에 대립되는 가설을 의미하며, 연구자가 연구를 통해 입증되기를 기대하는 예상이나 주장을 대립가설로 내세웁니다.

검정에 사용되는 통계량을 검정통계량(Test statistic, T(X))이라고 하는데, 귀무가설이 옳다는 전제 하에서 검정통계량 값을 구한 후에 이 값이 나타날 가능성의 크기에 의해 귀무가설 채택 여부를 결정합니다.

유의수준(Significance level, α)은 검정 통계량의 값이 나타날 가능성이 "크다" 또는 "작다"의 판단 기준이 됩니다. 이것은 귀무가설을 기각하게 되는 확률의 크기로 "귀무가설이 옳은데도 이를 기각하는 확률의 크기"로 정의합니다.

기각역(Critical region, C)은 귀무가설이 옳다는 전제하에서 구한 검정통계량의 분포에서 확률이 유의 수준 α인 부분을 의미합니다.

가설 검정의 오류에는 제1종의 오류와 제2종의 오류가 있습니다. 제1종 오류(Type I error)는 옳은 귀무가설을 기각하는 오류를 말하며, 제2종 오류(Type II error)는 옳지 않은 귀무가설을 채택하는 오류를 말합니다.

유의 확률(p-value, Significance probability)은 제1종 오류를 발생할 확률을 의미하는데, [그림 2]에서 검정통계량이 x인 경우, 우측 영역의 크기를 의미합니다. 신뢰수준이 95%일 경우 유의 확률(p-value)이 유의수준 (0.05)보다 작으면 귀무가설을 기각합니다. 이것은 대립가설을 채택하는 것을 의미합니다.

3) 모수적 방법과 비모수적 방법

통계적 추론(Statistical inference)에서 모집단의 모수에 대한 검정 방법으로는 모수적 방법(Parametric method)과 비모수적 방법(Non-parametric method)이 있습니다.

모수적 방법(Parametric method)은 검정하고자 하는 모집단의 분포에 대한 가정이며, 그 가정 하에서 검정통계량과 검정통계량의 분포를 유도해 검정을 실시합니다. 비모수적 방법(Non-parametric method)은 관측된 데이터가 특정 분포를 가진다고 가정할 수 없는 경우 사용하며, 모집단 분포에 대한 가정을 하지 않고 검정을 실시합니다. 비모수적 방법의 예에는 부호검정(Sign test), 윌콕슨의 순위합검정(Rank sum test), 윌콕슨의 부호순위합검정(Wilcoxon signed rank test), 만-위트니의 U검정, 런검정(Run test), 스피어만의 순위상관계수 등을 이용한 방법들이 있습니다.

가설의 설정에서 모수적 검정은 가정된 분포의 모수에 대해 가설을 설정하지만, 비모수 검정에서는 가정된 분포가 없으므로 가설은 단지 “분포의 형태가 동일하다” 또는 “분포의 형태가 동일하지 않다”와 같이 분포에 형태에 대해 설정합니다.

모수적 검정에서는 관측된 자료를 이용해 구한 표본평균, 표본분산 등을 이용해 검정을 실시합니다. 그러나 비모수 검정에서는 관측값의 절대적인 크기에 의존하지 않는 관측값들의 순위(rank) 또는 두 관측값 차이의 부호(sign) 등을 이용해 검증합니다.

2. 데이터 탐색

2.1. 차트

대량 데이터의 전반적인 형태를 조사하고 데이터의 변환과 축약을 위해 우리는 차트를 통해 데이터를 시각화 시킬 수 있습니다.

데이터 탐색을 위해 시각화 할 경우 몇 개의 변수를 시각화 할 것인지에 따라 그래프의 선택이 다릅니다. 이산형 변수 또는 연속형 변수의 빈도수 분포 등 단일 변수를 이용해 시각화 하려면 막대 그래프, 파이 그래프, 히스토그램 등을 사용하세요. X축과 Y축에 변수를 할당하여 그래프를 그리려면 선 그래프 또는 시계열 그래프를 이용하세요. 두 개의 연속형 변수의 상관관계를 보고 싶다면 산점도를 이용하여 표현할 수 있습니다. 다중 변수를 이용하여 시각화를 원한다면 모자이크 플롯, 스타 차트, 평행 좌표 그래프, 체르노프 안형 그래프 등을 이용하세요.

다음 표는 데이터에 따라 사용하는 그래프와 데이터들을 정리한 표입니다.

표 2. 데이터에 따른 그래프 선택

변수 차트	그래프	데이터
단일 변수 차트	막대 그래프(Bar chart)	이산형 변수의 빈도수 분포
	파이 그래프(Pie chart)	이산형 변수의 빈도수 분포
	히스토그램(Histogram)	연속형 변수의 빈도수 분포
두 변수 차트	선 그래프(Line graph)	X축과 Y축에 변수를 할당하여 선으로 연결
	시계열 그래프(Time series plot)	X축에 시간 변수를 할당한 Line graph
	산점도 (Scatter plot)	두 개의 연속형 변수의 관계 분석(상관 관계, 산포)
다중 변수 차트	모자이크 플롯(Mosaic plot)	이산형 데이터의 다차원 도수 분포표
	스타 차트 (Star chart)	Radar chart. 각 데이터가 변수별로 전체 데이터 중에서 최솟값과 최댓값 중 어느 정도의 위치에 있는지 확인
	평행 좌표 그래프(Parallel coordinate plot)	변수의 수만큼 평행 좌표선을 만들고 각 변수의 관측값을 좌표선에 점으로 표시한 후 이를 선으로 연결
	체르노프 안형 그래프(Chernoff face diagram)	변수 각각을 사람 얼굴의 윤곽, 코, 입, 귀, 눈동자, 눈썹 등에 대응시켜 표시

● 시각화에 대한 더 자세한 내용은 [8장. 데이터 시각화]를 참고하세요.

2.2. 통계표

데이터를 탐색하는 과정에서 기본적인 데이터의 통계표를 보고 데이터의 분포를 확인 하는 것은 데이터 분석에서 가장 먼저 해야 할 일 중 하나입니다.

1) 통계 요약

데이터의 개수 또는 분포를 확인하기 위해 "도수분포표(Frequency table)"를 사용합니다. R은 table() 함수를 이용해 도수분포표를 작성할 수 있습니다. 데이터의 분포를 확인하기 위해 백분율(상대 도수), 누적 백분율, 유효 백분율(결측값 제외), 누적 유효 백분율 등이 사용됩니다.

데이터가 중심에서 얼마나 가까이 또는 멀리 분포되어 있는지 알기 위해 "중심 위치 측도"를 사용합니다. 이를 위해 평균(Mean, 모평균, 표본 평균), 중앙값(Median), 최빈값(Mode) 등이 사용됩니다.

데이터가 흩어진 정도를 측정하는 것을 "산포의 측도"라고 합니다. 산포의 측도를 알기 위해 분산, 변이계수, 사분위수, 사분위수 그래프 등이 사용됩니다.

표 3. 산포의 측도

이름	설명
분산(Variance)	각 데이터의 값과 평균과의 차이를 제곱하여 합한 후 이를 데이터수로 나눈 값
표준 편차(Standard deviation)	분산의 제곱근
변이계수(Coefficient of variation)	표준편차를 평균으로 나눈 값, 변이계수간 비교가 가능
백분위수(Percentile)	데이터를 순서대로 나열할 경우 이하 값의 개수가 p%
일사분위수(1st quartile)	Q1, 25% 백분위수
이사분위수(2nd quartile), 중앙값(Median)	Q2, 50% 백분위수
삼사분위수(3rd quartile)	Q3, 75% 백분위수
범위(Range)	최댓값 - 최솟값
IQR(InterQuartile Range)	사분위수 범위, Q3 - Q1
사분위수 그래프(Box-whisker plot)	사분위수 등을 이용하여 그린 데이터의 요약 그림

2) 왜도와 첨도

왜도(skewness)는 표본 데이터의 대칭성을 측정할 때 사용합니다.

- 음수이면 왼쪽으로 긴 꼬리를 형성하여 오른쪽을 치우친 분포를 갖습니다. 대표적인 예가 시험 성적 분포입니다.
- 0이면 대칭입니다.
- 양수이면 오른쪽으로 긴 꼬리를 형성하며, 왼쪽으로 치우친 분포를 갖습니다. 소득 자료 분포의 왜도는 음수입니다.

첨도(kurtosis)는 데이터가 평균에 얼마만큼 몰려있는 지를 알려줍니다.

- 음수이면 낮은 봉우리를 형성합니다.
- 0이면 정규분포와 같은 봉우리 높이를 갖습니다.
- 양수이면 정규분포보다 뾰족한(높은) 봉우리 모양으로 분포를 형성합니다.

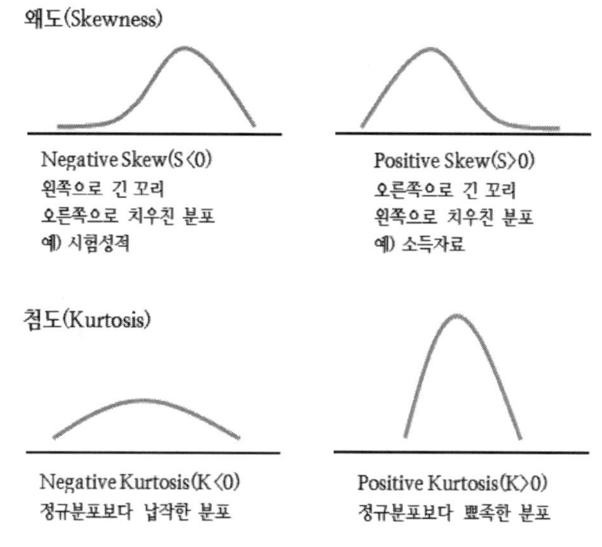

그림 3. 왜도와 첨도

R에서 왜도와 첨도를 구하기 위해서는 다음과 같이 하면 된다.

```
> install.packages("moments")
> library(moments)
> skewness(변수명) # 왜도
> kurtosis(변수명) # 첨도
```

3) 공분산과 상관계수

- 공분산 (Covariance)　：양수는 양의 상관관계, 음수는 음의 상관관계
- 상관계수(Correlation coefficient) ： -1~1, 공분산을 단위와 상관없는 형태로 가공한 값

공분산(Covariance)은 두 개의 확률변수의 분포가 결합된 결합확률분포의 분산을 의미합니다. 방향성은 나타내지만, 결합 정도에 대한 정보로서는 유용하지 않습니다. 공분산이 0보다 크면 두 변수는 같은 방향으로 움직이고, 0보다 작으면 다른 방향으로 움직임을 의미합니다. 만약 공분산이 0이라면 두 변수간에는 아무런 선형관계가 없으며 두 변수는 서로 독립적인 관계에 있음을 알 수 있습니다. 두 변수가 독립적이라면 공분산은 0이 되지만, 공분산이 0이라고 해서 항상 독립적이라고 할 수 없습니다.

상관계수(Correlation coefficient)는 두 개의 확률변수 사이의 선형적 관계 정도를 나타내는 척도입니다. 상관계수는 방향성과 선형적 결합 정도에 대한 정보를 모두 포함하고 있습니다. 두 변수의 공분산을 각 변수의 표준편차로 모두 나누어 구할 수 있으며, -1과 1사이에서 그 값이 결정됩니다. 공분산은 원래의 단위의 곱이 되기 때문에 경우에 따라서 이를 표준화할 필요가 있으며,
표준화한 결과가 상관계수가 됩니다.

4) 기초통계량 실습

iris 데이터를 이용해 기초통계량을 확인해 보겠습니다.

다음 코드는 iris 데이터의 구조를 출력합니다.

```
> data(iris)
> str(iris)
'data.frame': 150 obs. of  5 variables:
 $ Sepal.Length: num  5.1 4.9 4.7 4.6 5 5.4 4.6 5 4.4 4.9 ...
 $ Sepal.Width : num  3.5 3 3.2 3.1 3.6 3.9 3.4 3.4 2.9 3.1 ...
 $ Petal.Length: num  1.4 1.4 1.3 1.5 1.4 1.7 1.4 1.5 1.4 1.5 ...
 $ Petal.Width : num  0.2 0.2 0.2 0.2 0.2 0.4 0.3 0.2 0.2 0.1 ...
 $ Species     : Factor w/ 3 levels "setosa","versicolor",..: 1 1 1 1 1 1 1 1
1 1 ...
```

다음 코드는 iris 데이터의 요약정보를 출력합니다.

```
> summary(iris)
  Sepal.Length    Sepal.Width     Petal.Length    Petal.Width          Species
 Min.   :4.300   Min.   :2.000   Min.   :1.000   Min.   :0.100   setosa
 :50
 1st Qu.:5.100   1st Qu.:2.800   1st Qu.:1.600   1st Qu.:0.300
versicolor:50
 Median :5.800   Median :3.000   Median :4.350   Median :1.300   virginica
:50
 Mean   :5.843   Mean   :3.057   Mean   :3.758   Mean   :1.199

 3rd Qu.:6.400   3rd Qu.:3.300   3rd Qu.:5.100   3rd Qu.:1.800

 Max.   :7.900   Max.   :4.400   Max.   :6.900   Max.   :2.500
```

- summary(iris)
  수치형 자료 : 최솟값, 1사분위수, 중앙값, 평균, 3사분위수, 최댓값 표시
  Factor 자료 : 각 factor의 도수 표시

도수분포표는 table() 함수를 사용합니다. 다차원 도수분포표를 구하려면 table(~, ~) 형식으로 사용하면 됩니다. 교차표(Cross Table)는 xtabs()를 이용합니다. 다음 구문은 다이아몬드의 컷팅과 색상에 따른 다차원 도수분포표를 출력합니다.

```
> install.packages("ggplot2")

> data(list="diamonds", package="ggplot2")
> xtabs(~ cut + color, data=diamonds)
           color
cut            D    E    F    G    H    I    J
  Fair       163  224  312  314  303  175  119
  Good       662  933  909  871  702  522  307
  Very Good 1513 2400 2164 2299 1824 1204  678
  Premium   1603 2337 2331 2924 2360 1428  808
  Ideal     2834 3903 3826 4884 3115 2093  896
```

다음 구문은 다이아몬드의 컷팅과 색상에 따른 가격의 교차표를 출력합니다.

```
> xtabs(price ~ cut + color, data=diamonds)
           color
```

```
cut              D        E        F        G        H       I       J
  Fair      699443   824838  1194025  1331126  1556112  819953  592103
  Good     2254363  3194260  3177637  3591553  3001931 2650994 1404271
  Very Good 5250817  7715165  8177367  8903461  8272552 6328079 3460182
  Premium  5820962  8270443 10081319 13160170 12311428 8491146 5086030
  Ideal    7450854 10138238 12912518 18171930 12115278 9317974 4406695
```

2.3. 샘플링

샘플링(Sampling)은 데이터에서 표본을 추출하는 것을 의미합니다. 머신러닝에서 샘플링은 전체 데이터에서 학습 모형을 생성하기 위한 데이터셋과 모형의 적합도를 확인하기 위한 데이터셋을 구분할 때 사용합니다.

다음 [그림 4]은 타겟 데이터에서 70%를 뽑아 트레이닝 셋으로 만들고 나머지 30%는 테스트셋으로 나누는 것을 의미합니다. 트레이닝 셋은 머신러닝을 이용하여 모형을 생성하는데 사용합니다. 그런데 모형이 만들어지면 그 모형이 얼마만큼 정확하게 예측하는지 확인해 봐야 합니다. 만일 만족할 만한 결과를 얻지 못한다면 다른 알고리즘을 이용하거나 데이터를 다시 선택해야 할 것입니다. 아래 그림에서 30% 테스트 셋은 트레이닝 세에 의해 만들어진 모형이 얼마만큼 정확하게 예측하는지 검증하기 위한 용도로 사용합니다.

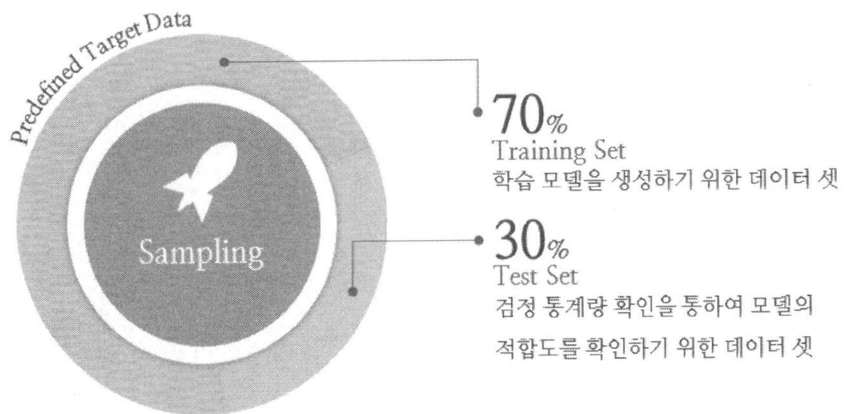

그림 4. Training Set과 Test Set으로 샘플링

표본을 추출하는 방법은 임의추출, 복원추출, 계통추출 등이 있습니다.

doBy 패키지의 sampleBy() 함수에 의해 데이터 프레임은 포뮬러의 변수에 따라 분할되고 각각 분할된 그룹에서 특정 비율의 샘플이 추출됩니다.

```
doBy::sampleBy(formula, frac=0.1, replace=FALSE,
               data=parent.frame(), systematic=FALSE)
```

구문에서...

- formula : 포뮬러를 지정합니다. 포뮬러에 대한 자세한 내용은 다음 3.4절에서 설명됩니다.
- frac : 추출할 샘플의 비율입니다. 기본값은 0.1(10%)입니다.
- replace : 복원추출 여부를 설정합니다. 기본값은 FALSE이며, 이 경우 비복원추출 입니다. 비복원추출은 한번 뽑은 것은 다시 뽑을 수 없는 추출입니다. TRUE 이면 복원추출이고 한번 뽑은 데이터를 다시 뽑을 수 있습니다.
- data : 데이터 프레임입니다.
- Systematic : 계통추출을 사용할 지 여부를 결정합니다. 계통추출은 체계적 표집(systematic sampling)이라고도 하며 첫 번째 요소를 선정한 후 그 샘플로부터 동일한 간격에 있는 데이터를 샘플로 추출하는 방법입니다. 기본값은 임의추출(FALSE)입니다. 계통추출(TRUE)일 경우 frac=.1 이면 1/.1 즉 처음부터 각 열 번째(1, 11, 21, 31, 41, ...) 데이터가 추출되고, frac=0.2 이면 1/.2 즉, 처음부터 각 다섯 번째(1, 6, 11, 16, 21, ...) 데이터가 추출됩니다. 계통추출법은 만약 표본이 추출되기 전 요소들의 목록이 무작위로 되어 있지 않고 주기성(periodicity)을 띠고 있다면, 계통추출법을 통해 추출된 표본은 매우 어긋난 표본이 될 수 있으며 모집단을 전혀 반영하지 못하게 됩니다.

다음 코드는 iris 데이터에서 종별로 각 10% 씩 데이터를 샘플링 합니다. 이는 비복원, 임의추출 방법입니다. 계통추출이 아니라면 실행 결과가 이 책의 내용과 다를 수 있습니다.

```
> sampleBy(~Species, data=iris, frac=0.1)
               Sepal.Length Sepal.Width Petal.Length Petal.Width    Species
setosa.5                5.0         3.6          1.4         0.2     setosa
setosa.12               4.8         3.4          1.6         0.2     setosa
setosa.36               5.0         3.2          1.2         0.2     setosa
setosa.45               5.1         3.8          1.9         0.4     setosa
setosa.47               5.1         3.8          1.6         0.2     setosa
versicolor.58           4.9         2.4          3.3         1.0 versicolor
versicolor.66           6.7         3.1          4.4         1.4 versicolor
versicolor.76           6.6         3.0          4.4         1.4 versicolor
versicolor.80           5.7         2.6          3.5         1.0 versicolor
versicolor.87           6.7         3.1          4.7         1.5 versicolor
virginica.103           7.1         3.0          5.9         2.1  virginica
```

```
virginica.114          5.7         2.5          5.0         2.0  virginica
virginica.123          7.7         2.8          6.7         2.0  virginica
virginica.136          7.7         3.0          6.1         2.3  virginica
virginica.148          6.5         3.0          5.2         2.0  virginica
```

다음 코드는 복원추출입니다. versicolor 데이터가 86번째 데이터가 두 번 샘플링 된 것을 확인할 수 있습니다.

```
> sampleBy(~Species, data=iris, frac=0.1, replace=TRUE)
                Sepal.Length Sepal.Width Petal.Length Petal.Width    Species
setosa.2                 4.9         3.0          1.4         0.2     setosa
setosa.12                4.8         3.4          1.6         0.2     setosa
setosa.16                5.7         4.4          1.5         0.4     setosa
setosa.23                4.6         3.6          1.0         0.2     setosa
setosa.47                5.1         3.8          1.6         0.2     setosa
versicolor.55            6.5         2.8          4.6         1.5 versicolor
versicolor.57            6.3         3.3          4.7         1.6 versicolor
versicolor.86            6.0         3.4          4.5         1.6 versicolor
versicolor.86.1          6.0         3.4          4.5         1.6 versicolor
versicolor.100           5.7         2.8          4.1         1.3 versicolor
virginica.112            6.4         2.7          5.3         1.9  virginica
virginica.119            7.7         2.6          6.9         2.3  virginica
virginica.130            7.2         3.0          5.8         1.6  virginica
virginica.136            7.7         3.0          6.1         2.3  virginica
virginica.139            6.0         3.0          4.8         1.8  virginica
```

다음 코드는 비복원추출이며, 계통추출입니다.

```
> sampleBy(~Species, data=iris, frac=0.1, systematic=TRUE)
               Sepal.Length Sepal.Width Petal.Length Petal.Width    Species
setosa.1                5.1         3.5          1.4         0.2     setosa
setosa.11               5.4         3.7          1.5         0.2     setosa
setosa.21               5.4         3.4          1.7         0.2     setosa
setosa.31               4.8         3.1          1.6         0.2     setosa
setosa.41               5.0         3.5          1.3         0.3     setosa
versicolor.51           7.0         3.2          4.7         1.4 versicolor
versicolor.61           5.0         2.0          3.5         1.0 versicolor
versicolor.71           5.9         3.2          4.8         1.8 versicolor
versicolor.81           5.5         2.4          3.8         1.1 versicolor
versicolor.91           5.5         2.6          4.4         1.2 versicolor
virginica.101           6.3         3.3          6.0         2.5  virginica
virginica.111           6.5         3.2          5.1         2.0  virginica
virginica.121           6.9         3.2          5.7         2.3  virginica
```

```
virginica.131          7.4         2.8          6.1         1.9  virginica
virginica.141          6.7         3.1          5.6         2.4  virginica
```

계통추출법을 사용하더라고 첫 번째 요소는 무작위로 선정되어야 합니다. 그러나 sampleBy 함수는 이용해서 계통추출 시 추출 비율(frac)이 같을 경우 첫 번째 요소가 같은 위치부터 샘플링 되는 단점이 있습니다. 다음 함수는 계통 추출 시 시작 위치를 랜덤함수를 이용하여 임의의 위치에서 샘플링이 되도록 수정한 것입니다.

```
> sampleBy2 <- function(formula,
+                       frac=0.1,
+                       replace=FALSE,
+                       data=parent.frame(),
+                       systematic=FALSE)
+ {
+   temp <- splitBy(formula, data=data)
+   temp <- lapply(temp, function(dat) {
+     if (systematic==TRUE) {
+       rand <- sample(1:floor(1/frac), 1)
+       idx <- seq(rand, nrow(dat), 1/frac)
+     } else {
+       idx <- sort(sample(1:nrow(dat),
+                   size=round(frac*nrow(dat)),
+                   replace=replace))
+     }
+     dat[idx,]
+   })
+   temp <- do.call("rbind", temp)
+   return(temp)
+ }
```

위 함수를 이용해 계통 추출을 하면 항상 같은 위치부터 샘플링 되는 단점을 없앨 수 있습니다. 다음은 새로 작성한 함수를 이용해 계통 추출하는 예입니다.

```
> sampleBy2(~Species, frac=0.1, data=iris, systematic=TRUE)
               Sepal.Length Sepal.Width Petal.Length Petal.Width    Species
setosa.4                4.6         3.1          1.5         0.2     setosa
setosa.14               4.3         3.0          1.1         0.1     setosa
setosa.24               5.1         3.3          1.7         0.5     setosa
setosa.34               5.5         4.2          1.4         0.2     setosa
setosa.44               5.0         3.5          1.6         0.6     setosa
versicolor.52           6.4         3.2          4.5         1.5 versicolor
versicolor.62           5.9         3.0          4.2         1.5 versicolor
```

```
versicolor.72          6.1         2.8          4.0         1.3 versicolor
versicolor.82          5.5         2.4          3.7         1.0 versicolor
versicolor.92          6.1         3.0          4.6         1.4 versicolor
virginica.104          6.3         2.9          5.6         1.8  virginica
virginica.114          5.7         2.5          5.0         2.0  virginica
virginica.124          6.3         2.7          4.9         1.8  virginica
virginica.134          6.3         2.8          5.1         1.5  virginica
virginica.144          6.8         3.2          5.9         2.3  virginica
```

같은 구문을 다시 실행했을 때 첫 번째 요소가 무작위로 선정되기 때문에 다른 데이터가 샘플링 됩니다.

```
> sampleBy2(~Species, frac=0.1, data=iris, systematic=TRUE)
              Sepal.Length Sepal.Width Petal.Length Petal.Width    Species
setosa.5               5.0         3.6          1.4         0.2     setosa
setosa.15              5.8         4.0          1.2         0.2     setosa
setosa.25              4.8         3.4          1.9         0.2     setosa
setosa.35              4.9         3.1          1.5         0.2     setosa
setosa.45              5.1         3.8          1.9         0.4     setosa
versicolor.53          6.9         3.1          4.9         1.5 versicolor
versicolor.63          6.0         2.2          4.0         1.0 versicolor
versicolor.73          6.3         2.5          4.9         1.5 versicolor
versicolor.83          5.8         2.7          3.9         1.2 versicolor
versicolor.93          5.8         2.6          4.0         1.2 versicolor
virginica.104          6.3         2.9          5.6         1.8  virginica
virginica.114          5.7         2.5          5.0         2.0  virginica
virginica.124          6.3         2.7          4.9         1.8  virginica
virginica.134          6.3         2.8          5.1         1.5  virginica
virginica.144          6.8         3.2          5.9         2.3  virginica
```

표본 추출할 때 base 패키지의 sample() 함수를 사용할 수 있습니다.

```
base::sample(x, size, replace=FALSE, prob=NULL)
```

구문에서...

- replace : 복원추출 여부를 FALSE 또는 TRUE(TRUE이면 복원 추출)로 지정합니다.
- prob : 가중치를 지정합니다.

sampling 패키지의 strata() 함수를 이용하면 층화 임의 추출할 수 있습니다.

```
sampling::strata(data, stratanames=NULL, size,
       method=c("srswor","srswr","poisson","systematic"),
       pik, description=FALSE)
```

- 이 함수는 ID_unit, Prob, Stratum을 저장한 객체 반합니다.

sampling 패키지의 getdata() 함수는 표본을 추출한 뒤 데이터 프레임에서 값을 추출해 줍니다.

```
sampling::getdata(data, m)
```

구문에서...
- x는 층화임의추출객체입니다.

2.4. 분할표

분할표는 table(), xtabs() 함수를 이용하여 얻을 수 있습니다. 이 함수 데이터를 같은 값을 갖는 값을 이용해 개수를 계산해 줍니다.

주변합과 비율은 margin.table(), prop.table()을 이용합니다.

다음 코드는 iris 데이터를 이용해 table() 함수와 xtabs() 함수의 사용법을 보여줍니다.

```
> table(iris$Species)

    setosa versicolor  virginica 
        50         50         50 
> xtabs( ~ Species, iris)
Species
    setosa versicolor  virginica 
        50         50         50 
> xtabs(Sepal.Length ~ Species, iris)
Species
    setosa versicolor  virginica 
```

```
    250.3      296.8      329.4
> tapply(iris$Sepal.Length, iris$Species, sum)
   setosa versicolor  virginica
    250.3      296.8      329.4
> xtabs(Sepal.Length + Sepal.Width ~ Species, iris)
Species
   setosa versicolor  virginica
    421.7      435.3      478.1
> result <- read.csv("result3.csv72)", header=TRUE)73)
> (restult_table <- xtabs(~SIU_CUST_YN+predicted_yn, result))
          predicted_yn
SIU_CUST_YN    0    1
          0 5520  123
          1  283  257
> margin.table(restult_table, 1)
SIU_CUST_YN
   0    1
5643  540
> margin.table(restult_table, 2)
predicted_yn
   0    1
5803  380
> prop.table(restult_table, 1)
          predicted_yn
SIU_CUST_YN          0          1
          0 0.97820308 0.02179692
          1 0.52407407 0.47592593
> prop.table(restult_table, 2)
          predicted_yn
SIU_CUST_YN          0          1
          0 0.95123212 0.32368421
          1 0.04876788 0.67631579
```

72) result3.csv 파일의 다운로드 주소는 http://javaspecialist.co.kr/pds/242입니다.

73) data.table 패키지의 fread() 함수를 이용하면 쉽게 웹상의 데이터를 불러올 수 있습니다.

```
> library("data.table")
> result <- fread("http://javaspecialist.co.kr/pds/242")
```

3. 상관 분석

상관 분석은 두 변수 간에 선형적 관계가 있는지 분석하는 것입니다. 이에 사용하는 수치는 피어슨(Pearson) 상관계수와 스피어만(Spearman) 상관계수 그리고 켄달(Kendall)의 상관계수가 있습니다.

3.1. 피어슨 상관계수

피어슨 상관계수(Pearson correlation coefficient)는 피어슨 상관계수는 수치로 표시된 데이터간의 상관관계를 확인하기 위해 사용합니다. 두 변수가 모두 연속형 자료일 때 두 변수간 선형적인 상관관계의 크기를 모수적(parametric)인 방법으로 나타낸 값입니다.

$$\rho_{X,\,Y} = cov(X,\,Y)/\sigma_X{}^* \,\sigma_Y$$

수식에서...

- cov(X, Y) : X, Y의 공분산
- óX : X의 표준 편차
- óY : Y의 표준 편차

피어슨 상관계수는 -1 ~ 1 사이의 값을 가지며 일반적으로 0.6 이상이면 양의 상관관계, -0.6 이하이면 음의 상관관계를 갖습니다. 다음 표는 상관계수 범위에 따른 상관관계를 보여줍니다.

표 4. 상관계수와 관계

범위	관계
-1.0 ≤ r ≤ -0.7	매우 강한 음(-) 의 상관 관계
-0.7 〈 r ≤ -0.3	강한 음(-) 의 상관 관계
-0.3 〈 r ≤ -0.1	약한 음(-) 의 상관 관계
-0.1 〈 r ≤ 0.1	상관 관계 없음
0.1 〈 r ≤ 0.3	약한 양(+) 의 상관 관계
0.3 〈 r ≤ 0.7	강한 양(+) 의 상관 관계
0.7 〈 r ≤ 1.0	매우 강한 양(+) 의 상관 관계

다음 구문은 iris 데이터에서 상관계수를 확인해 봅니다.

```
> cor(iris[, 1:4])
             Sepal.Length Sepal.Width Petal.Length Petal.Width
Sepal.Length    1.0000000  -0.1175698    0.8717538   0.8179411
Sepal.Width    -0.1175698   1.0000000   -0.4284401  -0.3661259
Petal.Length    0.8717538  -0.4284401    1.0000000   0.9628654
Petal.Width     0.8179411  -0.3661259    0.9628654   1.0000000
```

- 상관 계수 행렬을 통해서 다음 사실을 확인할 수 있습니다.
- 꽃받침의 길이(Sepal.Length)는 꽃잎 길이(Petal.Length) 그리고 꽃잎 너비(Petal.Width)와 양의 상관관계가 있습니다.
- 꽃잎 길이(Petal.Length)와 꽃잎 너비(Petal.Width)는 양의 상관관계가 있습니다.

꽃잎 길이(Petal.Length)와 꽃잎 너비(Petal.Width)의 산점도를 그려보면 양의 상관관계가 있음을 확인할 수 있습니다.

```
> cor(iris$Petal.Width, iris$Petal.Length)
[1] 0.9628654
> plot(iris$Petal.Width, iris$Petal.Length)
```

- plot() 함수로 산점도를 그려보면 Petal.Width의 증가에 따라 Petal.Length 도 증가하는 것을 볼 수 있습니다.

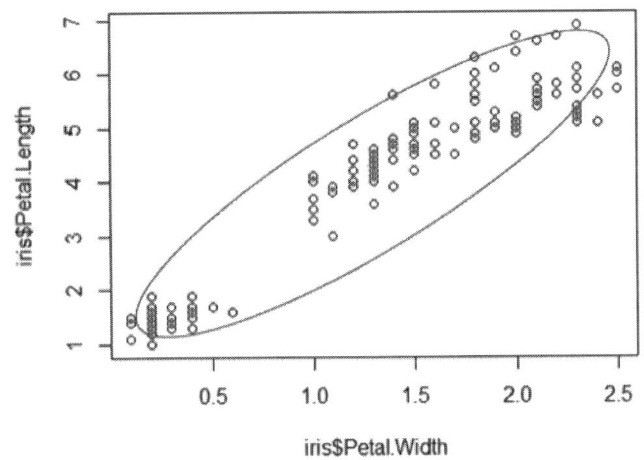

그림 5. 양의 상관관계를 갖는 데이터의 산점도

cor.test() 함수를 사용하여 상관계수의 유의성을 검증할 수 있습니다.
귀무가설과 대립가설은 아래와 같이 세우고...
- 귀무가설(H0) : 상관 계수가 0 (상관관계가 없음)
- 대립가설(H1) : 상관 계수가 0이 아님 (상관관계가 있음)

유의 확률(p-value)이 유의수준(0.05) 보다 작은 경우, 귀무가설을 기각합니다.

```
> cor.test(iris$Petal.Width, iris$Petal.Length)
```

```
	Pearson's product-moment correlation

data:  iris$Petal.Width and iris$Petal.Length
t = 43.387, df = 148, p-value < 2.2e-16
alternative hypothesis: true correlation is not equal to 0
95 percent confidence interval:
 0.9490525 0.9729853
sample estimates:
      cor
0.9628654
```

- cor.test(iris$Petal.Width, iris$Petal.Length, type="spearman")을 사용하여 계산된 유의확률이 0.05보다 작으므로 귀무가설을 기각합니다. 따라서 꽃잎 길이와 꽃잎 너비는 상관관계가 있습니다.

3.2. 스피어만 상관계수

스피어만 상관계수(Spearman correlation coefficient)는 상관관계를 분석하고자 하는 두 연속형 변수의 분포가 심각하게 정규 분포(normal distribution)를 벗어난다거나 또는 두 변수가 순위 척도(ordinal scale) 자료일 때 사용하는 값입니다. 데이터가 서열 척도인 경우, 값 대신 순위를 사용하여 계산한 상관계수입니다.

Hmisc 패키지의 rcorr() 함수를 이용하면 피어슨 상관계수뿐만 아니라 스피어만 상관계수도 구할 수 있습니다.

```
> install.packages("Hmisc")
> library(Hmisc)
> rcorr(iris$Petal.Width, iris$Petal.Length, type="pearson")$r
          x         y
x 1.0000000 0.9628654
y 0.9628654 1.0000000
> rcorr(iris$Petal.Width, iris$Petal.Length, type="spearman")$r
          x         y
x 1.0000000 0.9376668
y 0.9376668 1.0000000
```

- 켄달의 상관계수는 스피어만 상관계수와 비슷합니다. 다만 알고리즘의 복잡도가 더 큽니다. 스피어만 상관계수 복잡도는 $O(n \log n)$이며 켄달의 상관계수 복잡도는 $O(n^2)$입니다.

3.3. 독립성 검증

독립성 검증은 단일 무작위 표본에서 추출한 자료에 대해 하나의 특성이 다른 특성과 독립적인지 아닌지를 알아보는 검증 방법입니다. 범주(category)별로 빈도(frequency)만이 주어진 범주형 데이터의 분석은 일반적으로 카이제곱 분포를 이용한 검정법을 적용합니다.

독립성 검증을 하는 목적은...

- 적합성 : 표본의 관측도수와 모집단의 기대도수를 비교하여 기대도수와 관측도수의 차이가 있는지를 검정
- 독립성 : 두 속성 간 관계가 있는지 검정
- 동질성 : 두 개 이상의 다항분포가 같은지 검정(독립성 검정과 같은 방식이지만, 분석 목적과 표현이 다름)

시행의 결과가 2가지만 나올 수 있는 베르누이의 시행을 n번 독립적으로 반복했을 때 성공 횟수는 이항분포를 따릅니다. 시행 결과가 3가지 이상일 경우는 다항분포(multinomial distribution)을 따르게 됩니다.

$$\chi^2 = \Sigma\ (\text{관측값} - \text{기대값})^2\ /\ \text{기대값}$$

자유도[74] = (rows−1)*(cols−1)

피셔의 테스트(Fisher's Exact Test)는 데이터의 수가 적어, chisq.test() 함수에서 경고 메시지가 발생할 경우 사용합니다.

```
> fisher.test(data)
```

멕네마르의 테스트(McNemar' Test)는 어떤 사건 전후에 변화가 발생하였는지 검증할 때 사용합니다.

```
> mcnemar.test(data)
```

- 귀무가설(H0) : 사건 전후 변화가 발생하지 않음
- 대립가설(H1) : 사건 전후 변화가 발생함
- 유의 확률(p-value)이 0.05보다 작으면 사건 전후로 변화가 발생함

74) 자유도는 통계적 추정을 할 때 표본 자료 중 모집단에 대한 정보를 주는 독립적인 자료의 수입니다.

카이-제곱 검증은 두 개의 명목형 변수의 범주 간 연관성을 결정하는데 사용될 수 있습니다.

카이제곱 테스트(Chi-Squared Test)에서 유의 확률(p-value)이 0.05보다 작거나 같으면 귀무가설을 기각합니다.

다음 구문은 다이아몬드의 컷(cut)과 색상(color) 사이에 독립성이 있는지 확인합니다.

```
> data <- table(diamonds$cut, diamonds$color)
> chisq.test(data)

	Pearson's Chi-squared test

data:  data
X-squared = 310.32, df = 24, p-value < 2.2e-16
```

- 유의 확률(p-value)이 0.05보다 작으므로, 두 변수는 독립이 아닙니다.
- 귀무가설(H0) : 두 변수가 독립임(관련성이 없다)
- 대립가설(H1) : 두 변수가 독립이 아님(관련성이 있다)
- X-squared : 통계량
- df : 자유도

3.4. 적합도 검증

적합도 검증은 데이터가 특정 분포를 따르는지 검증하는 것입니다.

다음은 카이제곱 검증을 이용하여 다이아몬드 데이터의 컷 등급 중에서 Fair와 Good의 비율이 25:75 비율을 따르는지 알아봅니다.

```
> table(diamonds$cut)[1:2]

Fair Good
1610 4906
> data <- table(diamonds$cut)[1:2]
> chisq.test(data, p=c(0.25, 0.75))

	Chi-squared test for given probabilities

data:  data
X-squared = 0.29548, df = 1, p-value = 0.5867
```

- 귀무가설 (H0) : 분포가 25%:75%를 따른다.
- 대립가설 (H1) : 분포가 25%:75%를 따르지 않는다.
- 유의 확률(p-value) >= 0.05이므로, 데이터가 25%:75% 분포를 따른다.

3.5. 유사성 척도

유사성(Similarity) 척도를 s, 그리고 비유사성(Dissimilarity) 척도를 d 또는 d(x, y)라고 놓았을 때 데이터의 속성과 변수에 따라 유사성 척도를 계산할 수 있는 표를 아래에 두었습니다.

표 5. 유사성과 비유사성 측도 계산 표

<table>
<tr><th>데이터 속성</th><th>변수</th><th>비유사성 (d)</th><th>유사성 (s)</th></tr>
<tr><td rowspan="2">비율식
구간식</td><td>단항 변수</td><td>· |x - y|</td><td>· -d
· 1 / (1 + d)
· e의 -d승
· 1 - (d - 평균 d) / (최대 d - 최소 d)</td></tr>
<tr><td>다중 변수</td><td>· 민코우스키(Minkowski) 거리
· 확장 자카드 계수(Extended Jaccard Coefficient)
· 코사인(Cosine) 거리
· 상관계수(Correlation Coefficient)
· 브레그만 거리(Bregman Divergence)
· 마하라노비스(Mahalanobis) 거리</td><td>· 1 - d</td></tr>
<tr><td rowspan="2">순서식</td><td>단항 변수</td><td>· |x - y| / (n - 1)</td><td>· 1 - d</td></tr>
<tr><td>다중 변수</td><td>· 순위 상관계수(Rank Correlation Coefficient)</td><td>· 1 - d</td></tr>
<tr><td rowspan="2">명명식</td><td>단항 변수</td><td>· 1 (x != y), 0 (x == y)</td><td>· 1 (x == y), 0 (x != y)</td></tr>
<tr><td>다중 변수</td><td>· 단순일치계수(SMC, Simple Matching Coefficient) : 일치되는 변수의 수 / 전체 변수의 수
· 자카드 계수(J, JaccardCofficient) : SMC에서 둘 다 0인 변수(x = 0, y = 0)를 제외한 후 계산한 값</td><td>· 1 - d</td></tr>
</table>

3.6. 다차원척도법

평가 대상의 관계(유사성, 거리)를 활용하여 평가 대상을 n차원 (보통 2차원 또는 3차원) 공간에 표시하는 것을 다차원척도법(Multi-Dimensional Scaling, MDS)이라고 합니다. 다차원 공간에 표시해야 하는 데이터를 n차원(2 또는 3차원)에 표시하여 시각화합니다. 다차원척도법을 이용하면 측정 대상의 특성이나 속성을 하나의 차원이 아닌 다차원 척도상에 위치시키는 척도화의 방법입니다. 이를 이용하면 유사성 또는 근접성 자료를 공간적 거리로 시각화 가능합니다. 거리는 민코브스키(monkowski) 함수, 유클리드(euclidean) 함수, 멘하탄(manhattan) 함수 등이 있습니다.

다음 코드는 iris 데이터에서 종(Species) 정보를 제외한 나머지 데이터를 이용하여 Pair plot을 출력합니다.

```
> plot(iris[, 1:4])
```

다음 코드는 iris 데이터를 이용하여 유클리드 거리를 측정한 다음 다차원 척도를 계산하고 이를 이용해 150개 데이터를 좌표에 표시합니다.

```
> data <- dist(iris[, 1:4], method = "euclidean")        # 유클리드 거리
> data <- cmdscale(data)                                # 다차원 척도 계산
> rownames(data) <- 1:150
> plot(data[, 1], data[, 2], type="n", main="iris", xlab="x", ylab="y")
> text(data[, 1], data[, 2], rownames(data), cex=0.6)
```

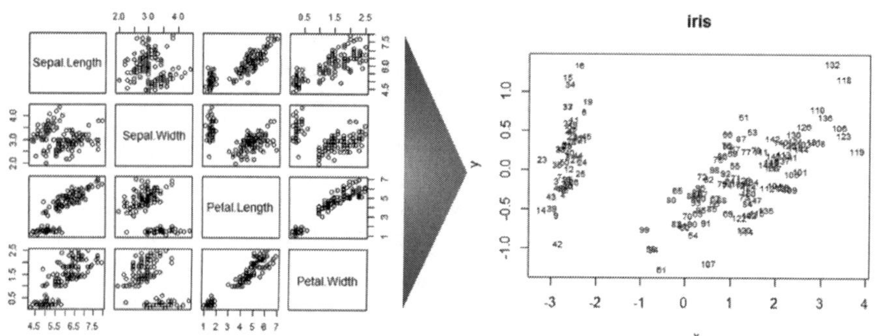

그림 6. 다차원 척도법

4. 주성분 분석

주성분 분석은 상관관계가 있는 기존 변수를 선형결합(Linear combination)[75]해, 분산이 극대화된 상관관계가 없는 새로운 변수(주성분)로 축약하는 것입니다. 일반적으로 정보 손실을 최소화(보통 20% 이내)하여 분석에 사용하는 변수의 개수를 줄입니다.

다음 코드는 뉴욕의 대기 측정값(airquality) 데이터셋에서 오존 농도(Ozone)를 설명하기 위한 변수로 4개의 주성분(PC1, PC2, PC3, PC4)을 생성합니다.

```
> data <- airquality[complete.cases(airquality), ] # NA를 포함한 레코드 삭제
> m <- prcomp(data[, 2:5], scale=TRUE)          # 표준 점수로 주성분 분석
> m
Standard deviations (1, .., p=4):
[1] 1.3458102 1.0346920 0.8565240 0.6201402

Rotation (n x k) = (4 x 4):
               PC1         PC2        PC3        PC4
Solar.R -0.2843998 -0.79945130 0.42005044 -0.3217950
Wind     0.5500093  0.01890292 0.72526869  0.4136639
Temp    -0.6555067 -0.03271516 0.06946028  0.7512762
Month   -0.4323396  0.59954150 0.54103440 -0.4011412
```

- PC1 = -0.2843998*u1 + 0.5500093*u2 - 0.6555067*u3 - 0.4323396*u4
- PC1 : 첫 번째 주성분
- u1 : Solar.R의 표준 점수, u2 : Wind의 표준 점수, u3 : Temp의 표준 점수, u4 : Month의 표준 점수
- 표준 점수 = (x - mean(x)) / sd(x) = scale(x)

다음 코드는 주성분 분석한 데이터의 요약 정보를 출력합니다.

```
> summary(m)
Importance of components%s:
                          PC1    PC2    PC3     PC4
Standard deviation     1.3458 1.0347 0.8565 0.62014
Proportion of Variance 0.4528 0.2676 0.1834 0.09614
Cumulative Proportion  0.4528 0.7205 0.9039 1.00000
```

75) 행렬의 특잇값 분해(特異값分解, singular value decomposition, SVD)를 이용한 선형 결합 방법이 사용되기도 합니다.

- Standard deviation : 표준 편차
- Proportion of Variance : 분산 정도
- Cumulative Proportion : 기여율
- 첫 번째 주성분(PC1)을 포함할 경우 45.28%를 설명하고,
  두 번째 주성분(PC2)도 포함할 경우 72.05%를 설명하고,
  세 번째 주성분(PC3)도 포함할 경우 90.39%를 설명합니다.

이 예제에서 사용하는 변수가 4개 이므로 주성분도 4개가 만들어졌습니다. 주성분 분석후 분석에 포함할 주성분의 개수를 선정하는 방법은 정보의 손실은 20% 이내가 되도록 하는 범위에서 가장 적은 수의 주성분 개수입니다.

다음 코드는 주성분 값을 계산하여 출력하고 biplot() 함수를 이용하여 바이 플롯을 그립니다.

```
> head(predict(m))          # 주성분 값을 계산
        PC1         PC2         PC3        PC4
1 0.9838200 -0.92381447 -1.38621495 -0.5611066
2 0.9573028 -0.30631487 -1.55924931  0.1570036
3 1.4341568 -0.56062530 -0.46406977  0.7400833
4 1.5778173 -1.96363746 -0.02002795 -0.9127818
7 0.9668175 -1.86655741 -0.65386578 -0.9640485
8 2.8074306 -0.06423134 -0.55918059 -0.1263701
> biplot(m, cex=0.8)
```

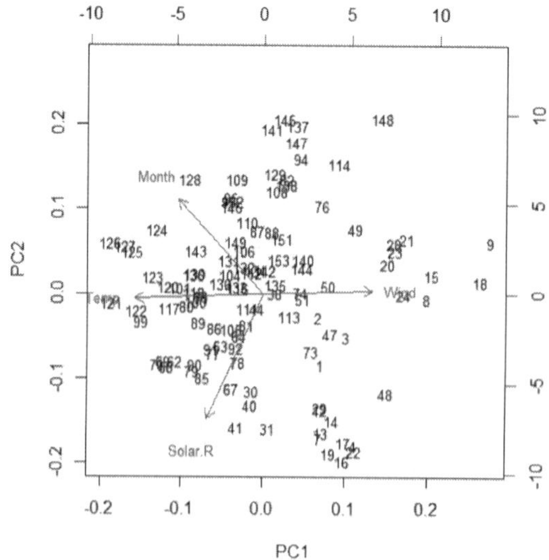

그림 7. biplot()으로 주성분 분석

5. 연습문제

1) 기초통계량 구하기

iris 데이터셋의 기초 통계량을 구해 봅니다.
- 최소, 최대 범위
- 길이, 합계, 평균
- 4분위 수, 분산, 표준 편차
- 평균, 중앙값, 최빈값
- 공분산과 상관계수

iris의 데이터셋으로 산점도를 그려 봅니다.

2) 고객 데이터를 이용한 주성분 분석

소스코드를 다운로드 받으면 함께 포함되어 있는 데이터 파일 중에서 "data_cust_3.csv" 파일을 이용해 주성분 분석을 하세요. 소스코드는 https://goo.gl/GmY57H 에서 다운로드 받을 수 있습니다.

정답 및 풀이

1) 기초통계량 구하기

```
> data(iris)
```

```
> #최소, 최대 범위
> min(iris$Sepal.Length)
[1] 4.3
> max(iris$Sepal.Length)
[1] 7.9
```

```
> #길이, 합계, 평균
> head(iris)
  Sepal.Length Sepal.Width Petal.Length Petal.Width Species
1          5.1         3.5          1.4         0.2  setosa
2          4.9         3.0          1.4         0.2  setosa
3          4.7         3.2          1.3         0.2  setosa
4          4.6         3.1          1.5         0.2  setosa
5          5.0         3.6          1.4         0.2  setosa
6          5.4         3.9          1.7         0.4  setosa
> sum(iris$Sepal.Length)
[1] 876.5
> sum(iris$Petal.Length)
[1] 563.7
> mean(iris$Sepal.Length)
[1] 5.843333
> mean(iris$Petal.Length)
[1] 3.758
```

```
> #4분위 수, 분산, 표준 편차
> quantile(iris$Sepal.Length)
  0%  25%  50%  75% 100%
 4.3  5.1  5.8  6.4  7.9
> var(iris$Sepal.Length)
[1] 0.6856935
> sd(iris$Sepal.Length)
[1] 0.8280661
```

```
> #평균, 중앙값, 최빈값
> mean(iris$Sepal.Length)
[1] 5.843333
> median(iris$Sepal.Length)
[1] 5.8
> which.max(iris$Sepal.Length)
[1] 132
```

```
> #공분산과 상관계수
> cov(iris$Sepal.Length, iris$Sepal.Width)
[1] -0.042434
> cor(iris$Sepal.Length, iris$Sepal.Width)
[1] -0.1175698
```

```
> plot(iris$Petal.Width, iris$Petal.Length)
```

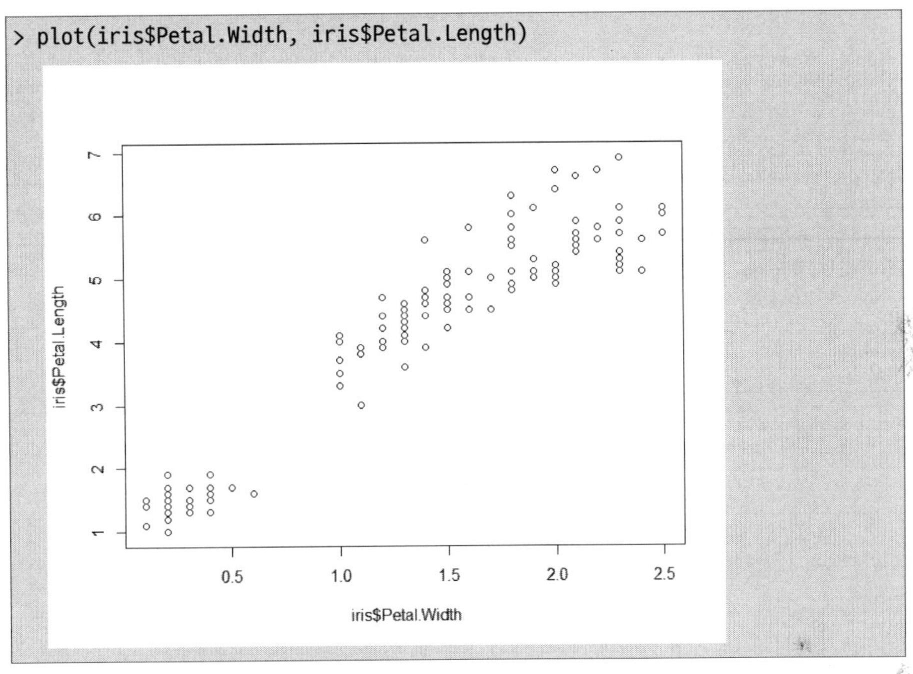


```
> plot(iris$Sepal.Width, iris$Sepal.Length)
```

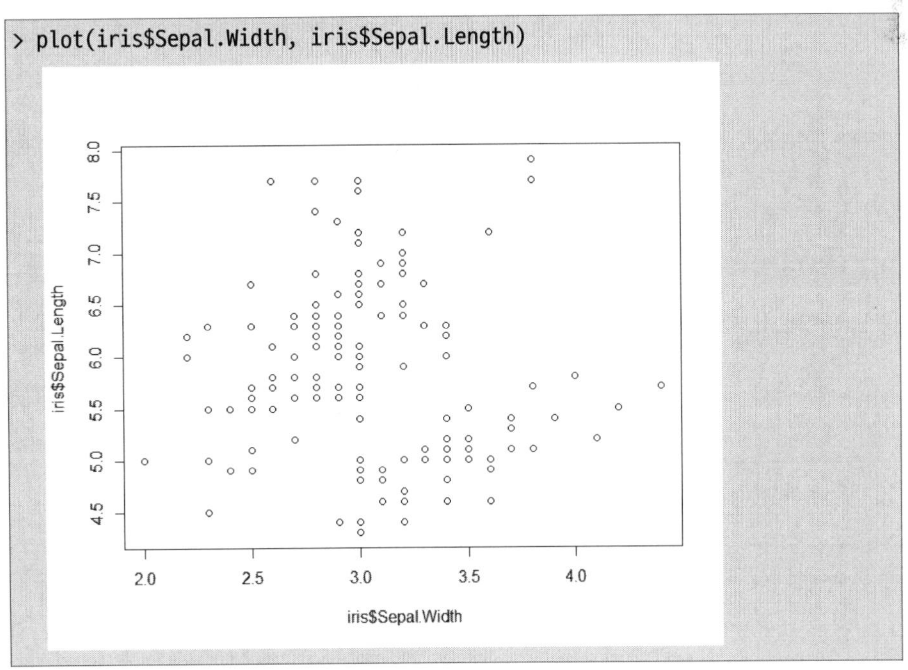

2) 고객 데이터를 이용한 주성분 분석

```
> data_cust <- read.csv("data_cust_3.csv", header=TRUE)
> data <- subset(data_cust, select=-c(CUST_ID,DIVIDED_SET))
> data <- cbind(subset(data, select=-SIU_CUST_YN),
+               subset(data, select=SIU_CUST_YN))
> m <- prcomp(data[, -ncol(data)], scale=TRUE)
> m
Standard deviations (1, .., p=37):
 [1] 1.7179620 1.4848401 1.3431397 1.3273508 1.2517369 1.2047776 1.1252030 1.1088968
 [9] 1.0726819 1.0641799 1.0222139 1.0143206 1.0037439 1.0009131 0.9979453 0.9970660
[17] 0.9882366 0.9812408 0.9758341 0.9676122 0.9428317 0.9340723 0.9060481 0.9019377
[25] 0.8935830 0.8513727 0.8367837 0.8238964 0.8207397 0.7899604 0.7439579 0.7204656
[33] 0.7074672 0.6635772 0.6533936 0.5396927 0.5022641

Rotation (n x k) = (37 x 37):
                        PC1          PC2          PC3          PC4          PC5
SEX              0.2202453546 -0.121364223  0.113605743 -0.143189118  0.266606275
AGE              0.4080988491  0.091976161  0.129808522  0.059122829 -0.127181634
RESI_COST        0.1041232875 -0.134187321 -0.545049028 -0.025690132 -0.165091676
RESI_TYPE_CODE  -0.0391198372  0.072761825  0.229359600  0.023582249  0.082467260
FP_CAREER        0.1894211511  0.045722672 -0.000268612  0.015687773  0.191553134
... 생략 ...
X1_6            -0.0828562332  0.178815166 -0.161416265  0.313948914  0.154499916
X1_7            -0.0602327031  0.006104816 -0.040057165  0.042338709  0.050810110
X1_9            -0.0103721027 -0.002148816  0.015715318 -0.002701963  0.013515127
X2_1             0.0007847324 -0.001676384 -0.008905578 -0.032600467 -0.046431431
X2_2             0.0344504894  0.411605658 -0.072516353 -0.221731340  0.004156109
X2_3            -0.0474676212  0.110108772 -0.093956279 -0.127692229  0.097373638
X2_4             0.0161004427  0.283144038 -0.093390112 -0.268434318 -0.012336314
                        PC6          PC7          PC8          PC9          PC10
SEX             -0.415834018  0.009873127 -0.283161060 -0.181201409  0.0386459817
... 생략 ...
> summary(m)
Importance of components:
                           PC1     PC2     PC3     PC4     PC5     PC6     PC7
Standard deviation     1.71796 1.48484 1.34314 1.32735 1.25174 1.20478 1.12520
Proportion of Variance 0.07977 0.05959 0.04876 0.04762 0.04235 0.03923 0.03422
Cumulative Proportion  0.07977 0.13936 0.18811 0.23573 0.27808 0.31731 0.35153
... 생략 ...
                          PC22    PC23    PC24    PC25    PC26    PC27    PC28
Standard deviation     0.93407 0.90605 0.90194 0.89358 0.85137 0.83678 0.82390
Proportion of Variance 0.02358 0.02219 0.02199 0.02158 0.01959 0.01892 0.01835
Cumulative Proportion  0.76167 0.78386 0.80584 0.82742 0.84701 0.86594 0.88428
                          PC29    PC30    PC31    PC32    PC33   PC34    PC35
Standard deviation     0.82074 0.78996 0.74396 0.72047 0.70747 0.6636 0.65339
Proportion of Variance 0.01821 0.01687 0.01496 0.01403 0.01353 0.0119 0.01154
Cumulative Proportion  0.90249 0.91936 0.93431 0.94834 0.96187 0.9738 0.98531
                          PC36    PC37
Standard deviation     0.53969 0.50226
Proportion of Variance 0.00787 0.00682
Cumulative Proportion  0.99318 1.00000
```

10장. 머신 러닝

1. 머신 러닝 개요
2. 지도학습과 비지도학습
3. 데이터 분석 단계에서 머신러닝

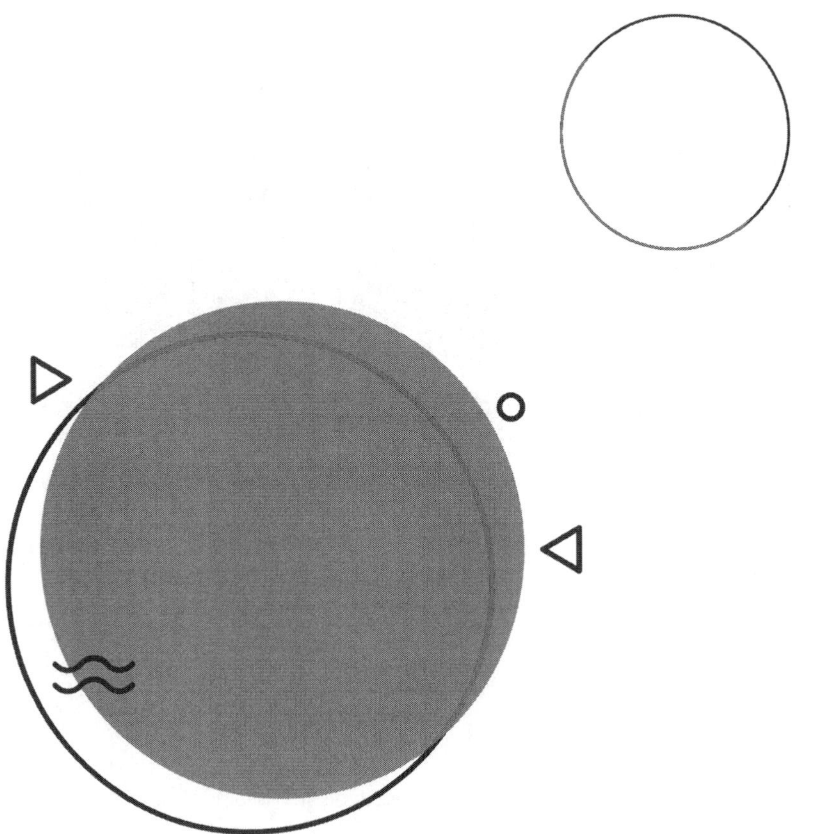

1. 머신 러닝 개요

1.1. 머신 러닝 개념

머신 러닝(기계 학습, Machine Learning)은 상황을 인지하고 판단을 수행하는 분야에 꼭 필요한 모형입니다. 다음은 Tom. Mitchell[76]이 머신러닝을 정의한 문장입니다.

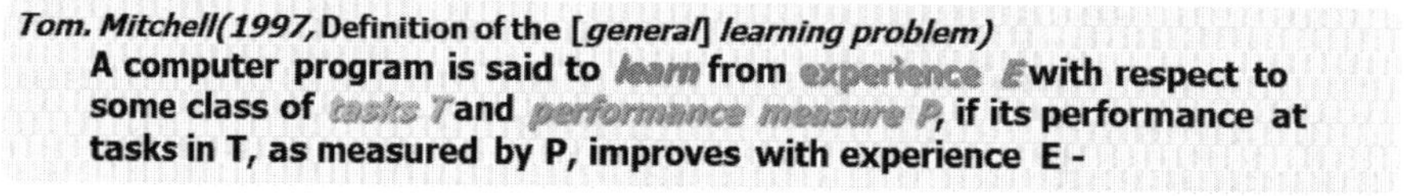

Tom. Mitchell(1997,* Definition of the *[general] learning problem)
A computer program is said to *learn* from *experience E* with respect to some class of *tasks T* and *performance measure P*, if its performance at tasks in T, as measured by P, improves with experience E -

그림 1. 머신 러닝 정의

위 문장에는 Experience, Performance Measure, Task라는 단어들을 볼 수 있습니다. 머신 러닝에는 학습(E), 임무(T), 성능 측정(M)이 필요합니다. 위의 문장은 'T를 달성하는 데 있어서 E를 통해 P를 향상시킨다' 정도로 해석할 수 있습니다. 한마디로 "경험을 통해서 성능을 향상시킨다." 정도로 요약할 수 있습니다. 그래서 데이터를 분석하려면 이 3가지를 먼저 정의해 보고 시작해야 합니다.

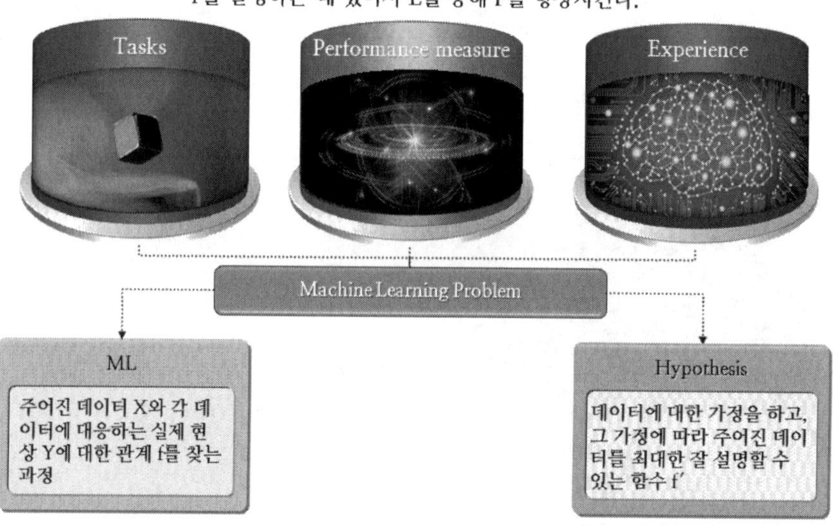

그림 2. 머신 러닝 문제

76) Tom Michael Mitchell : https://en.wikipedia.org/wiki/Tom_M._Mitchell

1.2. Tasks

머신러닝 문제들은 아래 요소들로 구성이 됩니다.
- 학습시킬 컴퓨터 프로그램
- 목표를 찾기 위한 모델
- 성능 측정

태스크를 설명하기 위해서 Classification(분류), Regression(회귀), Clustering(군집)에 대해 알아보도록 하겠습니다.

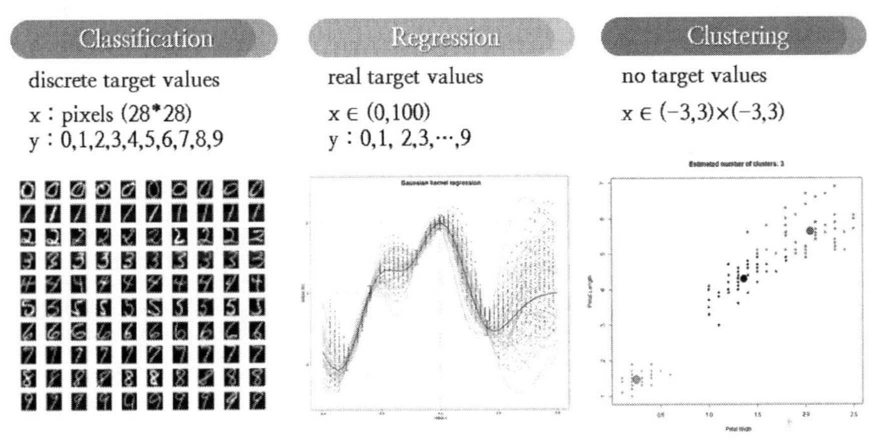

그림 3. 분류, 회귀, 군집에서 Tasks

분류(Classification)의 대표적인 것은 손으로 쓴 글자를 인식하는 문제일 것입니다. 손으로 쓴 각각의 글자는 x라 하면 그 결과는 실제 숫자 0~9(y)에 매핑됩니다. 이처럼 어떤 글자가 어떤 숫자인 지 분절된 값을 예측하는 것은 분류(Classification)의 예 입니다.

연속적인 함수 x=0일 때 y=a, x=1일 때 y=b이면 x=2일 때 y의 값은 얼마일까요? 분류의 예에서처럼 y의 값이 분절된 값이 아닌 경우, 그리고 함수를 통해 연속된 값을 예측하는 것을 회귀(Regression)라 합니다.

레이블이 아예 없는 것이 있을 수 있습니다. 예를 들면 점들이 있는데 이 점들이 몇 개의 군 들이 있는지 평가 해 볼 필요가 있을 것입니다. 이를 군집(클러스터링, Clustering)이라 하는데, 이렇게 레이블 없이 데이터를 분석하는 것을 비지도학습(Unsupervised Learning)이라 합니다. 비지도학습의 반대는 지도학습(Supervised Learning)이라 합니다. 위 그림에서 분류와 회귀는 지도학습입니다.

1.3. Performance measure

머신러닝 문제들은 아래 요소들로 구성이 됩니다.
- 학습시킬 컴퓨터 프로그램
- 목표를 찾기 위한 모델
- 성능 측정

분류, 회귀, 군집에서 Performance measure를 설명하겠습니다.

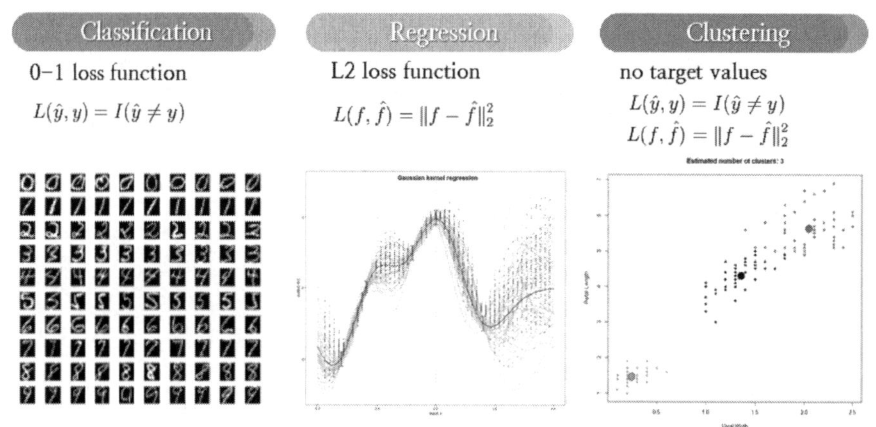

그림 4. 분류, 회귀, 군집에서 Performance measure

필기체 인식 문제에서는 입력한 문자를 인식하는 데 있어서 '잘 됐다' 또는 '안 됐다'라고 판단해야 합니다. 분류에서는 입력한 문자를 바르게 인식하면 1을 그렇지 않으면 -1을 더하도록 합니다. 그러면 우리는 에러의 숫자를 세거나 에러의 확률을 셀 수 있을 것입니다. 이렇게 에러가 발생하면 1의 에러를 더하는 것은 Zero-One Function이라 합니다.

회귀(Regression)를 분류에서 사용한 방법으로 하면 예측 한 값이 원래의 값과 모두 다 일치 하지 않으므로 모두 0점을 줘야 할 것입니다. 그래서 회귀에서는 가까운 것은 높은 점수를 주고 먼 것은 낮은 점수를 줄 수 있을 것입니다. 회귀에서는 그래프 상에서 실제 값과 예측한 값과의 거리의 제곱(L2)의 합을 최소화 하는 것이 머신 러닝의 목적일 것입니다.

Clustering도 L2 함수를 사용할 수 있습니다. 중심을 잡아서 모든 것들과의 거리의 총 합을 최소로 하는 것을 찾을 수 있을 것입니다. 이를 클러스터링의 Performance measure라 할 것입니다. 이런 것 들을 K-means Clustering이라 한다.

1.4. Experience

머신러닝 문제들은 아래 요소들로 구성이 됩니다.
- 학습시킬 컴퓨터 프로그램
- 목표를 찾기 위한 모델
- 성능 측정

분류, 회귀, 군집에서 Experience를 보겠습니다.

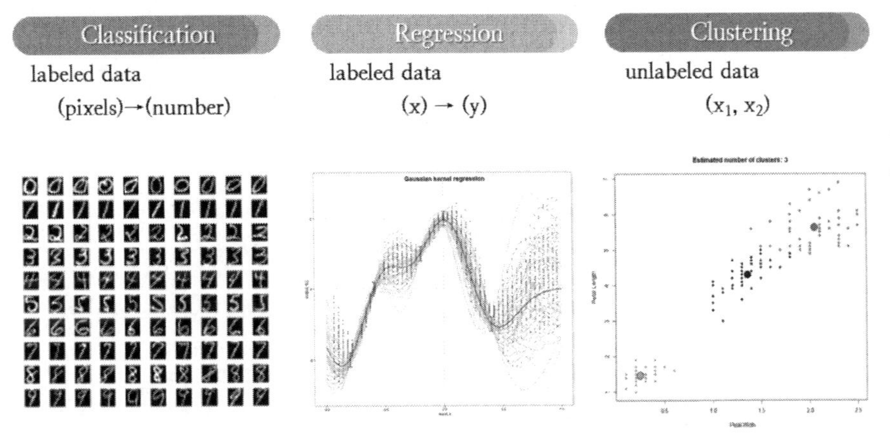

그림 5. 분류, 회귀, 군집에서 Experience

레이블이 있는 데이터가 있고 레이블이 없는 데이터가 있습니다. 레이블이 있는 분류와 회귀는 정답을 미리 다 알려주고 어떤 패턴이 있는지를 확인합니다.

레이블이 없는 경우에는 정답이 없이 x만 던져주고 정답을 얻도록 하는 것입니다. 군집의 경우가 레이블이 없는 경우입니다.

2. 지도학습과 비지도학습

머신러닝은 지도학습(Supervised Learning)과 비지도학습(Unsupervised Learning)[77]이 있습니다. 지도학습은 분류 또는 회귀 문제에 해당하고 이들은 기계학습을 위한 레이블이 주어진다는 것인 비지도학습과 다른 점입니다.

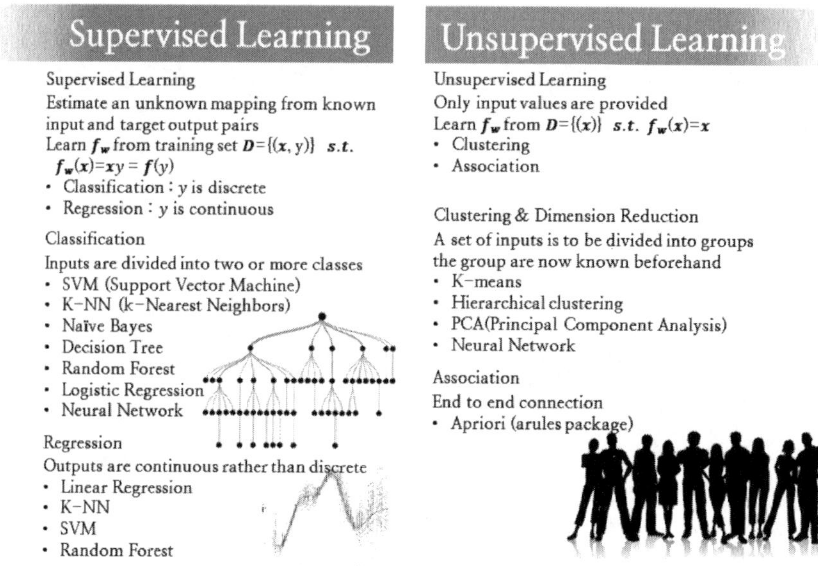

Supervised Learning

Supervised Learning
Estimate an unknown mapping from known input and target output pairs
Learn f_w from training set $D=\{(x, y)\}$ *s.t.* $f_w(x)=xy = f(y)$
- Classification : y is discrete
- Regression : y is continuous

Classification
Inputs are divided into two or more classes
- SVM (Support Vector Machine)
- K-NN (k-Nearest Neighbors)
- Naïve Bayes
- Decision Tree
- Random Forest
- Logistic Regression
- Neural Network

Regression
Outputs are continuous rather than discrete
- Linear Regression
- K-NN
- SVM
- Random Forest

Unsupervised Learning

Unsupervised Learning
Only input values are provided
Learn f_w from $D=\{(x)\}$ *s.t.* $f_w(x)=x$
- Clustering
- Association

Clustering & Dimension Reduction
A set of inputs is to be divided into groups the group are now known beforehand
- K-means
- Hierarchical clustering
- PCA(Principal Component Analysis)
- Neural Network

Association
End to end connection
- Apriori (arules package)

그림 6. 지도학습과 비지도학습

비지도학습은 데이터만 주어지고 레이블 등이 주어지지 않는 것입니다. 비지도학습은 군집(Clustering)과 연관(Association) 분석이 있습니다.

군집(Clustering)은 Unsupervised Learning의 일종으로, 레이블 데이터 없이 주어진 데이터들을 가장 잘 설명하는 클러스터를 찾는 문제입니다. 분류하기 위해서는 데이터와 각각의 데이터의 라벨(label)이 필요하지만, 실제로는 데이터는 존재하지만 그 데이터의 라벨이나 카테고리가 무엇인지 알 수 없는 경우가 많기 때문에 분류가 아닌 다른 방법을 통해 데이터들을 설명해야 하는 경우가 발생합니다. 다음 [그림 7] 은 iris 데이터를 이용하여 클러스터링한 결과를 잘 보여주는 그림입니다.

77) 지도학습은 감독학습으로, 비지도학습은 자율학습으로 불리기도 합니다.

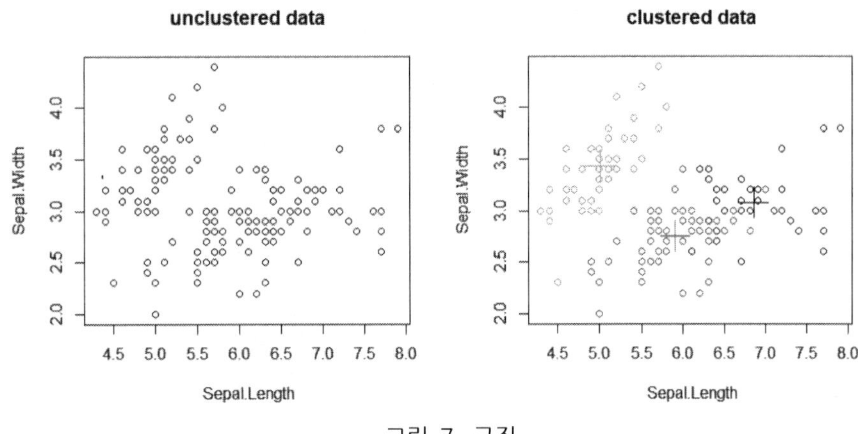

그림 7. 군집

각각의 데이터에 대한 정보는 아무 것도 없는 상태에서 주어진 데이터들을 가장 잘 설명하는 클러스터를 찾아내는 것이 클러스터링의 목적입니다. 따라서 클러스터링은 대부분 최적화(Optimization) 문제를 푸는 경우가 많습니다. 이는 클러스터링 뿐 아니라 다른 많은 비지도학습에서도 역시 마찬가지입니다.

[그림 7] 결과를 보기 위한 코드는 다음과 같습니다.

```
> data(iris)
> x = iris[,-5]
> y = iris$Species
> kc <- kmeans(x,3)
> table(y,kc$cluster)

y             1  2  3
  setosa      0 50  0
  versicolor 48  0  2
  virginica  14  0 36
> oldPar <- par(mfrow=c(1,2))
> plot(x[c("Sepal.Length", "Sepal.Width")], main="unclustered data")
> plot(x[c("Sepal.Length", "Sepal.Width")], col=kc$cluster,
+      main="clustered data")
> points(kc$centers[,c("Sepal.Length", "Sepal.Width")],
+        col=1:3, pch=3, cex=3)
> par(oldPar)
```

3. 데이터 분석 단계에서 머신러닝

대부분의 데이터를 분석하는 경우 머신러닝 전에 많은 과정을 거칩니다. 데이터 분석을 크게 3단계로 나누면 1. 전처리 및 변수 선택, 2. 머신러닝 모델 생성, 2. 모델 평가 로 나눌 수 있습니다.

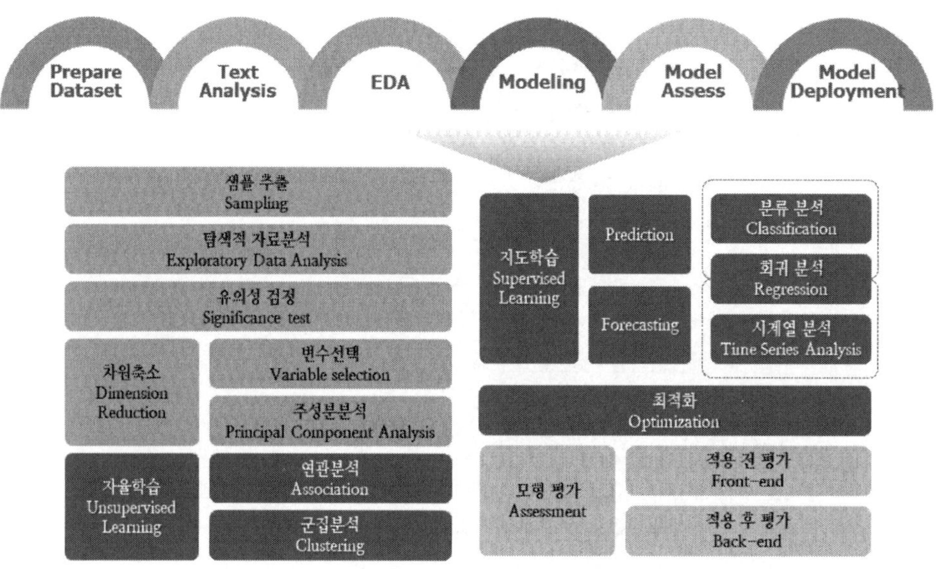

그림 8. 빅데이터 분석 단계에서 머신러닝

데이터 분석의 첫 단계에서는 데이터 탐색과 전처리 그리고 변수 선택 및 주성분 분석을 합니다. 머신러닝 모델 단계에서는 얻고자 하는 목적에 따라 다양한 알고리즘들을 적용한 모델을 생성합니다. 생성된 모델은 모델 평가 단계에서 정해진 평가 규칙에 따라 평가하고, 채택된 모델은 실제 알려지지 않은 분류 또는 예측 문제를 해결하기 위해 사용됩니다.

이제 연관분석, 예측분석, 분류분석 등에 대해 하나씩 설명해 보겠습니다.

11장. 연관 분석

1. 연관 분석 개요
2. 트랜잭션 데이터
3. 연관 분석
4. 연관규칙 시각화
5. 연관규칙 저장
6. 연습문제

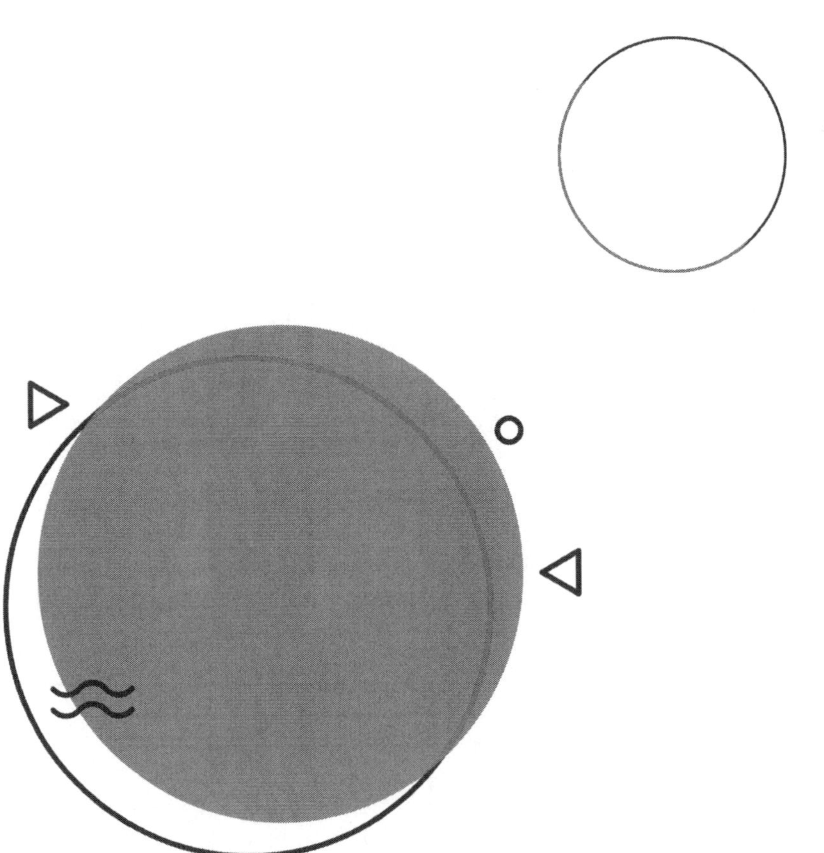

1. 연관 분석 개요

1.1. 연관 분석

연관 분석(Association Analysis)은 데이터에서 자주 발생하는 속성을 찾아 그 연관 규칙을 찾는 기법입니다.

연관 규칙은 트랜잭션(Transaction)으로부터 도출합니다. 트랜잭션은 서로 관련 있는 데이터의 모음입니다.

연관 규칙 (X -> Y)가 있다면 X는 전제(Antecedent, LHS (Left Hand Side))를 의미하며, Y는 결과(Consequent, RHS (Right Hand Side))를 의미합니다.

연관분석을 위해 arules 패키지를 설치하고 로드해야 합니다.

```
> install.packages("arules")
> library(arules)
```

1.2. 연관분석 평가

유효한 연관 규칙은 최소 지지도 이상 그리고 최소 신뢰도 이상인 연관 규칙을 의미합니다.

지지도(Support)는 전체 트랜잭션에서 항목 집합(X, Y)을 포함하는 트랜잭션의 비율을 의미하며, 신뢰도(Confidence)는 X를 포함하는 트랜잭션 중 Y도 포함하는 트랜잭션의 비율을 의미합니다.

다음 그림은 지지도와 신뢰도를 설명합니다.

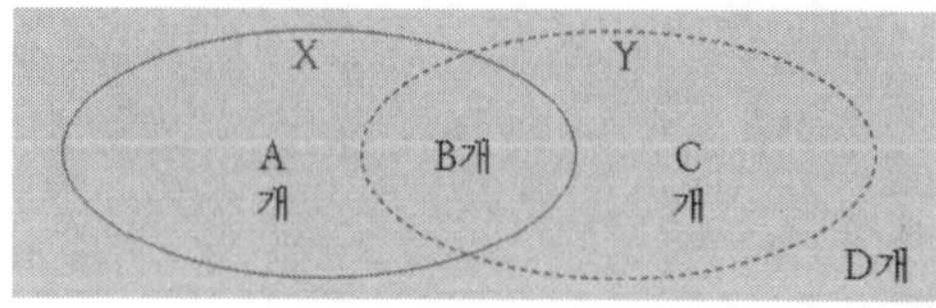

범례 : ○ X를 포함하는 트랜잭션
◌ Y를 포함하는 트랜잭션

지지도 = B개 / (A개 + B개 + C개 + D개)
신뢰도 = B개 / (A개 + B개)

그림 1. 지지도와 신뢰도

지지도와 신뢰도는 확률 값이므로 1에 가까울수록 연관 관계가 크고 0에 가까울수록 연관 관계가 작다고 할 수 있습니다. 지지도의 경우 얼마나 자주 발생했는지를 판단하는 기준이므로, 지지도가 높은 규칙은 보다 효용성이 높다고 볼 수 있으며, 규칙 탐사에 있어서 '필요조건' 이라고 생각할 수 있습니다.

신뢰도는 특정 거래상에서 포함된 항목의 발생빈도 이므로, 동일 지지도를 가진 특정 규칙들 중에서 더 높은 신뢰도를 가지는 규칙이 더 정확한 규칙이라고 볼 수 있으며 일종의 '충분조건' 이라고 볼 수 있습니다.

연관규칙이 아무리 높은 지지도와 신뢰도를 나타내더라도 향상도가 1에 가까울수록 두 항목 간에는 상관 관계가 적어집니다.
- 향상도가 1이면 독립관계이며, 두 항목이 서로 독립적 관계이며, 연관성이 없습니다.
- 향상도가 1보다 크면 긍정관계이며, 두 항목이 서로 양의 상관관계이며, 연관성이 높습니다.
- 향상도가 0보다 크고 1보다 작으면 부정관계이며, 두 항목이 서로 음의 상관관계이며, A를 구매하면 B를 구매하지 않습니다.

표 1. 연관분석 평가 측도

평가 측도	설명
지지도 (Support)	· 연관 규칙이 얼마나 중요한지에 대한 평가 · 낮은 지지도의 연관 규칙은 우연히 발생한 트랜잭션에서 생성된 규칙일 수 있음
신뢰도 (Confidence)	· 연관 규칙이 얼마나 믿을 수 있는지 평가
향상도 (Lift)	· Lift = P(Y|X) / P(Y) = P (X∩Y) / P(X)P(Y) = 신뢰도 / P(Y) · X Y의 신뢰도 / Y의 지지도 · 1 보다 작으면 음의 상관 관계(설사약과 변비약), 1이면 상관 관계 없음(과자와 후추), 1 보다 크면 양의 상관 관계(빵과 버터)
파이 계수 (Phi coefficient)	· -1 : 완전 음의 상관 관계, 0 : 상관 관계 없음, 1 : 완전 양의 상관 관계
IS 측도 (Interest-Support)	· 비대칭적 이항 변수에 적합한 측도로 값이 클수록 상관 관계가 높음 · P(X, Y) / P(X) * P(Y)

2. 트랜잭션 데이터

트랜잭션(Transaction)은 서로 관련 있는 데이터의 모음입니다. 연관분석 시 트랜잭션으로부터 연관 규칙을 도출합니다. 트랜잭션 데이터는 행렬(Matrix)로부터 만들 수 있고, 리스트(List)로부터 만들 수 있습니다.

트랜잭션의 일반적인 정보는 다음과 같습니다.

표 2. 트랜잭션 정보

용어	상세
transactionID	· Transaction의 아이디 (row이름)
itemsetID	· Transaction의 items의 아이디
items	· Transaction에 포함된 item집합
TimeStamp	· Transaction이 발생한 시간(예) 2003-01-02 10:59:00) · 데이터가 없을 수도 있습니다.

2.1. 트랜잭션 데이터 생성

행렬(Matrix)로부터 생성된 트랜잭션 데이터는

- 각 행이 하나의 Transaction이 되며, 행의 이름이 TransactionID가 됩니다.
- 열의 집합이 Transaction의 items가 됩니다.
- 데이터의 값이 0이면 item이 발생하지 않은 것이며, 0이 아니면 item이 발생한 것으로 등록됩니다.

다음 코드는 행렬로부터 트랜잭션 데이터를 생성합니다.

```
> data <- matrix(sample(0:1, 15, replace=TRUE), nrow=3, ncol=5, byrow=TRUE,
+                dimnames=list(c("Trans1", "Trans2", "Trans3"),
+                              c("C1", "C2", "C3", "C4", "C5")))
> trans <- as(data, "transactions")
> trans
transactions in sparse format with
 3 transactions (rows) and
 5 items (columns)
```

리스트(List)로부터 생성된 트랜잭션 데이터는
- 항목 이름이 TransactionID가 됩니다.
- 항목 값의 각 구성 요소의 합집합이 Transaction의 items가 됩니다.

다음 코드는 리스트로부터 트랜잭션 데이터를 생성합니다.

```
> data <- list(Trans1 = c("C1", "C2", "C3"),
+              Trans2 = c("C3", "C4"),
+              Trans3 = c("C2", "C3", "C5"))
> trans <- as(data, "transactions")
> trans
transactions in sparse format with
 3 transactions (rows) and
 5 items (columns)
```

```
> summary(trans)
transactions as itemMatrix in sparse format with
 3 rows (elements/itemsets/transactions) and
 5 columns (items) and a density of 0.5333333

most frequent items:
     C3      C2      C1      C4      C5 (Other)
      3       2       1       1       1       0

element (itemset/transaction) length distribution:
sizes
2 3
1 2

   Min. 1st Qu.  Median    Mean 3rd Qu.    Max.
  2.000   2.500   3.000   2.667   3.000   3.000

includes extended item information - examples:
  labels
1     C1
2     C2
3     C3

includes extended transaction information - examples:
  transactionID
1        Trans1
2        Trans2
3        Trans3
```

- 3개의 Transaction 데이터
- 5개의 item

- 0.5333333 density (8/15)
- most frequent items: 아이템별 발생 건수
- Transaction별 항목 개수 통계 : 2개가 1건, 3개가 2건

다음 표는 리스트로부터 생성된 트랜잭션 데이터를 표현한 것입니다. 3개의 행은 3개의 트랜잭션이 있음을 의미합니다. 5개의 열은 전체 트랜잭션에 사용된 아이템이 5개임을 의미합니다.

표 3. 리스트로부터 생성된 트랜잭션 데이터

TransactionID	Items					TimeStamp
	C1	C2	C3	C4	C5	
Trans1	발생	발생	발생			
Trans2			발생	발생		
Trans3		발생	발생		발생	

2.2. 파일로부터 트랜잭션 데이터 생성

텍스트 파일을 트랜잭션 데이터로 읽기 위해서는 arules 패키지의 read.transactions() 함수를 이용합니다.

```
library(arules)
tr <- read.transactions("파일명",
                        format="basket", sep=",")
```

구문에서...

- format : basket 또는 single 중 하나를 지정합니다.
- basket 유형 파일은 다음 구문으로 읽습니다.

  basket <- read.transactions("basket.csv", sep=",", format="basket")

  basket 유형의 파일은 거래 당 한 행에 정보가 저장되어 있어야 합니다. 다음은 basket 유형의 파일 저장 형식입니다.

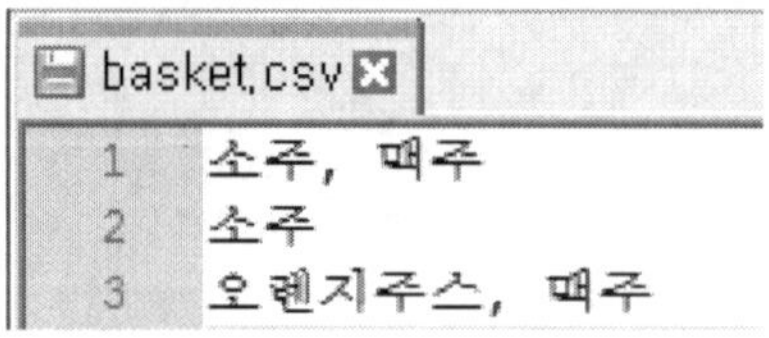

```
basket.csv
1 소주, 맥주
2 소주
3 오렌지주스, 맥주
```

그림 2. basket 형식

- single 유형 파일은 다음 구문으로 읽습니다.
  single <- read.transactions("single.csv", sep=",", format="single", cols=c(1,2))
  single 유형의 파일은 하나의 거래가 고유 거래 아이디와 함께 아이템의 수 만큼 여러 행에 저장되어 있어야 합니다. 다음은 single 유형의 파일 저장 형식입니다.

```
single.csv
1  trans1, 소주
2  trans1, 맥주
3  trans2, 소주
4  trans3, 오렌지주스
5  trans3, 맥주
```

그림 3. single 형식

2.3. 항목별 상대 빈도수 그래프

AdultUCI 데이터셋은 미국 인구조사국 데이터베이스의 15개 변수, 48,842 관측치를 갖는 데이터 프레임입니다. 그런데 우리가 사용해야 할 데이터는 AdultUCI 데이터셋이 아닌 Adult 데이터셋입니다. Adult 데이터셋은 48,842건의 인구 통계 데이터의 트랜잭션 데이터입니다.

```
> data(AdultUCI)
> summary(AdultUCI)
      age                      workclass          fnlwgt               education    
                                                                                    
 Min.   :17.00   Private           :33906   Min.   :  12285   HS-grad     :15784  
 1st Qu.:28.00   Self-emp-not-inc: 3862   1st Qu.: 117551   Some-college:10878  
 Median :37.00   Local-gov         : 3136   Median : 178145   Bachelors   : 8025  
 Mean   :38.64   State-gov         : 1981   Mean   : 189664   Masters     : 2657  
 3rd Qu.:48.00   Self-emp-inc      : 1695   3rd Qu.: 237642   Assoc-voc   : 2061  
 Max.   :90.00   (Other)           : 1463   Max.   :1490400   11th        : 1812  
                 NA's              : 2799                     (Other)     : 7625  
 education-num               marital-status              occupation    
 Min.   : 1.00   Divorced             : 6633   Prof-specialty : 6172  
 1st Qu.: 9.00   Married-AF-spouse    :   37   Craft-repair   : 6112  
 Median :10.00   Married-civ-spouse   :22379   Exec-managerial: 6086  
 Mean   :10.08   Married-spouse-absent:  628   Adm-clerical   : 5611  
 3rd Qu.:12.00   Never-married        :16117   Sales          : 5504  
 Max.   :16.00   Separated            : 1530   (Other)        :16548  
                 Widowed              : 1518   NA's           : 2809  
         relationship                   race            sex          capital-gain
 Husband        :19716   Amer-Indian-Eskimo:  470   Female:16192   Min.   :     0
```

```
 Not-in-family :12583   Asian-Pac-Islander: 1519   Male  :32650   1st Qu.:     0
 Other-relative: 1506   Black             : 4685                  Median :     0
 Own-child     : 7581   Other             :  406                  Mean   :  1079
 Unmarried     : 5125   White             :41762                  3rd Qu.:     0
 Wife          : 2331                                             Max.   :99999


  capital-loss     hours-per-week        native-country    income
 Min.   :   0.0   Min.   : 1.00   United-States:43832   small:24720
 1st Qu.:   0.0   1st Qu.:40.00   Mexico       :  951   large: 7841
 Median :   0.0   Median :40.00   Philippines  :  295   NA's :16281
 Mean   :  87.5   Mean   :40.42   Germany      :  206
 3rd Qu.:   0.0   3rd Qu.:45.00   Puerto-Rico  :  184
 Max.   :4356.0   Max.   :99.00   (Other)      : 2517
                                  NA's         :  857
> head(AdultUCI)
  age        workclass fnlwgt education education-num     marital-status
1  39        State-gov  77516 Bachelors            13      Never-married
2  50 Self-emp-not-inc  83311 Bachelors            13 Married-civ-spouse
3  38          Private 215646   HS-grad             9           Divorced
4  53          Private 234721      11th             7 Married-civ-spouse
5  28          Private 338409 Bachelors            13 Married-civ-spouse
6  37          Private 284582   Masters            14 Married-civ-spouse
         occupation  relationship  race    sex capital-gain capital-loss
1      Adm-clerical Not-in-family White   Male         2174            0
2   Exec-managerial       Husband White   Male            0            0
3 Handlers-cleaners Not-in-family White   Male            0            0
4 Handlers-cleaners       Husband Black   Male            0            0
5    Prof-specialty          Wife Black Female            0            0
6   Exec-managerial          Wife White Female            0            0
  hours-per-week native-country income
1             40  United-States  small
2             13  United-States  small
3             40  United-States  small
4             40  United-States  small
5             40           Cuba  small
6             40  United-States  small
> data(Adult, package="arules")   # 48,842건의 인구 통계 데이터의 트랜잭션
> summary(Adult)
transactions as itemMatrix in sparse format with
 48842 rows (elements/itemsets/transactions) and
 115 columns (items) and a density of 0.1089939

most frequent items:
           capital-loss=None             capital-gain=None
                       46560                         44807
native-country=United-States                    race=White
                       43832                         41762
           workclass=Private                       (Other)
```

```
                  33906                          401333

element (itemset/transaction) length distribution:
sizes
    9    10    11    12    13
   19   971  2067 15623 30162

   Min. 1st Qu.  Median    Mean 3rd Qu.    Max.
   9.00   12.00   13.00   12.53   13.00   13.00

includes extended item information - examples:
           labels variables      levels
1       age=Young       age       Young
2 age=Middle-aged       age Middle-aged
3      age=Senior       age      Senior

includes extended transaction information - examples:
  transactionID
1             1
2             2
3             3
> itemFrequencyPlot(Adult, support=0.5, cex.names=0.8)
```

- itemFrequencyPlot(Adult, support=0.5)는 지지도 (Support) 50% 이상인 항목의 상대 빈도 그래프를 그립니다.

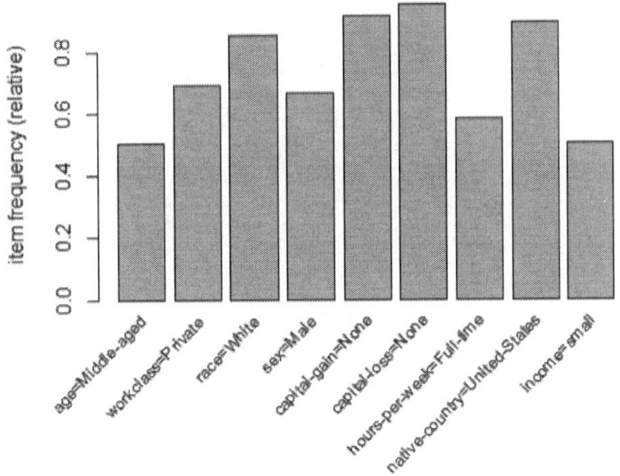

그림 4. 상대 빈도수 그래프

3. 연관 분석

3.1. 연관 규칙 탐색

연관 규칙 탐색은 트랜잭션 데이터를 이용합니다. 트랜잭션 데이터가 있다면 arules 패키지의 apriori()를 이용합니다. apriori() 함수는 연역적 알고리즘(apriori algorithm)을 사용하여 연관 규칙을 알아내는 함수입니다.

다음 코드는 Adult 트랜잭션 데이터에서 지지도 50% 이상, 신뢰도 90% 이상인 연관 규칙을 탐색합니다.

```
> m <- apriori(Adult, parameter=list(support=0.5, confidence=0.9))
Apriori

Parameter specification:
 confidence minval smax arem  aval originalSupport maxtime support
        0.9    0.1    1 none FALSE            TRUE       5     0.5
 minlen maxlen target   ext
      1     10  rules FALSE

Algorithmic control:
 filter tree heap memopt load sort verbose
    0.1 TRUE TRUE  FALSE TRUE    2    TRUE

Absolute minimum support count: 24421

set item appearances ...[0 item(s)] done [0.00s].
set transactions ...[115 item(s), 48842 transaction(s)] done [0.02s].
sorting and recoding items ... [9 item(s)] done [0.00s].
creating transaction tree ... done [0.01s].
checking subsets of size 1 2 3 4 done [0.00s].
writing ... [52 rule(s)] done [0.00s].
creating S4 object  ... done [0.00s].
> summary(m)
set of 52 rules

rule length distribution (lhs + rhs):sizes
 1  2  3  4
 2 13 24 13

   Min. 1st Qu.  Median    Mean 3rd Qu.    Max.
  1.000   2.000   3.000   2.923   3.250   4.000
```

```
summary of quality measures:
    support          confidence          lift             count      
 Min.   :0.5084   Min.   :0.9031   Min.   :0.9844   Min.   :24832  
 1st Qu.:0.5415   1st Qu.:0.9155   1st Qu.:0.9937   1st Qu.:26447  
 Median :0.5974   Median :0.9229   Median :0.9997   Median :29178  
 Mean   :0.6436   Mean   :0.9308   Mean   :1.0036   Mean   :31433  
 3rd Qu.:0.7426   3rd Qu.:0.9494   3rd Qu.:1.0057   3rd Qu.:36269  
 Max.   :0.9533   Max.   :0.9583   Max.   :1.0586   Max.   :46560  

mining info:
  data ntransactions support confidence
 Adult         48842     0.5        0.9
```

- [set of 52 rules]는 52개의 연관 규칙을 발견했음을 의미합니다.
- [rule length distribution (lhs + rhs):sizes]는 lhs와 rhs가 포함하고 있는 항목의 개수 통계입니다.
- [summary of quality measures:]는 지지도, 신뢰도, 향상도의 통계입니다.
- [mining info:]는 Adult(48,842개) 데이터에서 지지도 50%, 신뢰도 90%이상인 연관 규칙을 탐색했음을 의미합니다.

3.2. 연관 규칙 조회

inspect() 함수를 사용하여 다양한 관점에서 연관 규칙을 탐색할 수 있습니다.

다음 코드들은 다양한 방법으로 연관 규칙을 조회합니다. 코드에서 m은 이전에 apriori() 함수를 이용해 생성한 연관 규칙 모형입니다.

```
> inspect(m[1:10])            # 10개의 연관 규칙 조회
     lhs                               rhs                             support   confidence lift      count
[1]  {}                             => {capital-gain=None}             0.9173867 0.9173867  1.0000000 44807
[2]  {}                             => {capital-loss=None}             0.9532779 0.9532779  1.0000000 46560
[3]  {hours-per-week=Full-time} => {capital-gain=None}             0.5435895 0.9290688  1.0127342 26550
[4]  {hours-per-week=Full-time} => {capital-loss=None}             0.5606650 0.9582531  1.0052191 27384
[5]  {sex=Male}                  => {capital-gain=None}             0.6050735 0.9051455  0.9866565 29553
[6]  {sex=Male}                  => {capital-loss=None}             0.6331027 0.9470750  0.9934931 30922
[7]  {workclass=Private}         => {capital-gain=None}             0.6413742 0.9239073  1.0071078 31326
[8]  {workclass=Private}         => {capital-loss=None}             0.6639982 0.9564974  1.0033773 32431
[9]  {race=White}                => {native-country=United-States} 0.7881127 0.9217231  1.0270761 38493
[10] {race=White}                => {capital-gain=None}             0.7817862 0.9143240  0.9966616 38184
```

다음 코드는 지지도를 기준으로 내림차순으로 정렬한 후 상위 10개를 출력합니다.

```
> inspect(sort(m, by="support")[1:10])
     lhs                                                    rhs                             support   confidence lift      count
[1]  {}                                                  => {capital-loss=None}             0.9532779 0.9532779  1.0000000 46560
[2]  {}                                                  => {capital-gain=None}             0.9173867 0.9173867  1.0000000 44807
[3]  {capital-gain=None}                                 => {capital-loss=None}             0.8706646 0.9490705  0.9955863 42525
[4]  {capital-loss=None}                                 => {capital-gain=None}             0.8706646 0.9133376  0.9955863 42525
[5]  {native-country=United-States}                      => {capital-loss=None}             0.8548380 0.9525461  0.9992323 41752
[6]  {native-country=United-States}                      => {capital-gain=None}             0.8219565 0.9159062  0.9983862 40146
[7]  {race=White}                                        => {capital-loss=None}             0.8136849 0.9516307  0.9982720 39742
[8]  {race=White}                                        => {native-country=United-States}  0.7881127 0.9217231  1.0270761 38493
[9]  {race=White}                                        => {capital-gain=None}             0.7817862 0.9143240  0.9966616 38184
[10] {capital-gain=None,native-country=United-States}    => {capital-loss=None}             0.7793702 0.9481891  0.9946618 38066
```

다음 코드는 신뢰도순으로 정렬한 후 상위 10개를 출력합니다.

```
> inspect(sort(m, by="confidence")[1:10])
     lhs                                                                    rhs                  support   confidence lift      count
[1]  {hours-per-week=Full-time}                                          => {capital-loss=None}  0.5606650 0.9582531  1.0052191 27384
[2]  {workclass=Private}                                                 => {capital-loss=None}  0.6639982 0.9564974  1.0033773 32431
[3]  {workclass=Private,native-country=United-States}                    => {capital-loss=None}  0.5897179 0.9554818  1.0023119 28803
[4]  {capital-gain=None,hours-per-week=Full-time}                        => {capital-loss=None}  0.5191638 0.9550659  1.0018756 25357
[5]  {workclass=Private,race=White}                                      => {capital-loss=None}  0.5674829 0.9549683  1.0017732 27717
[6]  {workclass=Private,race=White,native-country=United-States}         => {capital-loss=None}  0.5181401 0.9535418  1.0002768 25307
[7]  {}                                                                  => {capital-loss=None}  0.9532779 0.9532779  1.0000000 46560
[8]  {workclass=Private,capital-gain=None}                               => {capital-loss=None}  0.6111748 0.9529145  0.9996188 29851
[9]  {native-country=United-States}                                      => {capital-loss=None}  0.8548380 0.9525461  0.9992323 41752
[10] {workclass=Private,capital-gain=None,native-country=United-States}  => {capital-loss=None}  0.5414807 0.9517075  0.9983526 26447
```

다음 코드는 향상도의 내림차순으로 정렬한 후 상위 10개를 출력합니다.

```
> inspect(sort(m, by="lift")[1:10])
     lhs                                                       rhs                             support   confidence lift     count
[1]  {sex=Male,native-country=United-States}                => {race=White}                    0.5415421 0.9051090  1.058554 26450
[2]  {sex=Male,capital-loss=None,native-country=United-States} => {race=White}                 0.5113632 0.9032585  1.056390 24976
[3]  {race=White}                                           => {native-country=United-States}  0.7881127 0.9217231  1.027076 38493
[4]  {race=White,capital-loss=None}                         => {native-country=United-States}  0.7490480 0.9205626  1.025783 36585
[5]  {race=White,sex=Male}                                  => {native-country=United-States}  0.5415421 0.9204803  1.025691 26450
[6]  {race=White,capital-gain=None}                         => {native-country=United-States}  0.7194628 0.9202807  1.025469 35140
[7]  {race=White,sex=Male,capital-loss=None}                => {native-country=United-States}  0.5113632 0.9190124  1.024056 24976
[8]  {race=White,capital-gain=None,capital-loss=None}       => {native-country=United-States}  0.6803980 0.9189249  1.023958 33232
[9]  {workclass=Private,race=White}                         => {native-country=United-States}  0.5433848 0.9144157  1.018933 26540
[10] {workclass=Private,race=White,capital-loss=None}       => {native-country=United-States}  0.5181401 0.9130498  1.017411 25307
```

다음 코드는 left hand side에 sex=Main을 포함한 연관 규칙을 출력합니다.

```
> inspect(subset(m, subset = lhs %in% "sex=Male" & lift > 1.0))
    lhs                                                       rhs                             support   confidence lift     count
[1] {race=White,sex=Male}                                  => {native-country=United-States}  0.5415421 0.9204803  1.025691 26450
[2] {sex=Male,native-country=United-States}                => {race=White}                    0.5415421 0.9051090  1.058554 26450
[3] {race=White,sex=Male,capital-loss=None}                => {native-country=United-States}  0.5113632 0.9190124  1.024056 24976
[4] {sex=Male,capital-loss=None,native-country=United-States} => {race=White}                 0.5113632 0.9032585  1.056390 24976
```

3.3. 연관 분석 평가 측도

연관 분석의 평가는 interestMeasure()함수를 이용합니다.

```
interestMeasure(x, measure, transactions=NULL,
                reuse=TRUE, ...)
```

구문에서...

- x : 아이템 또는 룰 집합입니다.
- measure : 원하는 측정 방법의 이름 또는 벡터의 이름입니다. 값이 없을 경우 사용 가능한 모든 방법이 사용됩니다. measure의 이름은 [표 4]에 설명되어 있습니다.
- transactions : 관심 분석을 계산하기 위해 연관을 마이닝하는데 사용된 트랜잭션 데이터셋을 지정합니다.
- reuse : 정보가 측정 값을 계산하기 위해 재사용되어야 하는지 나타내는 논리값입니다. 지지도, 신뢰도, 리프트값이 이미 제공되는 경우 트랜잭션 카운팅이 거의 필요 없기 때문에 프로세스 속도가 크게 향상됩니다.

다음 표는 measure 속성에 들어갈 수 있는 값입니다.

표 4. measure 속성의 값

방법	설명
support	· 지지도(Support), 높을수록 좋음 · 연관 규칙이 얼마나 중요한지에 대한 평가 · 낮은 지지도의 연관 규칙은 우연히 발생한 트랜잭션에서 생성된 규칙일 수 있음
confidence	· 신뢰도(Confidence), 높을수록 좋음 · 연관 규칙이 얼마나 믿을 수 있는지 평가
lift	· 향상도(Lift), (X -> Y의 신뢰도) / Y의 지지도 · 1 이하는 음의 상관 관계, 1이면 상관 관계 없음, 1 이상은 양의 상관 관계
phi	· 파이 계수 (Phi coefficient) · -1 : 완전 음의 상관 관계, 0 : 상관 관계 없음, 1 : 완전 양의 상관 관계
chiSquared	· chi-squared statistic · 높을수록 상관 관계가 있음

다음 코드는 연관 분석 평가 측도를 조회한 결과입니다.

```
> interestMeasure(m,
+                 measure=c("support", "confidence","lift", "phi", "chiSquared"),
+                 transactions=data)
```

```
     support confidence      lift            phi   chiSquared
1  0.9173867  0.9173867 1.0000000             NA           NA
2  0.9532779  0.9532779 1.0000000             NA           NA
3  0.5435895  0.9290688 1.0127342  0.0503914387 7.617891e-03
4  0.5606650  0.9582531 1.0052191  0.0279947629 2.351120e-03
5  0.6050735  0.9051455 0.9866565 -0.0631413448 1.196049e-02
6  0.6331027  0.9470750 0.9934931 -0.0417362799 5.225751e-03
7  0.6413742  0.9239073 1.0071078  0.0356867719 3.820637e-03
8  0.6639982  0.9564974 1.0033773  0.0229843961 1.584847e-03
9  0.7881127  0.9217231 1.0270761  0.1945077342 1.134998e-01
10 0.7817862  0.9143240 0.9966616 -0.0270190420 2.190086e-03
 ... 생략
47 0.5204742  0.9171628 0.9997559 -0.0009316929 2.604155e-06
48 0.5414807  0.9517075 0.9983526 -0.0085491050 2.192616e-04
49 0.5414807  0.9182030 1.0008898  0.0035548708 3.791132e-05
50 0.6803980  0.9457029 0.9920537 -0.0574806225 9.912066e-03
51 0.6803980  0.9083504 0.9901500 -0.0567083253 9.647502e-03
52 0.6803980  0.9189249 1.0239581  0.1196854493 4.297382e-02
```

3.4. 와인을 구매한 사람은 오렌지주스를 구매할까?

데이터파일을 아래와 같이 데이터파일(purchase-history.txt)을 작성하고 이 데이터파일을 이용해 연관 분석을 해 보세요.

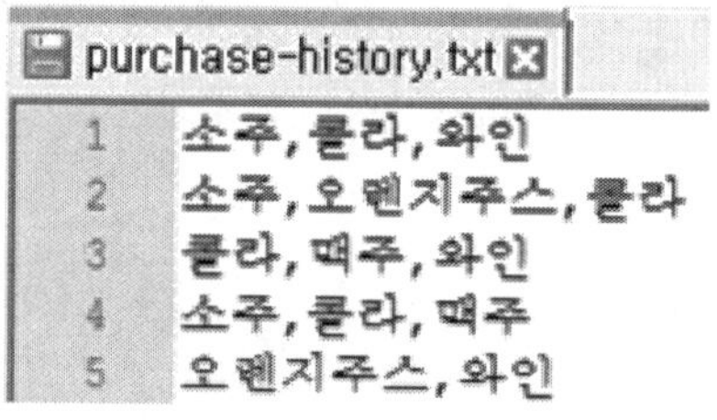

그림 5. purchase-history.txt

데이터 파일은 basket 형식입니다. read.transactions() 함수를 이용해 데이터파일을 트랜잭션 데이터로 불러옵니다. 트랜잭션 데이터를 이용해 연관분석을 실행하고 와인을 구매한 사람이 오렌지 주스를 구매할지 여부를 결정하세요.

```
> p.hist.trans <- read.transactions("purchase-history.txt",
+                                   format="basket", sep=",")
> summary(p.hist.trans)
transactions as itemMatrix in sparse format with
 5 rows (elements/itemsets/transactions) and
 5 columns (items) and a density of 0.56
```

```
most frequent items:
      콜라       소주       와인       맥주 오렌지주스    (Other)
         4          3          3          2          2          0

element (itemset/transaction) length distribution:
sizes
2 3
1 4

   Min. 1st Qu.  Median    Mean 3rd Qu.    Max.
    2.0     3.0     3.0     2.8     3.0     3.0

includes extended item information - examples:
      labels
1       맥주
2       소주
3 오렌지주스

> p.hist.rules <- apriori(p.hist.trans,
+                        parameter=list(support=0.1, confidence=0.1))
Apriori

Parameter specification:
 confidence minval smax arem  aval originalSupport maxtime support
        0.1    0.1    1 none FALSE            TRUE       5     0.1
 minlen maxlen target   ext
      1     10  rules FALSE

Algorithmic control:
 filter tree heap memopt load sort verbose
    0.1 TRUE TRUE  FALSE TRUE    2    TRUE

Absolute minimum support count: 0

set item appearances ...[0 item(s)] done [0.00s].
set transactions ...[5 item(s), 5 transaction(s)] done [0.00s].
sorting and recoding items ... [5 item(s)] done [0.00s].
creating transaction tree ... done [0.00s].
checking subsets of size 1 2 3 done [0.00s].
writing ... [35 rule(s)] done [0.00s].
creating S4 object  ... done [0.00s].
> summary(p.hist.rules)
set of 35 rules

rule length distribution (lhs + rhs):sizes
 1  2  3
```

```
 5 18 12

   Min. 1st Qu.  Median    Mean 3rd Qu.    Max. 
    1.0     2.0     2.0     2.2     3.0     3.0 

summary of quality measures:
    support         confidence          lift            count      
 Min.   :0.2000   Min.   :0.2500   Min.   :0.5556   Min.   :1.000  
 1st Qu.:0.2000   1st Qu.:0.3333   1st Qu.:0.8333   1st Qu.:1.000  
 Median :0.2000   Median :0.5000   Median :0.8333   Median :1.000  
 Mean   :0.2971   Mean   :0.5705   Mean   :0.9524   Mean   :1.486  
 3rd Qu.:0.4000   3rd Qu.:0.7083   3rd Qu.:1.2500   3rd Qu.:2.000  
 Max.   :0.8000   Max.   :1.0000   Max.   :1.6667   Max.   :4.000  

mining info:
         data ntransactions support confidence
 p.hist.trans             5     0.1        0.1
> inspect(p.hist.rules)
     lhs                     rhs          support confidence lift      count
[1]  {}                   => {오렌지주스} 0.4     0.4000000  1.0000000 2    
[2]  {}                   => {맥주}       0.4     0.4000000  1.0000000 2    
[3]  {}                   => {와인}       0.6     0.6000000  1.0000000 3    
[4]  {}                   => {소주}       0.6     0.6000000  1.0000000 3    
[5]  {}                   => {콜라}       0.8     0.8000000  1.0000000 4    
[6]  {오렌지주스}         => {와인}       0.2     0.5000000  0.8333333 1    
[7]  {와인}               => {오렌지주스} 0.2     0.3333333  0.8333333 1    
[8]  {오렌지주스}         => {소주}       0.2     0.5000000  0.8333333 1    
[9]  {소주}               => {오렌지주스} 0.2     0.3333333  0.8333333 1    
[10] {오렌지주스}         => {콜라}       0.2     0.5000000  0.6250000 1    
[11] {콜라}               => {오렌지주스} 0.2     0.2500000  0.6250000 1    
[12] {맥주}               => {와인}       0.2     0.5000000  0.8333333 1    
[13] {와인}               => {맥주}       0.2     0.3333333  0.8333333 1    
[14] {맥주}               => {소주}       0.2     0.5000000  0.8333333 1    
[15] {소주}               => {맥주}       0.2     0.3333333  0.8333333 1    
[16] {맥주}               => {콜라}       0.4     1.0000000  1.2500000 2    
[17] {콜라}               => {맥주}       0.4     0.5000000  1.2500000 2    
[18] {와인}               => {소주}       0.2     0.3333333  0.5555556 1    
[19] {소주}               => {와인}       0.2     0.3333333  0.5555556 1    
[20] {와인}               => {콜라}       0.4     0.6666667  0.8333333 2    
[21] {콜라}               => {와인}       0.4     0.5000000  0.8333333 2    
[22] {소주}               => {콜라}       0.6     1.0000000  1.2500000 3    
[23] {콜라}               => {소주}       0.6     0.7500000  1.2500000 3    
[24] {소주,오렌지주스} => {콜라}       0.2     1.0000000  1.2500000 1    
[25] {오렌지주스,콜라} => {소주}       0.2     1.0000000  1.6666667 1    
[26] {소주,콜라}          => {오렌지주스} 0.2     0.3333333  0.8333333 1    
[27] {맥주,와인}          => {콜라}       0.2     1.0000000  1.2500000 1    
[28] {맥주,콜라}          => {와인}       0.2     0.5000000  0.8333333 1    
```

```
[29] {와인,콜라}        => {맥주}      0.2      0.5000000  1.2500000 1
[30] {맥주,소주}        => {콜라}      0.2      1.0000000  1.2500000 1
[31] {맥주,콜라}        => {소주}      0.2      0.5000000  0.8333333 1
[32] {소주,콜라}        => {맥주}      0.2      0.3333333  0.8333333 1
[33] {소주,와인}        => {콜라}      0.2      1.0000000  1.2500000 1
[34] {와인,콜라}        => {소주}      0.2      0.5000000  0.8333333 1
[35] {소주,콜라}        => {와인}      0.2      0.3333333  0.5555556 1
```

위의 결과에서 오렌지주스와 와인의 연관관계를 보면 다음과 같습니다.

```
[6]  {오렌지주스}       => {와인}      0.2      0.5000000  0.8333333 1
[7]  {와인}             => {오렌지주스} 0.2     0.3333333  0.8333333 1
```

와인, 오렌지주스를 순서 상관없이 구매한 사람은 20%입니다. 와인을 산 고객의 33.3%가 오렌지 주스를 구매합니다. 향상도는 0.833 이고 향상도가 1보다 작은 것은 음의 상관관계를 의미합니다. 그러므로 와인을 구매한 사람은 오렌지 주스를 구매하지 않습니다.

4. 연관규칙 시각화

arulesVis 패키지는 연관규칙을 시각화하기 위해 사용합니다.

4.1. arulesViz

arulesViz 패키지의 plot()함수는 지지도(Support)와 신뢰도(Confidence)를 산점표로 표시하며 향상도(Lift)는 색상으로 표시합니다.

```
plot(m, method="scatterplot"
     measure="support", shading="lift")
```

구문에서...

- method="scatterplot" : 어떤 그래프를 그릴지를 지정합니다. 기본 값 scatterplot은 산점도를 그립니다. method 종류는 scatterplot, two-key.plot, matrix, matrix 3D, mosaic, doubledecker, graph, paracoord or grouped, iplots 등이 있습니다.
- measure : 행과 열에 표시될 데이터를 지정합니다.
- shading : 색상바를 지정합니다.

```
> library(arules)
> data(Adult, package="arules")
> m <- apriori(Adult, parameter=list(support=0.5, confidence=0.9))
> library(arulesViz)
> plot(m)
```

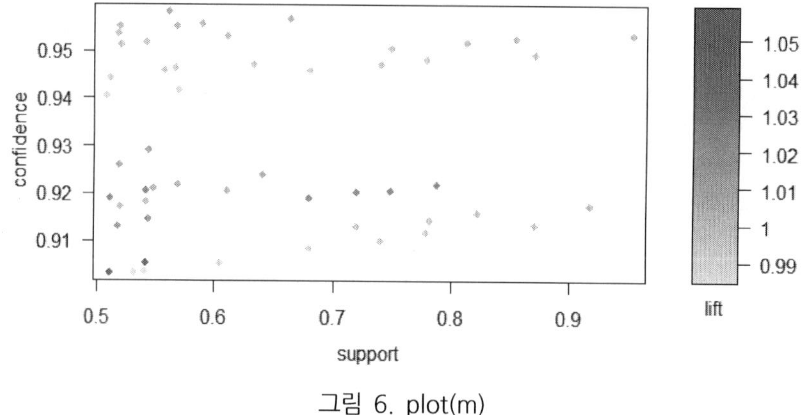

그림 6. plot(m)

4.2. plot(m, method="graph")

plot() 함수의 method 속성이 graph 이면 지지도(Support)는 원의 크기로 표시되며, 향상도(Lift)는 원의 색상으로 표시됩니다.

```
> plot(m, method="graph")
```

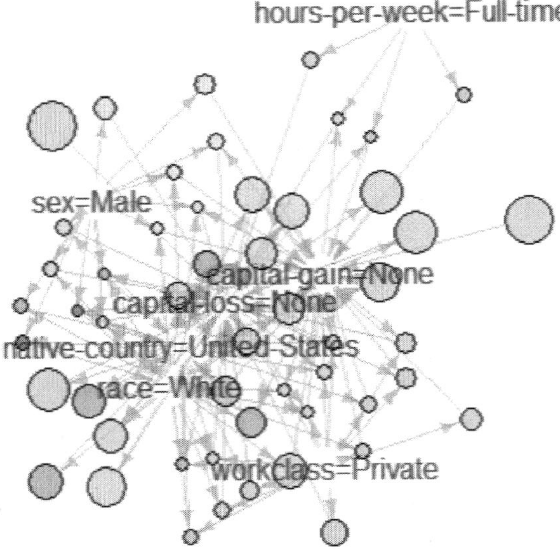

그림 7. plot(m, method="graph")

4.3. plot(m, method="paracoord")

다음 코드는 평행좌표 그래프를 그려줍니다. 선의 색은 지지도를 나타내며, 선의 굵기는 향상도를 나타냅니다. 이 그래프는 꺽이는 곳을 기준으로 해석합니다.

```
> plot(m, method="paracoord")
```

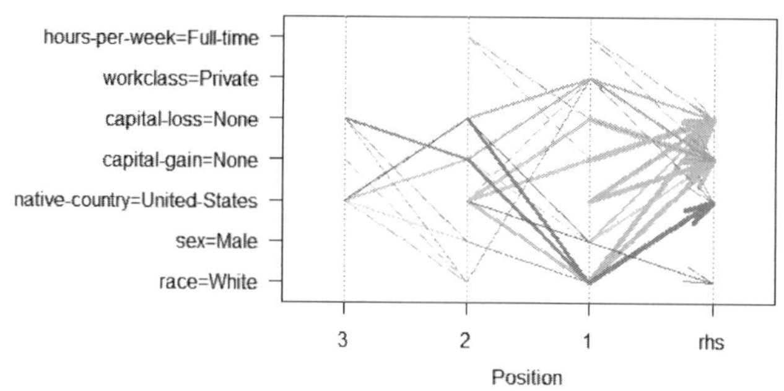

그림 8. plot(m, method="paracoord")

평행좌표 그래프의 이해가 좀 더 쉽도록 앞에서 사용했던 "와인을 구매한 사람은 오렌지주스를 구매할까?"에서 만든 모형을 이용해 그래프를 그려보겠습니다.

```
> plot(p.hist.rules, method="paracoord")
```

이 그래프를 통해 우리는 와인을 구매하고 맥주를 구매한 사람 또는 와인을 구매하고 소주를 구매한 사람은 콜라를 구매한다는 것을 알 수 있습니다. Lift는 1.25였습니다.

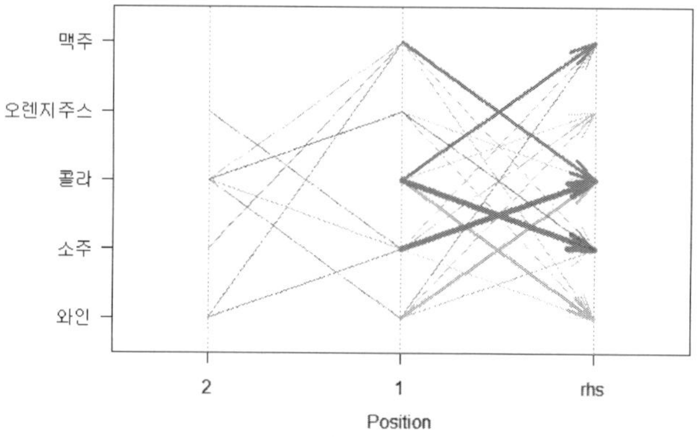

그림 9. 와인과 오렌지주스 데이터의 평행좌표 그래프

4.4. plot(m, method="grouped", control=list(k=5))

method 속성을 grouped로 하면 LHS와 RHS간의 연관 규칙을 그룹화하여 시각화해 줍니다.

```
> plot(m, method="grouped", control=list(k=5))
```

- k : LHS의 개수입니다.

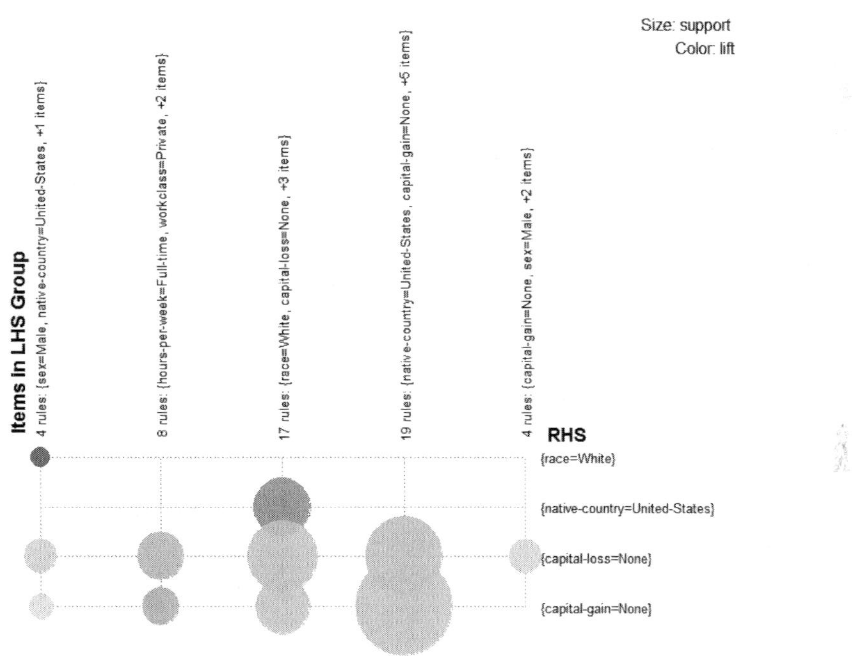

그림 10. plot(m, method="grouped", control=list(k=5))

- LHS에 중요 항목을 표시하고 건수를 표시해 줍니다.
- 지지도(Support)는 원의 크기로 표시하며 향상도(Lift)는 원의 색상으로 표시합니다.

5. 연관규칙 저장

5.1. 텍스트 파일로 저장

연관규칙은 write() 함수를 이용하면 쉽게 파일로 저장할 수 있습니다.

```
> write(m, file="arules.txt", sep="\t", col.names=NA)
```

```
""	"rules"	"support"	"confidence"	"lift"	"count"
"1"	"{} => {capital-gain=None}"	0.917386675402318	0.917386675402318	1	44807
"2"	"{} => {capital-loss=None}"	0.953277916547234	0.953277916547234	1	46560
"3"	"{hours-per-week=Full-time} => {capital-gain=None}"	0.543589533598133	0.929068831577842	1.0127341681417	26550
"4"	"{hours-per-week=Full-time} => {capital-loss=None}"	0.560665001433193	0.958253140637576	1.00521906991023	27384
"5"	"{sex=Male} => {capital-gain=None}"	0.605073502313583	0.905145482388974	0.986656452135654	29553
"6"	"{sex=Male} => {capital-loss=None}"	0.633102657548831	0.947075038284839	0.993493106097683	30922
"7"	"{workclass=Private} => {capital-gain=None}"	0.641374227099627	0.923907273049018	1.00710779633227	31326
"8"	"{workclass=Private} => {capital-loss=None}"	0.663998198271979	0.956497375095653	1.00337725073951	32431
"9"	"{race=White} => {native-country=United-States}"	0.788112689898039	0.921723097552799	1.02707609807159	38493
"10"	"{race=White} => {capital-gain=None}"	0.781786167642603	0.914324026627077	0.99666155084071	38184
"11"	"{race=White} => {capital-loss=None}"	0.813684943286516	0.951630669029261	0.998272017541391	39742
"12"	"{native-country=United-States} => {capital-gain=None}"	0.821956512837312	0.915906187260449	0.998386189617132	40146
"13"	"{native-country=United-States} => {capital-loss=None}"	0.854838049219934	0.952546085052017	0.99923229995942	41752
"14"	"{capital-gain=None} => {capital-loss=None}"	0.870664591949552	0.949070457740978	0.995586325107063	42525
"15"	"{capital-loss=None} => {capital-gain=None}"	0.870664591949552	0.913337628865979	0.995586325107063	42525
"16"	"{capital-gain=None,hours-per-week=Full-time} => {capital-loss=None}"	0.519163834404816	0.955065913370998	1.00187563017324	25357
"17"	"{capital-loss=None,hours-per-week=Full-time} => {capital-gain=None}"	0.519163834404816	0.92597867367806	1.0093657325816	25357
"18"	"{race=White,sex=Male} => {native-country=United-States}"	0.54154211539249	0.920480250565512	1.0256911936056	26450
"19"	"{sex=Male,native-country=United-States} => {race=White}"	0.54154211539249	0.905108989494576	1.05855402674427	26450
"20"	"{race=White,sex=Male} => {capital-gain=None}"	0.531305024364277	0.903079867757091	0.984404822929271	25950
"21"	"{race=White,sex=Male} => {capital-loss=None}"	0.556426845747512	0.945780407168958	0.992135022485959	27177
"22"	"{sex=Male,native-country=United-States} => {capital-gain=None}"	0.540600303017894	0.903534886904151	0.984900817867131	26404
"23"	"{sex=Male,native-country=United-States} => {capital-loss=None}"	0.566131608042259	0.94620675495329	0.992582266439618	27651
"24"	"{sex=Male,capital-gain=None} => {capital-loss=None}"	0.569694115720077	0.941528778804182	0.987675013194886	27825
"25"	"{workclass=Private,race=White} => {native-country=United-States}"	0.543384791777568	0.91441565600882	1.01893341555902	26540
```

그림 11. 저장된 연관규칙파일(arules.txt)

위의 예에서는 각 항목을 탭(₩t)로 구분해 저장했습니다. 항목의 구분자를 콤마(,)로 한다면 CSV 형식의 파일로 저장할 수 있습니다.

```
> write(m, file="arules.csv", sep=",", col.names=NA)
```

```
"","rules","support","confidence","lift","count"
"1","{} => {capital-gain=None}",0.917386675402318,0.917386675402318,1,44807
"2","{} => {capital-loss=None}",0.953277916547234,0.953277916547234,1,46560
"3","{hours-per-week=Full-time} => {capital-gain=None}",0.543589533598133,0.929068831577842,1.0127341681417,26550
"4","{hours-per-week=Full-time} => {capital-loss=None}",0.560665001433193,0.958253140637576,1.00521906991023,27384
"5","{sex=Male} => {capital-gain=None}",0.605073502313583,0.905145482388974,0.986656452135654,29553
"6","{sex=Male} => {capital-loss=None}",0.633102657548831,0.947075038284839,0.993493106097683,30922
"7","{workclass=Private} => {capital-gain=None}",0.641374227099627,0.923907273049018,1.00710779633227,31326
"8","{workclass=Private} => {capital-loss=None}",0.663998198271979,0.956497375095653,1.00337725073951,32431
"9","{race=White} => {native-country=United-States}",0.788112689898039,0.921723097552799,1.02707609807159,38493
"10","{race=White} => {capital-gain=None}",0.781786167642603,0.914324026627077,0.99666155084071,38184
"11","{race=White} => {capital-loss=None}",0.813684943286516,0.951630669029261,0.998272017541391,39742
"12","{native-country=United-States} => {capital-gain=None}",0.821956512837312,0.915906187260449,0.998386189617132,40146
"13","{native-country=United-States} => {capital-loss=None}",0.854838049219934,0.952546085052017,0.99923229995942,41752
"14","{capital-gain=None} => {capital-loss=None}",0.870664591949552,0.949070457740978,0.995586325107063,42525
"15","{capital-loss=None} => {capital-gain=None}",0.870664591949552,0.913337628865979,0.995586325107063,42525
"16","{capital-gain=None,hours-per-week=Full-time} => {capital-loss=None}",0.519163834404816,0.955065913370998,1.00187563017324,25357
"17","{capital-loss=None,hours-per-week=Full-time} => {capital-gain=None}",0.519163834404816,0.92597867367806,1.0093657325816,25357
"18","{race=White,sex=Male} => {native-country=United-States}",0.54154211539249,0.920480250565512,1.0256911936056,26450
"19","{sex=Male,native-country=United-States} => {race=White}",0.54154211539249,0.905108989494576,1.05855402674427,26450
"20","{race=White,sex=Male} => {capital-gain=None}",0.531305024364277,0.903079867757091,0.984404822929271,25950
"21","{race=White,sex=Male} => {capital-loss=None}",0.556426845747512,0.945780407168958,0.992135022485959,27177
"22","{sex=Male,native-country=United-States} => {capital-gain=None}",0.540600303017894,0.903534886904151,0.984900817867131,26404
"23","{sex=Male,native-country=United-States} => {capital-loss=None}",0.566131608042259,0.94620675495329,0.992582266439618,27651
"24","{sex=Male,capital-gain=None} => {capital-loss=None}",0.569694115720077,0.941528778804182,0.987675013194886,27825
"25","{workclass=Private,race=White} => {native-country=United-States}",0.543384791777568,0.91441565600882,1.01893341555902,26540
```

그림 12. CSV 파일로 저장된 연관규칙파일(arules.csv)

5.2. XML 파일로 저장

arules 패키지의 write.PMML() 함수를 이용하면 모델을 XML 파일로 저장할 수 있습니다.

```
> install.packages("pmml")78)
```

```
> write.PMML(m, file="arules.xml")
[1] "arules.xml"
```

- R의 모형을 PMML(Predictive Model Markup Language)로 만들기 위해 사용합니다. PMML로 내보내진 파일은 R에서 다시 불러올 수 있습니다.

```
<?xml version="1.0"?>
<PMML version="4.3" xmlns="http://www.dmg.org/PMML-4_3" xmlns:xsi="http://www.w3.org/2001/XMLSchema-instance"
xsi:schemaLocation="http://www.dmg.org/PMML-4_3 http://www.dmg.org/pmml/v4-3/pmml-4-3.xsd">
 <Header copyright="Copyright (c) 2017 JK" description="arules association rules model">
  <Extension name="user" value="JK" extender="Rattle/PMML"/>
  <Application name="Rattle/PMML" version="1.4"/>
  <Timestamp>2017-12-29 20:58:55</Timestamp>
 </Header>
 <DataDictionary numberOfFields="2">
  <DataField name="transaction" optype="categorical" dataType="string"/>
  <DataField name="item" optype="categorical" dataType="string"/>
 </DataDictionary>
 <AssociationModel functionName="associationRules" numberOfTransactions="48842" numberOfItems="115"
 minimumSupport="0.5" minimumConfidence="0.9" numberOfItemsets="34" numberOfRules="52">
  <MiningSchema>
   <MiningField name="transaction" usageType="group"/>
   <MiningField name="item" usageType="active"/>
  </MiningSchema>
  <Item id="1" value="age=Young"/>
  <Item id="2" value="age=Middle-aged"/>
  <Item id="3" value="age=Senior"/>
  <Item id="4" value="age=Old"/>
  <Item id="5" value="workclass=Federal-gov"/>
  <Item id="6" value="workclass=Local-gov"/>
  <Item id="7" value="workclass=Never-worked"/>
  <Item id="8" value="workclass=Private"/>
  <Item id="9" value="workclass=Self-emp-inc"/>
  <Item id="10" value="workclass=Self-emp-not-inc"/>
```

그림 13. 저장된 XML 파일(arules.xml)

read.PMML() 함수는 PMML 파일을 불러들입니다.

```
> m2 <- read.PMML("arules.xml")
> inspect(m[1])
    lhs    rhs                    support   confidence lift count
[1] {}  => {capital-gain=None} 0.9173867 0.9173867 1    44807
> inspect(m2[1])
    lhs    rhs                    support   confidence lift
[1] {}  => {capital-gain=None} 0.9173867 0.9173867 1
> unlink("arules.xml")     # clean up
```

78) write.PMML()함수는 pmml 패키지를 사용하므로 pmml 패키지가 설치되어 있어야 합니다.

6. 연습문제

1) Adult 데이터 연관 분석

- 지지도 70%, 신뢰도 80% 이상인 연관 규칙을 탐색합니다.
- 연관 분석의 평가 측도를 살펴봅니다.
- 연관 규칙을 시각화합니다. (산점도, 그래프 등)
- 생성된 연관 규칙을 파일로 저장해 봅니다.

2) 장바구니 분석 후 상품 추천

A마트에서 패키지 추천상품을 어떻게 구성할 수 있을지 생각해 보기 위해 A마트에서 상품 판매 시 생성된 거래 데이터파일을 이용하여 연관분석을 실시합니다. A마트에서 판매된 상품의 트랜잭션 데이터파일(mybasket.csv) 파일을 이용해서 연관 분석을 합니다.

* 데이터 파일은 https://goo.gl/GmY57H 에서 다운로드 받을 수 있습니다.

- 전체 트랜잭션 개수와 상품아이템 유형은 몇 개인가?
- 가장 발생빈도가 높은 상품아이템은 무엇인가?
- 지지도를 10%로 설정했을 때의 생성되는 규칙의 수는?
- 상품아이템 중에서 가장 발생확률이 높은 아이템과 낮은 아이템은 무엇인가?
- 가장 발생가능성이 높은 〈2개 상품간〉의 연관규칙은 무엇인가?
- 가장 발생가능성이 높은 〈2개 상품이상에서〉 〈제3의 상품으로〉의 연관규칙은?

1. Adult 데이터 연관 분석

```
#1) 지지도 70%, 신뢰도 80% 이상인 연관 규칙을 탐색합니다.
> library(arules)
> data(Adult)
> rule <- apriori(Adult, parameter=list(support=0.7, confidence=0.8))
> summary(rule)

#2) 연관 분석의 평가 측도를 살펴봅니다.
> interestMeasure(rule, measure=c("support", "confidence", "lift"))

#3) 연관 규칙을 시각화합니다. (산점도, 그래프 등)
> library(arulesViz)
> plot(rule)
> plot(rule, method="graph")

#4) 생성된 연관 규칙을 파일로 저장해 봅니다.
> write(rule, file="rules.txt", sep=" \t", col.names=NA)
```

2. 장바구니 분석 후 상품 추천

```
> library(arules)

#A마트에서 패키지·추천상품을 어떻게 구성할 수 있을까?
#A마트에서 판매된 상품 정보를 이용하여 연관분석을 실시합니다.
#상품 종류 : 의류(clothes), 냉동식품(frozen), 주류(alcohol), 야채(veg),
유제품(milk), 제과(bakery), 육류(meat), 과자(snack), 생활장식(deco),
욕실용품(toiletry)

> mybasket.trans <- read.transactions("mybasket.csv", format="basket",
+                                     sep=",")

#1) 전체 트랜잭션 개수와 상품아이템 유형은 몇 개인가?
> summary(mybasket.trans) #785개 트랜잭션, 10개 아이템

#2) 가장 발생빈도가 높은 상품아이템은 무엇인가?
> itemFrequency(mybasket.trans)
> itemFrequencyPlot(mybasket.trans)

#3) 지지도를 10%로 설정했을 때의 생성되는 규칙의 수는?
> mybasket.rules <- apriori(mybasket.trans,
+                           parameter=list(support=0.1, confidence=0.0))
> summary(mybasket.rules)

#4) 상품아이템 중에서 가장 발생확률이 높은 아이템과 낮은 아이템은 무엇인가?
> sort(itemFrequency(mybasket.trans), decreasing=TRUE)
```

```
#5) 가장 발생가능성이 높은 <2개 상품간>의 연관규칙은 무엇인가?
#cloths, snack
> inspect(subset(mybasket.rules,
+               subset=lhs %in% "clothes" & rhs %in% "snack"))
#의류를 구매한 사용자는 과자를 구매한다.(O/X)

#6) 가장 발생가능성이 높은 <2개 상품이상에서> <제3의 상품으로>의
연관규칙은?
> inspect(subset(mybasket.rules,
+               subset=lhs %in% "clothes" & lhs %in% "snack"))
```

- 웹 데이터를 크롤링해서 연관 분석하면 좋을 것 같습니다. 쉽게 웹 데이터를 크롤링할 방법이 있습니까?
  - httr 패키지와 XML 패키지를 이용하면 쉽게 웹 데이터를 수집할 수 있습니다. 만일 XPath[79]를 잘 알고 있다면 수집한 데이터에서 원하는 요소를 쉽게 찾을 수도 있습니다. 다음 코드는 웹 데이터를 수집하는 예입니다.

```
> install.packages("httr")
> library(httr)
> install.packages("XML")
> library(XML)
> url <- "http://media.daum.net"
> web <- GET(url) # 지정한 url의 웹페이지를 가져옴
> html <- htmlTreeParse(web, useInternalNodes=TRUE, trim=TRUE,
+                       encoding="utf-8") # HTML 문서 파싱(DOM 트리 생성)
> rootNode <- xmlRoot(html) # 루트 노드 검색
> # a 태그의 class 속성이 link_txt인 요소의 태그 값(xmlValue)를 찾음
> # xpathApply는 리스트로 반환, xpathSApply는 벡터로 반환함
> news <- xpathSApply(rootNode, "//a[@class='link_txt']", xmlValue)
> news # 출력
```

79) XPath는 XML 또는 HTML 문서에서 요소를 찾는 방법으로 사용됩니다. XPath 튜토리얼은 다음 주소에서 볼 수 있습니다.
https://www.w3schools.com/xml/xpath_intro.asp

12장. 예측 분석

1. 예측 분석 개요
2. 회귀 분석
3. 회귀 분석 평가 그래프
4. 시계열 분석

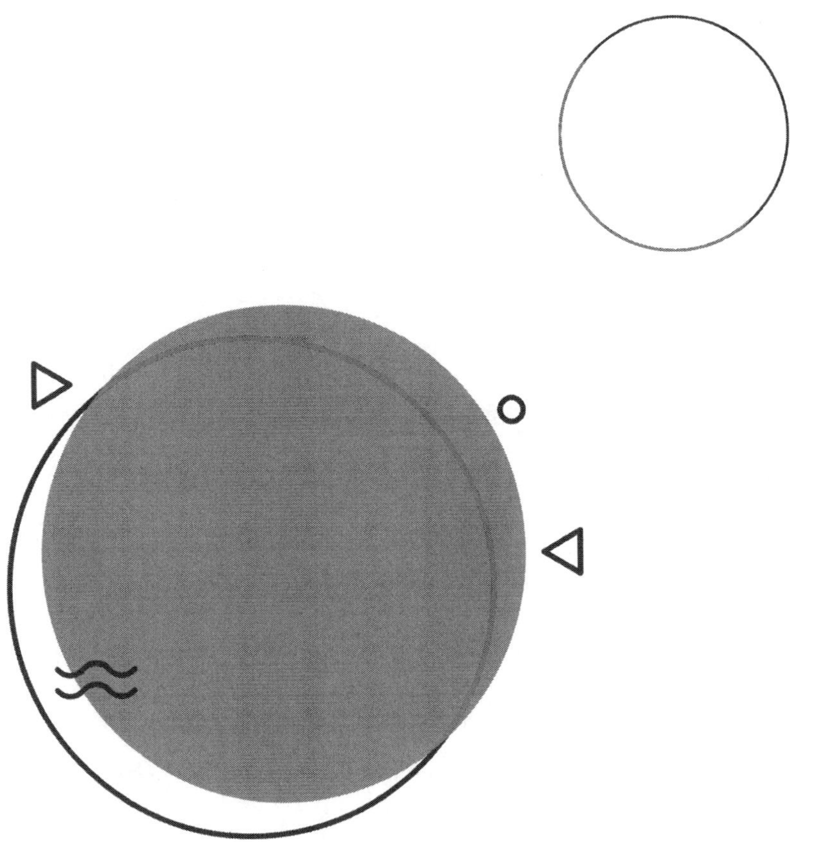

1. 예측 분석 개요

예측 분석(Estimation Analysis)은 주어진 연속된 데이터로 미지의 연속된 데이터를 예측하는 것으로 시계열 데이터를 이용한 예측과 인과관계 모형을 통한 예측 방법이 있습니다.

Estimation(예측, 추정)에는 Prediction(예측, 예상)과 Forecasting(예측)이 있습니다.

- Prediction(예측, 예상) : 미래에 발생할 값을 예측
- Forecasting(예측) : 과거 또는 미래의 모르는 값을 예측

현재의 데이터로 미래를 예측하는 것은 시계열 분석(Time Series Analysis) 이라고 하며, 미래의 데이터로 미래를 예측 하는 것을 회귀 분석(Regression Analysis) 이라고 합니다.

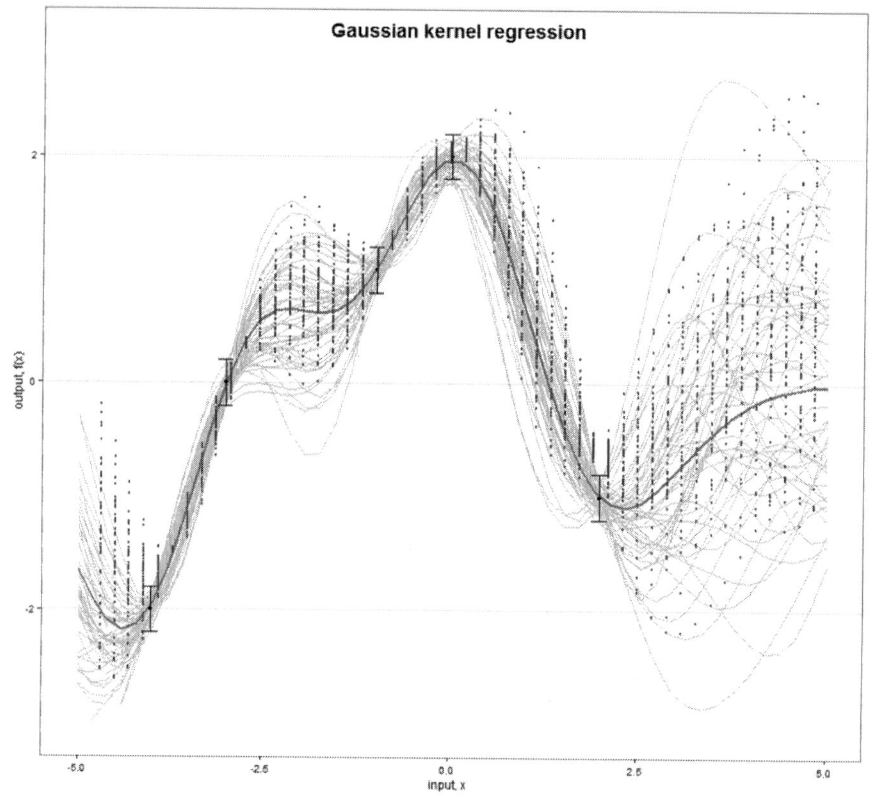

그림 1. Gaussian Kernel Regression

2. 회귀 분석

2.1. 회귀 분석 정의

통계학에서, 회귀 분석(回歸分析, 영어: regression analysis)[80]은 관찰된 연속형 변수들에 대해 두 변수 사이의 모형을 구한 뒤 적합도를 측정해 내는 분석 방법입니다.

회귀 분석은 시간에 따라 변화하는 데이터나 어떤 영향, 가설적 실험, 인과 관계의 모델링 등의 통계적 예측에 이용될 수 있습니다. 그러나 많은 경우 가정이 맞는지 아닌지 적절하게 밝혀지지 않은 채로 이용되어 그 결과가 오용되는 경우도 있습니다. 특히 통계 소프트웨어의 발달로 분석이 용이해져서 결과를 쉽게 얻을 수 있지만 '적절한 분석 방법을 선택했는지' 그리고 '정확한 정보 분석인지' 판단하는 것은 연구자에 달려 있습니다.

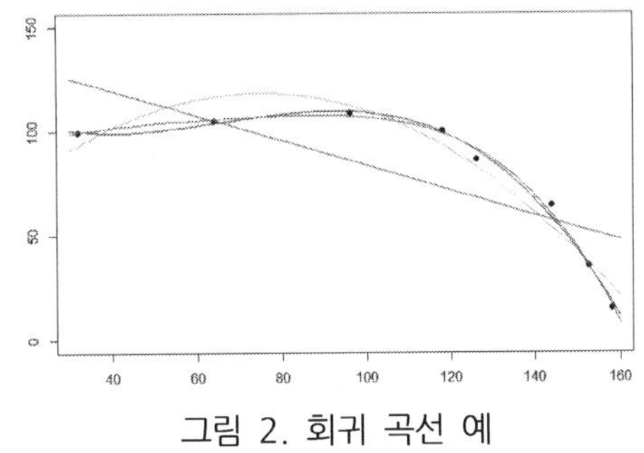

그림 2. 회귀 곡선 예

다음은 회귀 분석이 활용되는 사례입니다.

- 어떤 연관성을 가지고 있는 종속변수의 유의적인 변동이나 분산을 설명하기 위하여 종속변수와 관계있는 독립변수들 중 각각의 독립변수가 설명력을 얼마나 가지고 있는가를 결정할 때
- 강한 관련성을 갖고 있는 독립변수가 그와 관련된 종속변수를 어느 정도 설명하고 있는지를 결정하려 할 때
- 독립변수와 종속변수들 간의 수학적 방정식에 의해 그 관련성의 구조(structure)나 형태(form)를 파악하고자 할 때
- 종속변수의 미래 가치를 예측하고자 할 때
- 어떤 특별한 변수나 혹은 변수들의 집합(set)에 대한 기여도를 평가하는데 있어, 다른 독립변수를 통제하려고 할 때

80) 회귀(Regress)의 원래 의미는 옛날 상태로 돌아가는 것을 의미합니다. 영국의 유전학자 프란시스 갈톤(Francis Galton)은 부모의 키와 아이들의 키사이의 연관관계를 연구하면서 부모와 자녀의 키사이에는 선형적인 관계가 있고 키가 커지거나 작아지는 것보다는 전체 키 평균으로 돌아가려는(회귀하려는) 경향이 있다는 가설을 세웠으며 이를 분석하는 방법을 "회귀 분석"이라고 하였습니다.

2.2. 회귀 분석을 위한 전제 사항

회귀 분석을 위해서는 몇 가지 전제사항이 있습니다. 첫 번째, 독립 변수의 변화에 따라 종속 변수도 일정 크기로 변화해야 합니다. 이것을 선형성 이라고 합니다. 두 번째, 오차와 독립 변수의 값이 관련이 없어야 합니다. 이것을 독립성이라고 합니다. 세 번째, 독립변수의 모든 값에 대해 오차들의 분산이 일정해야 합니다. 이것을 등분산성이라고 합니다. 네 번째, 관측치의 오차간 상관관계가 없어야 합니다. 이것을 비상관성이라고 합니다. 마지막으로 오차가 정규분포를 따라야 합니다. 이것을 정상성이라고 합니다.

표 1. 회귀 분석을 위한 전제사항

전제사항	설명
선형성	독립 변수의 변화에 따라 종속 변수도 일정 크기로 변화
독립성	오차와 독립 변수의 값이 관련이 없음
등분산성	독립 변수의 모든 값에 대해 오차들의 분산이 일정
비상관성	관측치의 오차간 상관관계가 없음
정상성	오차가 정규 분포를 따름

2.3. 회귀 분석을 위한 데이터 샘플 추출

분류 분석을 위해 데이터 샘플을 추출하는 것처럼 회귀 분석에 있어서도 train 데이터셋과 test 데이터셋으로 분류해야 합니다. train 데이터셋은 회귀 분석 모형 생성을 위한 데이터셋이며, test 데이터셋은 회귀 분석 검증을 위한 데이터셋입니다.

다음은 iris 데이터셋을 이용하여 70:30 비율로 train 데이터셋과 test 데이터셋으로 분할하는 예입니다.

```
> data(iris)          # 샘플을 추출할 데이터셋으로 iris 데이터를 사용
> idx <- sample(1:2, nrow(iris), replace=TRUE, prob=c(0.7, 0.3))
> train <- iris[idx == 1, ]
> test  <- iris[idx == 2, ]
```

2.4. 회귀 분석에서 가설

회귀 분석에서 가설을 설정할 때에 귀무 가설(H0)은 회귀식이 유의하지 않음 가정하고, 대립 가설(H1)은 회귀식이 유의함을 가정합니다.

다음 코드는 lm() 함수를 이용하여 회귀 모형을 만듭니다. 그리고 summary() 함수를 이용하여 회귀모형의 요약 정보를 출력합니다.

```
> m <- lm(Petal.Length ~ Petal.Width + Sepal.Length + Sepal.Width, data=train)
> summary(m)

Call:
lm(formula = Petal.Length ~ Petal.Width + Sepal.Length + Sepal.Width,
    data = train)

Residuals:
     Min       1Q   Median       3Q      Max
-0.97891 -0.17396 -0.01153  0.19268  0.63035

Coefficients:
             Estimate Std. Error t value Pr(>|t|)
(Intercept)  -0.24193 ①  0.35574  -0.680    0.498  ④
Petal.Width   1.44555    0.07528  19.202  < 2e-16 ***
Sepal.Length  0.71396    0.06475  11.027  < 2e-16 ***
Sepal.Width  -0.62266    0.08266  -7.533  1.6e-11 ***
---
Signif. codes:  0 '***' 0.001 '**' 0.01 '*' 0.05 '.' 0.1 ' ' 1

Residual standard error: 0.3123 on 108 degrees of freedom
③ Multiple R-squared:  0.9695,  Adjusted R-squared:  0.9686
F-statistic:  1143 on 3 and 108 DF,  p-value: < 2.2e-16 ②
```

- iris 데이터로 회귀 분석을 진행하고 그 결과를 해석합니다.

1. 구해진 회귀식은 Petal.Length=-0.24193 + 1.44555*Petal.Width + 0.71396*Sepal.Length - 0.62266*Sepal.Width 입니다.
2. p-value(유의 확률, Significance probability)가 0.05 보다 작으므로 유의 수준 5%하에서 회귀식이 유의합니다.
3. Multiple R-squared(결정 계수)는 회귀식이 Petal.Length 데이터를 96.954% 설명합니다.
4. Pr(>|t|) : 회귀 계수(Coefficients)의 p-value가 0.05보다 작아야 통계적으로 유의하므로, 통계적으로 유의하지 않거나 p-value가 높은 값부터 회귀식에서 제거합니다.

2.5. 독립변수 선택

회귀 분석을 위해 독립 변수 선택할 때에는 종속 변수에 영향을 미칠 수 있는 모든 독립 변수를 선택해야 합니다. 그러나 독립 변수의 개수가 많으면 관리에 어려움이 있으므로, 가능한 범위 내에서 적은 수의 독립 변수를 선택하는 것이 바람직합니다.

```
step(object, scope, scale=0,
    direction=c("both", "backward", "forward"))
```

구문에서...

- object : 적절한 클래스(주로 "lm"과 "glm")의 모델을 나타내는 객체입니다.
- scope : 단계별 검색에서 조사 된 모델 범위를 정의합니다. 이것은 하나의 수식 또는 위/아래 구성 요소와 두 수식을 포함하는 목록 중 하나여야 합니다.
- scale : 모델에 대한 AIC 통계입니다. 현재는 lm, aov 및 glm 모델에만 해당됩니다. 기본값 0은 축척이 추정되어야 함을 나타냅니다.
- direction : 단계별 검색 모드는 "both", "backward"또는 "forward"중 하나 일 수 있으며 기본값은 "both"입니다. scope 인수가 누락 된 경우 방향의 기본값은 "backward"입니다. 값은 축약 될 수 있습니다.

모든 가능한 조합을 이용해 회귀 분석(All possible regression)을 시행하지 않고 적은 수의 독립 변수를 선택하는 방법으로는 아래의 방법들이 있습니다.

표 2. 독립 변수 선택 방법

방법	설명
전진 선택법 (Forward selection)	· 독립 변수를 하나씩 추가 · direction="forward" `step(lm(Petal.Length ~ 1, data=train), scope=list(lower= ~ 1, upper=~ Petal.Width + Sepal.Length + Sepal.Width), direction="forward")`
후진 제거법 (Backward elimination)	· 독립 변수를 하나씩 제거 · direction="backward" `step(lm(Petal.Length ~ Petal.Width + Sepal.Length + Sepal.Width, data=train), scope=list(lower= ~ 1, upper=~ Petal.Width + Sepal.Length + Sepal.Width), direction="backward")`
단계적 방법 (Stepwise method)	· 독립 변수를 하나씩 추가 또는 제거 · direction="both" `step(lm(Petal.Length ~ 1, data=train), scope=list(lower= ~ 1, upper=~ Petal.Width + Sepal.Length + Sepal.Width), direction="both")`

다음 코드는 전진 선택법, 후진 소거법, 단계적 방법을 사용하여 독립 변수를 선택하고, 최종적으로 나온 회귀식을 비교해 봅니다. 독립 변수 선택 시 AIC[81]가 작을수록 더 좋은 독립 변수이기 때문에, AIC에 따라 독립 변수가 추가되거나 삭제되는 것을 확인합니다.

```
> step(lm(Petal.Length ~ 1, data=train),
+      scope=list(lower= ~ 1, upper=~ Petal.Width + Sepal.Length + Sepal.Width),
+      direction="forward")
Start:  AIC=128.02
Petal.Length ~ 1

               Df Sum of Sq    RSS      AIC
+ Petal.Width   1    320.55  24.50 -166.241
+ Sepal.Length  1    266.78  78.27  -36.133
+ Sepal.Width   1     72.69 272.36  103.524
<none>                      345.05  128.021

Step:  AIC=-166.24
Petal.Length ~ Petal.Width

               Df Sum of Sq    RSS     AIC
+ Sepal.Length  1    8.4225 16.073 -211.43
+ Sepal.Width   1    2.0957 22.400 -174.26
<none>                      24.495 -166.24

Step:  AIC=-211.43
Petal.Length ~ Petal.Width + Sepal.Length

              Df Sum of Sq    RSS     AIC
+ Sepal.Width  1    5.5364 10.537 -256.73
<none>                     16.073 -211.43

Step:  AIC=-256.73
Petal.Length ~ Petal.Width + Sepal.Length + Sepal.Width


Call:
lm(formula = Petal.Length ~ Petal.Width + Sepal.Length + Sepal.Width,
    data = train)

Coefficients:
 (Intercept)   Petal.Width  Sepal.Length   Sepal.Width
     -0.2419        1.4456        0.7140       -0.6227
```

81) AIC(Akaike's An Information Criterion) : 일본의 Akaike란 학자가 만든 정보량 지수로 정보량과 복잡성을 동시에 측정합니다. 복잡성 지수에 대한 weight 값을 수정한 BIC(Bayesian Information Criterion) 등 많은 유사 지수가 있지만 일반적으로 가장 많이 쓰이는 것은 AIC와 BIC입니다.

```
> step(lm(Petal.Length ~ Petal.Width + Sepal.Length + Sepal.Width, data=train),
+      scope=list(lower= ~ 1, upper=~ Petal.Width + Sepal.Length + Sepal.Width),
+      direction="backward")
Start:  AIC=-256.73
Petal.Length ~ Petal.Width + Sepal.Length + Sepal.Width

               Df Sum of Sq    RSS      AIC
<none>                      10.537 -256.728
- Sepal.Width   1     5.536 16.073 -211.432
- Sepal.Length  1    11.863 22.400 -174.258
- Petal.Width   1    35.971 46.507  -92.435

Call:
lm(formula = Petal.Length ~ Petal.Width + Sepal.Length + Sepal.Width,
    data = train)

Coefficients:
 (Intercept)   Petal.Width  Sepal.Length   Sepal.Width
     -0.2419        1.4456        0.7140       -0.6227

> step(lm(Petal.Length ~ 1, data=train),
+      scope=list(lower= ~ 1, upper=~ Petal.Width + Sepal.Length + Sepal.Width),
+      direction="both")
Start:  AIC=128.02
Petal.Length ~ 1

               Df Sum of Sq    RSS      AIC
+ Petal.Width   1    320.55  24.50 -166.241
+ Sepal.Length  1    266.78  78.27  -36.133
+ Sepal.Width   1     72.69 272.36  103.524
<none>                      345.05  128.021

Step:  AIC=-166.24
Petal.Length ~ Petal.Width

               Df Sum of Sq    RSS     AIC
+ Sepal.Length  1      8.42  16.07 -211.43
+ Sepal.Width   1      2.10  22.40 -174.26
<none>                       24.50 -166.24
- Petal.Width   1    320.55 345.05  128.02

Step:  AIC=-211.43
Petal.Length ~ Petal.Width + Sepal.Length

               Df Sum of Sq    RSS      AIC
+ Sepal.Width   1     5.536 10.537 -256.728
<none>                      16.073 -211.432
```

```
- Sepal.Length  1     8.422 24.496 -166.241
- Petal.Width   1    62.197 78.270  -36.133

Step:  AIC=-256.73
Petal.Length ~ Petal.Width + Sepal.Length + Sepal.Width

               Df Sum of Sq    RSS      AIC
<none>                      10.537 -256.728
- Sepal.Width   1     5.536 16.073 -211.432
- Sepal.Length  1    11.863 22.400 -174.258
- Petal.Width   1    35.971 46.507  -92.435

Call:
lm(formula = Petal.Length ~ Petal.Width + Sepal.Length + Sepal.Width,
    data = train)

Coefficients:
 (Intercept)   Petal.Width  Sepal.Length   Sepal.Width
     -0.2419        1.4456        0.7140       -0.6227
```

단계적 방법 사용 시 최종 결과가 3개의 독립 변수(Petal.Width, Sepal.Length, Sepal.Width)가 선택됐습니다. 회귀식은 Petal.Length = -0.2419 + 1.4456 * Petal.Width + 0.7140 * Sepal.Length - 0.6227 * Sepal.Width입니다.

```
Call:
lm(formula = Petal.Length ~ Petal.Width + Sepal.Length + Sepal.Width,
    data = train)

Coefficients:
 (Intercept)   Petal.Width  Sepal.Length   Sepal.Width
     -0.2419        1.4456        0.7140       -0.6227
```

● 만일 'Error in eval(expr, envir, enclos) : object 'Petal.Length' not found' 에러가 발생하면 다음 명령을 실행시키세요.

```
> attach(iris)
```

2.6. 분석

독립변수들을 선택했다면 이들 독립변수들을 이용해 모델을 생성하고 예측합니다.

다음 코드는 모형을 생성하고 회귀계수를 확인하며, 회귀 계수의 신뢰구간 및 예측값, 오차 등을 출력합니다.

```
> data(iris)              # iris 데이터 로드
> idx <- sample(1:2, nrow(iris), replace=TRUE, prob=c(0.7, 0.3))
> train <- iris[idx == 1, ]
> test  <- iris[idx == 2, ]
> m <- lm(Petal.Length ~ Petal.Width + Sepal.Length + Sepal.Width, data=train)
> m

Call:
lm(formula = Petal.Length ~ Petal.Width + Sepal.Length + Sepal.Width,
    data = train)

Coefficients:
 (Intercept)   Petal.Width  Sepal.Length   Sepal.Width
     0.04238       1.40983       0.71922      -0.71239

> coef(m)                 # 회귀 계수
 (Intercept)  Petal.Width Sepal.Length  Sepal.Width
  0.04237987   1.40982626   0.71922102  -0.71238912

> confint(m)              # 회귀 계수의 신뢰구간
                  2.5 %     97.5 %
(Intercept)  -0.7175143  0.8022740
Petal.Width   1.2391305  1.5805220
Sepal.Length  0.5722685  0.8661736
Sepal.Width  -0.8767374 -0.5480408

> head(fitted(m))         # 예측 값 (실제값 = 예측값 + 오차)
       2        3        4        5        6        7
1.711361 1.425039 1.424356 1.355849 1.711786 1.351621

> head(residuals(m))      # 오차
          2           3           4           5           6           7
-0.31136077 -0.12503874  0.07564445  0.04415060 -0.01178633  0.04837856
```

다음 코드는 회귀 모델을 이용해 데이터를 예측하고 모델을 평가 합니다. 평가 방법으로 RMSE를 사용했습니다. RMSE는 실제 값과 예측한 값의 차이를 제곱한 뒤 평균을 계산하여 루트를 한 값입니다.

```
> h = predict(m, newdata=test[, c(1,2,4)])
> result <- data.frame(target=test[, 3], predict=h)
> head(result)
   target  predict
3     1.3 1.408056
4     1.5 1.397583
5     1.4 1.377266
6     1.7 1.773212
17    1.3 1.773212
19    1.7 1.907545
> rmse <- function(y, h){
+   sqrt(mean((y - h)^2))
+ }
> rmse(result$target, result$predict)
[1] 0.3609534
```

- 이 결과는 샘플링에 따라 값이 다를 수 있습니다.

2.7. 이상치

최소제곱법(Least Square Method)을 이용한 예측은 데이터에 outlier(정상적인 데이터 분포에서 동떨어진 데이터)라고 불리는 이상한 데이터가 있으면 적용하기 힘든 방법입니다. 그 이유는 최소제곱법은 전체 데이터의 잔차(residual)의 합을 최소화하기 때문에 outlier의 residual도 같이 줄이려고 하면 잘못된 근사 결과를 낼 수 있기 때문입니다.

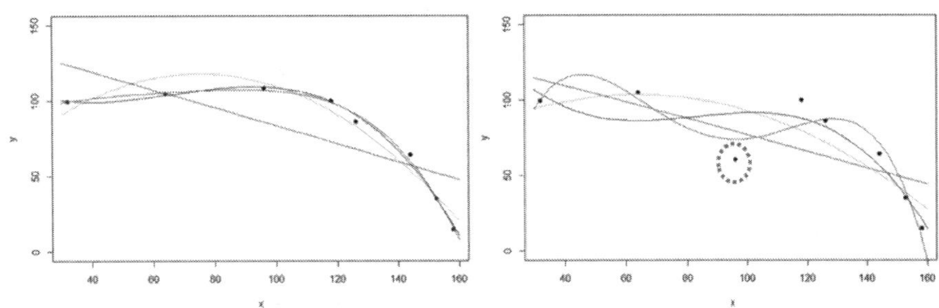

그림 3. 이상치가 없는 데이터의 회귀모델(왼쪽)과 이상치를 포함한 데이터의 회귀모델(오른쪽)

1) 이상치 탐색

이상치(outlier)를 찾아내는 것도 능력입니다. 이상치를 찾을 때는 외면 스튜던트화 잔차를 사용합니다. 스튜던트화 잔차는 잔차를 잔차의 표준 편차로 나눈 값 입니다. i번째 데이터가 이상치 인지 확인할 때 i번째 데이터를 포함해서 표준 편차를 구하는 것은 바람직하지 않습니다. 그러므로 i번째 스튜던트화 잔차를 구할 때 i번째 데이터를 제외하여 표준 편차를 구는 경우 외면 스튜던트화 잔차(Externally Studentized Residual)라 합니다. 전체 데이터에 대해 표준 편차를 구하는 경우를 내면 스튜던트화 잔차(Internally Studentized Residual)라 합니다.

외면 스튜던트화 잔차는 rstudent()를 사용해 구하며, 이상치는 car::outlierTest()를 사용해 쉽게 찾을 수 있습니다.

```
> m <- lm(Petal.Length ~ ., data=iris[1:4])
> install.packages("car")
> car::outlierTest(m)   # 이상 데이터 (Outlier) 탐색
No Studentized residuals with Bonferonni p < 0.05
Largest |rstudent|:
    rstudent unadjusted p-value Bonferonni p
135 3.507635          0.00060228     0.090342
```

- 135번 데이터의 p-value가 0.05보다 작으므로 이상 데이터입니다.

다음 데이터 x와 y2에서 이상치를 탐색해 보겠습니다.

```
> x <- c(32,64,96,118,126,144,152.5,158)
> y2 <- c(99.5,104.8,60.5,100,86,64,35.3,15)     #3번째 원래 값은 108
> fit.lm <- lm(y2 ~ poly(x,2))
> car::outlierTest(fit.lm)
No Studentized residuals with Bonferonni p < 0.05
Largest |rstudent|:
   rstudent unadjusted p-value Bonferonni p
3 -4.108783           0.014747      0.11797
```

- x와 y2 변수는 앞에서 정의한 변수입니다.
- y2 데이터의 3번째 값은 실제 값 108을 60.5로 수정해 놓은 것입니다.
- outlierTest() 함수를 이용해 2차 회귀모델에서 탐색해 보면 3번째 데이터가 이상 데이터임을 알 수 있습니다.

2) 이상치를 포함한 모델 생성

이상치는 다른 데이터로 바꾸거나 행 자체를 제거한 후 분석해야 합니다. 그러나 이상치를 제거하지 않고 모델을 만들어야 한다면, rq() 또는 rml() 함수를 이용할 수 있습니다.
다음 코드는 Quantile Regression 함수(rq)와 Robust Fitting of Linear Models 함수(rlm)를 이용해 회귀모델을 생성하고 그래프를 그리는 예입니다.

```
> x <- c(32,64,96,118,126,144,152.5,158)
> y <- c(99.5,104.8,108.5,100,86,64,35.3,15)
> plot(x, y, col=2, pch=19, ylim=c(0,150)); oldPar <- par(new=TRUE)
> y2 <- c(99.5,104.8,60.5,100,86,64,35.3,15)     #3번째 값을 임의로 수정
> plot(x, y2, col=1, pch=1, ylim=c(0,150)); par(oldPar)
> xx <- seq(30,160, length=50)
> fit.origin <- lm(y ~ poly(x,2))
> lines(xx, predict(fit.origin, data.frame(x=xx)),
+                  col="red", lty="dashed")
> fit.lm <- lm(y2 ~ poly(x,2))
> lines(xx, predict(fit.lm, data.frame(x=xx)), col="black")
> library("quantreg")
> fit.rq <- rq(y2 ~ poly(x,2))
> lines(xx, predict(fit.rq, data.frame(x=xx)), col="blue")
> library("MASS")
> fit.rlm <- rlm(y2 ~ poly(x,2))
> lines(xx, predict(fit.rlm, data.frame(x=xx)), col="purple")
> legend("topright", inset=0.05, bty="n",
+        legend=c("lm fit to original data", "lm fit", "rq fit", "rlm fit"),
+        lty=c(2, 1, 1, 1),       # 1="solid"; 2="dashed"
+        col=c("red", "black", "blue", "purple")
+ )
```

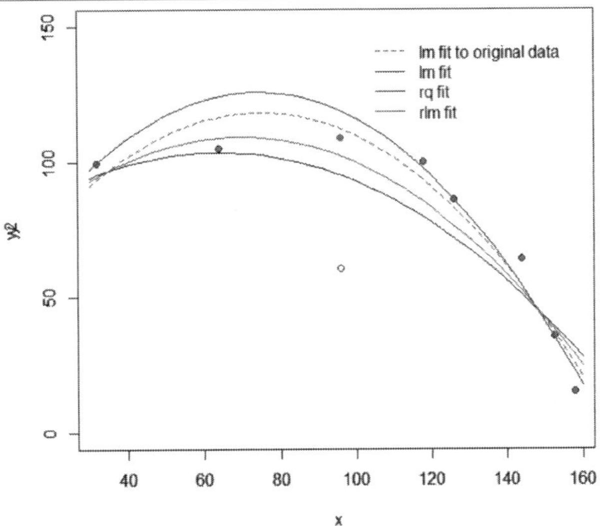

그림 4. 이상치를 포함한 데이터에서 회귀모델 생성 함수 사용

3. 회귀 분석 평가 그래프

다음 구문은 cars 데이터를 이용해 속도에 따른 제동거리를 이용하여 회귀모형을 만들고 그래프를 그립니다.

```
> m <- lm(data=cars, dist~speed)
> plot(m)
Hit <Return> to see next plot:
```

3.1. Residuals vs Fitted

Residuals vs Fitted 그래프는 예측값과 오차를 표현해 줍니다. 그래프에서 X축은 Fitted values(예측값)이며, Y축은 Residuals(오차)를 의미합니다. Residuals(오차)가 등분산성을 가지면, 0.0 주위에 대체로 균등하게 분포합니다.

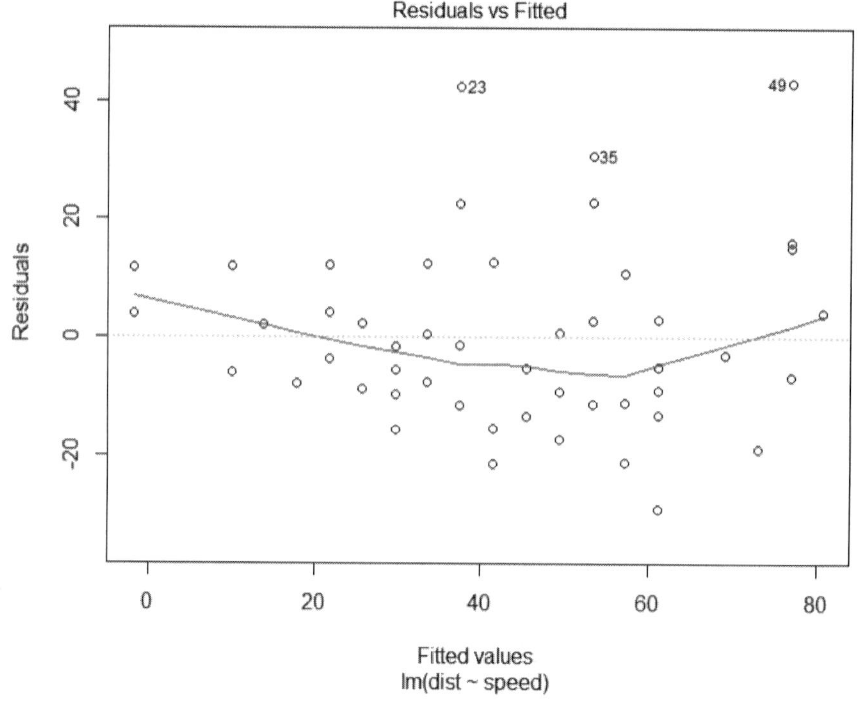

그림 5. Residuals vs Fitted 그래프

3.2. Normal Q-Q

Q-Q Plot은 데이터가 특정 분포를 따르는지 검증하기 위해서 사용합니다. Normal Q-Q 플롯은 잔차가 정규 분포를 따르는지 확인하기 위한 Q-Q 플롯입니다. Residuals(오차)가 정규 분포를 따르면, 직선과 가까운 형태를 나타냅니다.

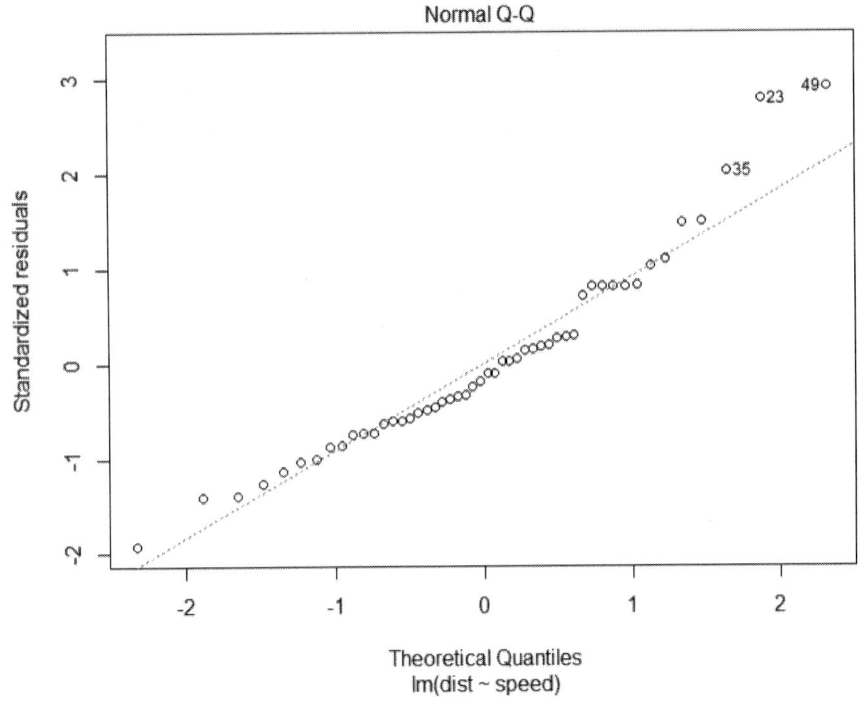

그림 6. Normal Q-Q 그래프

3.3. Scale-Location

Scale-Location의 X축은 Standardized residuals(표준화 된 잔차)의 제곱근이며, Y축은 Fitted values(예측값)입니다. 이 그래프는 가로로 평행한 직선(기울기가 0)이 최적의 모습입니다. 만일 특정 위치에서 0으로부터 멀리 떨어진 값이 관찰된다면 해당 점에 대한 표준화 잔차가 큽니다. 이것은 회귀 직선이 해당 Y를 잘 적합하지 못한다는 것을 의미합니다. 이러한 점들은 이상치(Outliner)일 가능성이 높습니다.

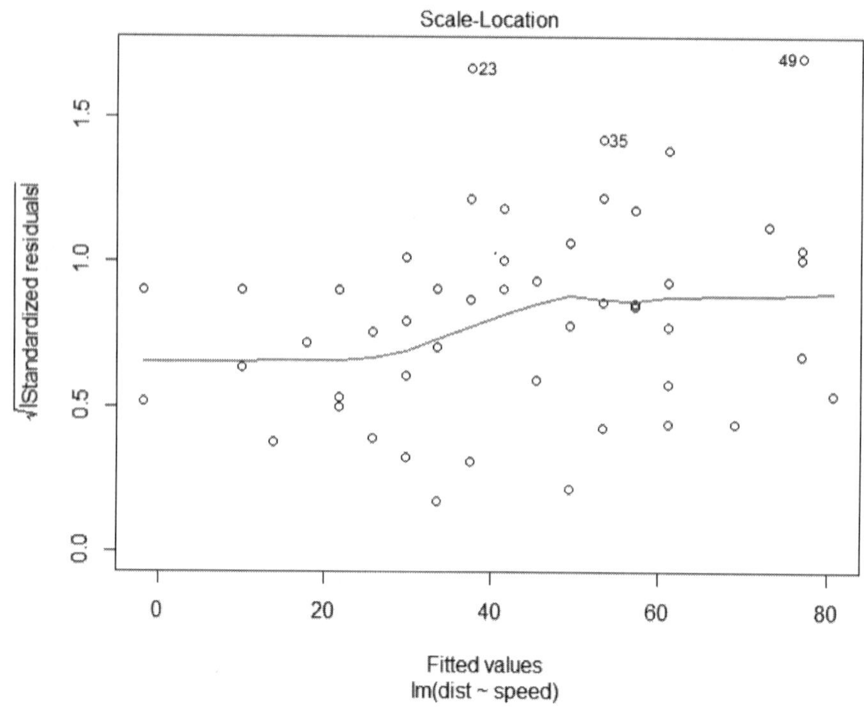

그림 7. Scale-Location 그래프

3.4. Residuals vs Leverage

Residuals vs Leverage 플롯의 X축은 Standardized residuals(표준화 된 잔차)이며, Y축은 Leverage(레버리지)[82]입니다. 우측 상단에 빨간 점선(쿡의 거리)[83]으로 표시된 영역이 있고 그 부분에 데이터가 있으면 이상 데이터입니다.

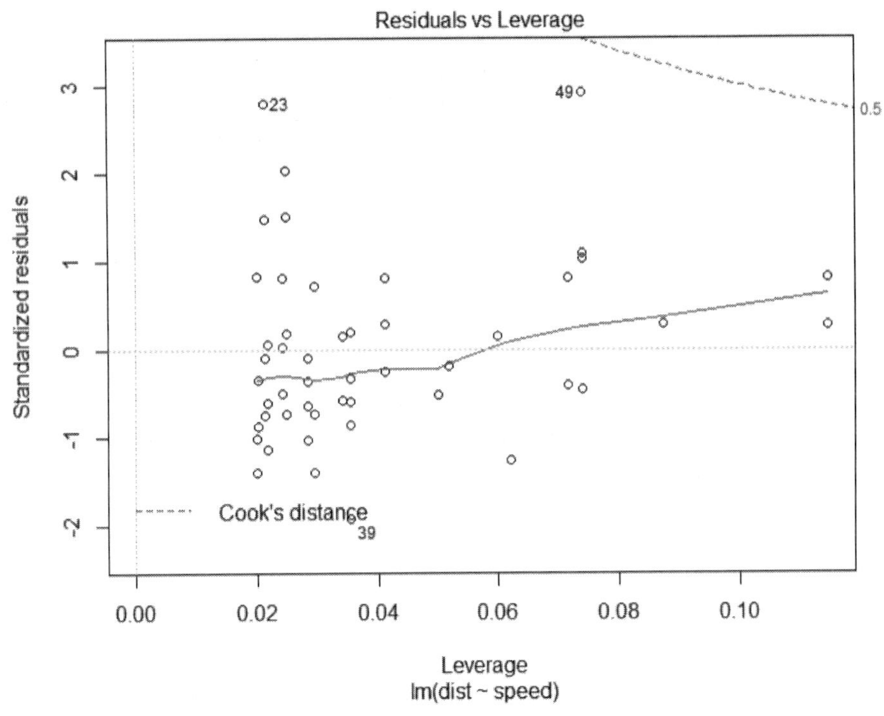

그림 8. Residuals vs Leverage 그래프

82) 레버리지는 설명 변수가 얼마나 극단에 치우쳐 있는지를 의미합니다.

83) Cook's distance : 쿡의 거리는 회귀 직선의 모양(기울기 또는 절편 등)에 크게 영향을 끼치는 점들을 찾는 방법입니다. 쿡의 거리는 레버리지와 잔차에 비례합니다.

3.5. 회귀 분석을 통한 예측

다음 코드는 iris 데이터에 대해 회귀 모형을 만들고 테스트 데이터로 예측합니다.

```
> data(iris)                    # iris 데이터 로드
> idx <- sample(1:2, nrow(iris), replace=TRUE, prob=c(0.7, 0.3))
> train <- iris[idx == 1, ]
> test  <- iris[idx == 2, ]
> m <- lm(Petal.Length ~ Petal.Width + Sepal.Length + Sepal.Width,
data=train)
> head(predict(m))              # 예측값
       1        6        7        8       12       13
1.486044 1.768386 1.332315 1.471892 1.327637 1.410610
> head(predict(m, newdata=test)) # test 데이터로 예측
       2        3        4        5        9       10
1.631671 1.371463 1.357312 1.355939 1.329010 1.424761
> p <- predict(m, newdata=test, interval="confidence")   # 예측값과
신뢰구간
> plot(p)
> matlines(p[, 1], p)
```

- predict() 함수의 interval 파라미터의 값은 신뢰구간을 구할 때 confidence 이며, 예측 구간을 구할 때 predict 입니다.

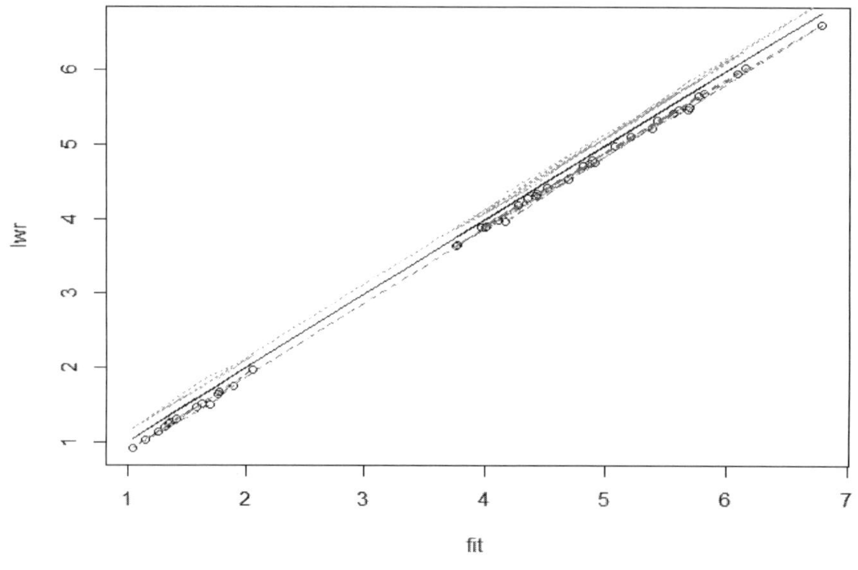

그림 9. 예측 값과 신뢰구간

4. 시계열 분석

4.1. 시계열(Time Series)

시계열(Time Series) 데이터는 시간(년, 분기, 월, 일, 시간)의 흐름에 따라 순차적으로 발생하는 데이터를 의미합니다. 시계열 분석(Time Series Analysis)은 시간의 흐름에 따라 발생하는 시계열 데이터를 분석하여 미래를 예측하는 것을 의미합니다.

시계열의 변동 요인으로는 추세, 주기, 계절, 불규칙 등이 있습니다.

표 3. 시계열의 변동 요인

요인	설명
추세 요인 (Trend, 경향)	· 시간에 따라 데이터가 특정한 형태를 취함 · 일차식: 선형적 상승/하강 · 이차식, 지수식 등
주기 요인 (Cyclical, 순환)	· 특정한 주기로 데이터가 변화
계절 요인 (Seasonality)	· 연별, 분기별, 월별, 일별 등 · 고정된 주기에 따라 데이터가 변화
불규칙 요인 (Irregular, 오차)	· 우연적으로 발생하는 요인으로 오차에 해당함

4.2. 시계열 분석

시계열 분석에는 시간을 독립변수로 하여 y 데이터만으로 분석하는 일변량 시계열 분석과, 별도의 설명 변수인 x가 존재하는 다변량 시계열 분석, 그리고 적당한 형태로 정돈된 시계열 데이터로 평균을 중심으로 랜덤하게 변동하는 정상 시계열 분석이 있습니다.

1) 일변량 시계열 분석

일변량 시계열 분석은 시간을 독립 변수로 하여 y 데이터만으로 분석하는 것을 의미합니다. 일변량 시계열 분석에 사용하는 회귀모형은 Box-Jenkins의 ARIMA 모형, 지수 평활법 그리고 분해 시계열이 있습니다.

2) 다변량 시계열 분석

다변량 시계열 분석은 별도의 설명 변수인 x가 존재합니다. 다변량 시계열 분석의 회귀 모형은
전이함수 모형(Transfer function model), 개입 모형(Intervention model), 상태 공간 분석(State space analysis) 다변량 ARIMA 등이 있습니다.

3) 정상 시계열 분석

정상(Stationary) 시계열은 시계열 분석에 적당한 형태로 정돈된 데이터로 평균을 중심으로 랜덤하게 변동합니다. 시계열 분석을 하려면 데이터가 정상성(Stationarity)[84]을 가져야 합니다.

비정상 시계열을 정상 시계열로 변환하기 위해서 분산이 일정하지 않은 시계열 자료에 적용하는 변환(Transformation) 방법과, 평균이 일정하지 않은 시계열 자료에 적용하는 차분(Difference) 방법이 있습니다.

표 4. 비정상 시계열을 정상 시계열로 변환

구분	설명
변환 (Transformation)	· 분산이 일정하지 않은 시계열 자료에 적용
	· 자연 로그 변환 - 지수함수 형태의 추세요인 제거 · 표준 점수(Standard score, Z-value) - 데이터가 평균에서 얼마나 떨어져 있는지 표시 - z = (x - u) / σ · 평활법(Smoothing method)[85] - n개의 데이터 평균으로 변환 - 추세와 불규칙 요인으로 구성된 비계절성 시계열 자료에 적용
차분 (Difference)	· 평균이 일정하지 않은 시계열 자료에 적용
	· 현 시점이 자료에서 전 시점의 자료를 빼는 것 · 일반 차분 (Regular difference) : 추세 요인 제거 · 계절 차분 (Seasonal difference) : 계절성 요인 제거

84) 시간에 따라 확률적인 성분이 변하지 않는다는 가정
85) 평활법은 최근 데이터의 평균을 이용하는 이동평균법(Moving average)과 단순 지수, 이중 지수, 삼중 지수, 계절성 지수 평활법에 대항하는 지수평활법(Exponential smoothin)이 있습니다.

4.3. 시계열 모형

ARMA모형이 과거의 데이터들을 사용하는 것에 반해 Box-Jenkins의 ARIMA 모형[86]은 이것을 넘어서서 과거의 데이터가 지니고 있던 '추세(Momentum)'까지 반영하게 된 것입니다. 즉, 상관관계(Correlation)뿐만 아니라 공적분(Cointegration)[87]까지 고려한 모형입니다. Correlation은 서로 간에 선형관계를 설명하는 것이라면 Cointegration은 추세관계를 설명합니다. 즉 Cointegration인 시점이 고려되지 않으면 성립하지 않기 때문에 시계열 데이터에만 쓰이는 개념입니다.

다음은 선형관계와 추세관계를 설명합니다.

선형관계
- 두 변수 X-Y간에 correlation이 0보다 크면 X가 큰 값이 나올 때 Y값도 큰 값을 가진다.
- 두 변수 X-Y간에 correlation이 0보다 작으면 X가 큰 값이 나올 때 Y값은 작은 값을 가진다.

추세관계
- 두 변수 X-Y간에 cointegration이 0보다 크면 X의 값이 이전 값보다 증가하면 Y값도 증가한다.
- 두 변수 X-Y간에 cointegration이 0보다 작으면 X의 값이 이전 값보다 증가하면 Y값은 감소한다.

가장 단순한 형태인 ARMA(1,1) 모형은 아래와 같습니다.

$$X(t) = \{a^* X(t-1)\} + \{b^* e(t-1)\} + c + u^* e(t)$$

ARMA(2,2) 모형은 아래와 같습니다.

$$X(t) = \{a1^* X(t-1) + a2^* X(t-2)\} + \{b1^* e(t-1) + b2^* e(t-2)\} + c + u^* e(t)$$

86) ARIMA(Autoregressive Integrated Moving Average, 1937년)
87) https://namu.wiki/w/공적분

시계열 모형에 ARIMA 모형만 있는 것은 아닙니다. AR, MA, ARMA 모형 등 다양한 시계열 모형들이 있습니다.

- ARIMA(Auto Regressive Integrated Moving Average, 1937년)
- AR(Auto Regressive) 모형 : 독립변수가 종속변수의 과거값
- MA(Moving Average) 모형 : 독립변수가 종속변수의 오차항의 과거값
- ARMA 모형 : AR 모형과 MA 모형의 결합
- X11-ARIMA(1975년)
  X12-ARIMA : 요일 변수 반영

현재의 관측값이 이전의 관측값으로 표현될 수 있어야 합니다. 이것을 시계열의 가역성(Invertibility)이라고 합니다.

AR 모형은 p 시점 전의 자료까지 현재 자료에 영향을 주는 모형이기 때문에 항상 가역성을 가집니다.

MA 모형은 과거 q차 이전의 충격(오차)으로 현재의 시계열을 설명하는 모형으로 가역성을 가진다는 것을 보장할 수 없습니다. 가역성 충족 조건은 $\theta^{-1} * Z_t = \alpha_t$를 만족하는 θ^{-1}이 존재하여야 합니다. MA 모형이 가역성을 만족할 경우, 과거의 데이터일수록 현재의 값에 미치는 영향이 지수적으로 감소합니다.

4.4. 시계열 데이터 변환

ts() 함수를 사용하여 vector 또는 matrix 데이터를 시계열 데이터로 변환합니다.

```
> ts(1:10, frequency=4, start=c(1959, 2))
     Qtr1 Qtr2 Qtr3 Qtr4
1959         1    2    3
1960    4    5    6    7
1961    8    9   10
```

- frequency=4 : 반복 주기가 4인 데이터이므로 분기 데이터입니다.
  frequency=12이면 반복 주기가 12인 데이터(예, 월 데이터)입니다.
- start=c(1959,2) : 1959년 2분기부터 데이터 저장합니다. start 속성은 frequency=4 인 경우c(년, 분기) 형식으로 작성하며, frequency=12인 경우 c(년, 월) 형식으로 작성합니다.

4.5. 시계열 분석을 위한 데이터 준비

시계열 분석을 위해 AirPassengers 데이터 준비합니다. 준비한 데이터를 이용하여 그래프를 그려봅니다.

```
> data(AirPassengers)
> plot(AirPassengers)
```

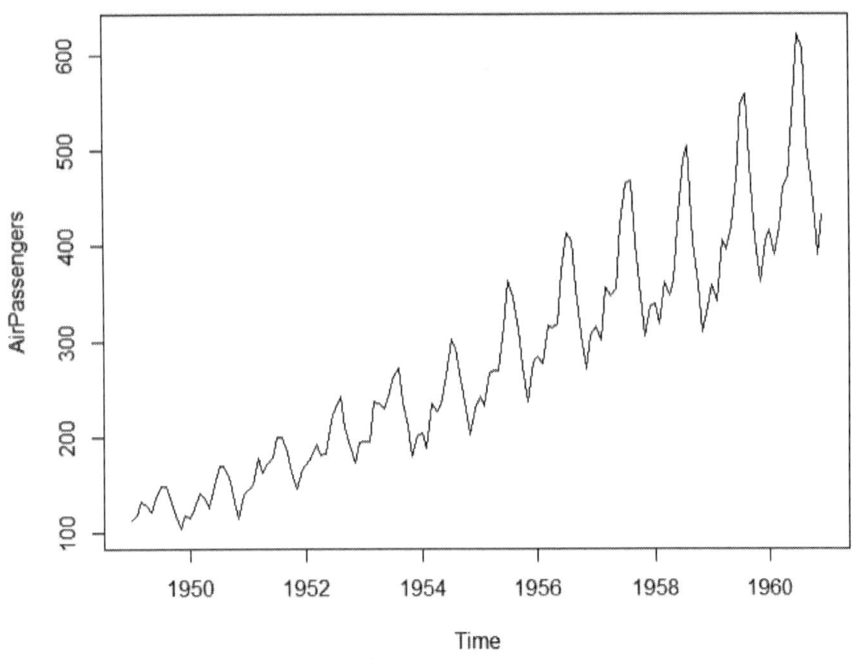

그림 10. plot(AirPassengers)

ttrc[88] 데이터를 준비합니다.

```
> install.packages("TTR")
> library(TTR)
> data(ttrc)
> head(ttrc)
        Date Open High  Low Close  Volume
1 1985-01-02 3.18 3.18 3.08  3.08 1870906
2 1985-01-03 3.09 3.15 3.09  3.11 3099506
```

88) ttrc(Technical Trading Rule Composite) 데이터셋은 1985년 1월 2일부터 2006년 12월 31일까지의 시가, 고가, 저가, 종가와 거래량에 대한 데이터입니다. 이 데이터는 무작위로 생성되었습니다.

```
3 1985-01-04 3.11 3.12 3.08  3.09 2274157
4 1985-01-07 3.09 3.12 3.07  3.10 2086758
5 1985-01-08 3.10 3.12 3.08  3.11 2166348
6 1985-01-09 3.12 3.17 3.10  3.16 3441798
> plot(ttrc[, c(1,2)], type="l")
```

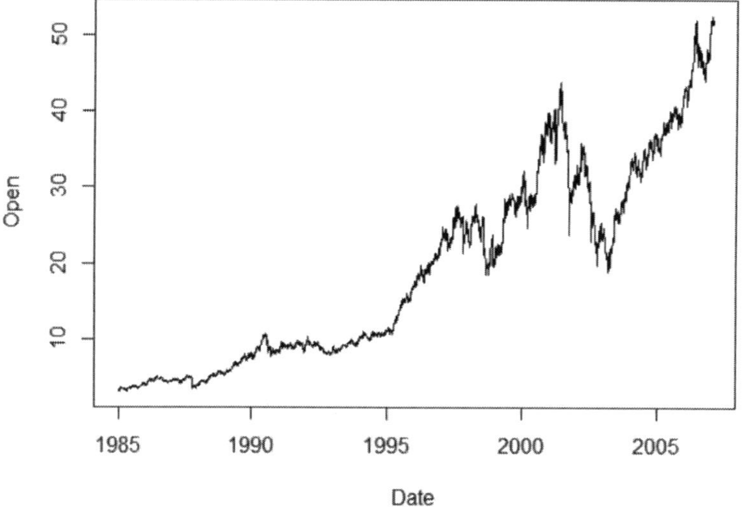

그림 11. 전체 시가(Open) 그래프

```
> plot(ttrc[, c(1,6)], type="l")
```

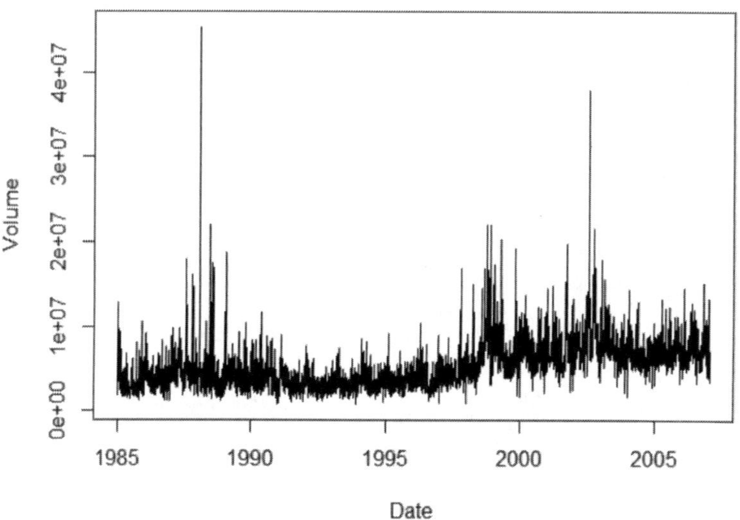

그림 12. 전체 거래량(Volume) 그래프

```
> plot(tail(ttrc[, c(1,2)], 365), type="l")
```

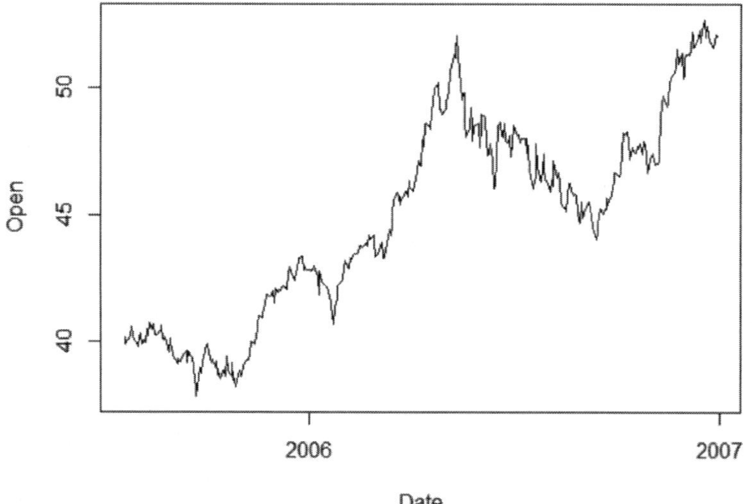

그림 13. 최근 1년(365일)간 시가(Open) 그래프

```
> plot(tail(ttrc[, c(1,6)], 365), type="l")
```

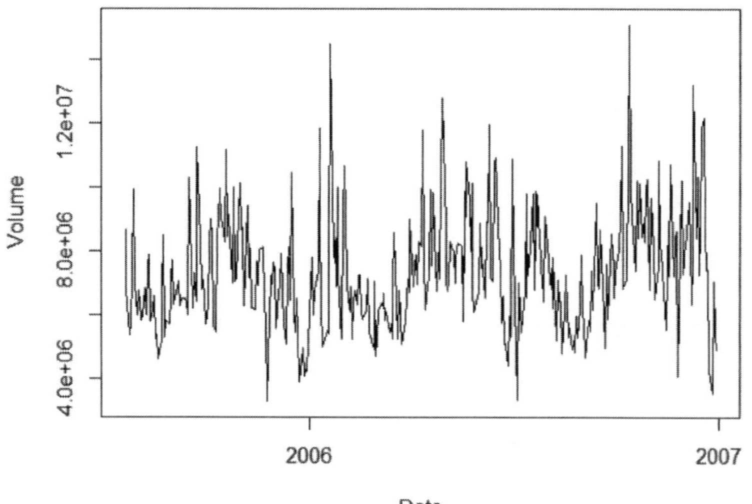

그림 14. 최근 1년(365일)간 거래량(Volume) 그래프

4.6. 변환(Transformation)

비정상 시계열을 정상 시계열로 변환할 때 분산이 일정하지 않은 시계열 자료에 적용하는 것을 변환(Transformation)이라고 합니다. 변환의 방법으로는 지수함수 형태의 추세 요인을 제거하는 자연로그 변환, 데이터가 평균에서 얼마나 떨어져 있는지 표시하는 표준 점수, 그리고 n개의 평균으로 변환하는 평활법 등이 있습니다.

표 5. 변환

구분	설명
변환 (Transformation)	· 분산이 일정하지 않은 시계열 자료에 적용
	· 자연 로그 변환 - 지수함수 형태의 추세요인 제거 · 표준 점수(Standard score, Z-value) - 데이터가 평균에서 얼마나 떨어져 있는지 표시 - $z = (x - \overline{x})/\sigma$ · 평활법(Smoothing method)[89] - n개의 데이터 평균으로 변환 - 추세와 불규칙 요인으로 구성된 비계절성 시계열 자료에 적용

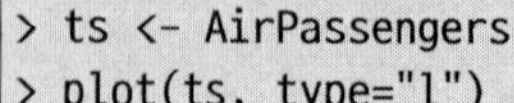

```
> ts <- AirPassengers
> plot(ts, type="l")
```

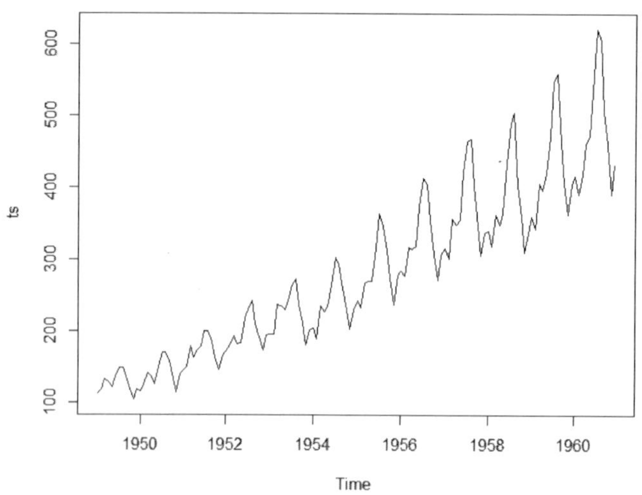

그림 15 추세 요인, 계절 요인, 불규칙 요인이 있는 비정상 시계열 데이터

89) 평활법은 최근 데이터의 평균을 이용하는 이동평균법(Moving average)과 단순 지수, 이중 지수, 삼중 지수, 계절성 지수 평활법에 대항하는 지수평활법(Exponential smoothin)이 있습니다.

다음 코드는 3년마다 평균을 산출하는 평활법을 사용하여 데이터를 변환하는 예입니다.

```
> plot(SMA(ts, n=3), type="l")     # 평활법, 3년마다 평균 산출
```

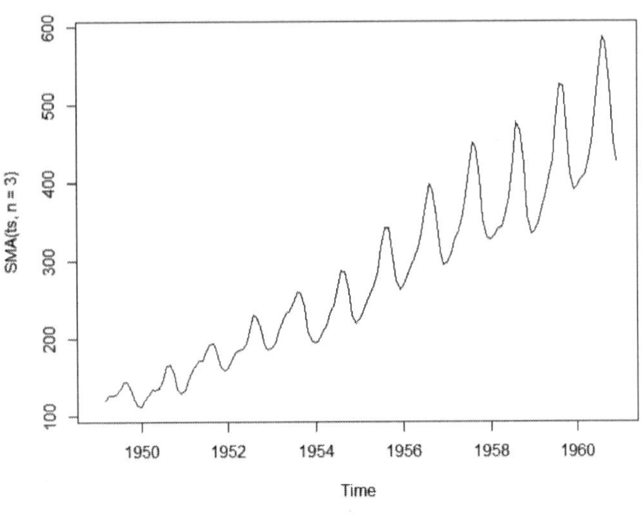

그림 16. 3년 평활법 적용

다음 코드는 3년마다 평균을 산출하는 평활법을 사용하여 데이터를 변환하는 예입니다.

```
> plot(SMA(ts, n=8), type="l")     # 평활법, 8년마다 평균 산출
```

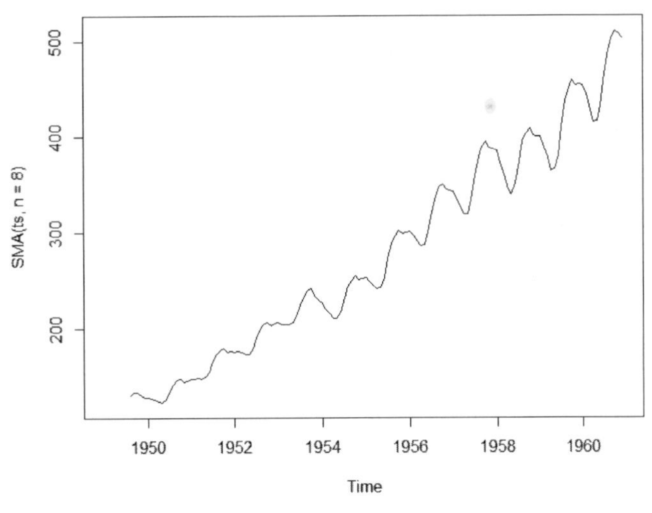

그림 17. 5년 평활법 적용

4.7. 차분(Difference)

차분(Difference)은 평균이 일정하지 않은 시계열 자료에 적용하는 방법입니다. 현재 시점의 자료에서 전 시점의 자료를 빼는 것인데, 추세 요인을 제거하는 일반 차분(Regular difference)과 계절성 요인을 제거하는 계절 차분(Seasonal difference)이 있습니다.

표 6. 차분

구분	설명
차분 (Difference)	· 평균이 일정하지 않은 시계열 자료에 적용
	· 현 시점의 자료에서 전 시점의 자료를 빼는 것 · 일반 차분 (Regular difference) : 추세 요인 제거 · 계절 차분 (Seasonal difference) : 계절성 요인 제거

```
> ts <- ttrc[, 2]
> plot(ts, type="l")
```

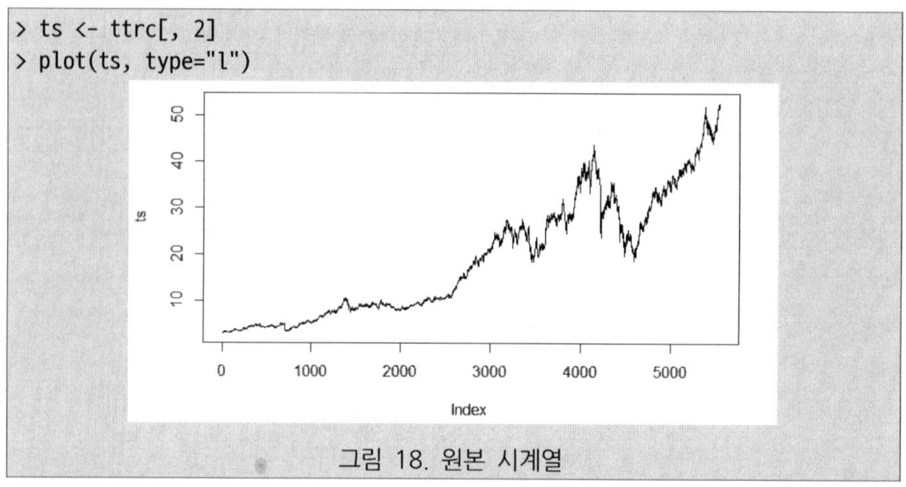

그림 18. 원본 시계열

```
> plot(diff(ts, difference=1), type="l") # 1차 차분 (데이터 - 1번째 이전 데이터)
```

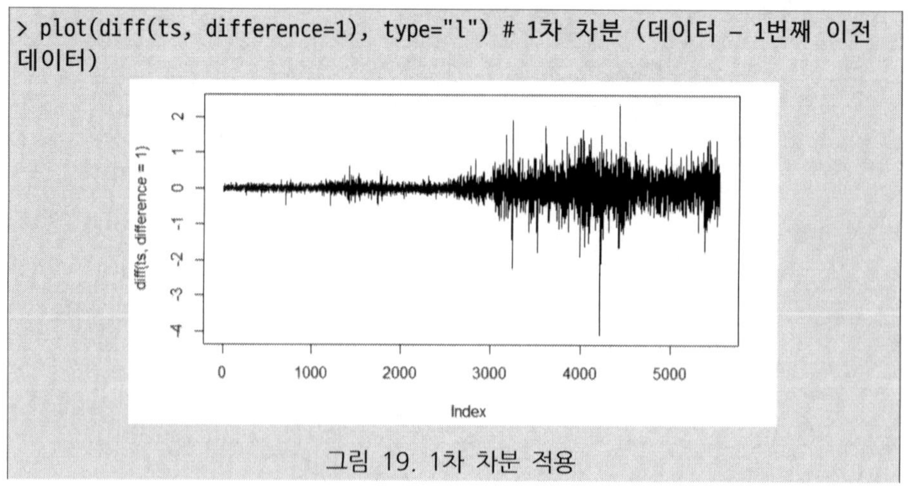

그림 19. 1차 차분 적용

```
> plot(diff(ts, difference=3), type="l") # 3차 차분 (데이터 - 3번째 이전 데이터)
```

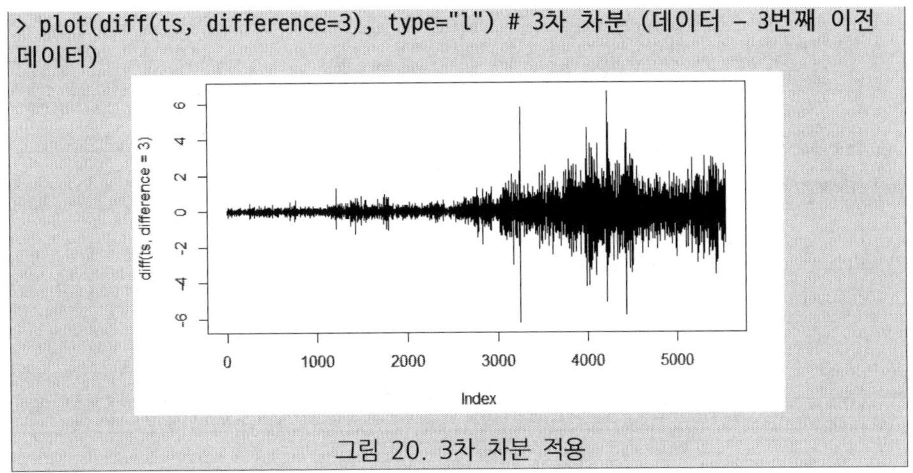

그림 20. 3차 차분 적용

- 1차 차분을 적용했을 때, 비정상 시계열이 정상 시계열이 되었습니다.
- 0을 중심으로 일정 범위 내에 데이터가 존재함

4.8. ARIMA 모형 결정하기

ARIMA(p, d, q) 모형은 차수 p, d, q의 값에 따라 다른 이름으로 불립니다. p는 AR 모형과 관련이 있고, q는 MA 모형과 관련이 있습니다.

auto.arima() 함수를 사용하지 않고 모형을 결정하기 위해선 acf() 함수와 pacf() 함수를 활용합니다. acf()는 자기상관함수(AutoCorrelation Function)이며 두 시계열 확률변수간의 상관관계를 이용합니다. pacf()는 부분자기상관함수(Partial AutoCorrelation Function)이며 다른 시점의 확률변수의 영향력을 배제한 순수한 두 시계열 확률변수간의 상관관계를 이용합니다.

시계열이 정상성과 가역성을 만족할 경우, PACF와 ACF 패턴은 특정 시점(p + 1)에서 부분자기함수(PACF)는 절단점을 가지며, 특정 시점(q + 1)에서 자기상관함수(ACF)는 절단점을 가집니다. ARIMA 모형은 모수 (p, d, q)의 개수가 적을수록 단순하고 이해하기 쉬운 모형입니다.

표 7. 정상성(Stationary)과 가역성(Invertibility)

	AR(p)	MA(q)	ARMA(p, q)
정상성	특정 조건 만족 필요	항상 만족	특정 조건 만족 필요
가역성	항상 만족	특정 조건 만족 필요	특정 조건 만족 필요

표 8. 정상성과 가역성을 만족할 경우 ACF와 PACF 패턴

	AR(p)	MA(q)	ARMA(p, q)
부분자기상관함수	p + 1에서 절단점을 가짐	지수적으로 감소 감소하는 사인 곡선	p + 1에서부터 지수적으로 감소 감소하는 사인 곡선
자기상관함수	지수적으로 감소 감소하는 사인 곡선	q + 1에서 절단점을 가짐	q + 1 에서부터 지수적으로 감소 감소하는 사인 곡선

1) 부분자기상관함수(PACF, Partial AutoCorrelation Function) 적용

```
> ts <- diff(ttrc[, 2], difference=1)
> pacf(ts, lag.max=10)
```

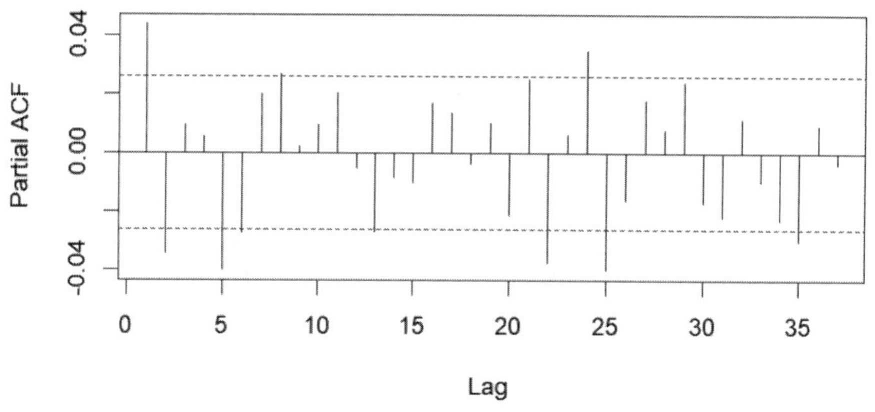

그림 21. pacf() 적용

- lag=0인 지점은 판단에서 제외
- lag=1, 2인 지점에서는 점선 구간을 초과함
- lag=3인 지점에서 절단점을 가짐

따라서, 시계열 데이터는 3에서 절단점을 가지므로 p는 2입니다.

2) 자기상관함수(ACF, AutoCorrelation Function) 적용

```
> ts <- diff(ttrc[, 2], difference=1)
> acf(ts, lag.max=10)
```

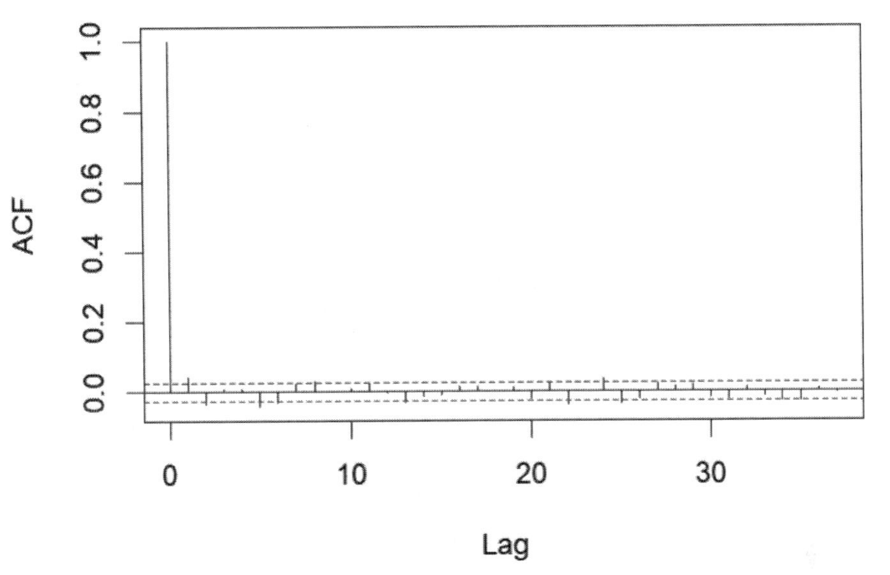

그림 22. acf() 적용

- lang=0인 지점은 판단에서 제외

자기상관함수 그래프만으로 절단점을 찾을 수가 없어서 q를 확정할 수 없습니다. 데이터가 정상성을 만족하지만 가역성을 만족하지 못함을 알 수 있습니다.

4.9. Auto Arima 함수를 사용한 ARIMA 모형 결정

auto.arima() 함수를 이용하면 자동으로 ARIMA 모형을 결정해 줍니다.

```
> install.packages("forecast")

> library(forecast)
> m <- auto.arima(ttrc[, 2])
> m
Series: ttrc[, 2]
```

```
ARIMA(0,1,2) with drift

Coefficients:
         ma1      ma2   drift
      0.0460  -0.0323  0.0088
s.e.  0.0134   0.0133  0.0042

sigma^2 = 0.09638:  log likelihood = -1381.36
AIC=2770.72   AICc=2770.72   BIC=2797.2
```

- ARIMA(0, 1, 2) 모형을 쉽게 찾을 수 있습니다.

4.10. ARIMA 모형으로 미래 데이터 예측

```
> pred <- forecast(m, h=1000) # 1000개의 미래 데이터를 예측
> pred
     Point Forecast    Lo 80    Hi 80    Lo 95    Hi 95
5551       52.04504 51.64718 52.44290 51.43657 52.65352
5552       52.05664 51.48091 52.63238 51.17613 52.93715
5553       52.06545 51.36251 52.76839 50.99039 53.14050
5554       52.07425 51.26384 52.88467 50.83483 53.31368
5555       52.08306 51.17784 52.98829 50.69864 53.46748
5556       52.09187 51.10086 53.08287 50.57626 53.60748
5557       52.10068 51.03075 53.17060 50.46436 53.73699
... 생략

> pred$mean       # 예측값 (Forecast)
Time Series:
Start = 5551
End = 6550
Frequency = 1
   [1] 52.04504 52.05664 52.06545 52.07425 52.08306 52.09187 52.10068
   [8] 52.10948 52.11829 52.12710 52.13590 52.14471 52.15352 52.16232
... 생략

> pred$lower      # 신뢰수준 80%, 95%에서의 신뢰구간의 하한 값
Time Series:
Start = 5551
End = 6550
Frequency = 1
          80%      95%
5551 51.64718 51.43657
5552 51.48091 51.17613
5553 51.36251 50.99039
```

```
... 생략

> pred$upper      # 신뢰수준 80%, 95%에서의 신뢰구간의 상한 값
Time Series:
Start = 5551
End = 6550
Frequency = 1
          80%      95%
5551 52.44290 52.65352
5552 52.63238 52.93715
5553 52.76839 53.14050
... 생략

> library(forecast)
> m1 <- arima(ttrc[, 2], order=c(0, 1, 2)) # ARIMA(0, 1, 2) 값으로 모형 보정
> pred <- forecast(m1, h=1000) # 1000개의 미래 데이터를 예측
> plot(pred)>
```

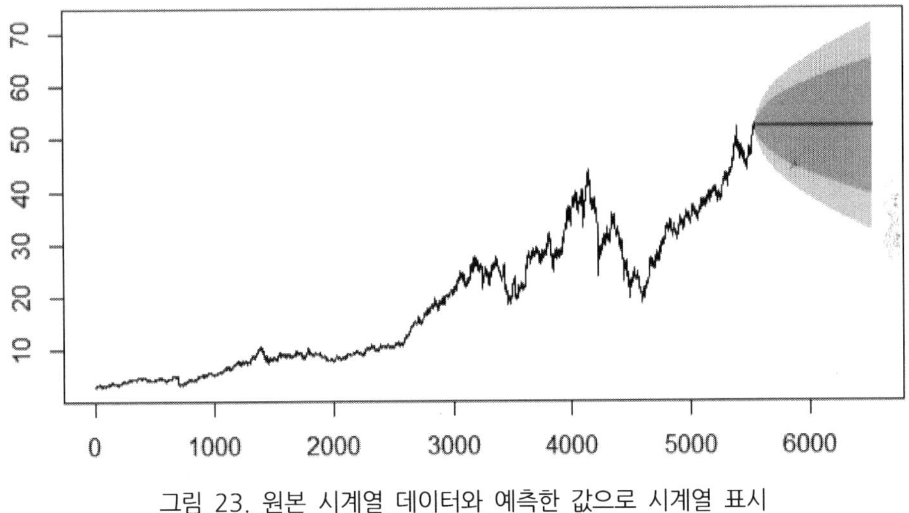

그림 23. 원본 시계열 데이터와 예측한 값으로 시계열 표시

- 그래프에서 신뢰수준 80%와 95%에서의 신뢰구간이 표시됩니다.

4.11. 분해 시계열

시계열에 영향을 주는 요인을 시계열에서 분리해 분석하는 것을 의미합니다. decompose() 함수를 이용하면 요인별로 시계열 데이터를 분리해 줍니다.

```
> m <- decompose(AirPassengers)
> plot(m)
```

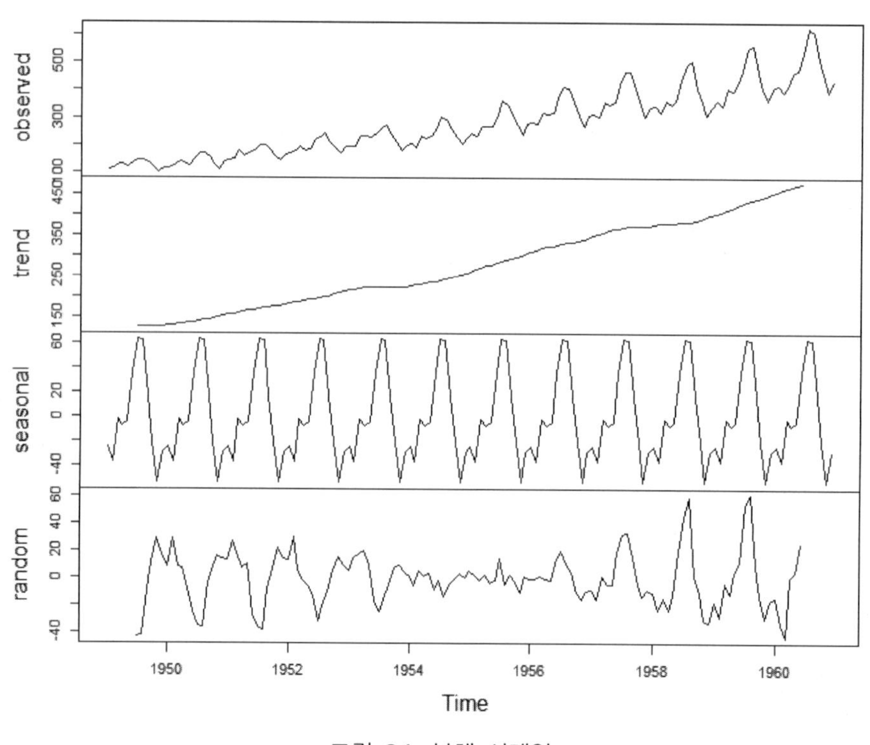

그림 24. 분해 시계열

- decomposed.ts class인 m의 구성 요소는 위에서 순서대로 원본 데이터, 추세 요인, 계절 요인, 불규칙 요인입니다.
  m$trend : 추세 요인
  m$seasonal : 계절 요인
  m$random : 불규칙 요인

13장. 분류 분석

1. 분류 분석 개요
2. 데이터 분할과 표본 추출
3. 분류 모형
4. 분류 모형의 평가 측도

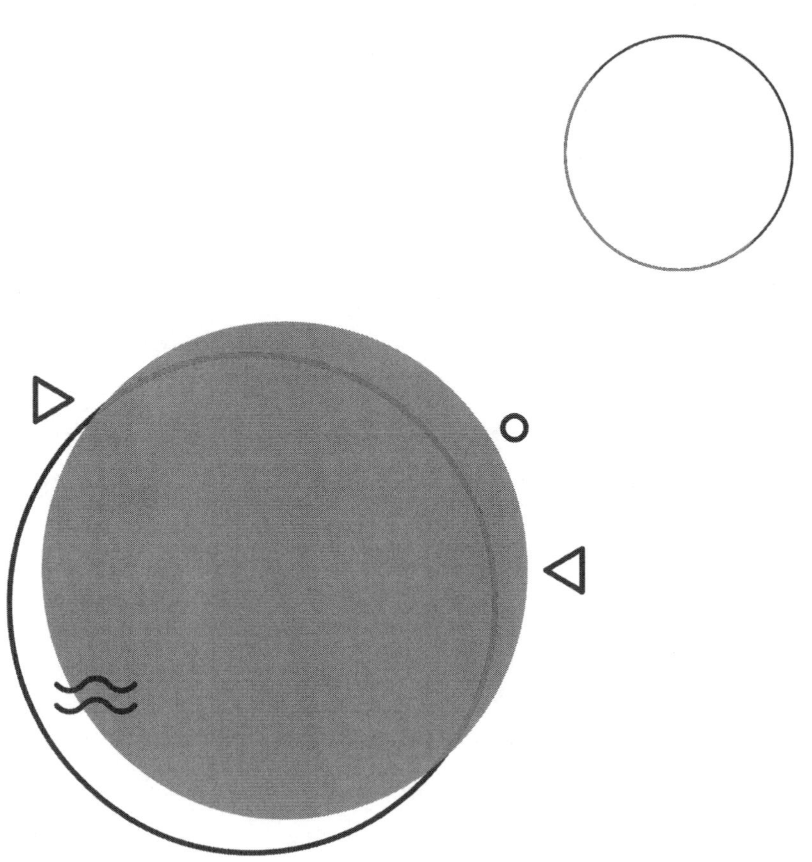

1. 분류 분석 개요

분류 분석((Classification analysis)은 데이터의 속성을 활용하여 데이터에 대한 분류 기준을 수립하는 과정입니다. 분류 분석은 지도 학습(Supervised learning, 또는 감독 학습)이며, 판별 분석 (Discriminant analysis) 범주에 포함됩니다.[90]

분류 분석을 위해 데이터는 정재 및 분할되어야 합니다. 데이터의 정재과정은 전처리를 통해 수행됩니다. 전처리 과정에는 잡음(Noise) 제거, 결측값(Missing Value) 처리 등을 수행하고, 관련성 분석을 통해 중복 변수 제거 또는 관련 없는 변수들을 제거하고, 데이터를 변환하는 작업을 합니다.

이렇게 전처리된 데이터는 훈련용과 시험용으로 분할됩니다. 훈련용은 분류 모형을 작성하는데 사용합니다. 아래의 그림에서 y는 집단을 의미하는 추정되어야 하는 목표 변수(Target variable)를 의미합니다. 이렇게 작성된 분류 모형은 시험용 데이터셋에 의해 타당성이 검토됩니다.

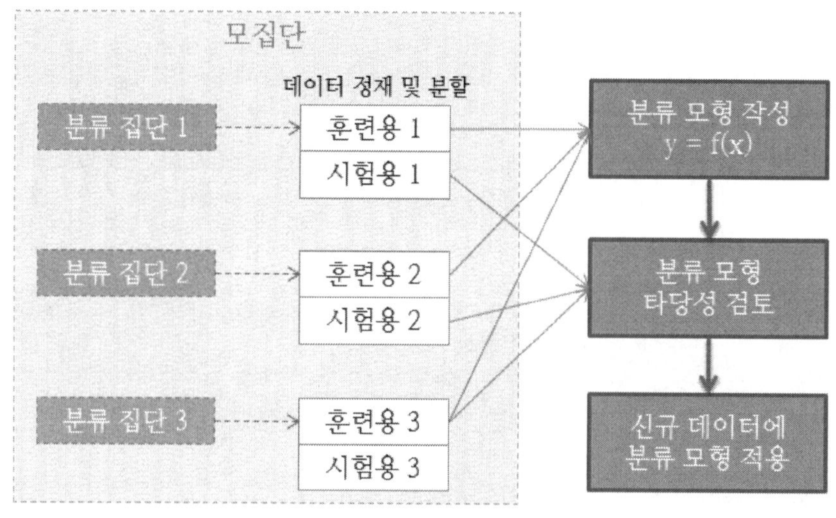

그림 1. 분류 분석 흐름

분류 모형의 평가 척도에는 정확도(Accuracy), 오류율 (Error rate) 등을 사용할 수 있습니

90) 기계학습(Machine Learning)은 지도학습(Supervised Learning)과 비지도학습(Unsupervised Learning)으로 나눠 설명할 수 있습니다. 지도학습은 분류(Classification) 분석과 회귀(Regression) 분석이 있고, 비지도학습은 군집(Clustering) 분석과 연관(Association) 분석이 있습니다.

다. 분류 모형의 평가측도는 4절에서 자세하게 설명됩니다.

분류 모형의 타당성 검토 후 선택된 알고리즘과 그로인해 만들어진 모형은 신규 데이터에 적용되어 분류 예측에 사용됩니다.

분류 분석의 활용 분야는 매우 다양합니다. 고객의 등급 변동 예측, 휴면 고객 예측, 상품 구매 예측(개인화된 상품 추천) 등 잘 알려진 분야가 있습니다. 보험회사에서는 보험사기자를 분류하는데 사용하기도 합니다.

분류 학습의 예로는 MNIST 필기체 숫자 데이터를 분류, iris 데이터의 종 분류 등이 있습니다.

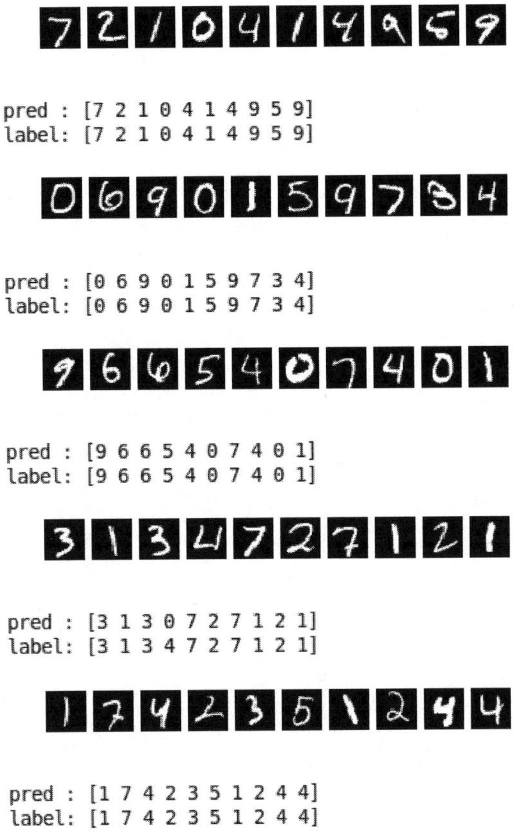

```
pred : [7 2 1 0 4 1 4 9 5 9]
label: [7 2 1 0 4 1 4 9 5 9]
```

```
pred : [0 6 9 0 1 5 9 7 3 4]
label: [0 6 9 0 1 5 9 7 3 4]
```

```
pred : [9 6 6 5 4 0 7 4 0 1]
label: [9 6 6 5 4 0 7 4 0 1]
```

```
pred : [3 1 3 0 7 2 7 1 2 1]
label: [3 1 3 4 7 2 7 1 2 1]
```

```
pred : [1 7 4 2 3 5 1 2 4 4]
label: [1 7 4 2 3 5 1 2 4 4]
```

그림 2. MNIST 필기체 숫자 데이터 분류

2. 데이터 분할과 표본 추출

분류분석에서 데이터를 분할하는 이유는 훈련용 데이터셋과 시험용 데이터셋을 나누기 위해서입니다.

2.1. 데이터 분할

예비법은 데이터의 분할시 훈련용:시험용을 7:3 또는 8:2로 나누거나 훈련용:시험용:검증용을 5:2:3 등으로 나누고[91], 비복원(Without replacement) 단순확률추출(Simple random sampling)을 사용하는 것을 의미합니다.

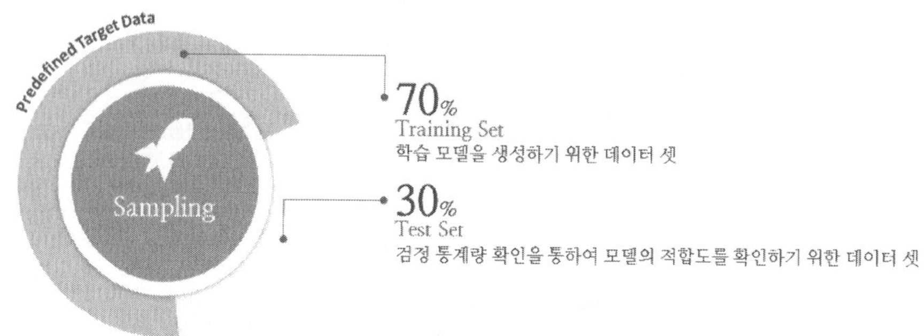

그림 3. 데이터 분할

랜덤부표집(Random subsampling)은 예비법을 r번 반복하여 분류 모형의 정확도와 신뢰도를 향상시킵니다.

n중 교차타당성(Cross validation)은 데이터를 n개의 부분 집합으로 구분합니다. 시험용 데이터를 제외한 나머지를 훈련용 데이터로 하여 분류 모형 작성합니다. 1개의 부분 집합만을 시험용으로 사용할 경우, 한 데이터 예비법(Leave-one-out)라고 합니다. 일반적으로 시험용 데이터를 변경해 가면서 n번 반복합니다.

붓스트랩은 복원(With replacement) 단순확률추출(Simple random sampling)을 의미합니다. N개의 데이터에서 N번 추출하여 훈련용 데이터로 지정(약 63%의 데이터가 추출됨)하며, 훈련용 데이터를 제외한 나머지 데이터를 시험용 데이터로 하여 r번 반복하여 분류 모형을 작성합니다.

91) 반드시 이 비율을 지켜야 하는 것은 아닙니다.

2.2. 표본 추출 방법

표본 추출 방법에는 단순랜덤추출법(Simple random sampling), 계통추출법(Systematic sampling), 집단추출법(Cluster random sampling), 층화추출법(Stratified random sampling) 등이 있습니다.

다음 표는 표본 추출 방법을 설명합니다.

표 1. 표본 추출 방법

표본 추출 방법	설명
단순랜덤추출법 (Simple random sampling)	· 크기가 N인 모집단의 각 데이터에 1부터 N까지 번호를 부여 · n개의 번호를 임의로 선택해 그 번호에 해당하는 데이터를 표본으로 추출 (n <= N)
계통추출법 (Systematic sampling)	· 단순랜덤추출법의 변형된 형태 · 크기가 N인 모집단의 각 데이터에 1부터 N까지 번호를 부여 · K개식 n개의 구간으로 분할 (K = N / n) · 첫 구간에서 하나의 데이터를 선택한 후 다음 K번째 식 선택하여 n개의 표본을 추출
집단추출법 (Cluster random sampling)	· 모집단이 몇 개의 군집(Cluster)으로 형성된 경우 사용 · 1차로 집단을 랜덤하게 선택 · 2차로 선택된 집단에서 표본을 랜덤하게 선택
층화추출법 (Stratified random sampling)	· 모집단이 이질적인 데이터로 구성되었을 경우 사용 · 1차로 모집단에서 유사한 성격을 갖는 데이터를 몇 개의 층(Stratum)으로 분류 · 2차로 각 층에서 표본을 랜덤하게 선택

1) 단순랜덤추출법

단순랜덤추출법(Simple random sampling)은 크기가 N인 모집단의 각 데이터에 1부터 N까지 번호를 부여하고 n개의 번호를 임의로 선택해 그 번호에 해당하는 데이터를 표본으로 추출(n <= N)합니다.

다음 코드는 Index를 사용하여 샘플링 합니다.

```
> idx <- sample(1:2, nrow(iris), replace=TRUE, prob=c(0.7, 0.3))
> train <- iris[idx==1, ]          # 훈련용 데이터
> test  <- iris[idx==2, ]          # 시험용 데이터
> nrow(train)
[1] 107
```

```
> nrow(test)
[1] 43
```

- iris 데이터의 70%는 인덱스를 1로하고 30%는 인덱스를 2로 합니다.
- 1:2 : 샘플을 추출할 원본 데이터셋
- nrow(iris) : 샘플 데이터의 크기
- replace=TRUE : 복원 추출. FALSE를 지정하면 비복원 추출

다음 코드도 데이터를 랜덤하게 섞은 후 샘플링 합니다. 비복원 추출을 이용해 데이터를 모든 데이터를 샘플링 합니다. 이렇게 하면 데이터가 랜덤하게 두 번 섞이게 됩니다.

```
> data(iris)
> idx <- (sample(1:nrow(iris), nrow(iris), replace=FALSE))
> data <- iris[idx, ]
> idx <- sample(1:2, nrow(iris), replace=TRUE, prob=c(0.7, 0.3))
> train <- data[idx==1, ]
> test  <- data[idx==2, ]
> nrow(train)
[1] 105
> nrow(test)
[1] 45
```

2) 계통추출법

계통 추출법((Systematic sampling)은 단순랜덤추출법의 변형된 형태입니다. 크기가 N인 모집단의 각 데이터에 1부터 N까지 번호를 부여한 후 K개씩 n개의 구간으로 분할(K = N/n)합니다. 그리고 첫 구간에서 하나의 데이터를 선택한 후 다음 K번째 식 선택하여 n개의 표본을 추출 합니다. cvTools 패키지의 cvFolds() 함수는 K-fold cross validation 방법을 이용하여 데이터를 샘플링 합니다.

```
cvFolds(n, K = 5, R = 1,
    type = c("random", "consecutive", "interleaved"))
```

구문에서...
- n : 1에서 n까지의 숫자로 샘플링합니다.
- K : 구간의 수입니다.
- R : 반복 회수입니다.
- type : 생성 될 폴드의 유형을 지정하는 문자열입니다. 가능한 값은 "random",

"consecutive", "interleaved" 값 중 하나입니다.

다음 코드는 10개 구간으로 3번 반복하여 샘플링 합니다.

```
> install.packages("cvTools")
> library(cvTools)
> m <- cvFolds(nrow(iris), K=10, R=3)# 10개 구간으로 3번 반복하여 샘플링
> str(m)
List of 5
 $ n      : num 150
 $ K      : num 10
 $ R      : num 3
 $ subsets: int [1:150, 1:3] 83 24 74 10 137 140 2 147 125 55 ...
 $ which  : int [1:150] 1 2 3 4 5 6 7 8 9 10 ...
 - attr(*, "class")= chr "cvFolds"
> head(m$subsets)# 샘플링된 데이터 (n * R 배열)
     [,1] [,2] [,3]
[1,]   83    5   79
[2,]   24   70   36
[3,]   74   30   83
[4,]   10   85   50
[5,]  137   20   48
[6,]  140    8  135
> m$which  # m$subsets의 행별로 지정된 구간의 번호 (1 … K)
  [1]  1  2  3  4  5  6  7  8  9 10  1  2  3  4  5  6  7  8  9 10
 [21]  1  2  3  4  5  6  7  8  9 10  1  2  3  4  5  6  7  8  9 10
 [41]  1  2  3  4  5  6  7  8  9 10  1  2  3  4  5  6  7  8  9 10
 [61]  1  2  3  4  5  6  7  8  9 10  1  2  3  4  5  6  7  8  9 10
 [81]  1  2  3  4  5  6  7  8  9 10  1  2  3  4  5  6  7  8  9 10
[101]  1  2  3  4  5  6  7  8  9 10  1  2  3  4  5  6  7  8  9 10
[121]  1  2  3  4  5  6  7  8  9 10  1  2  3  4  5  6  7  8  9 10
[141]  1  2  3  4  5  6  7  8  9 10
> which(m$which == 1)
 [1]   1  11  21  31  41  51  61  71  81  91 101 111 121 131 141
> idx <- m$subsets[which(m$which == 1), 2] # 첫 번째 그룹 2번째 반복에서
샘플링
> train <- iris[-idx, ]
> test  <- iris[idx, ]
> head(train)
  Sepal.Length Sepal.Width Petal.Length Petal.Width Species
1          5.1         3.5          1.4         0.2  setosa
2          4.9         3.0          1.4         0.2  setosa
3          4.7         3.2          1.3         0.2  setosa
4          4.6         3.1          1.5         0.2  setosa
6          5.4         3.9          1.7         0.4  setosa
8          5.0         3.4          1.5         0.2  setosa
```

```
> head(test)
    Sepal.Length Sepal.Width Petal.Length Petal.Width    Species
5            5.0         3.6          1.4         0.2     setosa
34           5.5         4.2          1.4         0.2     setosa
105          6.5         3.0          5.8         2.2  virginica
10           4.9         3.1          1.5         0.1     setosa
86           6.0         3.4          4.5         1.6 versicolor
120          6.0         2.2          5.0         1.5  virginica
```

3) 층화추출법

층화추출법(Stratified random sampling)은 모집단이 이질적인 데이터로 구성되었을 경우 사용합니다. 1차로 모집단에서 유사한 성격을 갖는 데이터를 몇 개의 층(Stratum)으로 분류하고, 2차로 각 층에서 표본을 랜덤하게 선택합니다. 층화 추출법을 위해 sampling 패키지의 strata() 함수를 사용할 수 있습니다.

```
strata(data, stratanames=NULL, size,
       method=c("srswor","srswr","poisson","systematic"),
       pik,description=FALSE
```

구문에서...

- size : 각 층 별로 추출할 데이터의 수를 의미합니다.
- method : srswor(simple random sampling without replacement), srswr(simple random sampling with replacement), poisson(Poisson sampling), systematic(systematic sampling) 등을 가질 수 있습니다.

다음 코드는 sampling 패키지의 strata를 사용하여 층화추출법은 이용한 샘플링을 하는 예입니다. 코드에서 size=c(3,4,5)는 각 종별로 3개, 4개, 5개를 추출합니다.

```
> library(sampling)
> idx <- strata(iris, stratanames=c("Species"),
                size=c(3, 4, 5), method="srswr")
> train <- iris[idx$ID_unit, ]
> test  <- iris[-idx$ID_unit, ]
> head(train)
   Sepal.Length Sepal.Width Petal.Length Petal.Width    Species
10          4.9         3.1          1.5         0.1     setosa
21          5.4         3.4          1.7         0.2     setosa
36          5.0         3.2          1.2         0.2     setosa
72          6.1         2.8          4.0         1.3 versicolor
```

```
75          6.4         2.9          4.3         1.3 versicolor
77          6.8         2.8          4.8         1.4 versicolor
> head(test)
  Sepal.Length Sepal.Width Petal.Length Petal.Width Species
1          5.1         3.5          1.4         0.2  setosa
2          4.9         3.0          1.4         0.2  setosa
3          4.7         3.2          1.3         0.2  setosa
4          4.6         3.1          1.5         0.2  setosa
5          5.0         3.6          1.4         0.2  setosa
6          5.4         3.9          1.7         0.4  setosa
```

3. 분류 모형

이 절에서는 iris 데이터를 이용하여 분류 모형을 만들고 분류 예측해 보겠습니다. iris 데이터는 붓꽃의 3가지 종에 대해 꽃받침, 꽃잎의 길이를 정리한 데이터 150개 행을 가지고 있습니다.

표 2. iris 데이터

Seq	항목명	종류	상세
1	Sepal.Length	num	· 꽃받침 길이
2	Sepal.Width	num	· 꽃받침 너비
3	Petal.Length	num	· 꽃잎 길이
4	Petal.Width	num	· 꽃잎 너비
5	Species	Factor	· 종(세토사(Setosa),버시컬러(Versicolour),버지니카(Virginica))

IRIS Data 150개 중에 105개(종별 35개)를 추출하여 학습을 위한 데이터(Training Data)로 사용하고, 나머지 45개(종별 15개)는 모형을 검증하기 위한 데이터(Test Data)로 사용합니다. 다음은 caret 패키지의 createDataPartition() 함수를 사용해 샘플링을 하는 코드입니다. iris의 Species별로 각각 70% 데이터 샘플링 합니다.

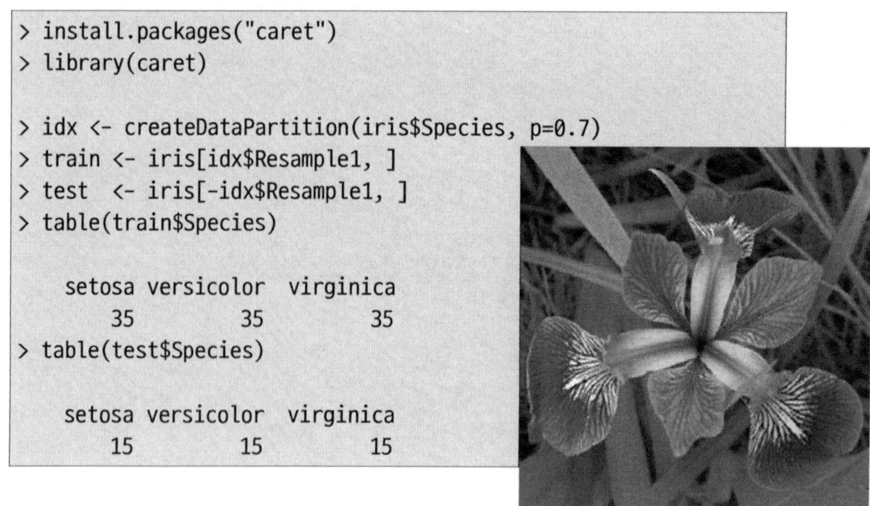

```
> install.packages("caret")
> library(caret)

> idx <- createDataPartition(iris$Species, p=0.7)
> train <- iris[idx$Resample1, ]
> test  <- iris[-idx$Resample1, ]
> table(train$Species)

    setosa versicolor  virginica
        35         35         35
> table(test$Species)

    setosa versicolor  virginica
        15         15         15
```

그림 4. iris

● 이 책에서는 분류 모형의 알고리즘에 대한 상세한 내용은 설명하지 않습니다. 분류 모형들의 상세한 알고리즘은 통계학 서적을 참고하세요.

3.1. 베이즈 분류

베이즈 분류(Bayes Classification) 모형은 각 집단으로 분류되는 사전 확률(Prior probability)과 집단별 가능도 확률(Likelihood probability)을 알 경우, 소속 집단을 모르는 데이터를 베이즈 정리(Bayes theorem)를 사용한 사후 확률(Posterior probability)을 구하여 그 확률이 높은 집단으로 분류합니다.

다음 코드는 NaiveBayes() 함수를 이용하여 베이즈 분류 모형을 만드는 예입니다.

```
> library(klaR)
> m <- NaiveBayes(Species ~., data=train)
> op <- par(mfrow=c(2,2))
> plot(m)
Hit <Return> to see next plot:
> par(op)
> pred <- predict(m)
> table(pred$class, train[, 5])

             setosa versicolor virginica
  setosa         35          0         0
  versicolor      0         33         2
  virginica       0          2        33
> print(paste(round(mean(pred$class == train[, 5]) * 100, 2),
+        "% 분류 일치", sep=""))
[1] "96.19% 분류 일치"
> pred <- predict(m, newdata=test)
> table(pred$class, test[, 5])

             setosa versicolor virginica
  setosa         15          0         0
  versicolor      0         15         2
  virginica       0          0        13
> print(paste(round(mean(pred$class == test[, 5]) * 100, 2),
+        "% 분류 일치", sep=""))
[1] "95.56% 분류 일치"
```

● 베이즈 분류 모형에 관한 더 많은 이론적 지식을 얻길 원한다면 아래의 주소를 참고하세요.
 - https://ko.wikipedia.org/wiki/나이브_베이즈_분류
 - https://en.wikipedia.org/wiki/Naive_Bayes_classifier

다음 그림은 Naive Bayes 분류 모형을 그래프로 시각화한 것입니다.

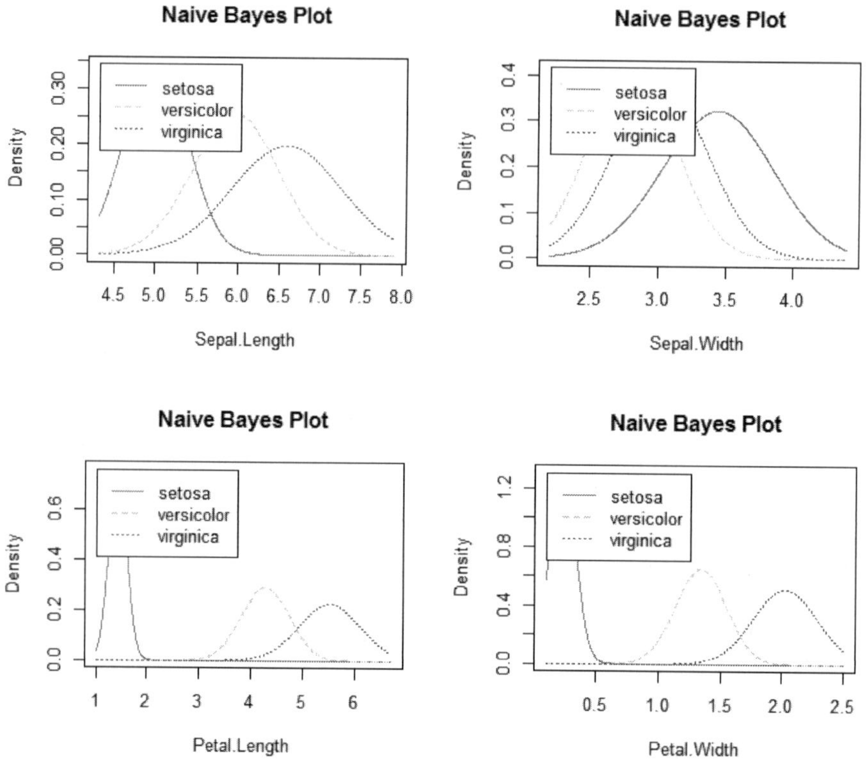

그림 5. NiaveBayes 분류 모형 시각화

● 나이브 베이즈 분류 모형을 구현한 함수는 e1071 패키지의 naiveBayes() 함수도 있습니다.

```
> install.packages("e1071")
> library (e1071)
> m <- naiveBayes (Species ~ ., data=train)
> pred <- predict(m, test[,-5])
> table(test[,5], pred)
```

3.2. 로지스틱회귀

로지스틱 회귀(Logistic Regression) 모형은 D.R.Cox[92]가 1958년에 제안한 확률 모형으로서 독립 변수의 선형 결합을 이용하여 사건의 발생 가능성을 예측하는데 사용되는 통계 기법입니다. 로지스틱 회귀는 로짓 회귀(Logit Regression) 또는 로짓 모델(Logit Model)이라고 불리기도 합니다.

로지스틱 회귀 모형은 선형 회귀 모형에서 Y를 로짓 함수를 사용하여 분류합니다. 확률(p)은 0과 1사이의 값이므로 실수로 표시되는 수로 변환하기 위해 로짓 함수를 사용합니다.

다음 코드는 nnet 패키지의 multinom() 함수를 이용하여 로지스틱 회귀 모형을 만듭니다.

```
> install.packages("nnet")
> library(nnet)
> m <- multinom(Species ~., data=train)
# weights:  18 (10 variable)
initial  value 115.354290
iter  10 value 11.935370
iter  20 value 4.004095
iter  30 value 3.036340
iter  40 value 2.434144
iter  50 value 1.865435
iter  60 value 1.723938
iter  70 value 1.579016
iter  80 value 1.145081
iter  90 value 0.650153
iter 100 value 0.637606
final  value 0.637606
stopped after 100 iterations
> pred <- predict(m)
> table(pred, train[, 5])

pred         setosa versicolor virginica
  setosa         35          0         0
  versicolor      0         35         0
  virginica       0          0        35
> print(paste(round(mean(pred==train[,5])*100, 2), "% 분류 일치", sep=""))
[1] "100% 분류 일치"
> pred <- predict(m, newdata=test)
> table(pred, test[, 5])

pred         setosa versicolor virginica
```

92) David Roxbee Cox, 데이빗 콕스, 영국 통계학자

```
  setosa         15          0          0
  versicolor      0         15          2
  virginica       0          0         13
> print(paste(round(mean(pred == test[, 5]) * 100, 2),
+             "% 분류 일치", sep=""))
[1] "95.56% 분류 일치"
```

- 반복 횟수의 기본값은 100입니다. maxit 파라미터를 이용하면 반복횟수를 지정할 수 있습니다. 출력되는 값은 fitted value이며 반복횟수만큼 실행되지 않았더라도 이 값이 더 이상 줄어들지 않으면 학습을 종료합니다.

● 로지스틱 회귀 모형에 관한 더 많은 이론적 지식을 얻길 원한다면 아래의 주소를 참고하세요.
  - https://ko.wikipedia.org/wiki/로지스틱_회귀
  - https://en.wikipedia.org/wiki/Logistic_regression

3.3. 판별분석 모형

판별 분석(Discriminant analysis)은 분류된 집단간의 차이를 의미 있게 설명해 줄 수 있는 판별 함수[93]를 찾아 분류하는 방법입니다. 판별 분석에는 선형 판별 분석(Linear, Discriminant Analysis)과 이차 판별 분석(Quadratic Discriminant Analysis)이 있습니다.

1) 선형 판별 분석(LDA, Linear Discriminant Analysis)

선평 반별 분석은 분류에 관계없이 분산, 공분산 행렬이 동일할 경우 사용합니다. 일차식 형태의 판별 함수가 생성되며 데이터를 최적 분류의 측면에서 차원을 축소합니다.

다음 코드는 MASS 패키지의 lda() 함수를 이용하여 선형 판별 분석 모형을 만듭니다.

```
> library(MASS)
> m <- lda(Species ~., data=train)
> pred <- predict(m)
> plot(m)
> table(pred$class, train[, 5])

            setosa versicolor virginica
  setosa        35          0         0
```

93) 데이터의 군집을 결정하는 함수를 의미합니다.

```
  versicolor      0         33        0
  virginica       0          2       35
> print(paste(round(mean(pred$class == train[, 5]) * 100, 2),
+             "% 분류 일치", sep=""))
[1] "98.1% 분류 일치"
> pred <- predict(m, newdata=test)
> table(pred$class, test[, 5])

            setosa versicolor virginica
  setosa        15          0         0
  versicolor     0         15         1
  virginica      0          0        14
> print(paste(round(mean(pred$class == test[, 5]) * 100, 2),
+             "% 분류 일치", sep=""))
[1] "97.78% 분류 일치"
```

다음그림은 선형 판별 분석 모형을 그래프로 시각화 한 것입니다.

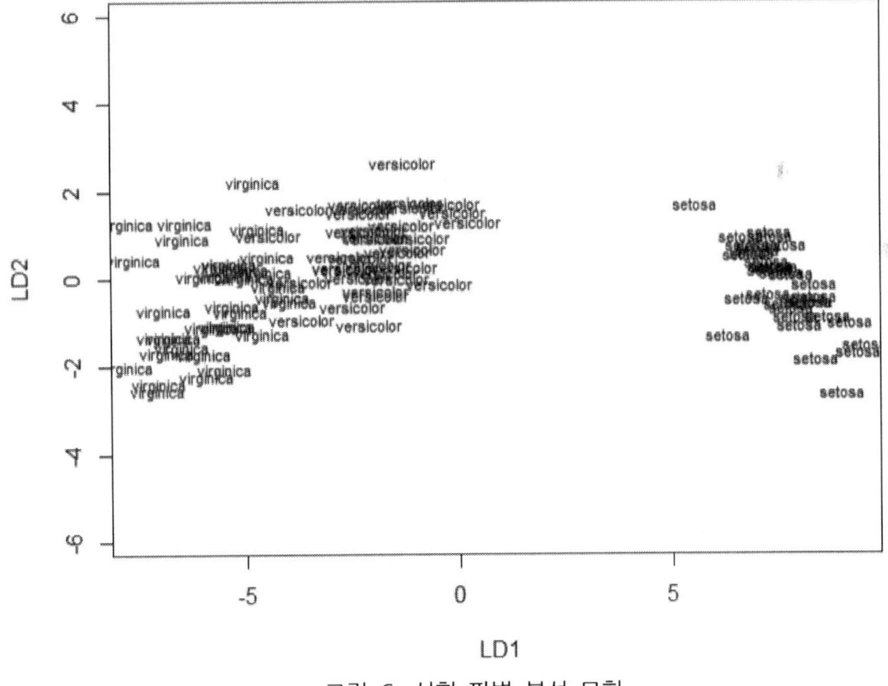

그림 6. 선형 판별 분석 모형

- 선형 판별 분석 모형에 관한 더 많은 이론적 지식을 얻길 원한다면 아래의 주소를 참고하세요.
  - https://en.wikipedia.org/wiki/Linear_discriminant_analysis

2) 이차 판별 분석(QDA, Quadratic Discriminant Analysis)

이차 판별 분석(Quadratic Discriminant Analysis)은 분류에 관계없이 분산, 공분산 행렬이 다를 경우 사용합니다. 2차식 형태의 판별 함수가 생성됩니다.

다음 코드는 MASS 패키지의 qda() 함수를 이용하여 선형 판별 분석 모형을 만듭니다. 아래 코드가 선형 판별 분석 모형의 코드와 다른 점은 lda() 함수가 qda() 함수로 바뀐 것뿐입니다.

```
> m <- qda(Species ~., data=train)
> pred <- predict(m)
> table(pred$class, train[, 5])

             setosa versicolor virginica
  setosa         35          0         0
  versicolor      0         33         0
  virginica       0          2        35
> print(paste(round(mean(pred$class == train[, 5]) * 100, 2),
+              "% 분류 일치", sep=""))
[1] "98.1% 분류 일치"
> pred <- predict(m, newdata=test)
> table(pred$class, test[, 5])

             setosa versicolor virginica
  setosa         15          0         0
  versicolor      0         15         1
  virginica       0          0        14
> print(paste(round(mean(pred$class == test[, 5]) * 100, 2),
+              "% 분류 일치", sep=""))
[1] "97.78% 분류 일치"
```

3.4. 인접이웃 분류 모형

k-인접이웃 분류(k-Nearest Neighbor Classification) 모형은 데이터와 유사한 k개의 데이터를 찾고, k개의 데이터가 속한 다수결의 집단으로 분류하는 모형입니다. k-인접이웃 분류 모형은 유사성 측도(proximity measure)를 사용하여 유사성을 계산합니다.

다음 코드는 class 패키지의 knn() 함수를 이용하여 k-인접이웃 분류 모형을 만듭니다.

```
> library(class)
> pred <- knn(train[, 1:4], test[, 1:4], train[,5], k=3, prob=TRUE)
> table(pred, test[, 5])

pred         setosa versicolor virginica
  setosa         15          0         0
  versicolor      0         14         0
  virginica       0          1        15
> print(paste(round(mean(pred == test[, 5]) * 100, 2),
+             "% 분류 일치", sep=""))
[1] "97.78% 분류 일치"
```

- knn(train, test, cl, k=1) 함수의 파라미터는 다음과 같습니다.
  - train : 훈련용 데이터
  - test : 시험용 데이터
  - cl : 훈련용 데이터의 그룹
  - k : 인접 이웃의 개수

3.5. 의사결정 나무

의사결정 나무(Decision Tree) 모형은 분류 규칙을 트리 모양으로 표시하여 분류를 하는 방법입니다. 의사결정 나무 모형은 다른 분류 방식에 비해 분류 기준을 이해하기가 쉽습니다.

의사결정 나무 모형의 가지 분할 기준으로는 카이제곱 독립성 검증, 불확실성 측도, 정보 이득, 정보 이득 비율, 관측값의 분산 등에 의해 결정됩니다. 다음 표는 가지 분할 기분을 정리한 것입니다.

표 3. 가지 분할 기준

기준	데이터	설명
카이제곱 독립성 검증	이산형	카이제곱 독립성 검증 (Chi-square Independence Test)
불확실성 측도	이산형	엔트로피 계수 (Entropy coefficient) 지니 계수 (Gini coefficient) 분류 오류율(Classification error rate)
정보 이득 (Information Gain)		분할 전 부모 노드의 불순도와 분할 후 자식 노드의 불순도의 차이 정보 이득을 최대화 하는 방향으로 노드를 분할
정보 이득 비율		정보 이득 / 현 노드의 불확실성
관측값의 분산	연속형	각 노드의 목표 변수들의 관측값에 대한 분산 회귀 나무(Regression Tree)라고도 함

의사결정 나무 모형은 장점과 점이 명확합니다. 다음은 의사결정 나무 모형의 장점과 단점을 정리한 것입니다.

의사결정 나무의 장점은 다음과 같습니다.
- 사용자가 쉽게 이해할 수 있습니다.
- 독립 변수가 목표 변수에 어떻게 영향을 주는지 쉽게 알 수 있습니다.
- 정규성, 등분산성 등의 가정이 필요 없는 비모수적인 방법입니다.

의사결정 나무의 단점은 다음과 같습니다.
- 가지 분할의 경계 부근에서는 예측 오류가 발생할 수 있습니다.
- 분석용 자료에 의존하여 새로운 데이터의 예측이 불완전할 수 있습니다.

● 의사결정 나무 모형에 관한 더 많은 이론적 지식은 아래의 주소를 참고하세요.
- https://en.wikipedia.org/wiki/Tree_model

1) rpart를 사용한 의사결정 나무 모형

다음 코드는 rpart 패키지를 이용하여 의사결정 나무 모형을 만듭니다.

```
> library(rpart)
> m <- rpart(Species ~., data=train)
> m
n= 105

node), split, n, loss, yval, (yprob)
      * denotes terminal node

1) root 105 70 setosa (0.33333333 0.33333333 0.33333333)
  2) Petal.Length< 2.6 35  0 setosa (1.00000000 0.00000000 0.00000000) *
  3) Petal.Length>=2.6 70 35 versicolor (0.00000000 0.50000000 0.50000000)
    6) Petal.Width< 1.75 37  3 versicolor (0.00000000 0.91891892
0.08108108) *
    7) Petal.Width>=1.75 33  1 virginica (0.00000000 0.03030303 0.96969697)
*
> plot(m, compress=TRUE, margin=.2)
> text(m)
```


그림 7. 의사결정나무 모형

```
> pred <- predict(m, type='class')
> table(pred, train[, 5])

pred         setosa versicolor virginica
  setosa         35          0         0
  versicolor      0         34         3
  virginica       0          1        32
> print(paste(round(mean(pred == train[, 5]) * 100, 2),
+             "% 분류 일치", sep=""))
[1] "96.19% 분류 일치"
```

```
> pred <- predict(m, newdata=test, type='class')
> table(pred, test[, 5])

pred         setosa versicolor virginica
  setosa         15          0         0
  versicolor      0         15         2
  virginica       0          0        13
> print(paste(round(mean(pred == test[, 5]) * 100, 2),
+             "% 분류 일치", sep=""))
[1] "95.56% 분류 일치"
```

- rpart 결과를 보면 Pertal.Length 〈 2.6 이면 setosa로 분류하고, Pertal.Width 〉= 1.75 이면 versicolor로 분류합니다. 이외의 데이터는 virginica로 분류합니다.
- rpart에 의해 생성된 모형으로 분류 예측(predict)할 때에 type을 지정하지 않을 경우 결과는 각 클래스별 확률로 값이 저장됩니다. pred 〈- predict(m, type="class") 구문에서 type="class" 속성을 빼고 실행시키면 pred 의 모습은 다음 그림처럼 각 열별로 해당 클래스로 분류될 확률을 가집니다. 이럴 경우에는 분류 클래스를 알기 위해 max.col() 함수를 이용하여 가장 큰 값을 갖는 열의 번호를 찾고 이를 이용해 다시 열의 이름을 뽑아 클래스의 이름을 찾아야 합니다.(pred_class 〈- colnames(pred)[max.col(pred)])

	setosa	versicolor	virginica
98	0	0.91891892	0.08108108
99	0	0.91891892	0.08108108
100	0	0.91891892	0.08108108
103	0	0.03030303	0.96969697
104	0	0.03030303	0.96969697
109	0	0.03030303	0.96969697
113	0	0.03030303	0.96969697
116	0	0.03030303	0.96969697
119	0	0.03030303	0.96969697
129	0	0.03030303	0.96969697
133	0	0.03030303	0.96969697
134	0	0.91891892	0.08108108
135	0	0.91891892	0.08108108
136	0	0.03030303	0.96969697
137	0	0.03030303	0.96969697
141	0	0.03030303	0.96969697
143	0	0.03030303	0.96969697
150	0	0.03030303	0.96969697

그림 8. rpart 모형을 predict 한 결과

2) rpart를 사용한 의사결정 나무 분석

다음 구문은 rpart.plot 패키지의 prp() 함수를 이용하여 의사결정 나무 모형을 트리구조 형식으로 그리는 예입니다.

```
> library(rpart)
> m <- rpart(Species ~., data=train)
> library(rpart.plot)
> prp(m, type = 4, extra = 1)
```

다음 그림은 rpart 모형을 플롯팅 한 예입니다.

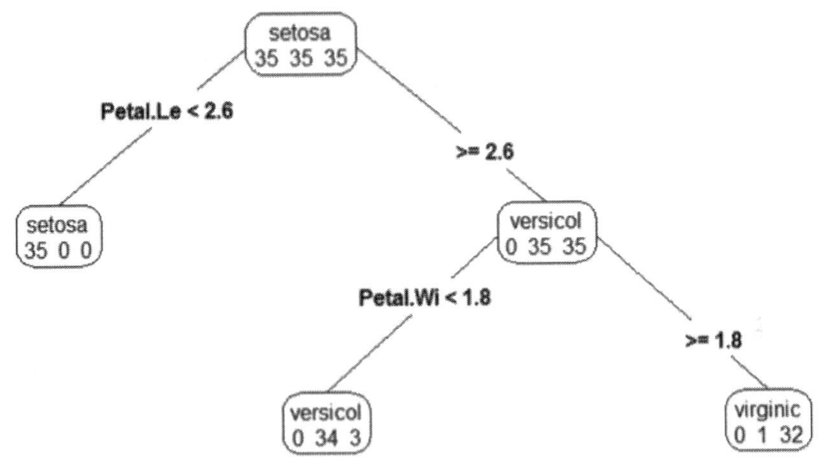

그림 9. rpart 의사결정 나무 모형

- Petal.Length 〈 2.6 이면 전체 setosa 종이며, 35개 setosa 종 모두 setosa 종으로 예측 분류되었습니다.
- Petal.Length 〉= 2.6 이고 Petal.Width 〈 1.8 이면 versicolor 종이고, 35개 versicolor 종 35개 중 34개가 versicolor 종으로 예측 분류되었고, virginica 종 중 3개가 versicolor 종으로 예측 분류되었습니다.
- Petal.Length 〉= 2.6 이고 Petal.Width 〉= 1.8 이면 virginica 종으로 예측 분류됩니다. versicolor종 중 1개가 virginica 종으로 예측 분류되었고, virginica 종 35개 중 32개가 virginica 종으로 예측 분류되었습니다.

3) ctree를 사용한 의사결정 나무 분석

ctree는 조건부 추론 트리(Conditional Inference Trees)의 약어입니다. 다음 구문은 party 패키지의 ctree() 함수를 이용하여 의사결정 나무 모형을 만듭니다.

```
> library(party)
> m <- ctree(Species ~., data=train)
> plot(m)
```

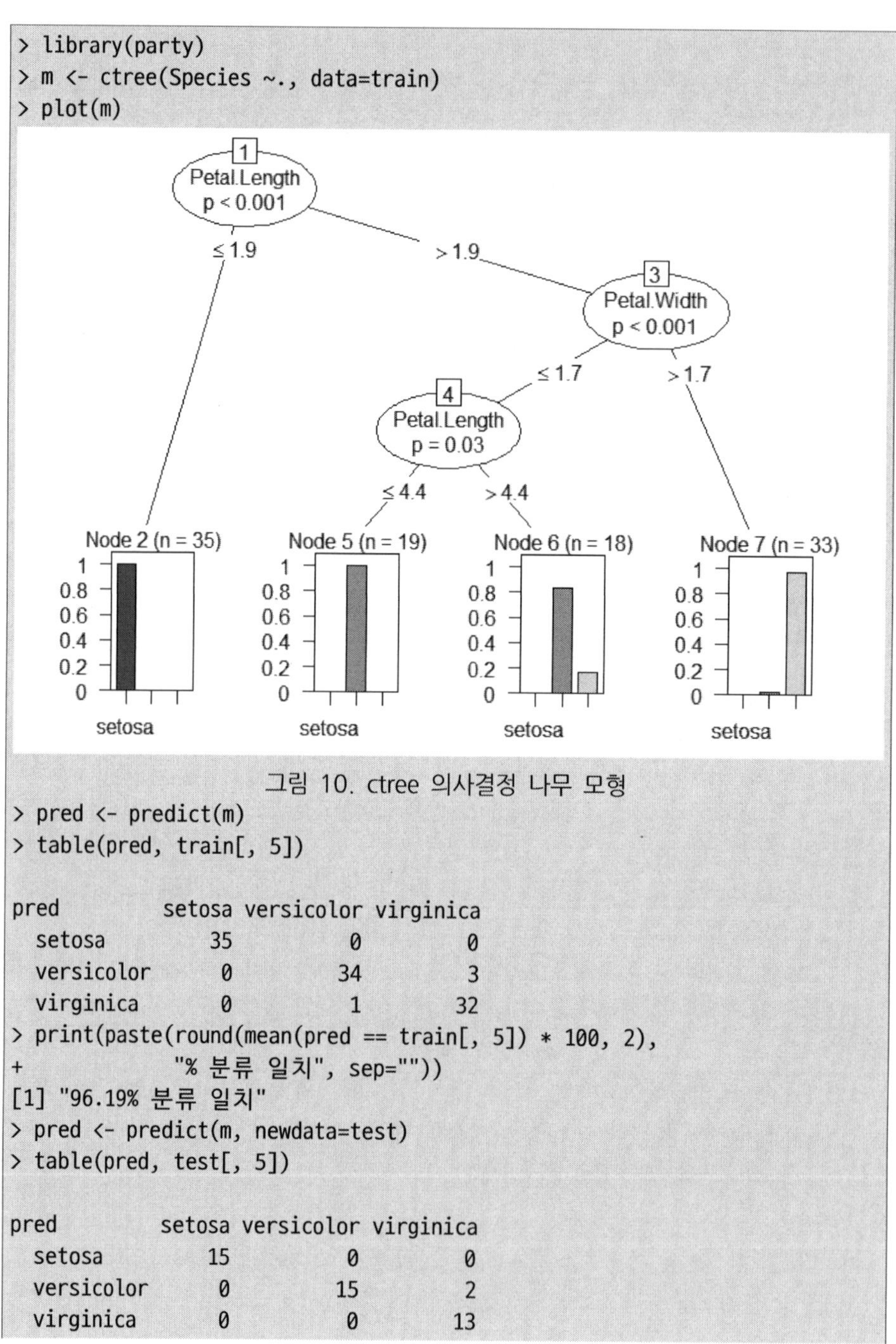

그림 10. ctree 의사결정 나무 모형

```
> pred <- predict(m)
> table(pred, train[, 5])

pred         setosa versicolor virginica
  setosa         35          0         0
  versicolor      0         34         3
  virginica       0          1        32
> print(paste(round(mean(pred == train[, 5]) * 100, 2),
+             "% 분류 일치", sep=""))
[1] "96.19% 분류 일치"
> pred <- predict(m, newdata=test)
> table(pred, test[, 5])

pred         setosa versicolor virginica
  setosa         15          0         0
  versicolor      0         15         2
  virginica       0          0        13
```

```
> print(paste(round(mean(pred == test[, 5]) * 100, 2),
+             "% 분류 일치", sep=""))
[1] "95.56% 분류 일치"
```

- ctree 결과를 해석하면...
  Petal.Length <= 1.9 이면 setosa로 분류합니다.
  Petal.Width 〉 1.7 이면 virginica로 분류합니다.
  Petal.Length 〉 1.9 이고 Petal.Length <= 1.7 이면 versicolor로 분류합니다.

3.6. 인공신경망 모형

인공신경망(人工神經網, artificial neural network, ANN)은 기계학습과 인지과학에서 생물학의 신경망(특히 뇌)에서 영감을 얻어 만든 통계학적 학습 알고리즘입니다. 인공신경망은 시냅스의 결합으로 네트워크를 형성한 인공 뉴런(노드)이 학습을 통해 시냅스의 결합 세기를 변화시켜, 문제 해결 능력을 가지는 모형 전반을 가리킵니다.

뉴런은 신경계와 신경조직을 이루는 기본 단위라고 알려져 있는 신경 세포입니다. 신경계의 모든 작용은 신경세포와 신경세포 간의 상호작용으로 인해 이루어집니다. 예를 들어, 우리 몸의 내부와 외부에 자극을 가하게 되면 일련의 과정을 통해 뉴런은 자극을 전달하게 되며, 최종적으로 척수와 뇌 등의 중추신경계로 도달하게 되며 중추신경계에서 처리한 정보를 다시 우리 몸으로 전달해 명령을 수행합니다.

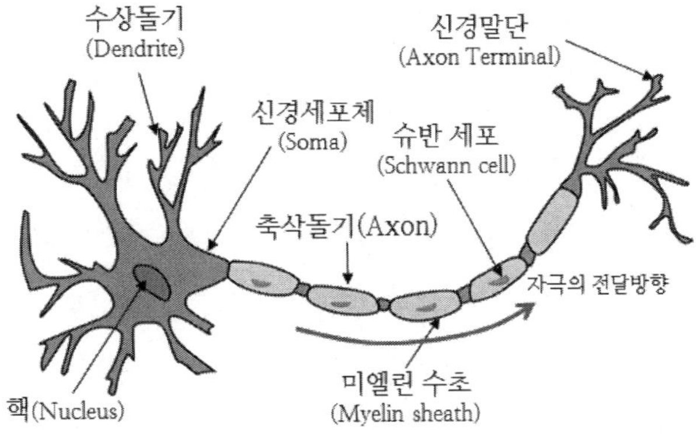

그림 11. 인간의 뉴런 구조

뉴런은 수백 개가 서로 연결되어 있고, 그 뉴런들은 신호를 전달하는 과정을 수 없이 거치게 됩니다. 어떤 자극이 전달되는 과정에서의 신호는 수상돌기에서 입력받은 신호와 축삭돌기로 나가는 신호가 있습니다. 이들 입력 신호와 출력 신호는 분명 다른 신호입니다. 그 이유는 초기에 입력받은 개별 신호들의 중요도가 서로 다르기 때문에 출력될 때도 동일한 값으로 출력되지 않기 때문입니다. 다시 말하면 입력신호에 어떤 변수나 환경이 추가되어 변형된 신호가 출력된다고 생각하면 됩니다. 인공신경망 모형을 사용하기 위한 여러 패키지가 있습니다. nnet 패키지는 단일 은닉층일 가진 피드 포워드(Feed-forward) 인공신경망 알고리즘을 이용하며, NeuralNet 패키지는 역전파(backpropagation) 알고리즘으로 가중치를 변경하는 인공신경망 알고리즘을 사용합니다.

다음 코드는 nnet 패키지를 이용하여 인공신경망 모형을 만듭니다.

```
> library(nnet)
> m <- nnet(Species ~., data=train, size=3) # 은닉층이 하나
# weights:  27
initial  value 121.699863
iter  10 value 38.836470
iter  20 value 4.765896
iter  30 value 1.564499
iter  40 value 0.012335
iter  50 value 0.000489
iter  60 value 0.000383
final  value 0.000082
converged
> pred <- predict(m, train, type="class")
> table(pred, train[, 5])

pred         setosa versicolor virginica
  setosa         35          0         0
  versicolor      0         35         0
  virginica       0          0        35
> print(paste(round(mean(pred == train[, 5]) * 100, 2),
+             "% 분류 일치", sep=""))
[1] "100% 분류 일치"
> pred <- predict(m, newdata=test, type="class")
> table(pred, test[, 5])

pred         setosa versicolor virginica
  setosa         15          0         0
  versicolor      0         15         2
  virginica       0          0        13
> print(paste(round(mean(pred == test[, 5]) * 100, 2),
+             "% 분류 일치", sep=""))
[1] "95.56% 분류 일치"
```

- size는 은닉층(hidden layer)의 노드 수, weights는 만들어지는 weight(bias 포함)의 개수[94]를 의미합니다.

94) (은닉노드의수*입력변수의수 + 은닉노드의수*출력클래스의수) + (은닉노드의수+출력클래스의수)
이 예는 은닉노드의 수가 3, 입력 변수는 4개, 출력 클래스는 3이므로 (3*4 + 3*3) + (3+3) = 27

3.7. 앙상블 모형

앙상블 (Ensemble) 모형은 여러 분류 모형의 결과를 조합(다수결)하여 분류의 정확도를 높이는 방법입니다. 하나의 분류기로 앙상블(Ensemble) 모형 적용 방법에는 데이터 조정, 변수의 수 조정, 집단명 조정, 모형의 가정 조정 등이 있습니다.

표 4. 앙상블(Ensemble) 모형 적용 방법

조정 방법	설명
데이터 조정	· 여러 개의 훈련용 데이터를 생성
변수의 수 조정	· 변수의 부분 집합을 사용하여 훈련용 데이터 생성
집단명 조정	· 소수의 집단을 묶어서 분류 · 각 집단의 소속 여부만 분류
모형의 가정 조정	· 모수에 대한 가정 조정 · 알고리즘에 대한 가정 조정

1) 배깅

배깅(Bagging, Bootstrap aggregation)은 주어진 데이터에 대해서 여러 개의 붓스트랩 자료를 생성하고 각 붓스트랩 자료를 모델링 한 후 결합하여 최종의 예측 모형을 산출하는 방법입니다.

배깅은 전체 데이터셋에서 동일한 크기로 샘플링 된 부분 데이터셋을 만듭니다. 그리고 생성된 부분데이터셋마다 각각 학습모형을 만들어 줍니다. 이때 각 모형은 서로 다른 알고리즘을 적용할 수도 있습니다. 그리고 각 서브모형에서 생성된 모형을 이용 하여 최종 모형을 생성하는데, 이때 최종 결과값을 도출 하는 방법은 연속형일 경우 평균값을, 범주형일 경우 투표를 통해 최종 결과를 낼 수 있습니다.

2) 부스팅

부스팅(Boosting)은 배깅(Bagging)과 유사하나 분류가 잘못된 데이터에 가중치를 두어 표본으로 선택될 확률을 높입니다.

부스팅은 전체 학습 샘플에 여러 개의 약한 학습기(weak classifier)를 적용합니다. 각 약한 학습기의 결과물들을 이용하여 학습모형을 만들고 그 모형을 이용하여 학습샘플을 평가합니다. 평가된 결과에 따라 잘 맞춘 약한 학습기는 가중치를 더하여주고 잘못 평가한 약한 학습기의 가중치는 낮추어 줍니다. 이러한 일련의 과정을 특정 조건이 될 때까지 반복하고, 반복이 끝나면 그 때 까지 누적된 각 약한 학습기의 가중치를 이용하여 최종 학습 모형을 만들게 됩니다.

다음 코드는 adabag 패키지의 boosting() 함수를 이용하여 에이다부스팅 모형을 만듭니다.

```
> library(adabag)
> m <- boosting(Species ~., data=train, mfinal=100)
> pred <- predict(m, train, type="class")
> str(pred)
List of 6
 $ formula  :Class 'formula'  language Species ~ .
  .. ..- attr(*, ".Environment")=<environment: R_GlobalEnv>
 $ votes    : num [1:105, 1:3] 88.7 91.3 90.4 92 88.3 ...
 $ prob     : num [1:105, 1:3] 0.865 0.89 0.882 0.898 0.862 ...
 $ class    : chr [1:105] "setosa" "setosa" "setosa" "setosa" ...
 $ confusion: 'table' int [1:3, 1:3] 35 0 0 0 35 0 0 0 35
  ..- attr(*, "dimnames")=List of 2
  .. ..$ Predicted Class: chr [1:3] "setosa" "versicolor" "virginica"
  .. ..$ Observed Class : chr [1:3] "setosa" "versicolor" "virginica"
 $ error    : num 0
> pred$confusion
               Observed Class
Predicted Class setosa versicolor virginica
     setosa         35          0         0
     versicolor      0         35         0
     virginica       0          0        35
> print(paste(round(mean(pred$class == train[, 5]) * 100, 2),
+              "% 분류 일치", sep=""))
[1] "100% 분류 일치"
> pred <- predict(m, newdata=test, type="class")
> pred$confusion
               Observed Class
Predicted Class setosa versicolor virginica
     setosa         15          0         0
     versicolor      0         15         2
     virginica       0          0        13
> print(paste(round(mean(pred$class == test[, 5]) * 100, 2),
+              "% 분류 일치", sep=""))
[1] "95.56% 분류 일치"
```

- 에이다부스트에 관한 더 많은 이론적 지식은 아래의 주소를 참고하세요.
  - https://ko.wikipedia.org/wiki/에이다부스트
  - https://en.wikipedia.org/wiki/AdaBoost

3) 익스트림 그레디언트 부스팅

그레디언트 부스팅(Gradient boosting)[95]은 회귀 및 분류 문제에 대한 기계 학습 기술로 약한 예측 모형, 일반적으로 의사 결정 트리의 앙상블 형태로 예측 모형을 생성합니다. 다른 부스팅 방법과 마찬가지로 단계적으로 모형을 작성하고, 임의의 미분 적 손실 함수의 최적화를 허용하여 모형을 일반화합니다.

익스트림 그레디언트 부스팅(eXtreme Gradient Boosting; xgboost)는 빠른 속도로 로직을 검증하기 위한 좋은 라이브러리입니다.

$$Y = \alpha^* M(x) + \beta^* G(x) + \gamma^* H(x) + error \qquad \text{수식 10}$$

xgboost는 그리디 알고리즘(Greedy algorithm)을 사용하여 수식 10에서 분류기 M, G, H를 발견하고, 분산처리를 사용하여 빠른(Extreme) 속도로 적합한 비중 파라미터를 찾는 알고리즘입니다. 분류기는 Regression Score를 사용하여 정확도 스코어(accuracy score)를 측정하고, 각 순서에 따라 강한 분류기부터 약한 분류기까지 랜덤 하게 생성됩니다. 이렇게 만들어진 분류기를 트리(tree)라고 하며, 분류기를 조합한 최종 알고리즘을 포레스트(forest)라고 합니다. 여기까지가 기본적인 부스팅 알고리즘 원리입니다.

xgboost는 트리를 만들 때 CART(Classification And Regression Trees)라 불리는 앙상블 모형을 사용합니다. 이후 트리 부스팅을 사용하여, 각 분류 기간 비중(weights)을 최적화합니다. CART 모형은 일반적인 의사결정 트리(Decision Tree)와 조금 다릅니다. 리프(leaf) 노드 하나에 대해서만 결정값(Decision Value)을 갖는 의사결정 트리와 달리, CART 방식은 모든 리프들이 모형의 최종 스코어에 연관되어 있습니다. 따라서 의사결정 트리가 분류를 제대로 했는지에 대해서만 초점을 맞추는 반면, CART는 같은 분류 결과를 갖는 모형끼리도 모형의 우위를 비교할 수 있습니다. 즉, 모든 트레이닝 세트 X에 대하여 포레스트에 넣고, 결과 값으로 나오는 점수의 절댓값을 더합니다. 많은 데이터를 +와 -의 방향으로 보낼수록, 좋은 분류 모형이라 할 수 있습니다.

지금까지 소개한 많은 분류 모형들 중에서 여러분이 현업에서 사용하는 단 하나의 모형을 고르라고 하면 xgboost 모형입니다. xgboost는 빠른 속도와 더 나은 분류의 정확도를 제공합니다.

다음 코드는 xgboost를 사용하여 모형을 만듭니다.

```
> library(xgboost)
```

95) https://en.wikipedia.org/wiki/Gradient_boosting

```
> param <- list("objective"="multi:softprob",
+               "eval_metirc"="mlogloss", "num_class"=3)
> x <- as.matrix(train[, 1:4])
> y <- as.integer(train[,5])-1   # 분류를 위한 y는 0부터 값을 가져야 한다.
> m <- xgboost(param=param, data=x, label=y, nrounds=15)
[1] train-merror:0.028571
[2] train-merror:0.028571
[3] train-merror:0.028571
[4] train-merror:0.019048
[5] train-merror:0.038095
[6] train-merror:0.009524
[7] train-merror:0.009524
[8] train-merror:0.009524
[9] train-merror:0.009524
[10]    train-merror:0.009524
[11]    train-merror:0.009524
[12]    train-merror:0.009524
[13]    train-merror:0.009524
[14]    train-merror:0.000000
[15]    train-merror:0.000000
> pred <- predict(m, as.matrix(test[,1:4]))
> pred_matrix <- matrix(pred, ncol=3, byrow=TRUE)
> pred_species <- max.col(pred_matrix) #1:setosa, 2:versicolor, 3:virginica
> table(as.integer(test$Species), pred_species)
   pred_species
     1  2  3
  1 15  0  0
  2  0 15  0
  3  0  2 13
> print(paste(round(mean(pred_species == as.integer(test[, 5]))*100, 2),
+             "% 분류 일치", sep=""))
[1] "95.56% 분류 일치"
```

- xgboost 함수는 독립변수와 종속변수들의 값의 타입이 숫자여야 합니다.
- 예측(predict)한 결과는 분류한 클래스 라벨을 가지고 있지 않습니다. pred는 각 데이터들이 어떤 클래스로 분류되어야 할지에 대한 확률값을 가집니다. 예를 들면 첫 번째 데이터는 0.98115, 0.01079, 0.00806 값을 가지는데 이것은 setosa종 일 확률이 98.115%이며, versicolor 종일 확률이 1.079% 그리고 virginica 종일 확률이 0.806%라는 의미입니다.
- pred 변수를 행렬(3열짜리)로 만든 후 max.col()을 이용하여 가장 큰 값의 열 인덱스를 빼내야 해당 클래스를 알 수 있습니다.

4) 랜덤포레스트

랜덤포레스트(Random forest)[96]는 의사결정나무 모형의 분류 결과를 결합하는 앙상블 분석 방식입니다. 전체 변수 중에서 독립적으로 선택된 변수들의 부분 집합을 사용하여 각각의 의사결정나무에 적용합니다.

다음 코드는 randomForest를 사용한 앙상블(Ensemble) 분석입니다.

```
> library(randomForest)
> m <- randomForest(Species ~ ., data=train, ntree=100, proximity=TRUE)
> m

Call:
 randomForest(formula = Species ~ ., data = train, ntree = 100,
proximity = TRUE)
               Type of random forest: classification
                     Number of trees: 100
No. of variables tried at each split: 2

        OOB estimate of  error rate: 6.67%
Confusion matrix:
           setosa versicolor virginica class.error
setosa         35          0         0  0.00000000
versicolor      0         32         3  0.08571429
virginica       0          4        31  0.11428571
> pred <- predict(m)
> table(pred, train[, 5])

pred           setosa versicolor virginica
  setosa           35          0         0
  versicolor        0         32         4
  virginica         0          3        31
> print(paste(round(mean(pred == train[, 5]) * 100, 2), "% 분류 일치",
sep=""))
[1] "93.33% 분류 일치"
> importance(m)          # 변수별 중요도
             MeanDecreaseGini
Sepal.Length         5.823551
Sepal.Width          1.688106
Petal.Length        32.318946
Petal.Width         29.358350
```

96) https://ko.wikipedia.org/wiki/랜덤_포레스트
https://en.wikipedia.org/wiki/Random_forest

```
> varImpPlot(m)          # 변수별 중요도를 시각화
```

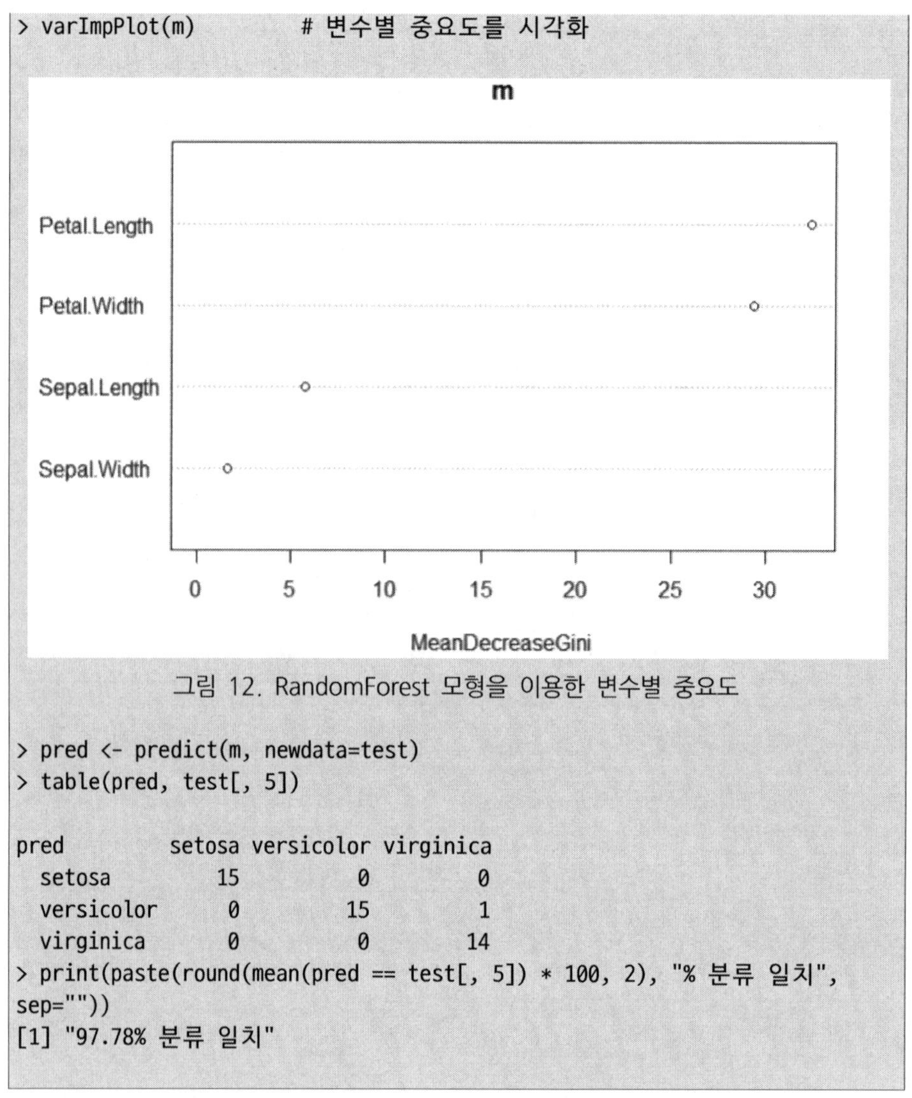

그림 12. RandomForest 모형을 이용한 변수별 중요도

```
> pred <- predict(m, newdata=test)
> table(pred, test[, 5])

pred         setosa versicolor virginica
  setosa         15          0         0
  versicolor      0         15         1
  virginica       0          0        14
> print(paste(round(mean(pred == test[, 5]) * 100, 2), "% 분류 일치",
sep=""))
[1] "97.78% 분류 일치"
```

- m <- randomForest(Species ~ ., data=train, ntree=100, proximity=TRUE)에서...
  Category variable의 value 종류가 32개 이하일 경우에 사용
  ntree : 최대 tree의 개수
  mtry : 고려할 변수의 개수

3.8. 서포트 벡터 머신

서포트 벡터 머신(support vector machine, SVM)[97]은 두 카테고리 중 어느 하나에 속한 데이터의 집합이 주어졌을 때 주어진 데이터 집합을 바탕으로 하여 새로운 데이터가 어느 카테고리에 속할지 판단하는 비확률적 이진 선형 분류 모형을 만듭니다. 만들어진 분류 모형은 데이터가 매핑된 공간에서 경계로 표현되는데 SVM 알고리즘은 그 중 가장 큰 폭을 가진 경계를 찾는 알고리즘입니다. SVM은 선형 분류와 더불어 비선형 분류에서도 사용될 수 있습니다.

다음 코드는 서포트 벡터 머신 모형을 만듭니다.

```
> library(e1071)
> m1 <- svm(Species~., data=train, kernel="linear")
> m2 <- svm(Species~., data=train, kernel="polynomial")
> m3 <- svm(Species~., data=train, kernel="radial")
> x <- subset(test, select=-Species)
> y <- test$Species
> pred1 <- predict(m1, x)
> pred2 <- predict(m2, x)
> pred3 <- predict(m3, x)
> table(y, pred1)
            pred1
y            setosa versicolor virginica
  setosa         15          0         0
  versicolor      0         14         1
  virginica       0          1        14
> table(y, pred2)
            pred2
y            setosa versicolor virginica
  setosa         15          0         0
  versicolor      0         15         0
  virginica       0          3        12
> table(y, pred3)
            pred3
y            setosa versicolor virginica
  setosa         15          0         0
  versicolor      0         14         1
  virginica       0          1        14
```

- kernel 속성은 훈련과 예측에 사용됩니다. kernel 유형에 따라 linear, polynomial, radial, sigmoid 중 하나를 사용할 수 있습니다.

97) https://ko.wikipedia.org/wiki/서포트_벡터_머신

4. 분류 모형의 평가 측도

4.1. 혼돈 메트릭스

통계적 분류 문제 또는 오류 행렬로도 알려진 혼동 행렬은 기계 학습 분야에서 알고리즘의 성능을 시각화할 수 있는 테이블 레이아웃입니다. 비지도학습에서는 매칭 매트릭스라고 부릅니다. 행렬의 각 열은 예측 된 클래스의 인스턴스를 나타내며 각 행은 실제 클래스의 인스턴스를 나타냅니다. 또는 그 반대로 나타낼 수도 있습니다. 그 이름은 시스템이 2개의 클래스를 혼동시키는지를 쉽게 알 수 있게 합니다. '2개의 클래스'는 분류를 2개로 한다는 것을 의미하며, '2개의 클래스를 혼동시킨다'라는 의미는 일반적으로 하나의 클래스를 잘못 분류하는 것을 의미합니다.

다음 그림은 혼동 행렬(Confusion Matrix)입니다. 혼동 행렬을 보고 다음은 일반적인 분류 모형의 평가방법이 어떻게 계산되는지 알아보겠습니다.

		Predicted Target	
		N	Y
Actual Target	N	True/Negative 실제 N. 예측 Y	False/Positive 실제 N, 예측 Y
	Y	False/Negative 실제 Y. 예측 Y	True/Positive 실제 Y, 예측 Y

그림 13. 혼동 행렬(Confusion Matrix)

위의 혼동행렬은 행은 실제 데이터를 수를 표현한 것이며, 열은 예측한 데이터의 수를 표현합니다[98]. 예측하고자 한 것을 Positive(Y)로 표현하며 그 반대를 Negative(N)로 표현합니다. 예측한 결과와 실제 데이터가 일치하면 True, 일치하지 않으면 False로 표현합니다.

98) 이 예제는 행은 실제 데이터의 수를 그리고 열은 예측한 데이터의 수를 의미합니다. 그러나 측정하는 사람마다 행과 열이 바뀔 수 있습니다. 그리고 항상 Negative가 첫 번째 열에 표시되지 않을 수 있습니다. Positive와 Negative의 위치가 그림과는 다르게 표시될 수 있습니다.

예를 설명하기 위해서 model_result.csv 파일에 보험사기자를 예측한 데이터(predicted_yn)와 실제 사기자인지 아닌지 정보를 가진 데이터(SIU_CUST_YN)가 저장되어 있다고 가정하겠습니다. table() 함수를 이용해서 실제 정상인과 사기자의 수 그리고 예측한 정상인과 사기자의 수를 개수를 세 출력했습니다.

```
> result <- read.csv("model_result.csv", header=TRUE)

> temp <- table(result$SIU_CUST_YN, result$predicted_yn)
> temp
      0    1
  0 1613   22
  1   81   77
```

- 행은 실제 데이터의 수 의미하며, 열은 예측한 데이터의 수를 의미합니다. 이것은 table() 함수의 인수에 어떤 것은 먼저 넣느냐에 따라 달라질 수 있습니다.

위 결과를 혼동 행렬로 표현하면 아래의 그림과 같습니다.

		Predicted Target	
		N	Y
Actual Target	일반 고객 (Negative)	**1613** True/Negative 실제 N. 예측 Y	**22** False/Positive 실제 N, 예측 Y
	보험 사기자 (Positive)	**81** False/Negative 실제 Y. 예측 Y	**77** True/Positive 실제 Y, 예측 Y

그림 14. 보험 사기자(Y)/일반인(N)의 혼동 행렬

위 그림은 아래처럼 읽을 수 있습니다.

- 실제 일반 고객인데 일반 고객(Negative)으로 바르게 분류(True)한 고객의 수가 1613명
- 실제 일반 고객인데 보험사기자(Positive)로 틀리게 분류(False)한 고객의 수가 22명
- 실제 보험사기자인데 일반 고객(Negative)으로 틀리게 분류(False)한 고객의 수가 81명
- 실제 보험사기자인데 보험사기자(Positive)로 바르게 분류(True)한 고객의 수가 77명

4.2. 모형 평가 측도

앞의 혼동 행렬을 통해 실제와 예측한 결과가 얼마만큼 일치하는지 수치로 표현하고 이를 통해 모형을 평가해야 합니다.

예를 들면 전체 예측에서 올바르게 예측한 비율을 계산해야 한다면...

(1613+77)/(1613+22+81+77) = 0.94255

가 됩니다. 이것을 정확도(Accuracy)라고 합니다.

그런데 항상 정확도만 평가 측도에 사용되는 것은 아닙니다. 이 예제의 경우는 일반 고객으로 예측하는 것 보다 보험사기자를 예측 하는 것이 더 중요하기 때문에 예측한 보험사기자의 총 수 중에서 실제 보험사기자의 비율(정밀도, Precision) 또는 실제 보험사기자의 총 수 중에서 예측한 보험사기자의 비율(민감도, Recall) 등이 더 중요한 지표(Indicator)로 사용됩니다.

위의 예에서 정밀도와 민감도를 계산한다면...
- 정밀도(Precision)는 TP/(FP+TP) = 77/(22+77) = 0.7778이며,
- 민감도(Recall)는 TP/(FN+TP) = 77/(81+77) = 0.48734

입니다.

만일 앞의 결과에서 정밀도(Precision)와 민감도(Recall) 둘 다 중요하게 판단되어야 한다면 F-measure를 계산하여 모형을 평가할 수 있습니다.

다음 코드는 F-measure를 계산한 예입니다.

```
> fun_fmeasure <- function(table) {
+   precision <- table[2,2]/(table[1,2]+table[2,2])   # TP/(FP+TP)
+   recall <- table[2,2]/(table[2,1]+table[2,2])      # TP/(FN+TP)
+   return(2*precision*recall/(precision+recall))
+ }

> fun_fmeasure(temp)
 0.5992218
```

● 평가한 수치의 절대적 기준은 없습니다. 경험적 수치에 의존해야 합니다.

다음 표는 평가 방법들과 계산식입니다. 계산식을 잘 숙지하시기 바랍니다.

표 5. 평가 방법

메트릭	계산식	의미
정밀도 (Precision)	TP/(FP+TP)	Y으로 예측된 것 중 실제로도 Y인 경우의 비율
민감도 (Recall)	TP/(FN+TP)	실제로 Y인 것들 중 예측이 Y로 된 경우 비율 (=Sensitivity)
정확도 (Accuracy)	(TP+TN)/(TP+FP+FN+TN)	전체 예측에서 옳은 예측의 비율
특이도 (Specificity)	TN/(FP+TN)	실제로 N인 것들 중에서 예측이 N으로 된 경우의 비율
오류율 (FP Rate)	FP/(FP+TN)	Y가 아닌데 Y로 예측된 비율.(=errorrate) 1-Specificity와 같은 값
F-measure	$2 * \frac{Precision * Recall}{Precision + Recall}$	Precision과 Recall의 조화 평균. 시스템의 성능을 하나의 수치로 표현하기 위해 사용하는 점수. 0~1사이의 값을 가짐. Precision과 Recall 두 값이 골고루 클 때 큰 값을 가짐.
Kappa	$K = \frac{P_{accuracy} - P(e)}{1 - P(e)}$	코헨의 카파. 두 평가자의 평가가 얼마나 일치하는지 평가하는 값. 0~1사이의 값을 가짐. P(e)는 두 평가자의 평가가 우연히 일치할 확률. 코헨의 카파는 두 평가자의 평가가 우연히 일치할 확률을 제외한 뒤의 점수.

모델의 평가 방법으로 ROC[99] 그래프와 AUC[100] 값을 이용하는 방법도 있습니다.

다음 코드는 f-measure를 측정했던 모델링 결과를 이용해 ROC 그래프를 그리고 AUC 값을 출력합니다.

```
> install.packages("pROC")
> library(pROC)
> result <- read.csv("model_result.csv", header=TRUE)
> (m_roc <- roc(result$SIU_CUST_YN, result$predicted_yn))

Call:
roc.default(response = result$SIU_CUST_YN, predictor = result$predicted_yn)
```

99) ROC(Receiver Operating Characteristics) 그래프는 가로축을 True Negative Rate(Specificity, TN/(TN+FP)) 값의 비율로 하고 세로축을 True Positive Rate(Sensitive(Recall), TP/P) 로 하여 시각화 한 그래프입니다.

100) ROC는 그래프이기 때문에 모델의 정확도를 하나의 숫자로 나타내기 위해 AUC(Area Under Curve) 라는 값을 사용합니다. ROC AUC값은 ROC 그래프의 면적이 되며 최댓값은 1입니다.

```
Data: result$predicted_yn in 1635 controls (result$SIU_CUST_YN 0) < 158 cases
(result$SIU_CUST_YN 1).
Area under the curve: 0.7369
> plot.roc(m_roc, col="red",   # 선의 색상을 설정합니다.
+          print.auc=TRUE, print.auc.adj=c(2.5,-8),    # auc 값 출력
+          max.auc.polygon=TRUE,   # auc의 최대 면적 출력
+          print.thres=TRUE, print.thres.pch=19, print.thres.col="red",
+          print.thres.adj=c(0.0,-1.0), # 기준치(cut-off value) 설정
+          auc.polygon=TRUE, auc.polygon.col="#D1F2EB")
```

다음 그림은 실행 결과입니다.

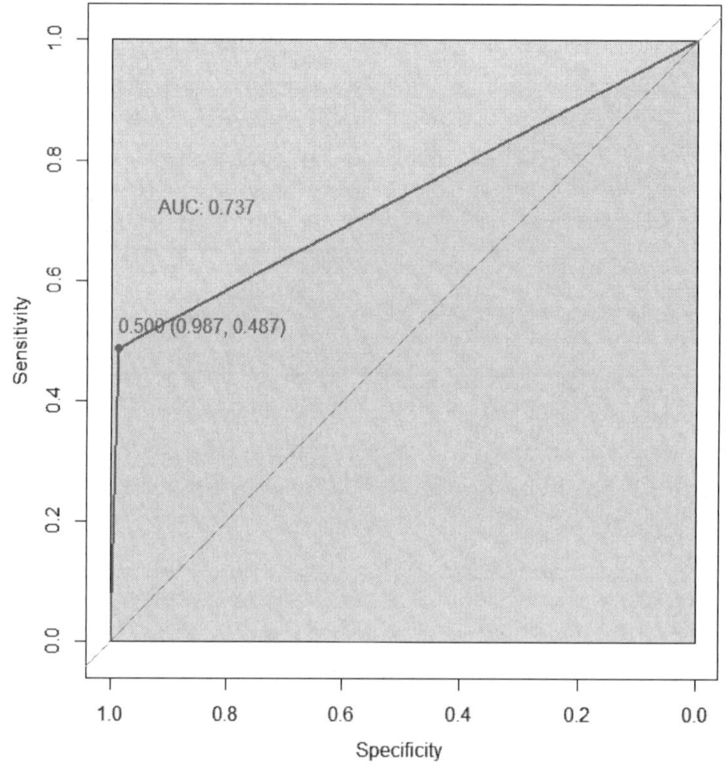

그림 15. ROC 그래프와 AUC 값

14장. 텍스트 마이닝

1. 텍스트 마이닝 개요
2. 코퍼스
3. TermDocumentMatrix
4. 빈도분석
5. 한글 형태소 분석

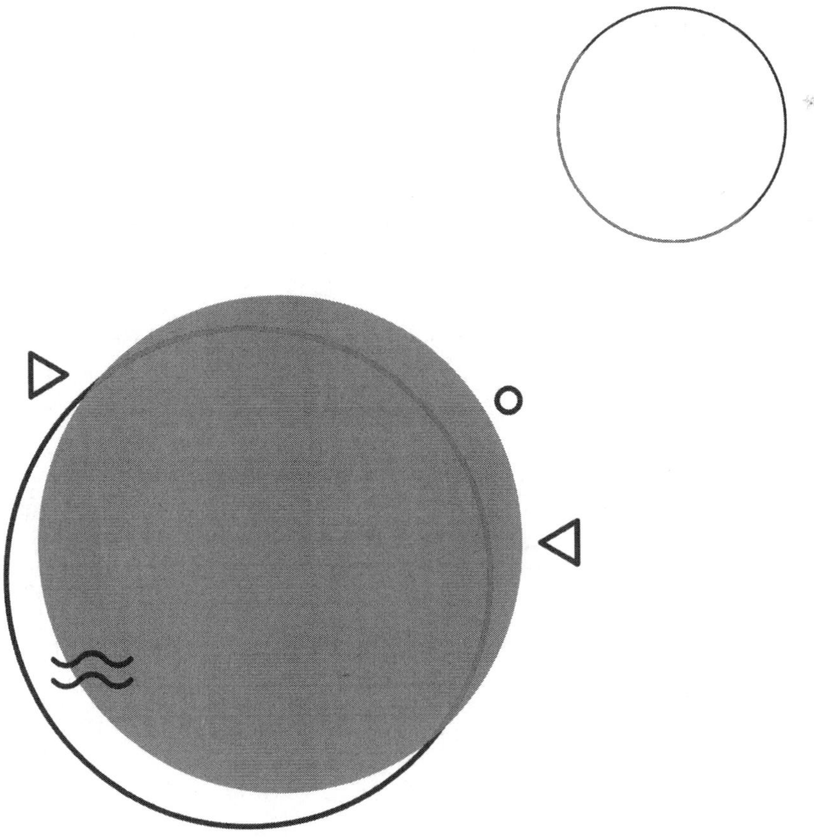

1. 텍스트 마이닝 개요

텍스트 마이닝(Text Mining)은 뉴스 기사, SNS 글 등 자연어에서 의미 있는 정보를 찾는 것을 말합니다. 텍스트 마이닝의 종류에는 웹 문서(텍스트, 링크 등)를 대상으로 한 웹 데이터 마이닝(Web Data Mining), 이미지/음악 데이터의 여러 가지 정보를 기반으로 한 멀티미디어 데이터 마이닝(Multimedia Data Mining), 그리고 문장에 사용된 단어의 긍정과 부정 여부에 따라 문장을 평가하여 회사의 평판 관리를 위해서 사용하는 감성 분석(Sentiment Analysis, Opinion Mining) 등이 있습니다.

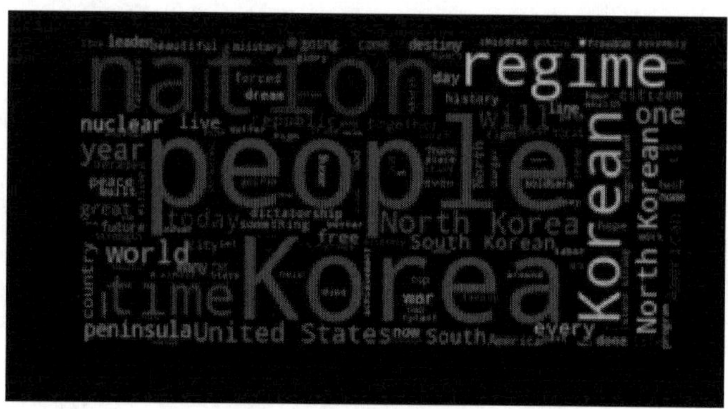

그림 1. 워드 클라우드 예

텍스트 마이닝은 다양한 형태의 비정형 문서 데이터로부터 문서별 단어의 행렬(Matrix)을 만든 후, 여러 가지 분석 기법과 데이터 마이닝 기법을 사용하여 통찰(Insight)을 얻거나 의사결정을 지원하기 위해 사용합니다.

R에서 텍스트 마이닝을 하기 위해서는 분석할 비정형 데이터(문서)를 R에 저장된 문서(코퍼스)로 변화한 다음 이것을 다시 구조화된 문서(TermDocumentMatrix)로 변환하고 분석을 진행합니다.

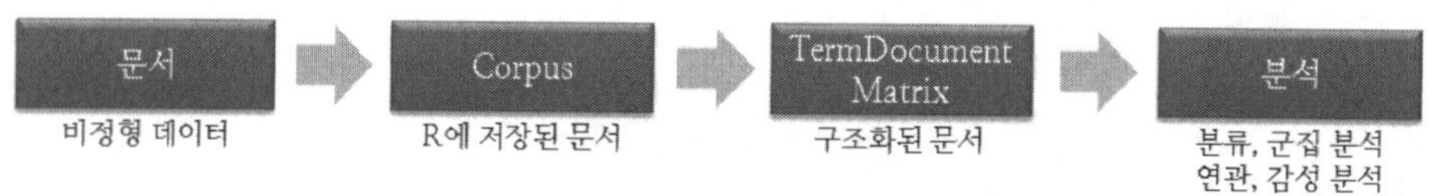

그림 2. Text Mining의 단계

2. 코퍼스

코퍼스(Corpus)는 실세계의 다양한 비정형 문서를 R에서 사용할 수 있도록 메모리에 올려 데이터의 정제, 통합, 선택, 변환 과정을 거친 구조화된 문서입니다. 코퍼스를 우리말로 번역하면 '말뭉치' 또는 '말모둠' 정도로 번역할 수 있습니다. 코퍼스를 국어 정보 처리 분야에서는 '연구 대상 분야의 언어 현실을 총체적으로 보여 주는 자료의 집합'으로 규정하고 있습니다[101]. 말뭉치는 컴퓨터가 언어 자료 처리를 할 수 있도록 기본적으로 마련해 놓아야 하는 자료입니다.

2.1. Corpus의 종류

코퍼스는 R의 메모리에서 관리되는 VCorpus(Volatile Corpus)와 데이터베이스 또는 파일로 관리되는 PCorpus(Permanent Corpus)가 있습니다.

다음 구문은 VCorpus 객체와 PCoupus 객체를 생성하기 위한 함수입니다.

```
VCorpus(x,
        readerControl=list(reader=reader(x), language="en"))
```

```
PCorpus(x,
        readerControl=list(reader=reader(x), language="en"),
        dbControl=list(dbName="", dbType="DB1"))
```

구문에서...

- x : 소스(Source) 객체입니다.
- readerControl : 소스 x로부터 읽기 위한 리더(reader) 객체와 언어(language)[102]를 지정하는 파라미터 목록입니다.

코퍼스 객체를 생성하기 위해서는 소스(Source)와 리더(Reader)를 지정해야 합니다. 리더는 텍스트 마이닝을 위한 데이터의 형식을 지정하며, 소스는 데이터가 어느 위치에 있는지를 지정합니다.

---

101) 롱맨(Longman) 사전에서는 'corpus'를 '연구를 위한 자료나 정보의 모음'이라고 규정하고 있고, 옥스퍼드(Oxford) 사전에서는 '언어학과 사전 편찬에서 한 언어를 대표하는 것으로 생각되는 원문, 발화 또는 기타 표본들의 뭉치로 대개 전자 자료의 틀로 저장되어 있는 것'을 'corpus'라고 풀이하고 있습니다.

102) language는 lat, UTF-8 등 리더객체에서 사용하는 언어코드를 사용합니다.

다음 표는 자주 사용되는 소스(Source)들입니다.

표 1. 주요 코퍼스 소스

소스	설명
DataframeSource	데이터 프레임
DirSource	폴더에 있는 파일
URISource	URI 주소로 지정된 파일
VectorSource	벡터
XMLSource	XML 파일

다음 표는 자주 사용되는 리더(Reader)들입니다.

표 2. 주요 코퍼스 리더

리더	설명
readDoc	Microsoft doc 파일 리더
readPDF	pdf 파일 리더
readPlain	Text 파일 리더
readReut21578XML	XML 파일 리더
readXML	XML 파일 리더

getReaders() 함수와 getSource() 함수는 tm 패키지에 있으므로 tm 패키지를 설치하고 로드해야 합니다. tm 패키지는 'NLP', 'Rcpp', 'slam[103)]', 'xml2', 'BH' 패키지에 의존합니다.

```
> install.packages("tm")
also installing the dependencies ‘NLP’, ‘slam’, ‘xml2’

trying URL 'https://cran.rstudio.com/bin/windows/contrib/3.5/NLP_0.1-11.zip'
Content type 'application/zip' length 375672 bytes (366 KB)
downloaded 366 KB

trying URL 'https://cran.rstudio.com/bin/windows/contrib/3.5/slam_0.1-43.zip'
Content type 'application/zip' length 208246 bytes (203 KB)
downloaded 203 KB

trying URL 'https://cran.rstudio.com/bin/windows/contrib/3.5/xml2_1.2.0.zip'
```

103) 'slam' 패키지는 R 3.3.2 이상에서 설치되기 때문에 tm 패키지 설치 후 라이브러리를 로드할 때 "slam'이라고 불리는 패키지가 없습니다' 라는 에러가 발생하면 R을 최신 버전으로 설치해 주세요.

```
Content type 'application/zip' length 3605965 bytes (3.4 MB)
downloaded 3.4 MB

trying URL 'https://cran.rstudio.com/bin/windows/contrib/3.5/tm_0.7-5.zip'
Content type 'application/zip' length 1363396 bytes (1.3 MB)
downloaded 1.3 MB

package ‘NLP’ successfully unpacked and MD5 sums checked
package ‘slam’ successfully unpacked and MD5 sums checked
package ‘xml2’ successfully unpacked and MD5 sums checked
package ‘tm’ successfully unpacked and MD5 sums checked

The downloaded binary packages are in
    C:\Users\COM\AppData\Local\Temp\RtmpeeAAj4\downloaded_packages
```

```
> library(tm)
Loading required package: NLP
```

```
> getSources()
[1] "DataframeSource" "DirSource"       "URISource"       "VectorSource"

[5] "XMLSource"       "ZipSource"
> getReaders()
 [1] "readDataframe"           "readDOC"
 [3] "readPDF"                 "readPlain"
 [5] "readRCV1"                "readRCV1asPlain"
 [7] "readReut21578XML"        "readReut21578XMLasPlain"
 [9] "readTagged"              "readXML"
```

2.2. 코퍼스 생성

tm 패키지를 설치하면 텍스트 마이닝을 위한 몇 개의 샘플 데이터 파일이 같이 설치됩니다.

다음 코드는 tm 패키지의 texts 폴더 안의 txt 폴더에 대한 시스템상의 경로를 이용해 소스 객체를 생성하고 이를 이용해 코퍼스 객체를 생성하는 예입니다.

```
> folder <- system.file("texts", "txt", package="tm")
> txtSource <- DirSource(folder)
> str(txtSource)
List of 5
 $ encoding: chr "C:/Users/JK/Documents/R/win-library/3.4/tm/texts/txt/ovid_1.txt"
 $ length  : chr "C:/Users/JK/Documents/R/win-library/3.4/tm/texts/txt/ovid_2.txt"
 $ position: chr "C:/Users/JK/Documents/R/win-library/3.4/tm/texts/txt/ovid_3.txt"
 $ reader  : chr "C:/Users/JK/Documents/R/win-library/3.4/tm/texts/txt/ovid_4.txt"
```

```
 $ mode    : chr "C:/Users/JK/Documents/R/win-library/3.4/tm/texts/txt/ovid_5.txt"
 - attr(*, "class")= chr [1:3] "DirSource" "SimpleSource" "Source"
> class(txtSource)
[1] "DirSource"    "SimpleSource" "Source"
> doc <- VCorpus(txtSource, readerControl=list(language="lat"))
> class(doc)
[1] "VCorpus" "Corpus"
```

- system.file() 함수는 지정한 패키지 내의 폴더를 시스템의 절대경로로 반환합니다.
- DirSource() 함수는 시스템의 디렉토리 경로를 이용해 소스 객체를 생성합니다.
- VCorpus() 함수는 소스와 리더를 지정해 코퍼스 객체를 생성합니다.

2.3. Corpus의 정보 조회

```
> summary(doc)
           Length Class              Mode
ovid_1.txt 2      PlainTextDocument list
ovid_2.txt 2      PlainTextDocument list
ovid_3.txt 2      PlainTextDocument list
ovid_4.txt 2      PlainTextDocument list
ovid_5.txt 2      PlainTextDocument list
> doc[[1]]           # 첫 번째 문서 정보 조회
<<PlainTextDocument>>
Metadata:  7
Content:  chars: 676
> inspect(doc[1])    # 첫 번째 문서 정보 조회
<<VCorpus>>
Metadata:  corpus specific: 0, document level (indexed): 0
Content:  documents: 1

[[1]]
<<PlainTextDocument>>
Metadata:  7
Content:  chars: 676

> meta(doc)
열의 개수가 0이고 행의 개수가 5인 데이터 프레임입니다.
> meta(doc, type="corpus")     # 전체 문서의 메타데이터 조회
list()
attr(,"class")
[1] "CorpusMeta"
> meta(doc, type="local")                # 개별 문서의 메타데이터 조회
$ovid_1.txt
  author       : character(0)
```

```
  datetimestamp: 2018-01-24 07:42:57
  description  : character(0)
  heading      : character(0)
  id           : ovid_1.txt
  language     : lat
  origin       : character(0)

$ovid_2.txt
  author       : character(0)
  datetimestamp: 2018-01-24 07:42:57
  description  : character(0)
  heading      : character(0)
  id           : ovid_2.txt
  language     : lat
  origin       : character(0)

$ovid_3.txt
  author       : character(0)
  datetimestamp: 2018-01-24 07:42:57
  description  : character(0)
  heading      : character(0)
  id           : ovid_3.txt
  language     : lat
  origin       : character(0)

$ovid_4.txt
  author       : character(0)
  datetimestamp: 2018-01-24 07:42:57
  description  : character(0)
  heading      : character(0)
  id           : ovid_4.txt
  language     : lat
  origin       : character(0)

$ovid_5.txt
  author       : character(0)
  datetimestamp: 2018-01-24 07:42:57
  description  : character(0)
  heading      : character(0)
  id           : ovid_5.txt
  language     : lat
  origin       : character(0)
```

2.4. Corpus를 파일로 저장

코퍼스 객체를 파일에 저장할 수 있습니다.

```
writeCorpus(x, path=".", filenames=NULL)
```

구문에서...

- x : 저장한 코퍼스 객체입니다.
- path : 코퍼스 객체를 저장할 경로(디렉토리)를 지정합니다. 기본값 . 은 현재디렉토리를 의미합니다.
- filenames : 문서 하나를 저장할 때 지정하는 파일 이름입니다. NULL로 지정하면 코퍼스 각 문서이름 + "txt" 형식으로 이름이 지정됩니다.

다음 코드는 코퍼스 객체의 이름을 출력해 봅니다. 그리고 코퍼스 객체의 이름을 이용해서 현재 작업 디렉토리에 코퍼스의 모든 문서를 각각 파일로 저장합니다.

```
> names(doc)
[1] "ovid_1.txt" "ovid_2.txt" "ovid_3.txt" "ovid_4.txt" "ovid_5.txt"

> writeCorpus(doc, path=".", filenames=names(doc))
```

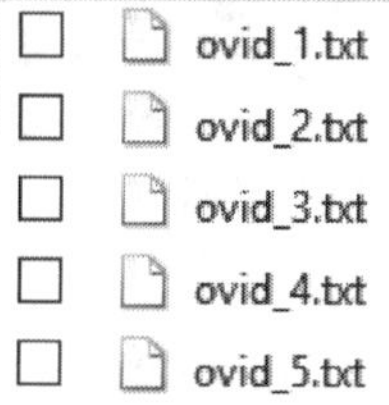

ovid_1.txt
ovid_2.txt
ovid_3.txt
ovid_4.txt
ovid_5.txt

그림 3. 저장된 파일

다음 코드는 첫 번째 문서를 파일로 저장합니다. 현재 작업 디렉토리에 doc.txt 파일이 생성되는 것을 확인하세요.

```
> writeCorpus(doc[1], path=".", filenames="doc.txt")
```

2.5. 코퍼스 전처리

비정형 문서를 R에서 사용할 수 있도록 메모리에 로딩한 코퍼스는 분석을 위해서 다양한 방식의 전처리를 해야 합니다. 코퍼스 전처리는 tm 패키징의 tm_map() 함수를 이용합니다.

```
tm_map(x, FUN, ...)
```

구문에서...
- x : 코퍼스 객체입니다.
- FUN : 코퍼스 객체를 전처리할 함수를 지정합니다. 주로 변환 함수(Transformation Function)를 사용하며 이들은 텍스트를 입력으로 받아 변환 후 텍스트를 출력하는 함수들입니다. 함수는 이미 정의되어 있는 함수를 사용하거나 직접 정의해 사용할 수 있습니다. tm_map() 함수에서 사용할 수 있도록 기본으로 제공되는 변환 함수들의 목록은 getTransformations() 함수를 사용하여 조회할 수 있습니다.

```
> getTransformations()
[1] "removeNumbers"     "removePunctuation" "removeWords"
[4] "stemDocument"      "stripWhitespace"
```

다음 표는 전처리 함수들의 설명입니다.

표 3. 전처리 함수

Seq	전처리 함수	상세
1	removeNumbers	· 숫자를 삭제합니다.
2	removePunctuation	· 구두점을 삭제합니다.
3	removeWords	· 불용어(Stopword)를 삭제합니다.
4	stemDocument	· 어근(Stem)만 남기고 모두 삭제합니다.
5	stripWhitespace	· 두개 이상의 공백을 하나의 공백으로 치환합니다.

여기에 있는 함수들 외에도 PlainTextDocument(), content_transformer(FUN) 함수들을 사용하여 전처리할 수 있습니다.

다음 코드는 코퍼스를 전처리하는 예입니다. 코드에서는 각 단계 처리 후 문서가 어떻게 변화되는지 확인해 보기 위해 doc[[1]] 형식으로 전처리 후 첫 번째 문서의 정보를 출력해 봅니다.

```
> folder <- system.file("texts", "txt", package = "tm")
> doc <- VCorpus(DirSource(folder))
> inspect(doc[1])
<<VCorpus>>
Metadata:  corpus specific: 0, document level (indexed): 0
Content:  documents: 1

[[1]]
<<PlainTextDocument>>
Metadata:  7
Content:  chars: 676

> (doc <- tm_map(doc, stripWhitespace))[[1]]
<<PlainTextDocument>>
Metadata:  7
Content:  chars: 599
> (doc <- tm_map(doc, content_transformer(tolower)))[[1]]
<<PlainTextDocument>>
Metadata:  7
Content:  chars: 599
> (doc <- tm_map(doc, removePunctuation))[[1]]
<<PlainTextDocument>>
Metadata:  7
Content:  chars: 582
> (doc <- tm_map(doc, removeWords, stopwords("english")))[[1]]
<<PlainTextDocument>>
Metadata:  7
Content:  chars: 576
> (doc <- tm_map(doc, stripWhitespace))[[1]]
<<PlainTextDocument>>
Metadata:  7
Content:  chars: 573
> (doc <- tm_map(doc, stemDocument, language="english"))[[1]]
<<PlainTextDocument>>
Metadata:  7
Content:  chars: 525
```

- stopwords("English") 영어권에서 사용하는 불용어 목록을 반환합니다.
- Error in loadNamespace(name) : there is no package called 'SnowballC' 에러가 발생하면 SnowballC 패키지를 설치하세요.

  ```
  > install.packages("SnowballC")
  ```

* 한국어의 경우, 불용어(Stopword)와 어근(Stem)이 영어와는 다르기 때문에 tm 패키지에서 제공하는 전처리 함수만으로는 처리할 수 없습니다. 별도로 한국어 처리를 위해서 형태소 분석이 가능한 패키지를 로딩하여 사용해야 합니다.

2.6. XML 파일로 코퍼스 생성

다음 코드는 XML 파일로 코퍼스를 생성하는 예입니다. tm 패키지의 샘플 데이터 폴더(texts)에서 crude 폴더의 파일들은 로이터 기사 중 원유(crude) 주제에 대한 문서[104)]들입니다.

```
> folder <- system.file("texts", "crude", package = "tm")
> crude_doc <- Corpus(DirSource(folder),
readerControl=list(reader=readReut21578XML))
> crude_doc[[1]]
<<XMLTextDocument>>
Metadata:  16
> inspect(crude_doc[[1]])
<<XMLTextDocument>>
Metadata:  16

26-FEB-1987 17:00:56.04crudeusaY
   f0119 reute
u f BC-DIAMOND-SHAMROCK-(DIA   02-26 0097DIAMOND SHAMROCK (DIA) CUTS CRUDE
PRICESNEW YORK, FEB 26 -Diamond Shamrock Corp said that
effective today it had cut its contract prices for crude oil by
1.50 dlrs a barrel.
    The reduction brings its posted price for West Texas
Intermediate to 16.00 dlrs a barrel, the copany said.
    "The price reduction today was made in the light of falling
oil product prices and a weak crude oil market," a company
spokeswoman said.
    Diamond is the latest in a line of U.S. oil companies that
have cut its contract, or posted, prices over the last two days
citing weak oil markets.
 Reuter
```

- 리더 readReut21578XML은 Reuters-21578 XML 문서를 읽습니다.
- crude 데이터는 이렇게 직접 코퍼스를 생성하지 않아도 tm 패키지에 존재하는 데이터 세트이므로 data(crude)를 이용해 사용할 수 있습니다.

* DirSource를 사용하여 XML 문서를 로딩 시 다음과 같은 오류가 발생하는 경우 XML 패키지를 설치하세요.
  오류 메시지 : Error in loadNamespace(name) : there is no package csalled 'XML'
  조치 내용 : `install.packages("XML")`

104) crude 데이터 외에도 acq 디렉토리에는 인수 합병(acq) 주제에 대한 문서들이 xml 파일 형식으로 있습니다.

3. TermDocumentMatrix

전처리가 완료된 코퍼스는 단어와 문서의 행렬인 TermDocumentMatrix 또는 문서와 단어의 행렬인 DocumentTermMatrix로 변환되어 다양한 분석에 사용합니다.

- TermDocumentMatrix는 행이 Term(단어)이고, 열이 Document(문서)인 행렬입니다.
- DocumentTermMatrix는 행이 Document(문서)이고, 열이 Term(단어)인 행렬입니다.

```
TermDocumentMatrix(x, control=list())
DocumentTermMatrix(x, control=list())
as.TermDocumentMatrix(x, ...)
as.DocumentTermMatrix(x, ...)
```

구문에서...

- x : 코퍼스 객체입니다.
- control : 옵션의 리스트 이름입니다. 예를 들면 control=list(wordLength=c(2,Inf)) 인수를 추가하면 길이가 2 이상인 단어들에 대해서만 매트릭스를 생성합니다. wordLength 옵션 외에 removePunctuation, stopwords, removeNumbers, stemming 옵션들을 TRUE로 지정할 수 있습니다.

다음 코드는 예제를 위해 crude 데이터를 불러오고 전처리합니다.

```
> data(crude)

> (crude <- tm_map(crude, stripWhitespace))[[1]]
<<PlainTextDocument>>
Metadata:  7
Content:  chars: 514
> (crude <- tm_map(crude, content_transformer(tolower)))[[1]]
<<PlainTextDocument>>
Metadata:  7
Content:  chars: 514
> (crude <- tm_map(crude, removePunctuation))[[1]]
<<PlainTextDocument>>
Metadata:  7
Content:  chars: 500
> (crude <- tm_map(crude, removeWords, stopwords("english")))[[1]]
<<PlainTextDocument>>
```

```
Metadata:  7
Content:  chars: 419
> (crude <- tm_map(crude, stripWhitespace))[[1]]
<<PlainTextDocument>>
Metadata:  7
Content:  chars: 387
> (crude <- tm_map(crude, stemDocument, language="english"))[[1]]
<<PlainTextDocument>>
Metadata:  7
Content:  chars: 357
```

3.1. TermDocumentMatrix 생성

다음 코드는 crude 데이터를 이용해 TermDocumentMatrix를 생성합니다.

```
> tdm <- TermDocumentMatrix(crude)
> tdm
<<TermDocumentMatrix (terms: 832, documents: 20)>>
Non-/sparse entries: 1622/15018
Sparsity           : 90%
Maximal term length: 16
Weighting          : term frequency (tf)
```

- Non-/sparse entries : 단어가 있는 entry/단어가 없는 entry
- Sparsity : 단어가 문서에서 한 번도 사용되지 않은 비율입니다.

다음 코드는 Sparsity가 80% 이상인 단어들을 삭제합니다.

```
> tdm <- removeSparseTerms(tdm, 0.80) #Sparsity가 80% 이상인 단어들을 삭제
> tdm
<<TermDocumentMatrix (terms: 93, documents: 20)>>
Non-/sparse entries: 578/1282
Sparsity           : 69%
Maximal term length: 9
Weighting          : term frequency (tf)
```

rownames() 또는 colnames()를 이용하면 단어의 목록 또는 문서의 목록을 조회할 수 있습니다. 다음 코드는 TermDocumentMatrix에서 단어 목록과 문서 목록을 출력합니다.

```
> rownames(tdm)      # 단어 목록
 [1] "accord"    "agreement" "also"      "analyst"   "april"     "arab"
 [7] "arabia"    "ask"       "barrel"    "bpd"       "bring"     "buyer"
[13] "ceil"      "chang"     "compani"   "contract"  "countri"   "crude"
[19] "current"   "cut"       "day"       "decemb"    "dlrs"      "effect"
[25] "emerg"     "estim"     "expect"    "face"      "fall"      "futur"
[31] "group"     "gulf"      "help"      "high"      "industri"  "intern"
[37] "kuwait"    "last"      "level"     "lower"     "market"    "may"
[43] "meet"      "member"    "minist"    "mln"       "month"     "never"
[49] "new"       "offici"    "oil"       "one"       "opec"      "output"
[55] "pct"       "per"       "petroleum" "plan"      "polici"    "posit"
[61] "post"      "present"   "price"     "produc"    "product"   "protect"
[67] "quot"      "quota"     "recent"    "reiter"    "remain"    "report"
[73] "reserv"    "reuter"    "said"      "saudi"     "say"       "sell"
[79] "set"       "sever"     "sheikh"    "sourc"     "state"     "today"
[85] "total"     "trader"    "unit"      "way"       "weak"      "week"
[91] "will"      "world"     "year"
> colnames(tdm)      # 문서 목록
 [1] "127" "144" "191" "194" "211" "236" "237" "242" "246" "248" "273" "349"
[13] "352" "353" "368" "489" "502" "543" "704" "708"
```

t() 함수는 행렬의 전치행렬을 만드는 함수입니다. t() 함수를 이용하면 TermDocumentMatrix를 DocumentTermMatrix로 변환하거나, DocumentTermMatrix를 TermDocumentMatrix로 변환할 수 있습니다.

```
> dtm <- t(tdm)       # TermDocumentMatrix를 DocumentTermMatrix로 변환
> tdm <- t(dtm)       # DocumentTermMatrix를 TermDocumentMatrix로 변환
> as.matrix(tdm)      # Matrix로 변환
           Docs
Terms       127 144 191 194 211 236 237 242 246 248 273 349 352 353 368 489 502 543 704 708
  accord      0   0   0   0   0   0   0   0   0   5   1   0   2   0   0   0   0   0   4   0
  agreement   0   2   0   0   0   0   0   0   0   2   1   1   0   0   0   0   0   0   0   0
  also        0   0   0   0   0   1   1   1   1   1   0   0   0   1   0   1   1   1   0   0
  analyst     0   5   0   0   0   1   0   0   0   1   0   0   0   1   0   0   0   0   1   0
  april       0   1   0   0   0   2   1   0   0   0   0   0   0   0   0   0   0   0   2   0
  arab        0   0   0   0   0   1   0   1   0   1   0   2   0   0   0   0   0   0   0   0
  arabia      0   0   0   0   0   0   0   0   0   3   3   1   2   0   0   0   0   0   0   0
  ask         0   0   0   0   0   1   0   0   0   1   0   0   1   1   0   0   0   0   0   0
  barrel      2   0   1   1   0   4   0   0   1   3   3   0   1   1   0   3   3   1   0   2
  bpd         0   4   0   0   0   7   0   0   0   2   8   0   0   2   0   0   0   0   0   0
  bring       1   0   1   1   0   0   0   0   0   0   0   0   0   0   0   0   0   1   0   0
  buyer       0   2   0   0   0   1   0   0   0   0   1   1   0   0   0   0   0   0   0   0
  ceil        0   0   0   0   0   1   0   0   1   2   0   0   1   0   0   0   0   0   0   0
  chang       0   0   1   1   0   0   1   0   0   0   0   0   0   0   0   0   0   1   4   0
  compani     2   1   1   1   0   2   0   0   0   0   0   0   0   0   0   0   0   2   0   0
```

```
  contract  2  0  1  1  0  0  1  0  0  0  0  0  0  0  0  0  0  0  1  0
  countri   0  0  0  0  0  2  2  0  1  0  1  1  0  0  0  0  0  0  0  0
  crude     2  0  2  3  0  2  0  0  0  0  5  2  0  2  0  0  0  2  0  1
  current   0  2  0  0  0  0  0  1  0  1  0  0  0  0  0  0  0  0  1  0
  cut       2  1  0  0  0  0  0  0  0  0  1  0  1  0  0  0  0  1  0  0
  day       1  0  0  0  0  0  0  1  1  1  0  0  0  0  0  0  0  0  1  0
  decemb    0  1  0  0  0  1  0  0  0  2  2  0  2  0  0  0  0  0  1  0
  dlrs      2  0  1  2  2  2  1  0  0  4  2  0  0  0  0  1  1  5  0  0
  effect    1  0  1  1  0  0  0  0  0  0  0  0  0  0  0  0  0  1  2  0
  emerg     0  2  0  0  0  1  0  1  0  1  0  0  0  1  0  0  0  0  0  0
  estim     0  0  0  0  3  1  0  0  1  1  0  0  0  1  0  0  0  0  0  0
  expect    0  1  0  0  0  2  0  0  2  0  1  0  0  0  0  0  0  0  1  0
  face      0  1  0  0  0  1  1  0  0  0  0  1  0  0  0  0  0  0  0  0
  fall      1  0  0  0  0  0  3  0  0  1  0  0  1  0  0  0  0  0  0  0
  futur     0  0  0  0  1  0  0  0  0  0  0  0  0  0  0  1  1  0  9  0
  group     0  0  0  0  0  0  1  0  0  1  1  0  0  0  0  2  3  0  0  0
  gulf      0  0  0  0  0  1  0  1  1  0  3  2  0  0  0  0  0  0  0  0
  help      0  0  0  0  0  0  1  0  2  0  0  1  0  0  0  2  2  0  0  0
  high      0  0  0  0  0  1  1  0  0  0  1  0  0  0  1  0  0  0  0  0
  industri  0  2  0  0  0  1  1  1  1  0  0  0  0  0  0  1  2  0  1  0
  intern    0  0  0  0  0  3  2  0  0  1  0  0  0  1  0  0  0  0  0  0
  kuwait    0  0  0  0  0 10  0  1  0  3  0  1  0  2  0  0  0  0  0  0
  last      1  1  1  1  0  4  3  0  2  1  7  1  1  1  0  0  0  0  0  0
  level     0  0  0  0  0  1  1  1  0  0  2  0  0  0  0  0  0  0  0  0
  lower     0  0  1  0  0  1  0  0  0  1  1  0  0  0  0  0  0  2  0  0
  market    2  5  0  0  0  3  0  2  0 10  1  2  2  0  0  0  0  0  3  0
  may       0  3  0  0  1  0  2  0  0  1  0  0  0  0  0  0  0  0  0  0
  meet      0  6  0  0  0  3  0  1  0  1  0  1  0  2  0  0  0  0  0  0
  member    0  0  0  0  0  3  1  0  1  1  0  1  0  1  0  0  0  0  0  0
  minist    0  0  0  0  0  3  0  0  1  3  1  2  1  1  0  0  0  0  0  0
  mln       0  4  0  0  2  4  1  0  0  3  9  0  0  0  0  3  3  0  0  2
  month     0  1  0  0  0  2  2  0  1  0  5  0  0  0  0  0  0  0  0  0
  never     0  1  0  0  0  0  0  0  0  1  1  0  1  0  0  0  0  0  0  0
  new       0  1  0  0  0  1  3  1  0  0  1  0  0  0  2  1  1  0  3  0
  offici    0  0  0  0  0  5  1  1  0  1  4  3  1  0  0  0  0  0  1  0
 [ reached getOption("max.print") -- omitted 43 rows ]
```

- tdm : TermDocumentMatrix
- dtm : DocumentTermMatrix

3.2. 기본 정보 조회

다음은 TermDocumentMatrix의 기본 정보 조회를 위한 코드와 실행 결과입니다. 주석을 참고하세요.

```
> tdm$nrow              # 단어(term) 개수
[1] 93
> tdm$ncol              # 문서(document) 개수
[1] 20
> tdm$dimnames          # 문서(document)와 단어(term) 목록
$Terms
 [1] "accord"     "agreement" "also"      "analyst"   "april"     "arab"
 [7] "arabia"     "ask"       "barrel"    "bpd"       "bring"     "buyer"
[13] "ceil"       "chang"     "compani"   "contract"  "countri"   "crude"
[19] "current"    "cut"       "day"       "decemb"    "dlrs"      "effect"
[25] "emerg"      "estim"     "expect"    "face"      "fall"      "futur"
[31] "group"      "gulf"      "help"      "high"      "industri"  "intern"
[37] "kuwait"     "last"      "level"     "lower"     "market"    "may"
[43] "meet"       "member"    "minist"    "mln"       "month"     "never"
[49] "new"        "offici"    "oil"       "one"       "opec"      "output"
[55] "pct"        "per"       "petroleum" "plan"      "polici"    "posit"
[61] "post"       "present"   "price"     "produc"    "product"   "protect"
[67] "quot"       "quota"     "recent"    "reiter"    "remain"    "report"
[73] "reserv"     "reuter"    "said"      "saudi"     "say"       "sell"
[79] "set"        "sever"     "sheikh"    "sourc"     "state"     "today"
[85] "total"      "trader"    "unit"      "way"       "weak"      "week"
[91] "will"       "world"     "year"

$Docs
 [1] "127" "144" "191" "194" "211" "236" "237" "242" "246" "248" "273" "349"
[13] "352" "353" "368" "489" "502" "543" "704" "708"

> tdm$dimnames$Docs     # 문서(document) 목록
 [1] "127" "144" "191" "194" "211" "236" "237" "242" "246" "248" "273" "349"
[13] "352" "353" "368" "489" "502" "543" "704" "708"
> tdm$dimnames$Terms    # 단어(term) 목록
 [1] "accord"     "agreement" "also"      "analyst"   "april"     "arab"
 [7] "arabia"     "ask"       "barrel"    "bpd"       "bring"     "buyer"
[13] "ceil"       "chang"     "compani"   "contract"  "countri"   "crude"
[19] "current"    "cut"       "day"       "decemb"    "dlrs"      "effect"
[25] "emerg"      "estim"     "expect"    "face"      "fall"      "futur"
[31] "group"      "gulf"      "help"      "high"      "industri"  "intern"
[37] "kuwait"     "last"      "level"     "lower"     "market"    "may"
[43] "meet"       "member"    "minist"    "mln"       "month"     "never"
[49] "new"        "offici"    "oil"       "one"       "opec"      "output"
[55] "pct"        "per"       "petroleum" "plan"      "polici"    "posit"
```

```
[61] "post"       "present"   "price"     "produc"    "product"   "protect"
[67] "quot"       "quota"     "recent"    "reiter"    "remain"    "report"
[73] "reserv"     "reuter"    "said"      "saudi"     "say"       "sell"
[79] "set"        "sever"     "sheikh"    "sourc"     "state"     "today"
[85] "total"      "trader"    "unit"      "way"       "weak"      "week"
[91] "will"       "world"     "year"
> tdm$i                    # 단어(term) 인덱스
  [1]  9 11 15 16 18 20 21 23 24 29 38 41 51 61 63 65 74 75 84 89  2  4  5 10 12
 [26] 15 19 20 22 25 27 28 35 38 41 42 43 46 47 48 49 51 52 53 54 57 59 63 65 68
 [51] 70 72 74 75 78 79 82 88 90 91 92  9 11 14 15 16 18 23 24 38 40 51 61 63 74
 [76] 75 84 91  9 11 14 15 16 18 23 24 38 51 52 57 61 63 74 75 84 91 23 26 30 42
[101] 46 51 55 57 62 73 74 75 85 93  3  4  5  6  8  9 10 12 13 15 17 18 22 23 25
[126] 26 27 28 32 34 35 36 37 38 39 40 41 43 44 45 46 47 49 50 51 52 53 56 58 59
[151] 63 64 65 67 68 69 72 74 75 77 78 79 81 82 83 84 86 87 89 90 91 92 93  3  5
[176] 14 16 17 23 28 29 31 33 34 35 36 38 39 42 44 46 47 49 50 51 52 53 55 57 60
[201] 62 63 64 66 71 72 74 75 77 79 80 83 89 92 93  3  6 19 25 32 35 37 39 41 43
[226] 49 50 51 52 53 55 58 60 63 64 67 74 75 76 78 80 82 86 91  3  9 13 17 21 26
[251] 27 32 33 35 38 44 45 47 51 53 54 55 56 57 58 60 63 66 68 73 74 75 77 81 83
[276] 84 92 93  1  2  3  4  6  7  8  9 10 13 19 21 22 23 25 26 29 31 36 37 38 40
[301] 41 42 43 44 45 46 48 50 51 52 53 54 55 56 58 63 64 67 68 69 70 74 75 76 77
[326] 78 81 85 86 87 91 92 93  1  2  7  9 10 12 17 18 20 21 22 23 27 31 32 34 38
[351] 39 40 41 45 46 47 48 49 50 51 52 53 54 56 57 63 65 68 69 70 71 74 75 76 78
[376] 82 85 89 90 91  2  6  7 12 17 18 28 32 33 37 38 41 43 44 45 50 51 53 57 63
[401] 72 74 75 76 83 84 87 91  1  7  8  9 13 20 22 29 38 41 45 48 50 51 53 54 55
[426] 63 69 70 74 75 76 78 85 91 92  3  4  8  9 10 18 25 26 36 37 38 43 44 45 51
[451] 52 53 58 63 67 68 69 74 75 77 81 86 89 90 92 34 49 51 74 75 83 84  3  9 23
[476] 30 31 33 35 46 49 51 52 55 57 59 62 63 66 71 73 74 75 80 83 87 88 93  3  9
[501] 23 30 31 33 35 46 49 51 52 55 57 59 62 63 66 71 73 74 75 77 80 83 87 88 93
[526]  3  9 11 14 15 18 20 23 24 40 51 52 61 63 74 75  1  4  5 14 16 19 21 22 24
[551] 27 30 35 41 49 50 51 52 60 63 74 75 79 86 88 91 92  9 18 46 51 54 55 64 65
[576] 74 75 85
> tdm$j                   # 문서(document) 인덱스
  [1]  1  1  1  1  1  1  1  1  1  1  1  1  1  1  1  1  1  1  1  1  2  2  2  2  2
 [26]  2  2  2  2  2  2  2  2  2  2  2  2  2  2  2  2  2  2  2  2  2  2  2  2  2
 [51]  2  2  2  2  2  2  2  2  2  2  2  3  3  3  3  3  3  3  3  3  3  3  3  3  3
 [76]  3  3  3  4  4  4  4  4  4  4  4  4  4  4  4  4  4  4  4  4  4  4  5  5  5
[101]  5  5  5  5  5  5  5  5  5  5  6  6  6  6  6  6  6  6  6  6  6  6  6  6  6
[126]  6  6  6  6  6  6  6  6  6  6  6  6  6  6  6  6  6  6  6  6  6  6  6  6  6
[151]  6  6  6  6  6  6  6  6  6  6  6  6  6  6  6  6  6  6  6  6  6  6  6  7  7
[176]  7  7  7  7  7  7  7  7  7  7  7  7  7  7  7  7  7  7  7  7  7  7  7  7  7
[201]  7  7  7  7  7  7  7  7  7  7  7  7  7  7  7  8  8  8  8  8  8  8  8  8  8
[226]  8  8  8  8  8  8  8  8  8  8  8  8  8  8  8  8  8  8  8  9  9  9  9  9  9
[251]  9  9  9  9  9  9  9  9  9  9  9  9  9  9  9  9  9  9  9  9  9  9  9  9  9
[276]  9  9  9 10 10 10 10 10 10 10 10 10 10 10 10 10 10 10 10 10 10 10 10 10 10
[301] 10 10 10 10 10 10 10 10 10 10 10 10 10 10 10 10 10 10 10 10 10 10 10 10 10
[326] 10 10 10 10 10 10 10 10 11 11 11 11 11 11 11 11 11 11 11 11 11 11 11 11 11
[351] 11 11 11 11 11 11 11 11 11 11 11 11 11 11 11 11 11 11 11 11 11 11 11 11 11
```

```
[376] 11 11 11 11 11 12 12 12 12 12 12 12 12 12 12 12 12 12 12 12 12 12 12 12 12
[401] 12 12 12 12 12 12 12 12 13 13 13 13 13 13 13 13 13 13 13 13 13 13 13 13 13
[426] 13 13 13 13 13 13 13 13 13 13 14 14 14 14 14 14 14 14 14 14 14 14 14 14 14
[451] 14 14 14 14 14 14 14 14 14 14 14 14 14 14 14 15 15 15 15 15 15 15 16 16 16
[476] 16 16 16 16 16 16 16 16 16 16 16 16 16 16 16 16 16 16 16 16 16 16 16 17 17
[501] 17 17 17 17 17 17 17 17 17 17 17 17 17 17 17 17 17 17 17 17 17 17 17 17 17
[526] 18 18 18 18 18 18 18 18 18 18 18 18 18 18 18 18 19 19 19 19 19 19 19 19 19
[551] 19 19 19 19 19 19 19 19 19 19 19 19 19 19 19 19 19 20 20 20 20 20 20 20 20
[576] 20 20 20
> tdm$v                  # tdm$j[1] 문서에서 tdm$i[1] 단어의 발생 빈도
  [1]  2  1  2  2  2  2  1  2  1  1  1  2  5  2  5  1  1  3  2  2  2  5  1  4  2
 [26]  1  2  1  1  2  1  1  2  1  5  3  6  4  1  1  1 12  1 15  2  1  1  6  6  2
 [51]  1  1  2 11  1  2  1  2  1  3  1  1  1  1  1  1  2  1  1  1  1  2  2  2  1
 [76]  1  1  1  1  1  1  1  1  3  2  1  1  1  1  1  2  2  1  1  1  1  2  3  1  1
[101]  2  1  2  1  2  3  1  3  1  1  1  1  2  1  1  4  7  1  1  2  2  2  1  2  1
[126]  1  2  1  1  1  1  3 10  4  1  1  3  3  3  3  4  2  1  5  7  1  8  1  2  1
[151]  8  4  1  1  4  1  1  1 10  1  2  1  3  1  1  1  1  1  1  1  2  1  1  1  1
[176]  1  1  2  1  1  3  1  1  1  1  2  3  1  2  1  1  2  3  1  3  1  1  2  1  1
[201]  1  1  1  2  1  8  1  1  8  1  1  1  1  3  1  1  1  1  1  1  1  1  1  2  1
[226]  1  1  3  1  2  2  1  1  2  1  3  1  3  1  1  1  1  1  1  1  1  1  1  1  1
[251]  2  1  2  1  2  1  1  1  5  2  1  2  1  1  1  1  2  1  1  1  1  5  1  5  1
[276]  1  1  5  5  2  1  1  1  3  1  3  2  2  1  1  2  4  1  1  1  1  1  3  1  1
[301] 10  1  1  1  3  3  1  1  9  1  6  1  1  1  2 10  3  2  1  2  1  1  7  5  1
[326]  1  2  1  1  1  1  1  1  1  1  3  3  8  1  1  5  1  1  2  2  1  1  3  1  7
[351]  2  1  1  1  9  5  1  1  4  5  1  5  3  1  1  5  4  1  1  1  1  1  8  7  2
[376]  6  1  1  5  1  1  2  1  1  1  2  1  2  1  1  1  2  1  1  2  3  4  2  1  1
[401]  1  1  1  1  2  1  1  1  2  2  1  1  1  1  2  1  1  2  1  1  1  5  2  1  1
[426]  5  1  1  1  2  4  1  1  1  1  1  1  1  1  2  2  1  1  1  2  1  2  1  1  4
[451]  1  4  1  2  1  1  1  1  1  1  1  1  1  1  1  1  2  3  1  3  1  1  1  3  1
[476]  1  2  2  1  3  1  4  2  1  1  1  2  3  1  1  3  1  2  1  1  1  1  1  1  3
[501]  1  1  3  2  2  3  1  5  2  1  1  2  2  3  2  1  3  1  2  1  1  1  1  1  1
[526]  1  1  1  1  2  2  1  5  1  2  3  1  3  3  1  4  4  1  2  4  1  1  1  1  2
[551]  1  9  1  3  3  1  3  4  3  3  1  4  1  4  1  6  1  2  1  2  1  1  2  1  1
[576]  1  1  1
```

다음은 DocumentTermMatrix의 기본 정보 조회를 위한 코드와 실행 결과입니다. 주석을 참고하세요.

```
> dtm <- t(tdm)          # TermDocumentMatrix를 DocumentTermMatrix로 변환
> dtm$nrow               # 문서(document) 개수
[1] 20
> dtm$ncol               # 단어(term) 개수
[1] 93
> dtm$dimnames           # 문서(document)와 단어(term) 목록
$Docs
```

```
 [1] "127" "144" "191" "194" "211" "236" "237" "242" "246" "248" "273" "349"
[13] "352" "353" "368" "489" "502" "543" "704" "708"

$Terms
 [1] "accord"    "agreement" "also"      "analyst"   "april"     "arab"
 [7] "arabia"    "ask"       "barrel"    "bpd"       "bring"     "buyer"
[13] "ceil"      "chang"     "compani"   "contract"  "countri"   "crude"
[19] "current"   "cut"       "day"       "decemb"    "dlrs"      "effect"
[25] "emerg"     "estim"     "expect"    "face"      "fall"      "futur"
[31] "group"     "gulf"      "help"      "high"      "industri"  "intern"
[37] "kuwait"    "last"      "level"     "lower"     "market"    "may"
[43] "meet"      "member"    "minist"    "mln"       "month"     "never"
[49] "new"       "offici"    "oil"       "one"       "opec"      "output"
[55] "pct"       "per"       "petroleum" "plan"      "polici"    "posit"
[61] "post"      "present"   "price"     "produc"    "product"   "protect"
[67] "quot"      "quota"     "recent"    "reiter"    "remain"    "report"
[73] "reserv"    "reuter"    "said"      "saudi"     "say"       "sell"
[79] "set"       "sever"     "sheikh"    "sourc"     "state"     "today"
[85] "total"     "trader"    "unit"      "way"       "weak"      "week"
[91] "will"      "world"     "year"

> dtm$dimnames$Docs      # 문서(document) 목록
 [1] "127" "144" "191" "194" "211" "236" "237" "242" "246" "248" "273" "349"
[13] "352" "353" "368" "489" "502" "543" "704" "708"
> dtm$dimnames$Terms     # 단어(term) 목록
 [1] "accord"    "agreement" "also"      "analyst"   "april"     "arab"
 [7] "arabia"    "ask"       "barrel"    "bpd"       "bring"     "buyer"
[13] "ceil"      "chang"     "compani"   "contract"  "countri"   "crude"
[19] "current"   "cut"       "day"       "decemb"    "dlrs"      "effect"
[25] "emerg"     "estim"     "expect"    "face"      "fall"      "futur"
[31] "group"     "gulf"      "help"      "high"      "industri"  "intern"
[37] "kuwait"    "last"      "level"     "lower"     "market"    "may"
[43] "meet"      "member"    "minist"    "mln"       "month"     "never"
[49] "new"       "offici"    "oil"       "one"       "opec"      "output"
[55] "pct"       "per"       "petroleum" "plan"      "polici"    "posit"
[61] "post"      "present"   "price"     "produc"    "product"   "protect"
[67] "quot"      "quota"     "recent"    "reiter"    "remain"    "report"
[73] "reserv"    "reuter"    "said"      "saudi"     "say"       "sell"
[79] "set"       "sever"     "sheikh"    "sourc"     "state"     "today"
[85] "total"     "trader"    "unit"      "way"       "weak"      "week"
[91] "will"      "world"     "year"
> dtm$i                # 문서(document) 인덱스
  [1] 1 1 1 1 1 1 1 1 1 1 1 1 1 1 1 1 1 1 1 1 2 2 2 2 2
 [26] 2 2 2 2 2 2 2 2 2 2 2 2 2 2 2 2 2 2 2 2 2 2 2 2 2
 [51] 2 2 2 2 2 2 2 2 2 2 2 3 3 3 3 3 3 3 3 3 3 3 3 3 3
 [76] 3 3 3 4 4 4 4 4 4 4 4 4 4 4 4 4 4 4 4 4 4 5 5 5 5
[101] 5 5 5 5 5 5 5 5 5 5 6 6 6 6 6 6 6 6 6 6 6 6 6 6 6
```

```
[126]  6  6  6  6  6  6  6  6  6  6  6  6  6  6  6  6  6  6  6  6  6  6  6  6  6
[151]  6  6  6  6  6  6  6  6  6  6  6  6  6  6  6  6  6  6  6  6  6  6  6  7  7
[176]  7  7  7  7  7  7  7  7  7  7  7  7  7  7  7  7  7  7  7  7  7  7  7  7  7
[201]  7  7  7  7  7  7  7  7  7  7  7  7  7  7  7  8  8  8  8  8  8  8  8  8  8
[226]  8  8  8  8  8  8  8  8  8  8  8  8  8  8  8  8  8  8  8  8  9  9  9  9  9
[251]  9  9  9  9  9  9  9  9  9  9  9  9  9  9  9  9  9  9  9  9  9  9  9  9  9
[276]  9  9  9 10 10 10 10 10 10 10 10 10 10 10 10 10 10 10 10 10 10 10 10 10 10
[301] 10 10 10 10 10 10 10 10 10 10 10 10 10 10 10 10 10 10 10 10 10 10 10 10 10
[326] 10 10 10 10 10 10 10 10 11 11 11 11 11 11 11 11 11 11 11 11 11 11 11 11 11
[351] 11 11 11 11 11 11 11 11 11 11 11 11 11 11 11 11 11 11 11 11 11 11 11 11 11
[376] 11 11 11 11 11 12 12 12 12 12 12 12 12 12 12 12 12 12 12 12 12 12 12 12 12
[401] 12 12 12 12 12 12 12 12 13 13 13 13 13 13 13 13 13 13 13 13 13 13 13 13 13
[426] 13 13 13 13 13 13 13 13 13 13 14 14 14 14 14 14 14 14 14 14 14 14 14 14 14
[451] 14 14 14 14 14 14 14 14 14 14 14 14 14 14 14 15 15 15 15 15 15 15 16 16 16
[476] 16 16 16 16 16 16 16 16 16 16 16 16 16 16 16 16 16 16 16 16 16 16 16 17 17
[501] 17 17 17 17 17 17 17 17 17 17 17 17 17 17 17 17 17 17 17 17 17 17 17 17 17
[526] 18 18 18 18 18 18 18 18 18 18 18 18 18 18 18 18 19 19 19 19 19 19 19 19 19
[551] 19 19 19 19 19 19 19 19 19 19 19 19 19 19 19 19 19 20 20 20 20 20 20 20 20
[576] 20 20 20
> dtm$j                    # 단어(term) 인덱스
  [1]  9 11 15 16 18 20 21 23 24 29 38 41 51 61 63 65 74 75 84 89  2  4  5 10 12
 [26] 15 19 20 22 25 27 28 35 38 41 42 43 46 47 48 49 51 52 53 54 57 59 63 65 68
 [51] 70 72 74 75 78 79 82 88 90 91 92  9 11 14 15 16 18 23 24 38 40 51 61 63 74
 [76] 75 84 91  9 11 14 15 16 18 23 24 38 51 52 57 61 63 74 75 84 91 23 26 30 42
[101] 46 51 55 57 62 73 74 75 85 93  3  4  5  6  8  9 10 12 13 15 17 18 22 23 25
[126] 26 27 28 32 34 35 36 37 38 39 40 41 43 44 45 46 47 49 50 51 52 53 56 58 59
[151] 63 64 65 67 68 69 72 74 75 77 78 79 81 82 83 84 86 87 89 90 91 92 93  3  5
[176] 14 16 17 23 28 29 31 33 34 35 36 38 39 42 44 46 47 49 50 51 52 53 55 57 60
[201] 62 63 64 66 71 72 74 75 77 79 80 83 89 92 93  3  6 19 25 32 35 37 39 41 43
[226] 49 50 51 52 53 55 58 60 63 64 67 74 75 76 78 80 82 86 91  3  9 13 17 21 26
[251] 27 32 33 35 38 44 45 47 51 53 54 55 56 57 58 60 63 66 68 73 74 75 77 81 83
[276] 84 92 93  1  2  3  4  6  7  8  9 10 13 19 21 22 23 25 26 29 31 36 37 38 40
[301] 41 42 43 44 45 46 48 50 51 52 53 54 55 56 58 63 64 67 68 69 70 74 75 76 77
[326] 78 81 85 86 87 91 92 93  1  2  7  9 10 12 17 18 20 21 22 23 27 31 32 34 38
[351] 39 40 41 45 46 47 48 49 50 51 52 53 54 56 57 63 65 68 69 70 71 74 75 76 78
[376] 82 85 89 90 91  2  6  7 12 17 18 28 32 33 37 38 41 43 44 45 50 51 53 57 63
[401] 72 74 75 76 83 84 87 91  1  7  8  9 13 20 22 29 38 41 45 48 50 51 53 54 55
[426] 63 69 70 74 75 76 78 85 91 92  3  4  8  9 10 18 25 26 36 37 38 43 44 45 51
[451] 52 53 58 63 67 68 69 74 75 77 81 86 89 90 92 34 49 51 74 75 83 84  3  9 23
[476] 30 31 33 35 46 49 51 52 55 57 59 62 63 66 71 73 74 75 80 83 87 88 93  3  9
[501] 23 30 31 33 35 46 49 51 52 55 57 59 62 63 66 71 73 74 75 77 80 83 87 88 93
[526]  3  9 11 14 15 18 20 23 24 40 51 52 61 63 74 75  1  4  5 14 16 19 21 22 24
[551] 27 30 35 41 49 50 51 52 60 63 74 75 79 86 88 91 92  9 18 46 51 54 55 64 65
[576] 74 75 85
> dtm$v                    # dtm$i[0] 문서에서 dtm$j[0] 단어의 발생 빈도
  [1]  2  1  2  2  2  2  1  2  1  1  1  2  5  2  5  1  1  3  2  2  2  5  1  4  2
 [26]  1  2  1  1  2  1  1  2  1  5  3  6  4  1  1  1 12  1 15  2  1  1  6  6  2
```

```
 [51]  1  1  2 11  1  2  1  2  1  3  1  1  1  1  1  2  1  1  1  1  2  2  2  1
 [76]  1  1  1  1  1  1  1  1  3  2  1  1  1  1  1  2  2  1  1  1  1  2  3  1  1
[101]  2  1  2  1  2  3  1  3  1  1  1  1  2  1  1  4  7  1  1  2  2  2  1  2  1
[126]  1  2  1  1  1  1  3 10  4  1  1  3  3  3  3  4  2  1  5  7  1  8  1  2  1
[151]  8  4  1  1  4  1  1  1 10  1  2  1  3  1  1  1  1  1  1  1  2  1  1  1  1
[176]  1  1  2  1  1  3  1  1  1  1  2  3  1  2  1  1  2  3  1  3  1  1  2  1  1
[201]  1  1  1  2  1  8  1  1  8  1  1  1  1  3  1  1  1  1  1  1  1  1  1  2  1
[226]  1  1  3  1  2  2  1  1  2  1  3  1  3  1  1  1  1  1  1  1  1  1  1  1  1
[251]  2  1  2  1  2  1  1  1  5  2  1  2  1  1  1  1  2  1  1  1  1  5  1  5  1
[276]  1  1  5  5  2  1  1  1  3  1  3  2  2  1  1  2  4  1  1  1  1  1  3  1  1
[301] 10  1  1  1  3  3  1  1  9  1  6  1  1  1  2 10  3  2  1  2  1  1  7  5  1
[326]  1  2  1  1  1  1  1  1  1  1  3  3  8  1  1  5  1  1  2  2  1  1  3  1  7
[351]  2  1  1  1  9  5  1  1  4  5  1  5  3  1  1  5  4  1  1  1  1  1  8  7  2
[376]  6  1  1  5  1  1  2  1  1  1  2  1  2  1  1  1  2  1  1  2  3  4  2  1  1
[401]  1  1  1  1  2  1  1  1  2  2  1  1  1  1  2  1  1  2  1  1  1  5  2  1  1
[426]  5  1  1  1  2  4  1  1  1  1  1  1  1  1  2  2  1  1  1  2  1  2  1  1  4
[451]  1  4  1  2  1  1  1  1  1  1  1  1  1  1  1  1  2  3  1  3  1  1  1  3  1
[476]  1  2  2  1  3  1  4  2  1  1  1  2  3  1  1  3  1  2  1  1  1  1  1  1  3
[501]  1  1  3  2  2  3  1  5  2  1  1  2  2  3  2  1  3  1  2  1  1  1  1  1  1
[526]  1  1  1  1  2  2  1  5  1  2  3  1  3  3  1  4  4  1  2  4  1  1  1  1  2
[551]  1  9  1  3  3  1  3  4  3  3  1  4  1  4  1  6  1  2  1  2  1  1  2  1  1
[576]  1  1  1
```

3.3. 탐색

TermDocumentMatrix 탐색하기 위해 inspect(), findFreqTerms(), findAssocs() 함수등을 사용합니다.

inspect() 함수는 매트릭스를 조회하기 위해 사용합니다. 자세한 설명은 주석을 참고하세요.

```
> inspect(tdm)           # 단어별 문서 매트릭스 조회
<<TermDocumentMatrix (terms: 93, documents: 20)>>
Non-/sparse entries: 578/1282
Sparsity           : 69%
Maximal term length: 9
Weighting          : term frequency (tf)
Sample             :
        Docs
Terms    144 236 237 246 248 273 352 489 502 704
  barrel   0   4   0   1   3   3   1   3   3   0
  bpd      4   7   0   0   2   8   0   0   0   0
  dlrs     0   2   1   0   4   2   0   1   1   0
```

```
  last     1  4  3  2  1  7  1  0  0  0
  market   5  3  0  0 10  1  2  0  0  3
  mln      4  4  1  0  3  9  0  3  3  0
  oil     12  7  3  5  9  5  5  4  5  3
  opec    15  8  1  2  6  5  2  0  0  0
  price    6  8  1  2 10  5  5  3  3  3
  said    11 10  1  5  7  8  2  2  2  4
> inspect(tdm[1:5, 1:10])        # 처음 5개 단어의 10개 문서별 분포 조회
<<TermDocumentMatrix (terms: 5, documents: 10)>>
Non-/sparse entries: 14/36
Sparsity           : 72%
Maximal term length: 9
Weighting          : term frequency (tf)
Sample             :
           Docs
Terms        127 144 191 194 211 236 237 242 246 248
  accord       0   0   0   0   0   0   0   0   0   5
  agreement    0   2   0   0   0   0   0   0   0   2
  also         0   0   0   0   0   1   1   1   1   1
  analyst      0   5   0   0   0   1   0   0   0   1
  april        0   1   0   0   0   2   1   0   0   0
```

findFreqTerms(x, lowfreq=0, highfreq=Inf)함수는 lowfreq회 이상 highfreq회 이하 사용된 단어를 표시해 줍니다.

```
> findFreqTerms(tdm, 20)          # 20회 이상 사용된 단어 표시
 [1] "barrel" "bpd"    "crude"  "dlrs"   "last"   "market" "mln"    "oil"

 [9] "opec"   "price"  "reuter" "said"
> findFreqTerms(tdm, 10, 20)      # 10회 이상, 20회 이하 사용된 단어 표시
 [1] "accord"   "futur"    "industri" "kuwait"   "meet"     "minist"
 [7] "month"    "new"      "offici"   "one"      "pct"      "produc"
[13] "product"  "quota"    "report"   "reserv"   "saudi"    "say"
[19] "sheikh"   "will"     "world"    "year"
```

findAssocs(x, terms, corlimit) 함수는 terms 단어와 같이 사용될 확률이 corlimit 이상인 단어를 표시해 줍니다.

```
> findAssocs(tdm, "crude", 0.50)  # "crude"와 연관성(같이 사용될 확률)이
50% 이상인 단어 표시
$crude
 week  last sourc  gulf   bpd month
 0.68  0.63  0.63  0.58  0.53  0.53
```

4. 빈도분석

4.1. 빈도분석

TermDocumentMatrix를 행렬(matrix)로 변환하여 단어별 빈도수를 계산할 수 있습니다.

rowSums() 함수는 매트릭스에서 단어별 빈도수를 계산합니다. subset() 함수를 이용하면 빈도수가 지정한 수 이상인 단어를 추출해 줍니다.

```
> m <- as.matrix(tdm)
> wordFreq <- sort(rowSums(m), decreasing=TRUE)
> wordFreq
      oil      said     price      opec       mln    market    barrel
       85        73        63        47        31        30        26
     last       bpd      dlrs     crude    reuter     saudi      will
       24        23        23        21        21        18        18
   kuwait    offici       one      meet       new       pct   product
       17        17        17        14        14        14        13
      say    accord     futur    minist     month    report    sheikh
       13        12        12        12        11        11        11
     year  industri    produc     quota    reserv     world      also
       11        10        10        10        10        10         9
  analyst    arabia   compani    decemb    output petroleum      post
        9         9         9         9         9         9         9
    sourc     chang     group      gulf      help    member      sell
        9         8         8         8         8         8         8
    state     today    trader      week   countri     estim    expect
        8         8         8         8         7         7         7
   intern       may      plan   present      quot agreement     april
        7         7         7         7         7         6         6
 contract       cut    effect     emerg      fall     lower     posit
        6         6         6         6         6         6         6
  protect    recent      weak      arab     buyer      ceil   current
        6         6         6         5         5         5         5
      day     level    polici       set     total      unit       way
        5         5         5         5         5         5         5
      ask     bring      face      high     never       per    reiter
        4         4         4         4         4         4         4
   remain     sever
        4         4
> wordFreq <- subset(wordFreq, wordFreq>=10)
> wordFreq
      oil      said     price      opec       mln    market    barrel      last
```

```
      85       73       63       47       31       30       26       24
     bpd     dlrs    crude   reuter    saudi     will   kuwait   offici
      23       23       21       21       18       18       17       17
     one     meet      new      pct  product      say   accord    futur
      17       14       14       14       13       13       12       12
  minist    month   report   sheikh     year industri   produc    quota
      12       11       11       11       11       10       10       10
  reserv    world
      10       10
```

4.2. 워드 클라우드

워드 클라우드는 단어를 출현 빈도에 비례하는 크기로 시각화하는 기법입니다. 빈도분석이 된 데이터를 시각화하기 위해 워드 클라우드를 사용할 수 있습니다.

1) 팔레트

워드 클라우드 작성 시 이를 구성하는 단어들마다 색상을 부여하기 위해 RColorBrewer 패키지도 설치해 주세요.

```
> install.packages("RColorBrewer")
trying URL 'https://cran.rstudio.com/bin/windows/contrib/3.5/RColorBrewer_1.1-2.zip'
Content type 'application/zip' length 55444 bytes (54 KB)
downloaded 54 KB

package 'RColorBrewer' successfully unpacked and MD5 sums checked

The downloaded binary packages are in
    C:\Users\COM\AppData\Local\Temp\RtmpeeAAj4\downloaded_packages
```

```
> library(RColorBrewer)
```

다음 코드는 팔레트에서 Dark2 테마 8가지 색을 뽑아냅니다.

```
> pal <- brewer.pal(8, "Dark2")
> pal
[1] "#1B9E77" "#D95F02" "#7570B3" "#E7298A" "#66A61E" "#E6AB02"
[7] "#A6761D" "#666666"
```

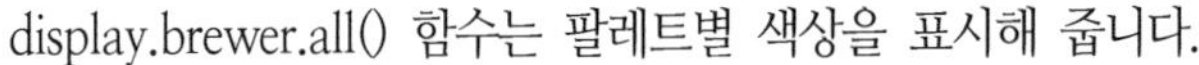

display.brewer.all() 함수는 팔레트별 색상을 표시해 줍니다.

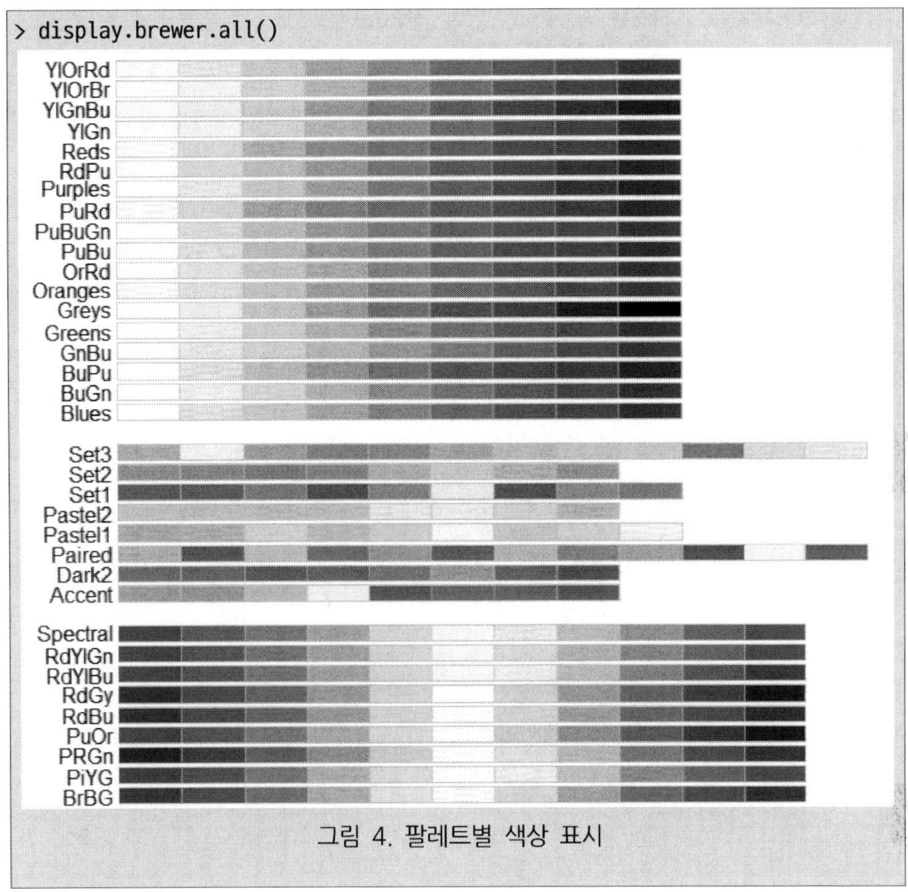

그림 4. 팔레트별 색상 표시

brewer.pal.info는 팔레트 정보를 표시합니다.

```
> brewer.pal.info
         maxcolors category colorblind
BrBG            11      div       TRUE
PiYG            11      div       TRUE
PRGn            11      div       TRUE
PuOr            11      div       TRUE
RdBu            11      div       TRUE
RdGy            11      div      FALSE
RdYlBu          11      div       TRUE
RdYlGn          11      div      FALSE
... 생략
PuBuGn           9      seq       TRUE
```

```
PuRd        9    seq    TRUE
Purples     9    seq    TRUE
RdPu        9    seq    TRUE
Reds        9    seq    TRUE
YlGn        9    seq    TRUE
YlGnBu      9    seq    TRUE
YlOrBr      9    seq    TRUE
YlOrRd      9    seq    TRUE
```

2) 워드 클라우드

다음은 wordcloud의 기본 구문입니다.

```
wordcloud(words, freq, scale=c(4,.5), min.freq=3,
          random.order=TRUE, colors="black")
```

구문에서...

- words : 표시할 단어입니다.
- freq : 단어별 발생 빈도입니다.
- scale : 폰트 크기(Max, Min)를 지정합니다.
- min.freq : 표시할 단어의 최소 빈도입니다.
- random.order : FALSE이면 빈도가 큰 단어를 중앙에 위치시킵니다.
- colors : 단어의 색상

워드 클라우드를 사용하기 위해 패키지를 먼저 설치해야 합니다.

```
> install.packages("wordcloud")
trying URL 'https://cran.rstudio.com/bin/windows/contrib/3.5/wordcloud_2.5.zip'
Content type 'application/zip' length 582388 bytes (568 KB)
downloaded 568 KB

package 'wordcloud' successfully unpacked and MD5 sums checked

The downloaded binary packages are in
    C:\Users\COM\AppData\Local\Temp\RtmpeeAAj4\downloaded_packages
```

```
> library(wordcloud)
```

다음 코드는 앞에서 빈도분석한 wordFreq 객체를 이용해 워드 클라우드를 작성하는 코드입니다. 색상은 Dark2 테마를 이용합니다.

```
> pal <- brewer.pal(8, "Dark2")
> wordcloud(words=names(wordFreq), freq=wordFreq, min.freq=10,
+           random.order=FALSE, colors=pal)
```

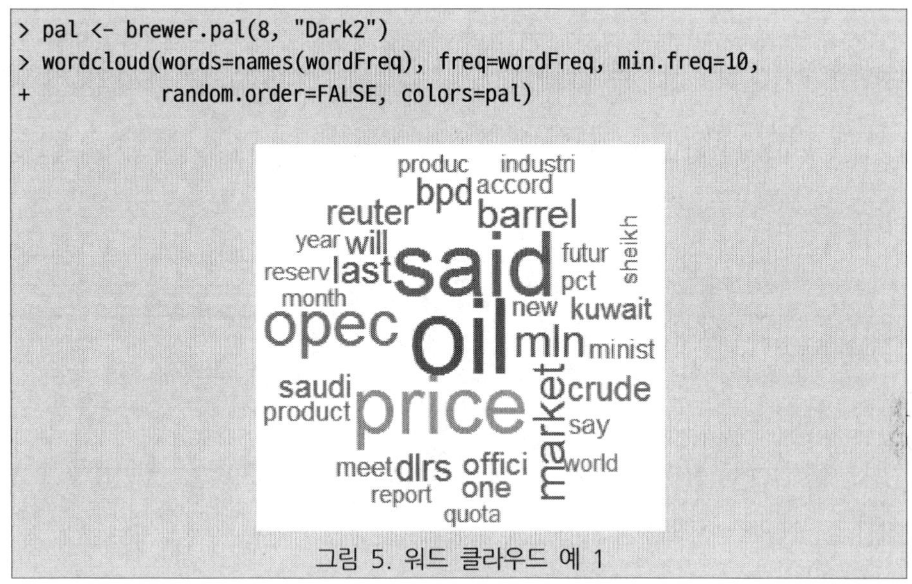

그림 5. 워드 클라우드 예 1

다음 코드는 Set1 테마 색을 이용해 워드 클라우드를 그리는 예입니다.

```
> wordcloud(words=names(wordFreq), freq=wordFreq, random.order=FALSE,
+           colors=brewer.pal(9, "Set1"))
```

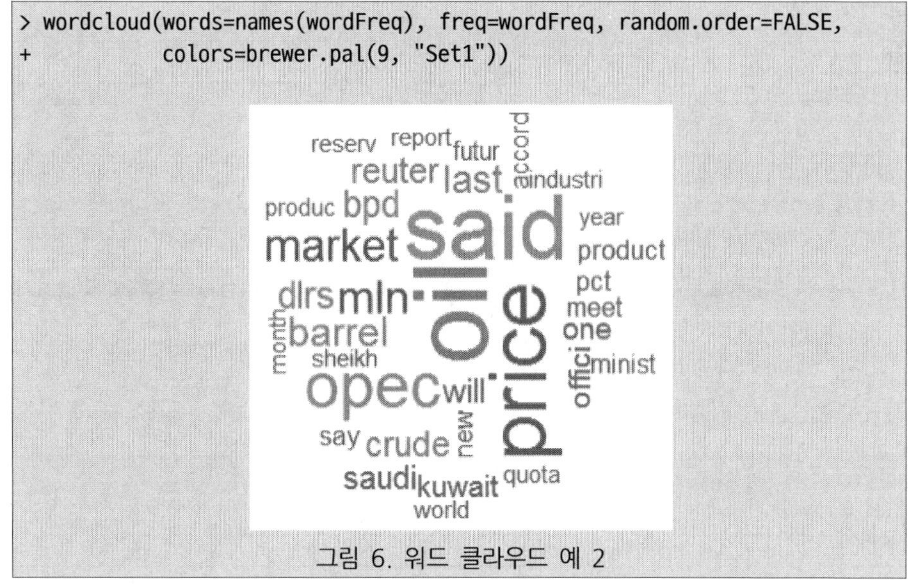

그림 6. 워드 클라우드 예 2

4.3. 군집 분석

TermDocumentMatrix 또는 이를 행렬로 변환한 데이터로 다양한 군집 분석을 할 수 있습니다. DocumentTermMatrix를 사용하여 군집 분석을 하면 문서의 군집을 생성할 수 있습니다.

다음 코드는 K-평균 군집을 사용하여 문서별 군집을 하였습니다. 문서에 포함된 두 개의 단어로 산점도를 그리고 군집의 중심을 표시하였습니다.

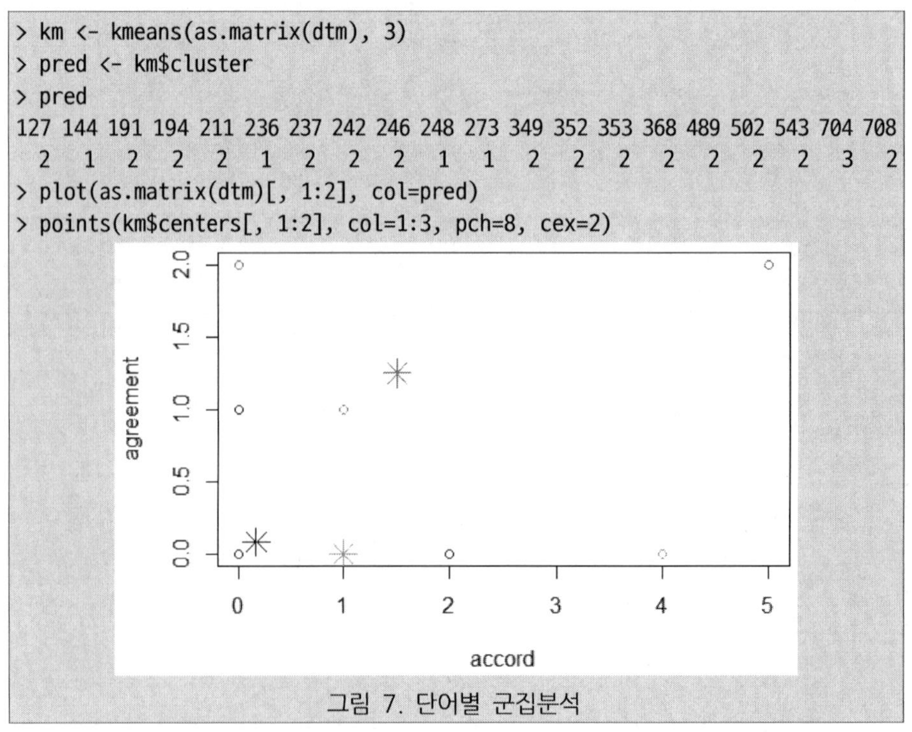

```
> km <- kmeans(as.matrix(dtm), 3)
> pred <- km$cluster
> pred
127 144 191 194 211 236 237 242 246 248 273 349 352 353 368 489 502 543 704 708
  2   1   2   2   2   1   2   2   2   1   1   2   2   2   2   2   2   2   3   2
> plot(as.matrix(dtm)[, 1:2], col=pred)
> points(km$centers[, 1:2], col=1:3, pch=8, cex=2)
```


그림 7. 단어별 군집분석

- 이 그림은 큰 의미는 없습니다. 단지 군집분석 한 데이터를 시각화할 수 있다는 정도만 알아두세요.

4.4. 연관 분석

앞에서 만들었던 crude 데이터의 tdm 객체를 이용해 연관분석을 수행할 수 있습니다. 다음 코드는 향상도(lift)가 가장 큰 연관규칙 상위 10개를 출력합니다.

```
> dtm <- t(tdm)
> crude_m <- as.matrix(dtm)
> crude_m10 <- apply(crude_m, c(1,2), function(x){ifelse(x, 1, 0)})
> library(arules)
> crude_trans <- as(crude_m10, "transactions")
> crude_rule <- apriori(crude_trans,
+                       parameter=list(support=0.3, confidence=0.5))
Apriori

Parameter specification:
 confidence minval smax arem  aval
        0.5    0.1    1 none FALSE
 originalSupport maxtime support minlen
            TRUE       5     0.3      1
 maxlen target   ext
     10  rules FALSE

Algorithmic control:
 filter tree heap memopt load sort verbose
    0.1 TRUE TRUE  FALSE TRUE    2    TRUE

Absolute minimum support count: 6

set item appearances ...[0 item(s)] done [0.00s].
set transactions ...[93 item(s), 20 transaction(s)] done [0.00s].
sorting and recoding items ... [32 item(s)] done [0.00s].
creating transaction tree ... done [0.00s].
checking subsets of size 1 2 3 4 5 6 7 8 done [0.00s].
writing ... [7816 rule(s)] done [0.00s].
creating S4 object  ... done [0.00s].
```

```
> inspect(sort(crude_rule, by="lift")[1:10])
     lhs                       rhs      support confidence lift     count
[1]  {market,opec}          => {sell}   0.3     0.8571429  2.857143 6
[2]  {opec,will}            => {sell}   0.3     0.8571429  2.857143 6
[3]  {barrel,opec}          => {minist} 0.3     1.0000000  2.857143 6
[4]  {market,opec,will}     => {sell}   0.3     0.8571429  2.857143 6
[5]  {market,opec,price}    => {sell}   0.3     0.8571429  2.857143 6
[6]  {market,opec,said}     => {sell}   0.3     0.8571429  2.857143 6
[7]  {market,opec,reuter}   => {sell}   0.3     0.8571429  2.857143 6
[8]  {market,oil,opec}      => {sell}   0.3     0.8571429  2.857143 6
[9]  {opec,price,will}      => {sell}   0.3     0.8571429  2.857143 6
[10] {opec,said,will}       => {sell}   0.3     0.8571429  2.857143 6
```

5. 한글 형태소 분석

텍스트 마이닝은 문장을 공백, 탭, 개행 등으로 구분된 단어를 뽑아내서 빈도분석을 하는 것이 모든 것은 아닙니다. 제대로 된 텍스트 마이닝을 위해선 문장에서 형태소 분석을 통해 명사, 동사, 형용사 등을 구분해서 뽑아내고 이를 통해 분석을 수행해야 합니다.

5.1. 자연어 처리

자연어(Natural Language)는 사람들이 일상적으로 사용하는 언어입니다. 반면에 인공어(Artificial Language)는 사람들이 필요 때문에 만든 언어로서 C언어, Java 등이 있습니다.

자연어 처리(Natural Language Processing, NLP)는 말 그대로 자연어를 처리하여 데이터를 분석하는 것을 의미합니다. 자연어를 이해하기 위해서는 형태소 분석, 구문 분석, 의미 분석 단계에 따라 자연어를 분석합니다.

형태소 분석은 자연어 처리에 있어서 가장 먼저 수행해야 하는 것으로 문장의 단어들을 형태소로 분해하고 품사를 결정하는 것을 말합니다. 구분 분석은 형태소 분석이 된 데이터를 이용해 문법 규칙 등으로 문장을 해석하는 단계입니다. 의미 분석은 문자에서 형태소의 의미를 해석하는 단계입니다. 의미 분석이 된 데이터는 번역, 검색, 분류, 가공 등 여러 분야에 사용됩니다.

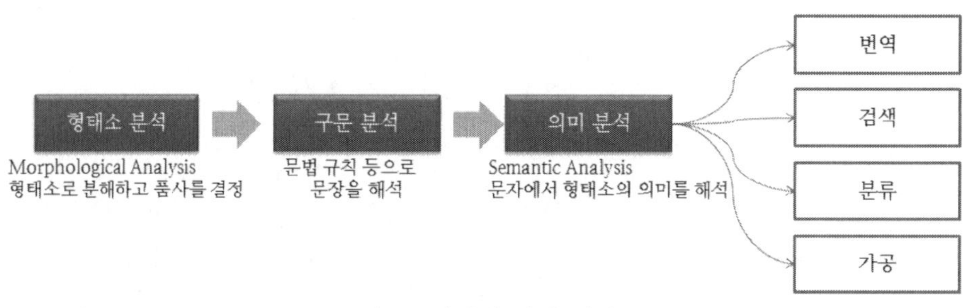

그림 8. 자연어 처리 단계

하나의 문서는 문단으로 이루어져 있고, 문단은 문장으로 이루어져 있으며, 문장은 어절들이 모여서 만들어집니다. 어절은 형태소들을 포함하고 있습니다.

- 문서(Document) ⊃ 문단 (Paragraph) ⊃ 문장 (Sentence) ⊃ 어절 (Word phrase) ⊃ 형태소 (Morpheme) ⊃ 음절 (Syllable) ⊃ 음소 (Phoneme)

다음 표는 자연어 처리에 사용되는 용어들에 대한 설명입니다.

표 4. 자연어 처리 용어

용어	상세
형태소 (Morpheme)	의미가 있는 최소 단위입니다.
용언	꾸미는 말(동사, 형용사)입니다. 용언은 어근 + 어미로 구성됩니다.
어근 (Stem)	용언이 활용할 때, 원칙적으로 모양이 변하지 않는 부분입니다.
어미	용언이 활용할 때, 변하는 부분으로 문법적 기능 수행합니다. 어미에는 연결 어미, 선어말 어미 + 종결 어미가 있습니다.
자모	문자 체계의 한 요소(자음, 모음)입니다.
품사	명사, 대명사, 수사, 동사, 형용사, 관형사, 부사, 감탄사, 조사가 있습니다.
어절 분류	명사 + 주격 조사, 명사 + 목적격 조사, 명사 + 관형격 조사, 동사 + 연결 어미 또는 동사 + 선어말 어미 + 종결 어미 등으로 분류합니다.
불용어(Stopword)	검색 등에서 의미가 없어 무시되도록 설정된 단어들입니다.
n-gram	문자의 빈도와 문자간 관계를 의미합니다. "안녕하세요"를 2-gram으로 나누면, "안녕", "녕하", "하세", "세요"로 나눌 수 있습니다.

5.2. 형태소

형태소는 의미를 가진 최소의 단위를 의미합니다. 형태소는 문법적, 관계적인 뜻을 나타내는 단어 또는 단어의 부분을 의미하며, 체언(명사, 대명사, 수사), 수식언(관형사, 부사), 독립언(감탄사), 관계언(조사, 서술격조사), 용언(동사, 형용사, 조용보조어간), 부속어(어미, 접미)로 나뉩니다.

형태소의 종류는 실질 형태소와 형식 형태소로 나뉩니다.

실질 형태소는 체언, 수식언, 감탄사, 용언의 어근 등이며 구체적인 대상, 동작, 상태 등을 나타내는 형태소로 어휘 형태소라고 부르기도 합니다. 단일 형태소는 명사, 대명사, 수사, 동사, 형용사, 보조 용언, 복합 명사, 준말, 숫자나 영문자, 사전에 수록되지 않은 단어 등이 있습니다. 실질 형태소는 검색 엔진에서 색인의 대상이 됩니다.

형식 형태소는 조사, 어말어미, 접미사, 접두사, 선어말어미 등 조사 또는 어미 결합, 선어말 어미의 결합, 어미의 변형, 서술격조사의 생략, 접미사, 보조 용언 등이 있습니다. 형식 형태소는 형태소 간의 관계를 나타내는 형태소로 문법 형태소라고 부르기도 합니다.

5.3. 형태소 분석

형태소 분석은 단어 또는 어절을 구성하는 각 형태소를 분리하는 것입니다. 분리된 형태소의 기본형(어근) 및 품사[105] 정보 추출하는 것인데, 일반적인 형태소 분석 절차는 다음 [그림 8]에서 설명하고 있습니다.

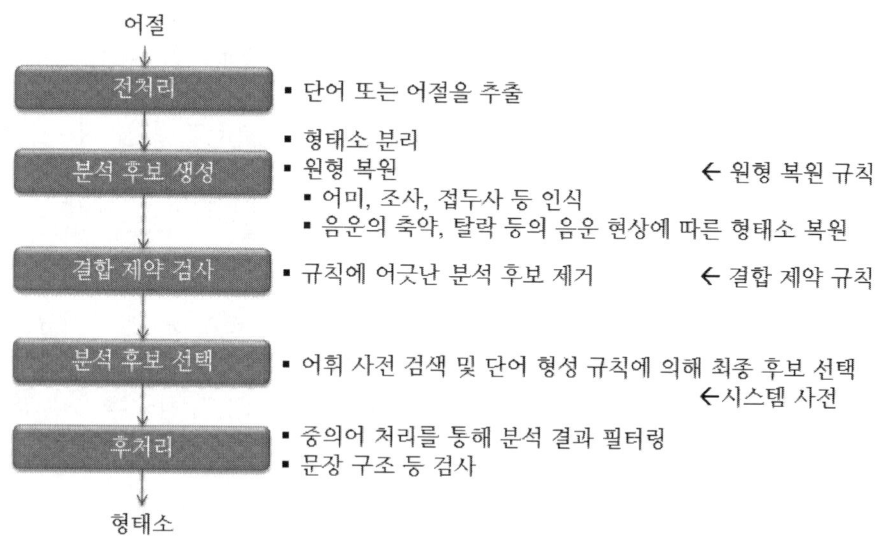

그림 9. 형태소 분석 절차

R에서 형태소를 분석하기 위해서 형태소 분석 엔진이 필요합니다. 다음은 형태소 분석 엔진들과 참고 주소[106]들입니다.

- MeCab : 오픈소스 형태소 분석 엔진
  https://bitbucket.org/eunjeon/mecab-ko-lucene-analyzer/raw/master/elasticsearch-analysis-mecab-ko/
- Arirang : 한국어 형태소 분석기
  http://cafe.naver.com/korlucene
  https://lucenekorean.svn.sourceforge.net/svnroot/lucenekorean/
- ElasticSearch : 오픈소스 검색엔진의 한글 형태소 분석기
  https://github.com/chanil1218/elasticsearch-analysis-korean
- KoNLPy : Python용 형태소 분석기(Korean NLP in Python)
  http://konlpy.readthedocs.org/

105) KAIST 품사 태그 셋은 아래 주소를 통해 참고할 수 있습니다. 마인드 맵으로 정리되어 있습니다.
https://github.com/haven-jeon/KoNLP/blob/master/etcs/KoNLP-API.md
106) 여러 가지 형태소 분석기들의 모음 주소 : http://konlpy.readthedocs.io/en/latest/references/

http://www.slideshare.net/lucypark/py-con-2014-38531830
- KoNLP : R용 형태소 분석기(Korean NLP)
https://github.com/haven-jeon/KoNLP
http://www.slideshare.net/lucypark/py-con-2014-38531830

다음 그림은 카이스트 품사 태그셋을 정리한 것입니다.

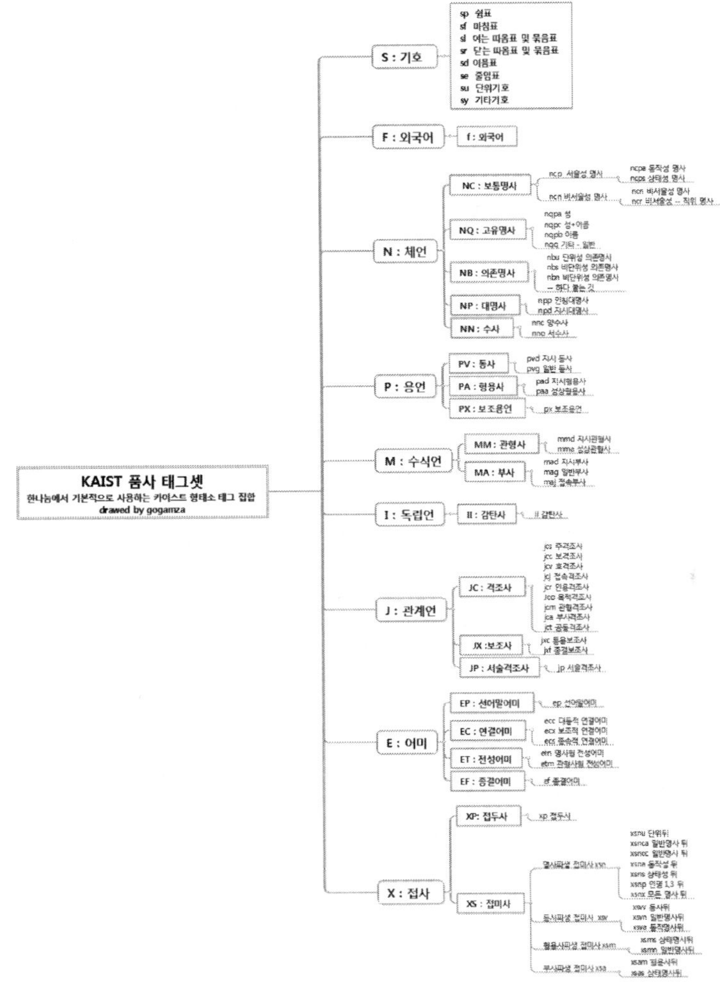

그림 10. KAIST 품사 태그 셋

표준화된 전자사전 등 우리말과 관련된 정보를 원하면 국립 국어원의 21세기 세종계획[107] 자료를 참고하세요. 국립 국어원의 21세기 세종계획은 정부에서 운영하는 한국어 정보화 프로젝트로 한국어 코퍼스 (Corpus), 사전 등을 마련했습니다. 21세기 세종계획의 결과물은 국립국어원[108]에서 CD로 배포 받을 수 있습니다.

107) http://ithub.korean.go.kr/user/introductionManager.do

5.4. KoNLP 패키지

이 책에서는 KoNLP[109] 패키지를 사용합니다. KoNLP 패키지는 R 언어를 위한 한국어 형태소 분석기로 Java 기반의 오픈소스 형태소 분석기인 한나눔(HanNanum)의 R용 인터페이스를 제공합니다. KoNLP 패키지를 사용하려면 JDK가 설치되어 있어야 합니다[110].

KoNLP 패키지는 'mime', 'openssl', 'httr', 'whisker', 'rstudioapi', 'jsonlite', 'git2r', 'withr', 'hash', 'tau', 'Sejong', 'devtools' 패키지에 의존합니다. 다음 구문은 KoNLP 패키지를 설치합니다.

```
> install.packages("KoNLP")
also installing the dependencies 'mime', 'openssl', 'httr', 'whisker',
'rstudioapi', 'jsonlite', 'git2r', 'withr', 'hash', 'tau', 'Sejong',
'devtools'

trying URL 'https://cran.rstudio.com/bin/windows/contrib/3.5/mime_0.5.zip'
Content type 'application/zip' length 46959 bytes (45 KB)
downloaded 45 KB

... 생략

package 'mime' successfully unpacked and MD5 sums checked
package 'openssl' successfully unpacked and MD5 sums checked
package 'httr' successfully unpacked and MD5 sums checked
package 'whisker' successfully unpacked and MD5 sums checked
package 'rstudioapi' successfully unpacked and MD5 sums checked
package 'jsonlite' successfully unpacked and MD5 sums checked
package 'git2r' successfully unpacked and MD5 sums checked
package 'withr' successfully unpacked and MD5 sums checked
package 'hash' successfully unpacked and MD5 sums checked
package 'tau' successfully unpacked and MD5 sums checked
package 'Sejong' successfully unpacked and MD5 sums checked
package 'devtools' successfully unpacked and MD5 sums checked
package 'KoNLP' successfully unpacked and MD5 sums checked

The downloaded binary packages are in
    C:\Users\COM\AppData\Local\Temp\RtmpeeAAj4\downloaded_packages
```

● 2022년 4월의 R 버전은 4.2 이지만 여전히 KoNLP는 3.4 버전만 제공되는 중입니다.

108) http://ithub.korean.go.kr/

109) KoNLP의 깃허브 주소 : https://github.com/haven-jeon/KoNLP
KoNLP Sample : https://github.com/haven-jeon/KoNLP/blob/master/etcs/KoNLP-API.md

110) http://www.oracle.com/technetwork/java/javase/downloads/index.html 에서 화면 아래로 조금 스크롤 후 Java SE 8uxxx 버전의 JDK DOWNLOAD 버튼을 클릭하고 자신의 컴퓨터 운영체제에 맞는 JDK를 다운로드 받아 설치하세요.

KoNLP 패키지에서 제공하는 extractNoun() 함수는 한글에서 명사를 추출합니다. 다음 코드는 한글 문장에서 명사를 추출하는 예입니다.

```
> library(KoNLP)
Checking user defined dictionary!

> text <- "R Language를 위한 한국어 형태소 분석기로 Java 기반의 오픈소스
형태소 분석기인 한나눔 (HanNanum)의 R용 인터페이스를 제공합니다."
> extractNoun(text)
 [1] "R"          "Language"   "한국어"     "형태소"     "분석"
 [6] "기"         "Java"       "기반"       "오픈"       "소스"
[11] "형태소"     "분석"       "기"         "한나눔"     "HanNanum"
[16] "R"          "용"         "인터페이스" "제공"
```

useSystemDic() 함수는 시스템 사전을 사용자 사전으로 복사합니다.

```
> useSystemDic()
Backup was just finished!
Downloading package from url:
https://github.com/haven-jeon/NIADic/releases/download/0.0.1/NIADic_0.0.1.tar.gz
Installing NIADic
"C:/PROGRA~1/R/R-34~1.1/bin/x64/R" --no-site-file --no-environ --no-save  \
  --no-restore --quiet CMD INSTALL  \
  "C:/Users/JK/AppData/Local/Temp/RtmpiANYwF/devtools31a059d2ce2/NIADic"  \
  --library="C:/Program Files/R/R-3.5.1/library" --install-tests

* installing *source* package 'NIADic' ...
** R
** inst
** preparing package for lazy loading
** help
*** installing help indices
** building package indices
** installing vignettes
** testing if installed package can be loaded
* DONE (NIADic)
Downloading GitHub repo tidyverse/ggplot2@master
from URL https://api.github.com/repos/tidyverse/ggplot2/zipball/master
Installing ggplot2
Installing 1 package: digest

  There is a binary version available (and will be installed) but
  the source version is later:
       binary source
digest 0.6.14 0.6.15

... 생략 ...
```

```
package 'backports' successfully unpacked and MD5 sums checked
package 'xfun' successfully unpacked and MD5 sums checked
package 'htmltools' successfully unpacked and MD5 sums checked
package 'base64enc' successfully unpacked and MD5 sums checked
package 'rprojroot' successfully unpacked and MD5 sums checked
package 'tinytex' successfully unpacked and MD5 sums checked
package 'rmarkdown' successfully unpacked and MD5 sums checked

The downloaded binary packages are in
    C:\Users\COM\AppData\Local\Temp\RtmpiANYwF\downloaded_packages
283949 words dictionary was built.
```

- AWS 서버 등에 R용 KoNLP를 설치하는 경우 Locale이 NA로 되어 있는 경우 KoNLP가 설치되지 않습니다.

현재 시스템의 인코딩 정보를 확인하려면 Sys.getlocale() 함수를 이용합니다.

```
> Sys.getlocale()
[1] "LC_COLLATE=Korean_Korea.949;LC_CTYPE=Korean_Korea.949;LC_MONETARY=Ko
rean_Korea.949;LC_NUMERIC=C;LC_TIME=Korean_Korea.949"
```

시스템의 인코딩을 바꾸려면 Sys.setlocale() 함수를 이용하세요.

다음 코드는 Locale을 미국으로 설정합니다.

```
> Sys.setlocale(locale="English_United States.1252")
[1] "LC_COLLATE=English_United States.1252;LC_CTYPE=English_United States.
1252;LC_MONETARY=English_United States.1252;LC_NUMERIC=C;LC_TIME=English_
United States.1252"
```

다음 코드는 Locale을 대한민국으로 설정합니다.

```
> Sys.setlocale(locale="Korean_Korea.949")
[1] "LC_COLLATE=Korean_Korea.949;LC_CTYPE=Korean_Korea.949;LC_MONETARY=Ko
rean_Korea.949;LC_NUMERIC=C;LC_TIME=Korean_Korea.949"
```

15장. 머신러닝 프로젝트

1. 분석 프로젝트 방법론
2. 분석 프로젝트

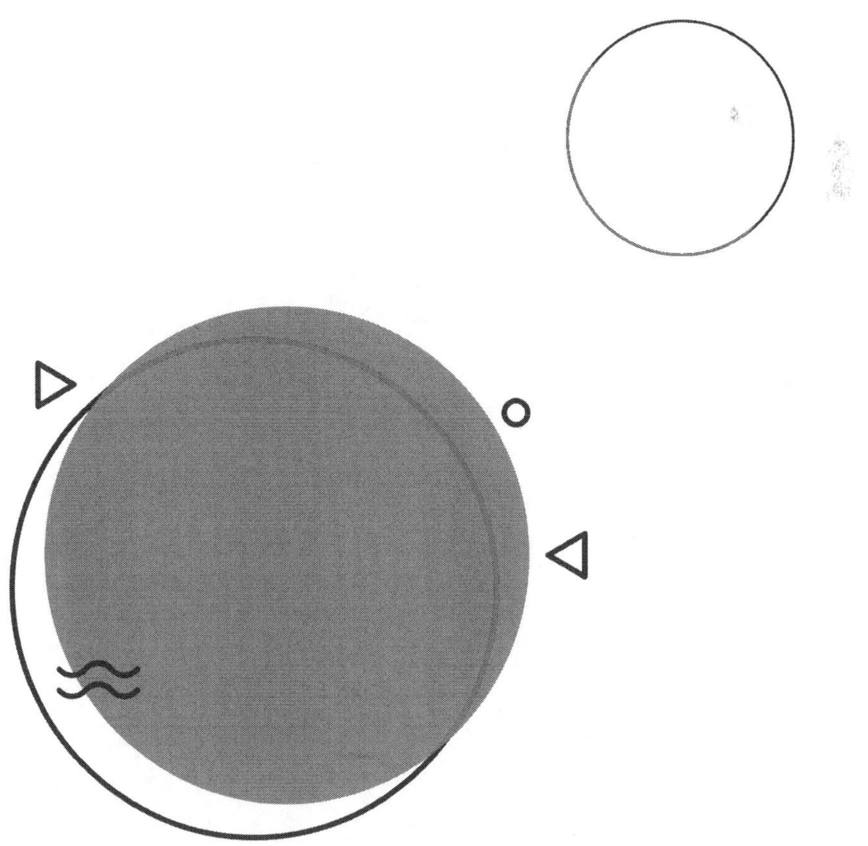

1. 분석 프로젝트 방법론

분석 프로젝트를 진행하면서 방법론을 알고 이에 따라 단계적으로 어떤 일을 해야 하는지 정의하고 프로젝트들 진행하면 프로젝트의 품질을 더 높일 수 있습니다. 분석 프로젝트에 사용하는 방법론은 KDD, SEMMA, CRISP-DM 등의 방법론이 있습니다.

1.1. KDD

KDD(Knowledge Discovery and Data Mining) 방법론은 주로 데이터베이스의 데이터를 분석하는 과정에서 주로 사용합니다. 각 단계는 데이터 선택(Data Selection), 데이터 처리(Data Processing), 변형(Transformation), 데이터 마이닝(Data Mining) 그리고 모형 해석 및 검증(Interpretation & Evaluation of Results) 단계로 구성되어 있습니다.

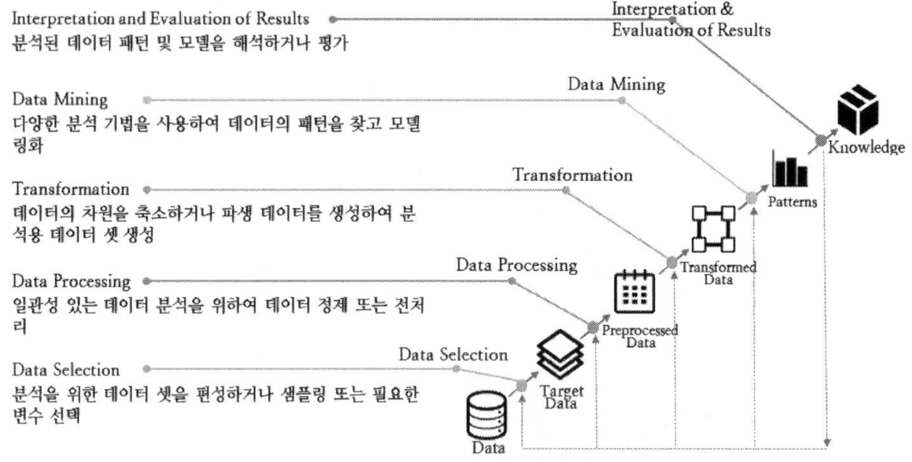

그림 1. KDD 방법론

KDD 방법론의 단계별로 수행할 내용은 다음과 같습니다.

- Data Selection : 분석을 위한 데이터셋을 편성하거나 샘플링 또는 필요한 변수 선택
- Data Processing : 일관성 있는 데이터 분석을 위하여 데이터 정제 또는 전처리
- Transformation : 데이터 차원을 축소하거나 파생 데이터를 생성하여 분석용 데이터셋 생성
- Data Mining : 다양한 분석 기법을 사용하여 데이터의 패턴을 찾고 모델링화
- Interpretation and Evaluation of Results : 분석된 데이터 패턴 및 모형을 해석하거나 평가

1.2. SEMMA

SEMMA 방법론은 Sample, Exploration, Modification, Modeling, Assessment 단계로 구성됩니다. 각 단계는 순한 구조를 갖습니다.

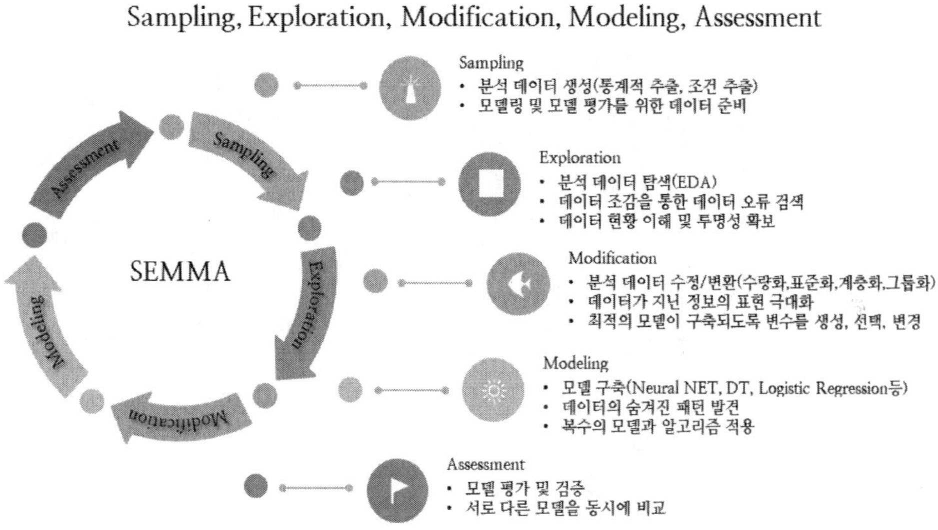

그림 2. SEMMA 방법론

SEMMA 방법론 단계별로 수행할 내용은 다음과 같습니다.

표 1. SEMMA 방법론 단계별 수행 내용

단계	수행 내용
Sampling	· 분석 데이터 생성(통계적 추출, 조건 추출) · 모델링 및 모델 평가를 위한 데이터 준비
Exploration	· 분석 데이터 탐색(EDA) · 데이터 조감을 통한 데이터 오류 검색 · 데이터 현황 이해 및 투명성 확보
Modification	· 분석 데이터 수정/변환(수량화, 표준화, 계층화, 그룹화) · 데이터가 지닌 정보의 표현 극대화 · 최적의 모델이 구축되도록 변수를 생성, 선택, 변경
Modeling	· 모델 구축(Neural NET, DT, Logistic Regression등) · 데이터의 숨겨진 패턴 발견 · 복수의 모델과 알고리즘 적용
Assessment	· 모델 평가 및 검증 · 서로 다른 모델을 동시에 비교

1.3. CRISP-DM

CRISP-DM(Cross Industry Standard Process for Data Mining)은 데이터 마이닝 작업을 위한 방법입니다.

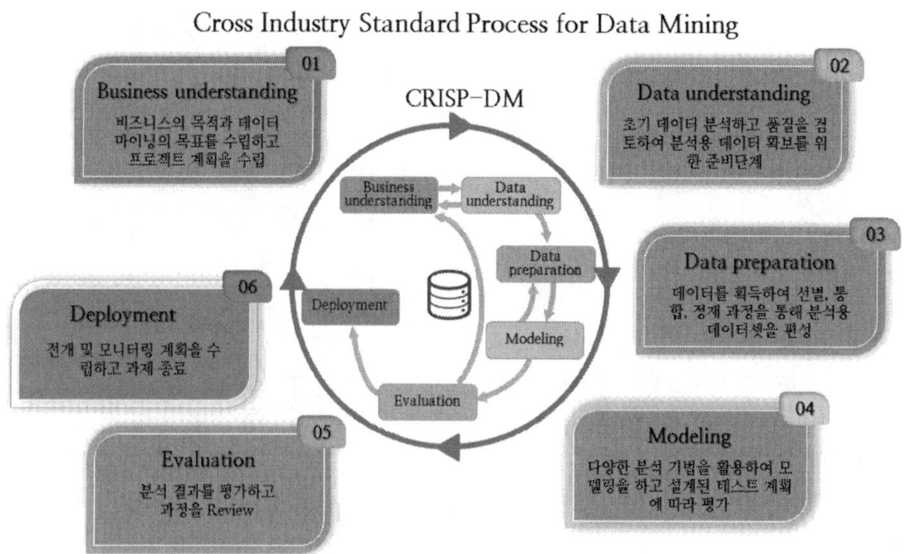

그림 3. CRISP-DM

라이프사이클 모델은 6개의 단계로 구성되며 단계 사이에는 가장 중요하고 빈번한 종속 항목을 표시하는 화살표가 있습니다. 단계의 순서는 반드시 지켜야 하는 것은 아닙니다. 대부분 프로젝트는 필요에 따라 단계 사이를 앞뒤로 이동합니다.

CRISP-DM 모델은 유연하므로 쉽게 사용자 정의할 수 있습니다. 예를 들어, 조직에서 자금 세탁을 감지하는 것이 목표라면 특정 모델링 목적 없이 대량의 데이터를 조사하게 될 것입니다. 모델링 대신에, 사용자의 작업은 재무 데이터에서 의심스러운 패턴을 밝히기 위해 데이터 탐색 및 시각화에 초점을 맞출 것입니다. CRISP-DM을 사용하면 특정 요구사항에 맞는 데이터 마이닝 모델을 작성할 수 있습니다.

이러한 상황에서 모델링, 평가 및 배포 단계는 데이터 이해 및 준비 단계보다 관련성이 부족할 수 있습니다. 그러나 장기 계획 및 이후의 데이터 마이닝 목적을 위해 이러한 이후 단계 동안 제기된 일부 질문을 고려하는 것은 여전히 중요합니다.

2. 분석 프로젝트

2.1. 프로젝트 목적

이 프로젝트는 H보험사의 데이터를 이용하여 보험사기자를 예측하는 프로젝트입니다.

표 2. 프로젝트 목적

구분	설명
Objective	보험사기자로 예상되는 사람들 분류
Plan Point	사기자 예측
Goal (Quantitative, Qualitative)	보험사기자 예측률 향상
Analytic (Classification, Estimation, Prediction, Association, Clustering)	일반인과 사기자로 분류(Classification)
Assess Criteria (Quality)	F-measure를 이용한 모델 검증
Required Data	고객 데이터
Teaming	팀 편성
Time Box Schedule	프로젝트 일정표
Risk Management	일정지연, 팀원손실 등 위험관리

2.2. 데이터 설명

보험사기자를 예측하기 위해 제공되는 파일은 보험가입 고객의 정보와 고객들이 보험 청구를 했던 기록데이터입니다.

고객의 정보 데이터에서 개인정보는 비식별조치 되었으며 총 25개 변수가 있습니다.
보험 청구 데이터의 개인정보는 비식별조치 되었으며 38개 변수가 있습니다.

제공한 고객 데이터의 DIVIDED_SET 변수는 학습용 데이터셋은 1, 평가용 데이터셋은 2를 갖습니다. 우리는 학습용 데이터셋을 이용하여 모델을 만들어야 합니다. 만들어진 모델은 평가용 데이터셋에 적용되어 보험 사기자 여부를 알아내야 합니다. 보험 사기자 여부를 저장하고 있는 열은 SIU_CUST_YN 이며 일반 고객이면 ‘N’, 보험사기자이면 ‘Y’입니다. 평가용 데이터셋에는 값이 할당되어 있지 않습니다.

다음은 고객 데이터와 청구 데이터의 변수들에 대한 설명입니다.

No	변수명문명	변수타입	변수명	변수 설명
1	CUST_ID	N	고객ID	고객을 구분하는 고유번호
2	DIVIDED_SET	N	데이터셋 구분	학습용 Set의 경우 1번 // 평가용 Set의 경우 2번을 부여
3	SIU_CUST_YN	C	보험사기자여부	Y의 경우 '보험사기자' / N의 경우 '일반고객' /평가용 Set에는 미부여
4	SEX	N	성별	성별 1은 '남성' 2는 '여성'
5	AGE	N	연령	고객연령
6	RESI_COST	N	주택가격	고객의 거주지 주택가격 추정값 (단위 : 만원) (0 : 추정불가)
7	RESI_TYPE_CODE	C	거주TYPE	고객의 거주지 형태 - 일반단독주택(11), 다가구단독주택(12), 영업겸용단독주택(13), 아파트(20),연립_다가구주택(30) 상가등 비거주용건물(40),오피스텔(50),숙박업소의 객실 또는 판자집 등(60),기숙사(70),그외(99)
8	FP_CAREER	C	FP경력	(당사 FP로써의) Y : 경력있음 // N : 경력 없음
9	CUST_RGST	C	고객등록년월	최초 당사의 고객으로써의 등록연월
10	CTPR	C	시도구분	고객의 거주 시/도
11	OCCP_GRP1	C	직업그룹코드1	총 8개직업군으로 분류한 코드
12	OCCP_GRP2	C	직업그룹코드2	총 25개직업군으로 분류한 코드
13	TOTALPREM	N	납입총보험료	고객이 지금까지 당사에 실제 납입한 총 보험료의 합계
14	MINCRDT	C	신용등급(최소)	신용등급 확인 중 최소값 (미확인의 경우 6등급에 포함)
15	MAXCRDT	C	신용등급(최대)	신용등급 확인 중 최대값 (미확인의 경우 6등급에 포함)
16	WEDD_YN	C	결혼여부	Y : 결혼함 / N : 결혼안함 (계약 당시에는 결혼하지 않았던 상태 포함)
17	MATE_OCCP_GRP1	C	배우자직업그룹코드1	총 8개직업군으로 분류한 코드
18	MATE_OCCP_GRP2	C	배우자직업그룹코드2	총 25개직업군으로 분류한 코드
19	CHLD_CNT	N	자녀수	고객의 자녀 수
20	LTBN_CHLD_AGE	N	막내자녀연령	고객의 막내자녀 연령
21	MAX_PAYM_YM	C	최대보험료연월	당사에 최대규모의 보험료를 납입했던 연월
22	MAX_PRM	N	최대보험료	당사에 최대규모의 보험료를 납입했던 월보험료 수준
23	CUST_INCM	N	고객추정소득	고객의 연령/직업/보험료 수준등을 통한 고객의 개인 소득 추정금액
24	RCBASE_HSHD_INCM	N	추정가구소득1	고객의 주택가격을 우선하여 정한 가구소득 추정금액
25	JPBASE_HSHD_INCM	N	추정가구소득2	고객의 직업 및 납입보험료 수준을 우선하여 정한 가구소득 추정금액

그림 4. 고객 데이터의 변수 이름과 설명

No	변수명문명	변수타입	변수명	변수 설명
1	CUST_ID	N	고객ID	고객을 구분하는 고유번호
2	POLY_NO	N	증권번호	청약서번호이면서 동시에 계약성립후에는 증권번호로 사용
3	ACCI_OCCP_GRP1	C	직업그룹코드1	총 8개직업군으로 분류한 코드(사고 당시)
4	ACCI_OCCP_GRP2	C	직업그룹코드2	총 25개직업군으로 분류한 코드(사고 당시)
5	CHANG_FP_YN	C	FP 변경 여부	모집 FP와 청구 당시 수금 FP 와의 동일 여부
6	CNTT_RECP_SQNO	C	계약별접수일련번호	사고접수에 대해 해당 계약건별로 부여하는 번호
7	RECP_DATE	C	사고접수일자	사고가 접수된 일자
8	ORIG_RESN_DATE	C	원사유일자	사고접수시 해당 사고의 최초 사유발생일자
9	RESN_DATE	C	사유일자	보험금 지급사유 발생일자
10	CRNT_PROG_DVSN	C	현재진행구분	현재진행구분 상태 구분 - 접수(11), 심사배정(21), 심사(22), 심사결재(23), 조사(32), 조사결재(33)
11	ACCI_DVSN	C	사고구분	사고원인을 구분함 - 재해(1), 교통재해(2), 질병(3)
12	CAUS_CODE	C	원인코드	사고의 원인에 해당하는 사인코드
13	CAUS_CODE_DTAL	C	원인코드상세	사고의 원인에 해당하는 사인코드_상세정보
14	DSAS_NAME	C	병명	병명
15	DMND_RESN_CODE	C	청구사유코드	지급청구의 원인이 되는 사유코드 - 사망(01), 입원(02), 통원(03), 장해(04), 수술(05), 진단(06), 치료(07), 해지/무효(09)
16	DMND_RSCD_SQNO	N	청구사유코드일련번호	동일 증번, 동일한 청구사유이지만 사유일자가 다른 경우 일련번호를 1씩 증가시킴.
17	HOSP_OTPA_STDT	C	입원/통원시작일자	입원시작일, 통원은 통원시작일 (입원은 무조건 연속된일자만 관리됨)
18	HOSP_OTPA_ENDT	C	입원/통원종료일자	입원종료일, 통원은 통원종료일
19	RESL_CD1	C	결과코드1	사고원인에 대한 결과코드
20	RESL_NM1	C	결과명1(사인내용)	결과내용
21	VLID_HOSP_OTDA	N	유효입원/통원일수	보험금지급대상인 입원일수 또는 통원일수
22	HOUSE_HOSP_DIST	N	고객병원거리	고객 거주지와 병원까지의 거리(km)
23	HOSP_CODE	N	병원코드	병원코드
24	ACCI_HOSP_ADDR	C	병원지역(시도)	병원지역
25	HOSP_SPEC_DVSN	C	병원종별구분	병원종별구분 - 종합병원(10), 병원(20), 요양병원(25), 의원(30), 치과병원(40), 치과의원(45), 보건의료원(60), 약국(70), 한방병원(80), 한의원(85), 해외(90), 의료기관이외(95)
26	CHME_LICE_NO	N	담당의사면허번호	의사면허번호
27	PAYM_DATE	C	지급일자	보험금 지급일자
28	DMND_AMT	N	청구금액	사고보험금청구금액
29	PAYM_AMT	N	지급금액(지급테이블)	실지급금액
30	PMMI_DLNG_YN	C	실손처리여부	실손처리여부
31	SELF_CHAM	N	본인부담금	국민건강보험 적용 금액 중 환자 부담 금액
32	NON_PAY	N	비급여	국민건강보험 미적용 금액
33	TAMT_SFCA	N	전액본인부담금	국민건강보험 미적용 금액
34	PATT_CHRG_TOTA	N	환자부담총액	본인부담금 + 비급여 + 전액본인부담금
35	DSCT_AMT	N	영수할인금액	병원에서 할인해주는 비용
36	COUNT_TRMT_ITEM	N	진료과목개수	실손영수증 내 진료과목의 개수
37	NON_PAY_RATIO	N	실손비급여비율	(비급여 + 전액본인부담금) / (환자부담총액) = (비급여 + 전액본인부담금) / (본인부담금 + 비급여 + 전액본인부담금)
38	HEED_HOSP_YN	C	유의병원여부	금감원 유의 병원 대상 여부

그림 5. 보험 청구 내역의 변수 이름과 설명

2.3. 데이터 탐색 및 전처리

1) 데이터 시각화

이 단계에서는 원본 데이터에서 데이터들의 시간 시각화, 분포 시각화, 관계 시각화, 비교 시각화, 공간 시각화 등을 통해 데이터 탐색을 수행합니다.

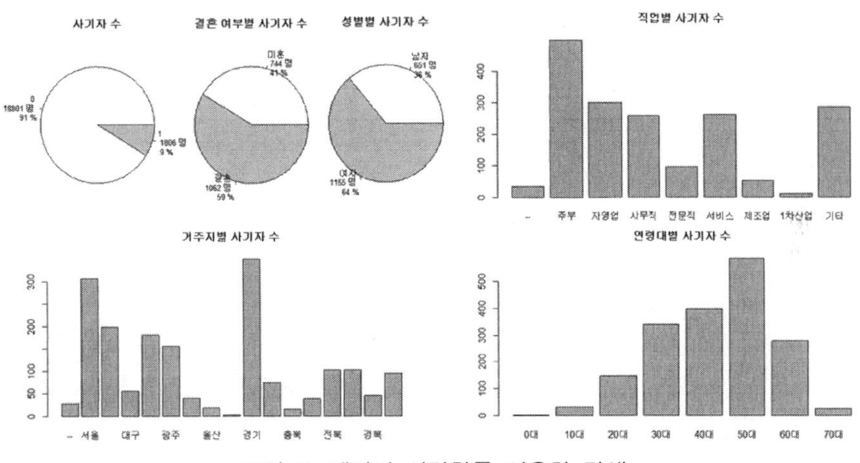

그림 6. 데이터 시각화를 이용한 탐색

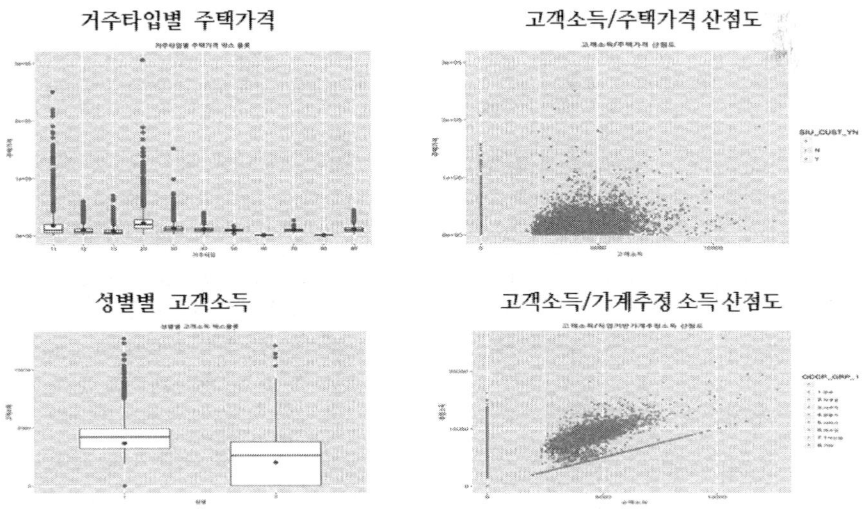

그림 7. 연속형 변수 탐색

2) 데이터 전처리

탐색한 데이터들을 기반으로 분석해야 할 데이터들에 대한 정리를 수행하고 이를 기반으로 결측치 추정, 차원 축소, 정규화, 구간화 등 전처리 작업을 수행합니다.

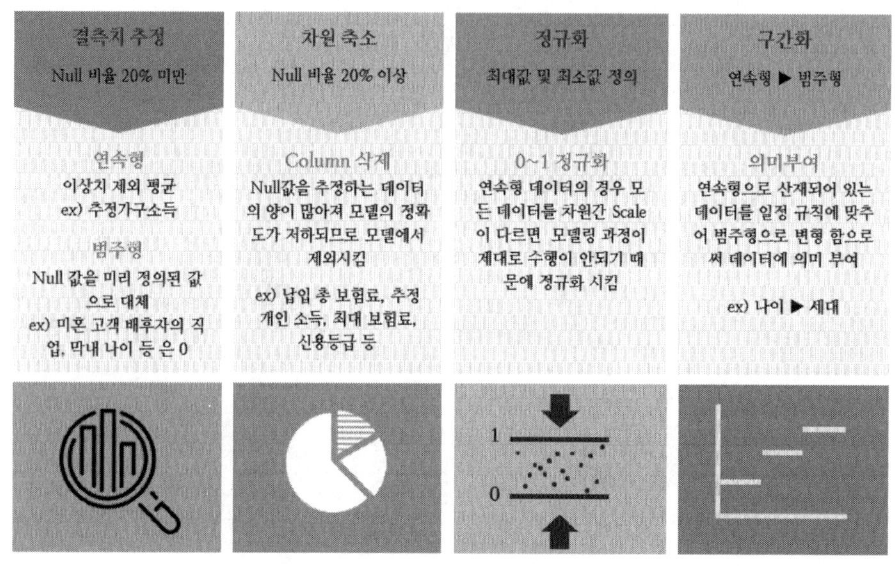

그림 8. 데이터 전처리

다음은 전처리 단계에서의 코드입니다. 원본 데이터를 불러오고 기본 정보 조회 및 시각화와 데이터 인코딩을 수행합니다.

다음 코드는 원본 데이터를 읽습니다.

```
> rm(list=ls())
> setwd("~/R-workplace")
> data_cust <- read.csv("CUST_DATA.csv", header=TRUE, sep=",",
+                       encoding="CP949", fileEncoding="UCS-2")
> data_claim <- read.csv("CLAIM_DATA.csv", header=TRUE, sep=",",
+                       encoding="CP949", fileEncoding="UCS-2")
```

Data	
data_claim	119020 obs. of 39 variables
data_cust	22400 obs. of 25 variables

그림 9. 분석 데이터 읽기

다음 코드는 정상인과 사기자의 수를 확인해 봅니다.

```
> (count_siu <- table(data_cust$SIU_CUST_YN))

         N      Y
 1793 18801  1806
> names(count_siu) <- c("분석대상", "정상인", "사기자")
> pie(count_siu,
+     cex=0.8,
+     main="사기자 수",
+     labels=paste(names(count_siu), "\n",
+                  count_siu, "명", "\n",
+                  round(count_siu/sum(count_siu)*100), "%"))
```

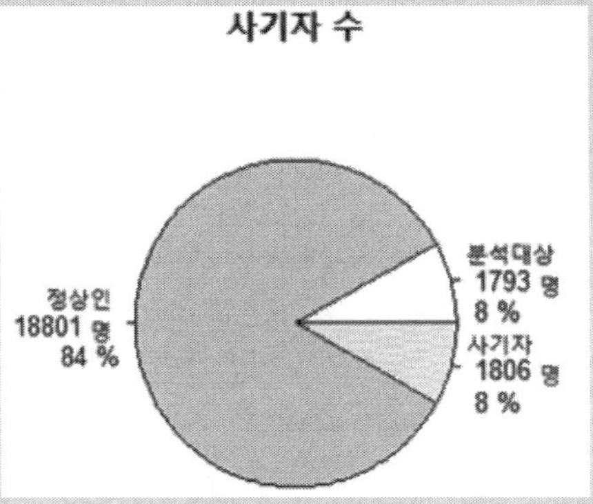

그림 10. 데이터 탐색(사기자 수)

다음 코드는 나이를 연령대로 변환합니다.

```
> age_to_gen <- function(data) {
+   data = data %/% 10
+ }
> data_cust$AGE <- sapply(data_cust$AGE, age_to_gen)
```

데이터를 인코딩합니다. Y값은 1로, N값은 0으로 변환합니다.

```
> yn_to_10 <- function(data) {
+   if(data=='Y') {
+     data = 1
+   }else if(data=='N') {
+     data = 0
+   }else {
+     data = ''
+   }
+ }
> data_cust$SIU_CUST_YN <- sapply(data_cust$SIU_CUST_YN, yn_to_10)
> data_cust$FP_CAREER <- sapply(data_cust$FP_CAREER, yn_to_10)
```

다음 코드는 NA 값을 0으로 바꿉니다.

```
> na_to_0 <- function(data) {
+   if(is.na(data)) {
+     data = 0
+   }else {
+     data = data
+   }
+ }
> data_cust$RESI_TYPE_CODE <- sapply(data_cust$RESI_TYPE_CODE, na_to_0)
> data_cust$TOTALPREM <- sapply(data_cust$TOTALPREM, na_to_0)
```

다음 그림은 나이를 연령대로 바꾸고, Y/N을 1/0로 변경하고 NA를 0으로 치환하기 전/후의 데이터 일부입니다.

CUST_ID	DIVIDED_SET	SIU_CUST_YN	SEX	AGE	RESI_COST	RESI_TYPE_CODE	FP_CAREER
1	1	N	2	47	21111	20	N
2	1	N	1	53	40000	20	N
3	1	N	1	60	0	NA	N
4	1	N	2	64	12861	40	Y
5	1	N	2	54	0	NA	Y
6	1	N	1	62	6218	99	N
7	1	Y	2	60	11388	30	N
8	1	N	1	57	86527	20	Y
9	1	N	1	54	22638	20	N
12	1	N	1	58	37222	20	N
13	1	Y	1	63	8140	50	N
15	1	N	1	59	23055	20	N

CUST_ID	DIVIDED_SET	SIU_CUST_YN	SEX	AGE	RESI_COST	RESI_TYPE_CODE	FP_CAREER
1	1	0	2	4	21111	20	0
2	1	0	1	5	40000	20	0
3	1	0	1	6	0	0	0
4	1	0	2	6	12861	40	1
5	1	0	2	5	0	0	1
6	1	0	1	6	6218	99	0
7	1	1	2	6	11388	30	0
8	1	0	1	5	86527	20	1
9	1	0	1	5	22638	20	0
12	1	0	1	5	37222	20	0
13	1	1	1	6	8140	50	0
15	1	0	1	5	23055	20	0

그림 11. 전처리 전(위 그림)과 후(아래 그림)

다음 코드는 지역(CTPR)을 코드값으로 인코딩합니다. 지역의 이름은 따로 저장해 둡니다.

```
> is.factor(data_cust$CTPR) # 범주형 변수인지 확인
[1] FLASE
> (area_name <- levels(as.factor(data_cust$CTPR)))
 [1] ""     "강원" "경기" "경남" "경북" "광주" "대구" "대전" "부산" "서울"
[11] "세종" "울산" "인천" "전남" "전북" "제주" "충남" "충북"
> data_cust$CTPR <- as.numeric(as.factor(data_cust$CTPR))
```

- 범주형 변수는 as.numeric() 함수를 이용해 숫자로 바꿀 수 있습니다.

다음 이미지는 지역(CTPR)을 코드값으로 인코딩하기 전/후 데이터입니다.

CUST_ID	DIVIDED_SET	SIU_CUST_YN	SEX	AGE	RESI_COST	RESI_TYPE_CODE	FP_CAREER	CUST_RGST	CTPR
1	1	0	2	4	21111	20	0	199910	충북
2	1	0	1	5	40000	20	0	199910	서울
3	1	0	1	6	0	0	0	199910	서울
4	1	0	2	6	12861	40	1	199910	경기
5	1	0	2	5	0	0	1	199910	광주
6	1	0	1	6	6218	99	0	199910	충남
7	1	1	2	6	11388	30	0	199910	서울
8	1	0	1	5	86527	20	1	199910	서울
9	1	0	1	5	22638	20	0	199910	서울
12	1	0	1	5	37222	20	0	199910	서울
13	1	1	1	6	8140	50	0	199910	경기
15	1	0	1	5	23055	20	0	199910	서울

CUST_ID	DIVIDED_SET	SIU_CUST_YN	SEX	AGE	RESI_COST	RESI_TYPE_CODE	FP_CAREER	CUST_RGST	CTPR
1	1	0	2	4	21111	20	0	199910	18
2	1	0	1	5	40000	20	0	199910	10
3	1	0	1	6	0	0	0	199910	10
4	1	0	2	6	12861	40	1	199910	3
5	1	0	2	5	0	0	1	199910	6
6	1	0	1	6	6218	99	0	199910	17
7	1	1	2	6	11388	30	0	199910	10
8	1	0	1	5	86527	20	1	199910	10
9	1	0	1	5	22638	20	0	199910	10
12	1	0	1	5	37222	20	0	199910	10
13	1	1	1	6	8140	50	0	199910	3
15	1	0	1	5	23055	20	0	199910	10

그림 12. 지역을 코드값으로 인코딩하기 전(위)과 후(아래)

다음 코드는 최소 신용도(MINCRDT)와 최대 신용도(MAXCRDT) 변수의 NA 값을 6으로 바꿉니다.

```
> na_to_6 <- function(data) {
+   if(is.na(data)) {
+     return (6)
+   } else {
+     return (data)
+   }
+ }
> data_cust$MINCRDT <- sapply(data_cust$MINCRDT, na_to_6)
> data_cust$MAXCRDT <- sapply(data_cust$MAXCRDT, na_to_6)
```

다음 코드는 직업(OCCP_GRP_1)에서 첫 문자만 빼내서 직업코드로 바꿉니다.

```
> occp_grp_1_to_num <- function(data) {
+   data <- substr(data, 1, 1)
+   if(data=='') {
+     data = 0
+   }else {
+     data = as.integer(data)
+   }
+ }
> data_cust$OCCP_GRP_1 <- sapply(data_cust$OCCP_GRP_1, occp_grp_1_to_num)
> data_cust$MATE_OCCP_GRP_1 <- sapply(data_cust$MATE_OCCP_GRP_1,
+                                     occp_grp_1_to_num)
```

- 범주형 변수로 변환한 후 as.numeric()을 이용해 인코딩하면 더 편할 수 있습니다.

다음 그림은 직업을 코드로 변환하고 신용도의 NA를 6으로 변경하기 전/후 데이터입니다.

OCCP_GRP_1	OCCP_GRP_2	TOTALPREM	MINCRDT	MAXCRDT
3.사무직	사무직	146980441	NA	NA
3.사무직	사무직	94600109	1	6
5.서비스	2차산업 종사자	18501269	NA	NA
2.자영업	3차산업 종사자	317223657	2	99
2.자영업	3차산업 종사자	10506072	8	8
3.사무직	고위 공무원	22313040	6	6
5.서비스	3차산업 종사자	46522197	NA	NA
2.자영업	자영업	151085847	NA	NA
4.전문직	공무원	3666050	6	6
4.전문직	대학교수/강사	135719262	6	8
6.제조업	운전직	33261687	6	7

OCCP_GRP_1	OCCP_GRP_2	TOTALPREM	MINCRDT	MAXCRDT
3	사무직	146980441	6	6
3	사무직	94600109	1	6
5	2차산업 종사자	18501269	6	6
2	3차산업 종사자	317223657	2	99
2	3차산업 종사자	10506072	8	8
3	고위 공무원	22313040	6	6
5	3차산업 종사자	46522197	6	6
2	자영업	151085847	6	6
4	공무원	3666050	6	6
4	대학교수/강사	135719262	6	8
6	운전직	33261687	6	7

그림 13. 직업을 코드로 변환, 신용도 NA를 6으로 변환

다음 코드는 결혼여부(WEDD_YN) 변수의 값이 널스트링("")일 경우 N으로 변경합니다. 이것은 결혼여부의 결측치 수와 막내자녀연령, 자녀수 정보를 토대로 결혼여부의 결측치를 N으로 추정하는 것입니다. 그리고 다시 결혼여부 Y/N을 1/0로 인코딩합니다.

```
> nullstring_to_N <- function(data) {
+   if(data == '') {
+     data = 'N'
+   }else {
+     data = data
+   }
+ }
> data_cust$WEDD_YN <- sapply(data_cust$WEDD_YN, nullstring_to_N)
> data_cust$WEDD_YN <- sapply(data_cust$WEDD_YN, yn_to_10)
```

다음 그림은 결혼여부를 인코딩하기 전/후입니다.

CUST_ID	DIVIDED_SET	SIU_CUST_YN	SEX	MINCRDT	MAXCRDT	WEDD_YN
206	1	0	1	6	6	Y
207	1	0	2	6	6	N
208	1	0	2	6	6	N
210	1	0	2	6	6	N
211	1	0	1	6	6	
212	1	0	2	6	6	
213	1	0	2	6	6	Y
214	1	0	2	6	6	
216	1	0	2	6	6	
217	1	0	2	6	6	
218	1	0	2	6	6	N

CUST_ID	DIVIDED_SET	SIU_CUST_YN	SEX	MINCRDT	MAXCRDT	WEDD_YN
206	1	0	1	6	6	1
207	1	0	2	6	6	0
208	1	0	2	6	6	0
210	1	0	2	6	6	0
211	1	0	1	6	6	0
212	1	0	2	6	6	0
213	1	0	2	6	6	1
214	1	0	2	6	6	0
216	1	0	2	6	6	0
217	1	0	2	6	6	0
218	1	0	2	6	6	0

그림 14. 결혼여부 Y/N을 1/0으로 인코딩

다음은 전처리한 데이터셋을 저장합니다. 이 파일은 다음 분석에서 사용합니다.

```
> write.csv(data_cust, "data_cust_1-1.csv", row.names=FALSE)
```

3) 데이터 탐색

전처리한 데이터들을 탐색해 봅니다. 그러면 데이터들에 대해 더 자세하게 볼 수 있습니다. 다음 코드는 이전 단계에서 저장한 파일을 다시 불러옵니다.

```
> data_cust <- read.csv("data_cust_1.csv", header=TRUE)
```

사기자 여부가 알려진 데이터만 분리합니다.

```
> train_cust <- subset(data_cust, subset=(data_cust$DIVIDED_SET==1))
```

다음 코드는 연령대별 사기자 수를 탐색합니다.

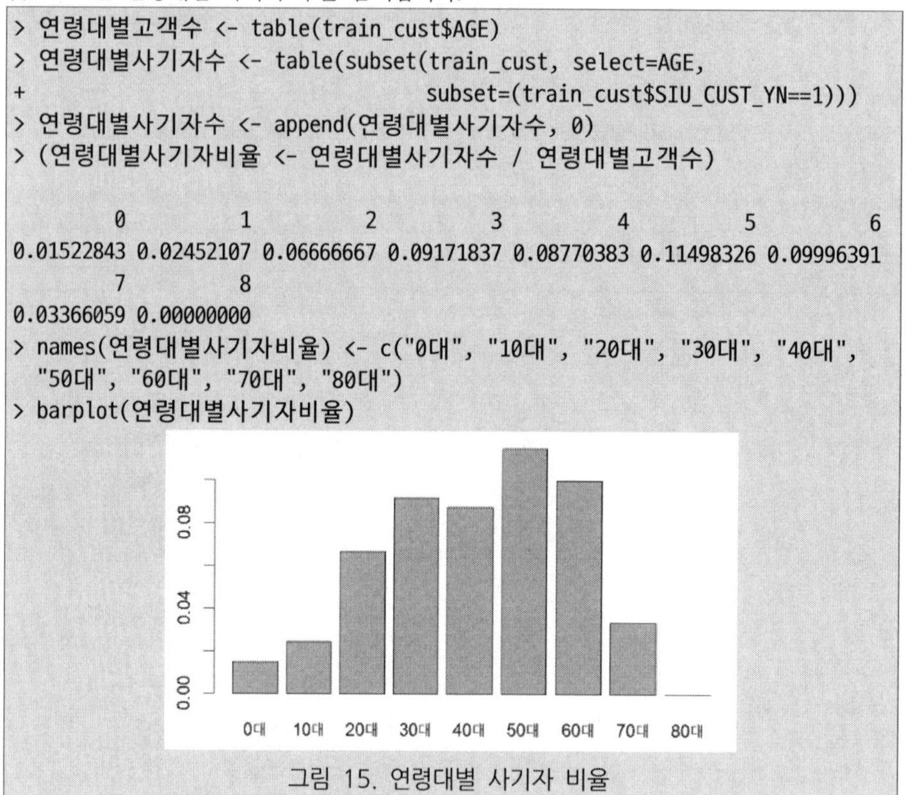

```
> 연령대별고객수 <- table(train_cust$AGE)
> 연령대별사기자수 <- table(subset(train_cust, select=AGE,
+                                 subset=(train_cust$SIU_CUST_YN==1)))
> 연령대별사기자수 <- append(연령대별사기자수, 0)
> (연령대별사기자비율 <- 연령대별사기자수 / 연령대별고객수)

         0          1          2          3          4          5          6
0.01522843 0.02452107 0.06666667 0.09171837 0.08770383 0.11498326 0.09996391
         7          8
0.03366059 0.00000000
> names(연령대별사기자비율) <- c("0대", "10대", "20대", "30대", "40대",
  "50대", "60대", "70대", "80대")
> barplot(연령대별사기자비율)
```


그림 15. 연령대별 사기자 비율

다음 코드는 성별 사기자 수를 탐색합니다.

```
> 성별고객수 <- table(train_cust$SEX)
> 성별사기자수 <- table(subset(train_cust, select=SEX,
+                             subset=(train_cust$SIU_CUST_YN==1)))
> (성별사기자비율 <- 성별사기자수 / 성별고객수)

         1          2
0.07264814 0.09917568
> names(성별사기자비율) <- c("남자", "여자")
```

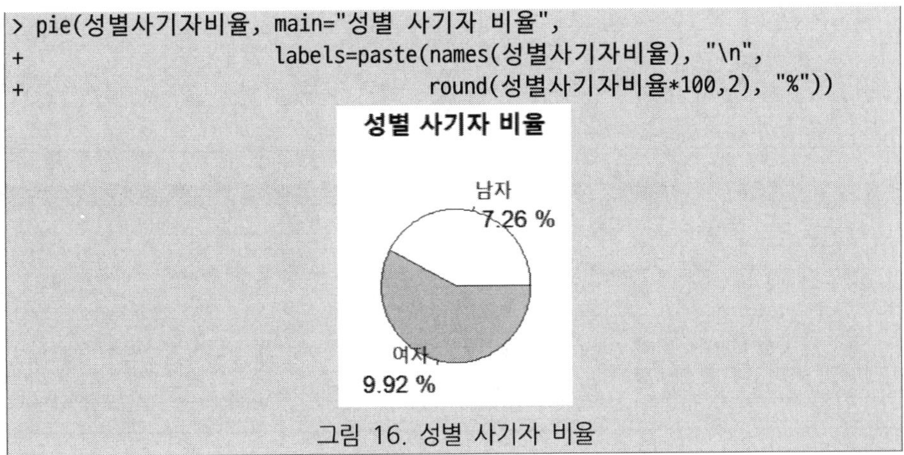

```
> pie(성별사기자비율, main="성별 사기자 비율",
+                    labels=paste(names(성별사기자비율), "\n",
+                                 round(성별사기자비율*100,2), "%"))
```


그림 16. 성별 사기자 비율

다음 코드는 결혼한 사람과 그렇지 않은 사람의 사기자 비율을 확인합니다.

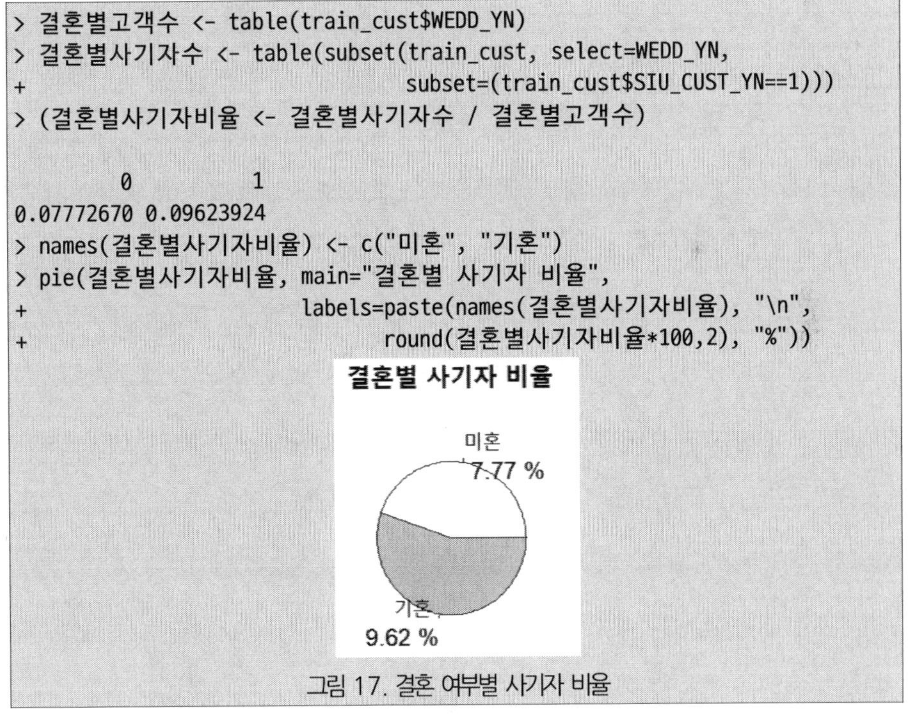

```
> 결혼별고객수 <- table(train_cust$WEDD_YN)
> 결혼별사기자수 <- table(subset(train_cust, select=WEDD_YN,
+                              subset=(train_cust$SIU_CUST_YN==1)))
> (결혼별사기자비율 <- 결혼별사기자수 / 결혼별고객수)

         0          1
0.07772670 0.09623924
> names(결혼별사기자비율) <- c("미혼", "기혼")
> pie(결혼별사기자비율, main="결혼별 사기자 비율",
+                     labels=paste(names(결혼별사기자비율), "\n",
+                                  round(결혼별사기자비율*100,2), "%"))
```


그림 17. 결혼 여부별 사기자 비율

- 분포를 확인하기 위해 개수를 통해 비교하는 것은 올바르지 않을 수 있습니다. 단순히 사기자의 라벨별 수를 확인하는 것보다 비율을 확인하는 것이 더 좋습니다. 예를 들면, 다음의 거주지 지역별 사기자의 수를 확인하면 경기, 서울 지역이 많지만, 인구 대비 사기자의 비율은 광주, 강원, 부산, 인천 지역이 더 높습니다.

다음 코드는 거주지 지역별 사기자 분포를 확인합니다.

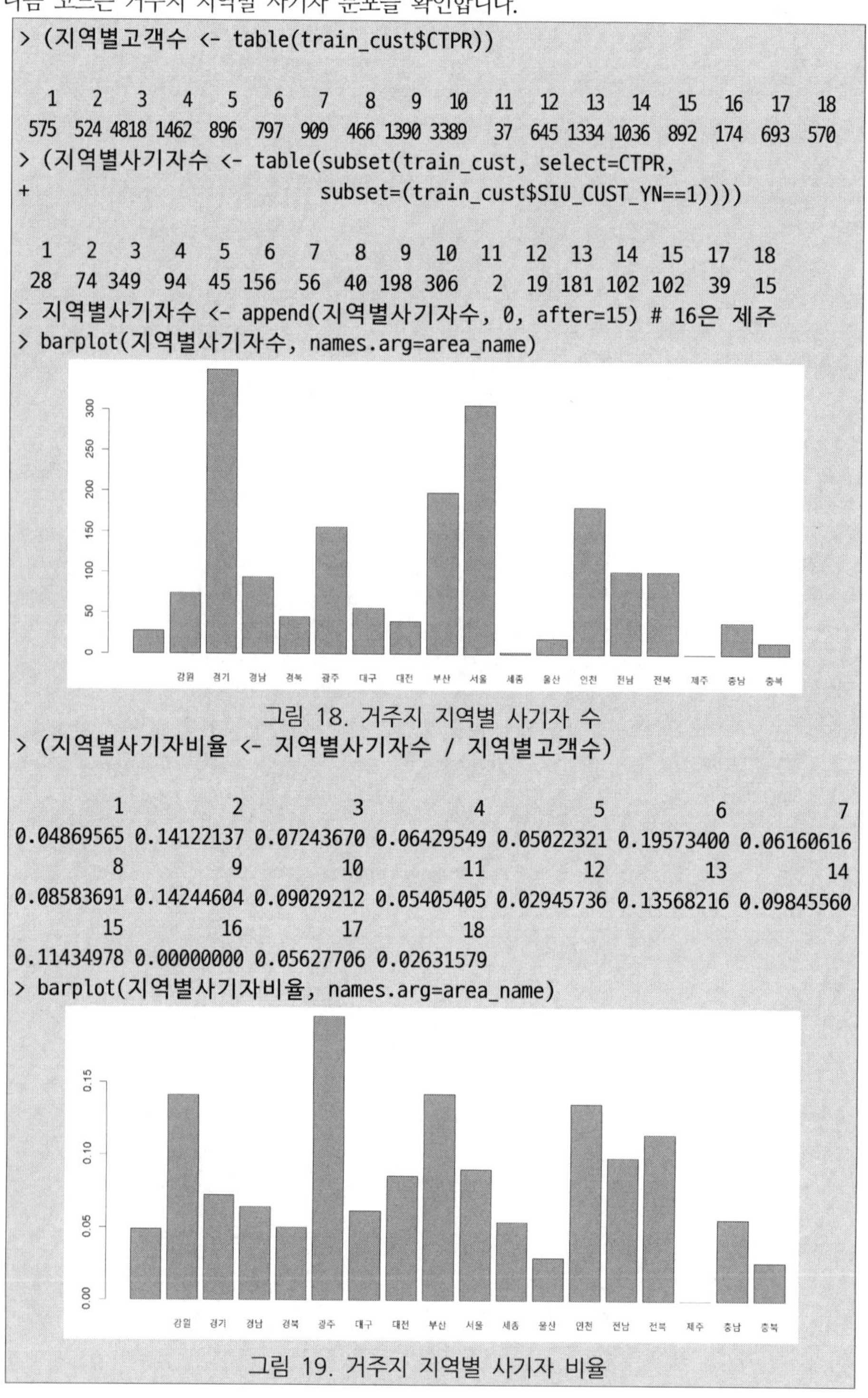

```
> (지역별고객수 <- table(train_cust$CTPR))

   1    2    3    4    5    6    7    8    9   10   11   12   13   14   15   16   17   18
 575  524 4818 1462  896  797  909  466 1390 3389   37  645 1334 1036  892  174  693  570
> (지역별사기자수 <- table(subset(train_cust, select=CTPR,
+                              subset=(train_cust$SIU_CUST_YN==1))))

  1   2   3   4   5   6   7   8   9  10  11  12  13  14  15  17  18
 28  74 349  94  45 156  56  40 198 306   2  19 181 102 102  39  15
> 지역별사기자수 <- append(지역별사기자수, 0, after=15) # 16은 제주
> barplot(지역별사기자수, names.arg=area_name)
```


그림 18. 거주지 지역별 사기자 수

```
> (지역별사기자비율 <- 지역별사기자수 / 지역별고객수)

         1          2          3          4          5          6          7 
0.04869565 0.14122137 0.07243670 0.06429549 0.05022321 0.19573400 0.06160616 
         8          9         10         11         12         13         14 
0.08583691 0.14244604 0.09029212 0.05405405 0.02945736 0.13568216 0.09845560 
        15         16         17         18 
0.11434978 0.00000000 0.05627706 0.02631579 
> barplot(지역별사기자비율, names.arg=area_name)
```


그림 19. 거주지 지역별 사기자 비율

- area_name 변수는 지역을 레이블 인코딩하기 전 저장했던 변수의 level 값입니다.

다음 코드는 본인 직업별 사기자 분포를 확인합니다.

```
> # 직업별 사기자 분포
> (직업별고객수 <- table(train_cust$OCCP_GRP_1))

   0    1    2    3    4    5    6    7    8 
 547 4402 2109 3082 1808 2565 1268  312 4514 
> (직업별사기자수 <- table(subset(train_cust, select=OCCP_GRP_1,
+                               subset=(train_cust$SIU_CUST_YN==1))))

  0   1   2   3   4   5   6   7   8 
 35 498 301 258  97 263  54  12 288 
> (직업별사기자비율 <- 직업별사기자수 / 직업별고객수)

         0          1          2          3          4          5          6 
0.06398537 0.11313040 0.14272167 0.08371188 0.05365044 0.10253411 0.04258675 
         7          8 
0.03846154 0.06380151 
> names(직업별사기자비율) <- c("--", "주부", "자영업", "사무직", "전문직",
  "서비스", "제조업", "1차산업", "기타")
> barplot(직업별사기자비율)
```

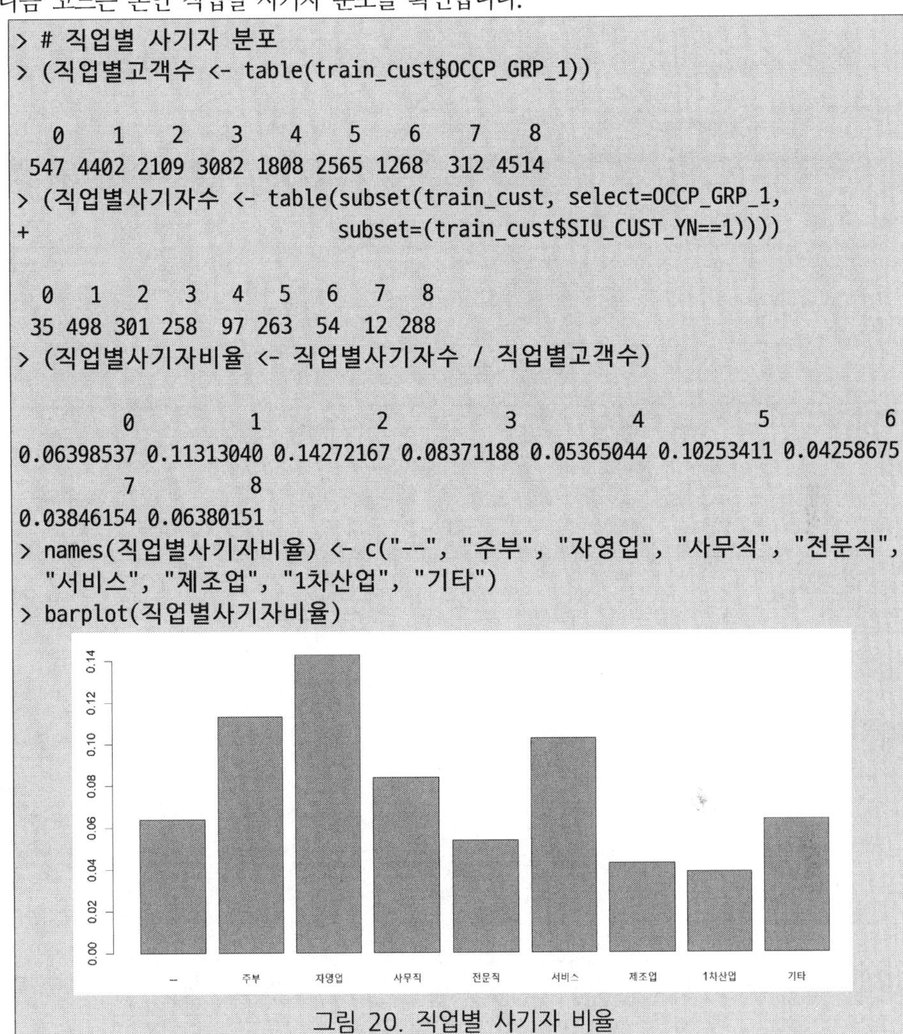

그림 20. 직업별 사기자 비율

다음 코드는 배우자 직업별 사기자 분포를 확인합니다.

```
> (배우자직업별고객수 <- table(train_cust$MATE_OCCP_GRP_1))

    0     1     2     3     4     5     6     7     8 
10885  2203  1289  1888   988  1420  1042   313   579 
> (배우자직업별사기자수 <- table(subset(train_cust, select=MATE_OCCP_GRP_1,
+                                   subset=(train_cust$SIU_CUST_YN==1))))

  0   1   2   3   4   5   6   7   8 
918 163 159 175  73 145  93  28  52 
> (배우자직업별사기자비율 <- 배우자직업별사기자수 / 배우자직업별고객수)
```

```
         0          1          2          3          4          5          6
0.08433624 0.07399001 0.12335144 0.09269068 0.07388664 0.10211268 0.08925144
         7          8
0.08945687 0.08981002
> names(배우자직업별사기자비율) <- c("--", "주부", "자영업", "사무직",
  "전문직", "서비스", "제조업", "1차산업", "기타")
> barplot(배우자직업별사기자비율)
```

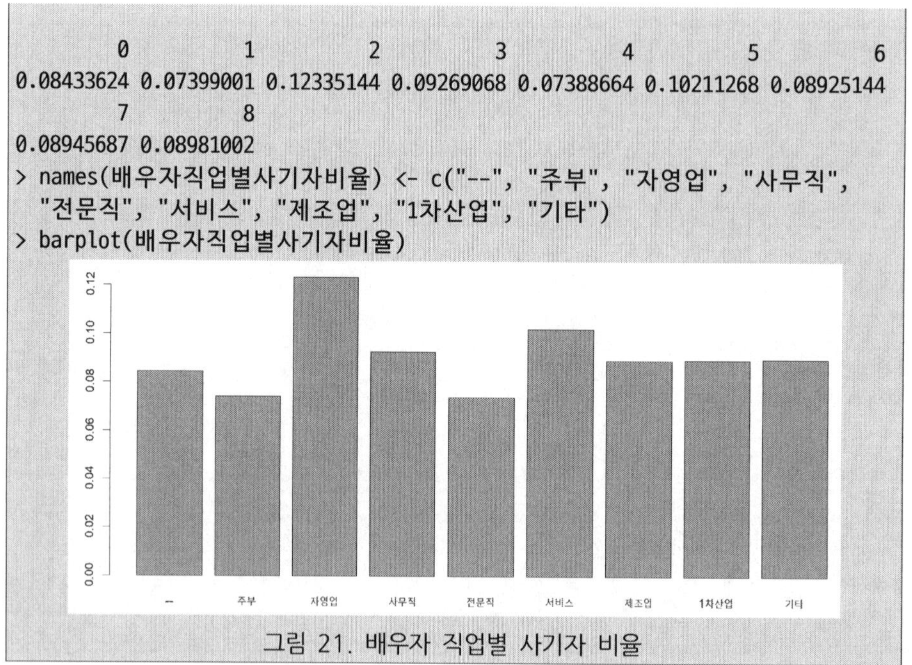

그림 21. 배우자 직업별 사기자 비율

4) 데이터 탐색 후 변수 제거

다음 코드는 데이터 탐색을 통한 변수 선택 후 분석에서 제외할 변수들을 제거합니다.

```
> data_cust <- subset(data_cust, select=-c(OCCP_GRP_2, MATE_OCCP_GRP_2))
> data_cust <- subset(data_cust, select=-c(MAX_PAYM_YM, MAX_PRM))
> data_cust <- subset(data_cust, select=-CUST_RGST)
> data_cust <- subset(data_cust, select=-c(CHLD_CNT, LTBN_CHLD_AGE))
> data_cust <- subset(data_cust, select=-JPBASE_HSHD_INCM)
```

데이터를 임시 저장합니다.

```
> write.csv(data_cust, "data_cust_2.csv", row.names = FALSE)
```

이렇게 만들어진 데이터셋의 일부를 다음 그림에서 보여주고 있습니다.

CUST_ID	DIVIDED_SET	SIU_CUST_YN	SEX	AGE	RESI_COST	RESI_TYPE_CODE	FP_CAREER	CTPR	OCCP_GRP_1	TOTALPREM	MINCRDT	MAXCRDT	WEDD_YN	MATE_OCCP_GRP_1	CUST_INCM	RCBASE_HSHD_INCM
1	1	0	2	4	21111	20	0	11	3	146980441	6	6	1	3	4879	10094
2	1	0	1	5	40000	20	0	1	3	94600109	1	6	1	1	6509	9143
3	1	0	1	6	0	0	0	1	5	18501269	6	6	0	0	4180	0
4	1	0	2	6	12861	40	1	9	2	317223657	2	99	0	0	0	4270
5	1	0	2	5	0	0	1	5	2	10508072	8	8	1	3	3894	0
6	1	0	1	6	6218	99	0	12	3	22313040	6	6	1	1	0	0
7	1	1	2	6	11388	30	0	1	5	46522197	6	6	1	0	3611	0
8	1	0	1	5	86527	20	1	1	2	151085847	6	6	1	2	6465	12219
9	1	0	1	5	22638	20	0	1	4	3666050	6	6	1	4	4975	7553
12	1	0	1	5	37222	20	0	1	4	135719262	6	8	1	4	8780	10466
13	1	1	1	6	8140	50	0	9	6	33261687	6	7	1	5	0	4066
15	1	0	1	5	23055	20	0	1	3	33336919	6	6	1	1	4362	6654

그림 22. 전처리 및 데이터 탐색 후 일부 변수를 제거한 데이터셋

2.4. 결측치 추정 및 파생변수 추가

1) 결측치 추정

다음 코드는 소득이 0인 사람의 예상 소득을 같은 직업을 가진 사람의 소득 평균으로 추정합니다. 이러한 결측치 추정과정은 분석 시 가설을 통해 결정될 수 있으며, 전처리 단계가 아닌 분석단계에서 수행될 수 있습니다.

```
> data_cust <- read.csv("data_cust_2.csv", header=TRUE)
> (cust_incm_avg_by_occp <- tapply(data_cust$CUST_INCM,
+                                  data_cust$OCCP_GRP_1, mean, na.rm=TRUE))
        0         1         2         3         4         5         6
4169.1220    0.0000 4621.0813 4319.3765 4173.1686 3949.6472 4181.9310
        7         8
4025.8306  415.8708
> (cust_incm_avg_by_occp <- round(cust_incm_avg_by_occp))
   0    1    2    3    4    5    6    7    8
4169    0 4621 4319 4173 3950 4182 4026  416
> zero_to_mean <- function(occp, incm) {
+   if(is.na(incm))
+     return (cust_incm_avg_by_occp[occp+1])
+   else
+     return (incm)
+ }
> data_cust$CUST_INCM <- mapply(zero_to_mean,
+                               data_cust$OCCP_GRP_1, data_cust$CUST_INCM)
```

다음 그림은 직업코드로 추정된 소득입니다. 직업코드 1은 주부입니다.

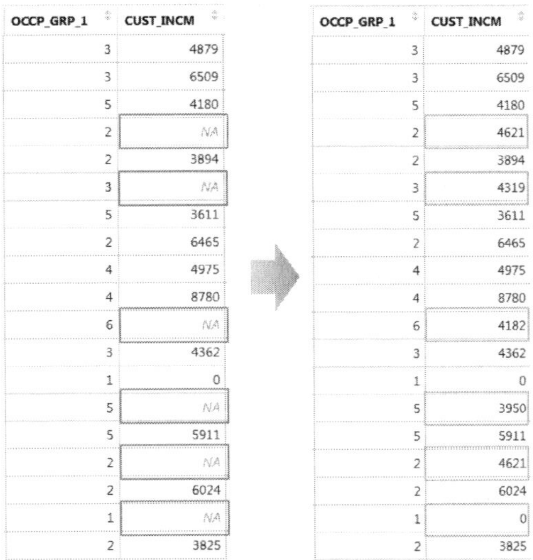

OCCP_GRP_1	CUST_INCM
3	4879
3	6509
5	4180
2	NA
2	3894
3	NA
5	3611
2	6465
4	4975
4	8780
6	NA
3	4362
1	0
5	NA
5	5911
2	NA
2	6024
1	NA
2	3825

OCCP_GRP_1	CUST_INCM
3	4879
3	6509
5	4180
2	4621
2	3894
3	4319
5	3611
2	6465
4	4975
4	8780
6	4182
3	4362
1	0
5	3950
5	5911
2	4621
2	6024
1	0
2	3825

그림 23. 직업코드로 추정된 소득

2) 파생변수 추가

다음 코드는 고객별 평균 입원일수가 사기자 여부에 영향을 준다는 가정에서 보험 청구 데이터에서 고객별 평균 입원일을 계산하여 기존 데이터와 병합합니다. 이렇게 하면 고객별 평균 입원일수 정보를 갖는 파생변수가 추가됩니다.

```
> data_claim <- read.csv("CLAIM_DATA.csv", header=TRUE, sep=",",
+                        encoding="CP949", fileEncoding="UCS-2")
> hosp_day_per_cust <- aggregate(data_claim$VLID_HOSP_OTDA,
+                                by=list(data_claim$CUST_ID), mean)
> names(hosp_day_per_cust) <- c("CUST_ID", "HOSP_DAYS")
> hosp_day_per_cust$HOSP_DAYS <- round(hosp_day_per_cust$HOSP_DAYS)
> data_cust <- merge(data_cust, hosp_day_per_cust)
```

CUST_ID	DIVIDED_SET	SIU_CUST_YN	SEX	AGE	RESI_COST	RESI_	…	GRP_1	CUST_INCM	RCBASE_HSHD_INCM	HOSP_DAYS
1	1	0	2	4	21111			3	4879	10094	1
2	1	0	1	5	40000			1	6509	9143	3
3	1	0	1	6	0			0	4180	0	16
4	1	0	2	6	12861			0	3806	4270	0
5	1	0	2	5	0			3	3894	0	25
6	1	0	1	6	6218			1	3990	0	2
7	1	1	2	6	11388			0	3611	0	32
8	1	0	1	5	86527			2	6465	12219	2
9	1	0	1	5	22638			4	4975	7553	2
10	1	0	2	8	29018			0	862	0	60
11	1	0	1	6	18408			1	3990	6301	7

그림 24. 평균 입원일수가 추가된 데이터셋

다음 코드는 사고원인 구분 코드(재해(1), 교통재해(2), 질병(3))와 지급청구의 원인이 되는 사유 코드(사망(01), 입원(02), 통원(03), 장해(04), 수술(05), 진단(06), 치료(07), 해지/무효(09))를 조합하여 고객별로 사고구분 및 청구사유 횟수를 계산합니다.

```
> table(data_claim$ACCI_DVSN, data_claim$DMND_RESN_CODE)

        1     2     3     4     5     6     7     9
  1    60 13351  7751   491  3761  8160    50     4
  2    58  7712   619   240   473   684     0     0
  3   471 40953 16063   171 16277  1551   119     1
> acci_dmnd_count <- table(data_claim$CUST_ID, data_claim$ACCI_DVSN,
+                          data_claim$DMND_RESN_CODE)
> acci_dmnd_count <- as.data.frame(acci_dmnd_count)
> names(acci_dmnd_count) <- c("CUST_ID", "ACCI_DVSN", "DMND_RESN_CODE",
  "value")
```

이렇게 만들어진 데이터는 사고원인과 지급청구 원인을 조합한 코드를 열 이름으로 갖고 횟수를 값으로 갖도록 데이터의 구조를 변경해 피벗테이블 구조로 만듭니다. 피벗테이블을 만들기 위해 reshape2 패키지를 설치하고 로드해야 합니다.

```
> install.packages("reshape2")
trying URL 'https://cran.rstudio.com/bin/windows/contrib/3.5/reshape2_1.4.3.zip'
Content type 'application/zip' length 625012 bytes (610 KB)
downloaded 610 KB

package 'reshape2' successfully unpacked and MD5 sums checked

The downloaded binary packages are in
    C:\Users\COM\AppData\Local\Temp\RtmpeeAAj4\downloaded_packages
```

```
> library(reshape2)
```

```
> acci_dmnd_count <- dcast(data=acci_dmnd_count,
+                          CUST_ID ~ ACCI_DVSN + DMND_RESN_CODE, fun=sum)
> data_cust <- merge(data_cust, acci_dmnd_count) # 기존 데이터와 병합
> data_cust <- data_cust[, sapply(data_cust,
+              function(v) var(v, na.rm=TRUE)!=0)] # 분산이 0인 열을 삭제
> write.csv(data_cust, "data_cust_3.csv", row.names = FALSE)
```

- reshape2 패키지에는 피벗테이블을 만들기 위한 함수 dcast()와 acast()가 있습니다.
- melt() 함수는 피벗테이블을 몰튼(molten)테이블[111]로 만들기 위해 사용합니다.

다음 그림은 사고원인 구분 코드와 지급청구의 원인이 되는 사유 코드를 조합하여 그 횟수를 계산한 다음 dcast() 함수를 이용하여 피벗테이블로 만든 것을 보여줍니다.

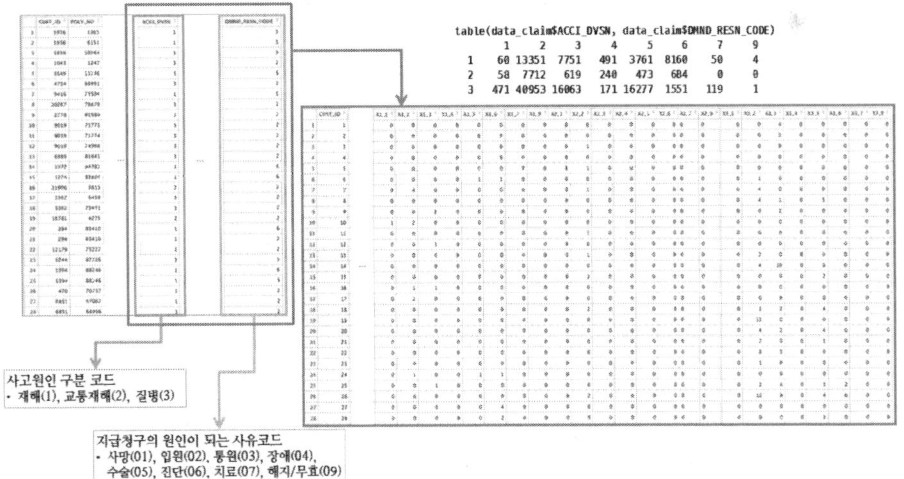

그림 25. 사고원인과 청구사유를 조합한 파생변수 추가

111) 피벗 테이블의 식별 변수를 비식별 변수가 되도록 열의 값으로 만들어 놓은 테이블을 의미합니다.

2.5. 모델링

1) 주성분 분석

다음 코드는 주성분 분석을 수행하고 저장합니다.

```
> data_cust <- read.csv("data_cust_3.csv", header=TRUE)
> svm.data <- subset(data_cust, select=-c(CUST_ID,DIVIDED_SET))
> svm.data <- cbind(subset(svm.data, select=-SIU_CUST_YN),
+                   subset(svm.data, select=SIU_CUST_YN))
> svm.data <- svm.data[, sapply(svm.data, function(v) var(v, na.rm=TRUE)!=0)]
> pca <- function(svm.data) {
+   x = svm.data[, -ncol(svm.data)]
+   y = svm.data[, ncol(svm.data)]
+   pc = prcomp(x, scale=TRUE)
+   selected_data = cbind(pc[[5]], y)
+   return (selected_data)
+ }
> selected_data <- pca(svm.data)
> selected_data <- cbind(subset(data_cust, select=c(CUST_ID, DIVIDED_SET)),
+                        selected_data)
> names(selected_data)[ncol(selected_data)] <- c("SIU_CUST_YN")
> write.csv(selected_data, "data_cust_4_pca.csv", row.names = FALSE)
```

다음 그림은 주성분 분석을 수행한 데이터셋의 일부입니다.

	CUST_ID	DIVIDED_SET	PC1	PC2	PC3	PC4	PC5	PC6	PC7	PC8	PC9
1	1	1	-2.20927198	1.159133373	1.447656314	0.099539836	1.12439414	-0.0708683863	0.302570498	0.066109195	0.44730
2	2	1	-1.63564769	1.133866858	2.748720784	-0.015962295	0.29266661	-1.7864055669	0.152994192	-1.022015743	1.29020
3	3	1	0.94457180	-0.547779150	-0.913081359	0.364820459	-0.19841333	-1.8189278919	-0.845595274	-0.392607950	1.08228
4	4	1	-2.28260808	-1.443715903	2.285101314	-3.724061787	2.43709348	4.6810684502	1.201233260	-5.771138778	-0.92989
5	5	1	-1.82825184	-1.035735293	-1.861069995	0.384511473	0.65444106	0.5111954561	-1.786896119	0.650027002	1.28684
6	6	1	0.08887731	-0.943134744	-1.647701279	-1.537333951	1.47843235	-1.6201026178	0.110084521	-1.592036470	-0.97533
7	7	1	-0.69682242	-2.162233710	-1.410015817	-0.403633981	-0.70832389	-0.6068082626	-1.431020847	0.886098595	1.93087
8	8	1	-4.29339653	1.124327102	4.520162817	-0.244115419	-1.30200800	-0.1933022793	1.681896179	-0.014305813	0.39159
9	9	1	-0.74890088	0.858169520	1.374370242	-0.139832655	0.56914531	-1.3546991083	-0.122557334	-0.061249315	0.21046
10	10	1	-0.44062568	-2.630590553	-2.555797181	-0.424461334	-3.42299964	-0.8448582364	-6.131282921	-1.196641657	2.71888
11	11	1	-0.73621413	0.104193156	0.692541702	0.272253235	0.10344063	-1.8152399856	-0.738696924	-0.009521407	0.25312
12	12	1	-2.14283657	0.737142941	3.003167432	-0.388021357	0.85568250	-2.1586189045	0.169405562	-0.370634870	0.71059

그림 26. 주성분 분석한 데이터셋

이 프로젝트는 주성분 분석을 한 데이터를 이용해 모델링할 때보다 직접 필요 없는 변수를 제거한 데이터를 이용해 모델링하는 것이 더 좋은 결과를 얻습니다. 다음 코드는 사기자에 영향을 주지 않는 몇 개의 열을 직접 제거하고 데이터셋을 저장합니다.

```
> data_cust <- read.csv("data_cust_3.csv", header=TRUE)
> data_cust <- subset(data_cust,
+     select=-c(RESI_COST, RESI_TYPE_CODE, TOTALPREM, MINCRDT, MAXCRDT))
> write.csv(data_cust, "data_cust_4_manual.csv", row.names=FALSE)
```

2) 데이터 샘플링

다음 코드는 데이터를 사기여부가 판별된 데이터와 그렇지 않은 데이터 분리하여 트레이닝 데이터셋과 테스트 데이터셋으로 나눕니다.

```
> data_cust <- read.csv("data_cust_4_manual.csv", header=TRUE)
> cust_train <- subset(data_cust, subset=!(data_cust$SIU_CUST_YN==""))
> cust_train <- cust_train[order(cust_train$CUST_ID),] #트레이닝 셋 정렬
> nrow(cust_train)
[1] 20607
> cust_test <- subset(data_cust, subset=(is.na(data_cust$SIU_CUST_YN)))
> cust_test <- cust_test[order(cust_test$CUST_ID),] #테스트 셋 정렬
> nrow(cust_test)
[1] 1793
> write.csv(cust_train, "data_train_set.csv", row.names = FALSE)
> write.csv(cust_test, "data_test_set.csv", row.names = FALSE)
```

3) 모델 생성

사기자 여부가 있는 데이터를 트레이닝 데이터셋으로 만들고 이것을 이용해 기계학습 모델을 만듭니다. 이 예에서는 기계학습모델을 만들기 위해 xgboost 패키지를 사용합니다.

```
> cust_train <- read.csv("data_train_set.csv", header=TRUE)
> cust_test <- read.csv("data_test_set.csv", header=TRUE)
> install.packages("xgboost")
trying URL 'https://cran.rstudio.com/bin/windows/contrib/3.5/xgboost_0.71.2.zip'
Content type 'application/zip' length 2135276 bytes (2.0 MB)
downloaded 2.0 MB

package 'xgboost' successfully unpacked and MD5 sums checked

The downloaded binary packages are in
    C:\Users\COM\AppData\Local\Temp\RtmpeeAAj4\downloaded_packages
```

```
> library(xgboost)
```

```
> cust_train <- cbind(subset(cust_train, select=-SIU_CUST_YN),
+                     subset(cust_train, select=SIU_CUST_YN))
> cust_test_yn <- subset(cust_test, select=c(CUST_ID, SIU_CUST_YN))
> cust_test <- subset(cust_test, select=-SIU_CUST_YN)#사기자 여부 라벨 제거
> cust_train <- subset(cust_train, select=-CUST_ID)
> cust_test <- subset(cust_test, select=-CUST_ID)
> y <- cust_train[,ncol(cust_train)]#트레이닝셋의 사기자 여부에 해당하는 열
```

```
> table(y)
y
    0     1
18801  1806
> x <- subset(cust_train, select=-SIU_CUST_YN)  #분석하기 위한 데이터
> nrow(x)
[1] 20607
> x <- as.matrix(x)
> param <- list("objective" = "multi:softprob",
+               "eval_metric" = "mlogloss",
+               "num_class" = 2,     #2개로만 분류
+               "nthread" = 8)
> bst_trained_model <- xgboost(param=param,
+                              data=x,
+                              nrounds=60,
+                              label=y, missing=NaN)
[1] train-mlogloss:0.489174
[2] train-mlogloss:0.376841
[3] train-mlogloss:0.306225
[4] train-mlogloss:0.259920
[5] train-mlogloss:0.228935
... 생략 ...
[56]   train-mlogloss:0.105441
[57]   train-mlogloss:0.104491
[58]   train-mlogloss:0.104271
[59]   train-mlogloss:0.103575
[60]   train-mlogloss:0.103520
```

다음 그림은 학습된 모델 객체입니다.

```
bst_model                  List of 7
  handle :Class 'xgb.Booster.handle' <externalptr>
  raw : raw [1:328491] 00 00 00 3f ...
  niter : num 60
  evaluation_log:Classes 'data.table' and 'data.frame': 60 obs. of 2 variables:
  ..$ iter : num [1:60] 1 2 3 4 5 6 7 8 9 10 ...
  ..$ train_mlogloss: num [1:60] 0.488 0.374 0.303 0.256 0.223 ...
  ..- attr(*, ".internal.selfref")=<externalptr>
  call : language xgb.train(params = params, data = dtrain, nrounds = nrounds, watchlist = watchlist, verbose = …
  params :List of 5
  ..$ objective : chr "multi:softprob"
  ..$ eval_metric: chr "mlogloss"
  ..$ num_class : num 2
  ..$ nthread : num 8
  ..$ silent : num 1
  callbacks :List of 3
  ..$ cb.print.evaluation:function (env = parent.frame())
  .. ..- attr(*, "call")= language cb.print.evaluation(period = print_every_n)
  .. ..- attr(*, "name")= chr "cb.print.evaluation"
  ..$ cb.evaluation.log :function (env = parent.frame(), finalize = FALSE)
  .. ..- attr(*, "call")= language cb.evaluation.log()
  .. ..- attr(*, "name")= chr "cb.evaluation.log"
  ..$ cb.save.model :function (env = parent.frame())
  .. ..- attr(*, "call")= language cb.save.model(save_period = save_period, save_name = save_name)
  .. ..- attr(*, "name")= chr "cb.save.model"
  attr(*, "class")= chr "xgb.Booster"
```

그림 27. 학습된 모델

2.6. 분류 예측 및 평가

1) 예측

다음은 데이터 샘플링 단계에서 만들었던 테스트 데이터(사기자 여부가 없는 데이터)를 모델에 적용해 사기자를 분류 예측하는 코드입니다. 예측한 데이터와 실제 정답과 비교하기 위해 정답파일(answer.csv)[112] 파일이 있어야 합니다.

```
> cust_test <- read.csv("data_test_set.csv", header=TRUE)
> cust_test <- subset(cust_test, select=-SIU_CUST_YN) #사기자여부 라벨 제거
> cust_test <- subset(cust_test, select=-CUST_ID) #고객 아이디열 제거
> x_test <- as.matrix(cust_test)
> predicted_data <- predict(bst_trained_model, x_test, missing=NaN)
> predicted_data <- matrix(predicted_data, ncol=2,
+                          nrow=length(predicted_data)/2, byrow=TRUE)
> predicted_yn <- max.col(predicted_data) #신경망 출력으로 나온 클래스 라벨
> yn12_to_01 <- function(data) {
+   if(data == 1) {
+     data = 0
+   } else if(data == 2) {
+     data = 1
+   }
+ }
> predicted_yn <- sapply(predicted_yn, yn12_to_01)
> result <- cbind(cust_test_yn, predicted_yn)
> answer <- read.csv("answer.csv", header=TRUE)
> result$SIU_CUST_YN <- answer$SIU_CUST_YN
> write.csv(result, "model_result.csv", row.names = FALSE)
```

- 실행결과로 만들어진 model_result.csv 파일은 정답과 예측한 데이터를 포함합니다.

CUST_ID	SIU_CUST_YN	predicted_yn
754	0	0
777	0	0
784	0	0
793	0	0
794	0	0
807	1	1
815	0	0
828	0	0
841	0	0
858	0	0
867	0	0
898	0	0
900	1	1

그림 28. 정답과 예측한 데이터

112) http://javaspecialist.co.kr/board/1105

2) 평가

다음 코드는 분류 예측한 사기자 정보를 평가하기 위해 실제 사기자 정보와 교차 테이블을 생성한 후 f-measure를 측정해 봅니다.

```
> result <- read.csv("model_result.csv", header=TRUE)
> temp <- table(result$SIU_CUST_YN, result$predicted_yn)
> temp

       0    1
  0 1613   22
  1   81   77
> fun_fmeasure <- function(table){
+   precision <- table[2,2]/(table[1,2]+table[2,2])   # TP/(FP+TP)
+   recall <- table[2,2]/(table[2,1]+table[2,2])      # TP/(FN+TP)
+   return(2*precision*recall/(precision+recall))
+ }
> fun_fmeasure(temp)
[1] 0.5992218
```

- 이 프로젝트는 모델의 평가 방법으로 f-measure를 이용했습니다.

다음 코드는 ROC 그래프를 그리고 AUC 값을 출력합니다.

```
> library(pROC)
> result <- read.csv("model_result.csv", header=TRUE)
> m_roc <- roc(result$SIU_CUST_YN, result$predicted_yn)
> plot.roc(m_roc, col="red",
+          print.auc=TRUE, print.auc.adj=c(2.5,-8), max.auc.polygon=TRUE,
+          print.thres=TRUE, print.thres.pch=19, print.thres.col="red",
+          print.thres.adj=c(0.0,-1.0),
+          auc.polygon=TRUE, auc.polygon.col="#D1F2EB")
```

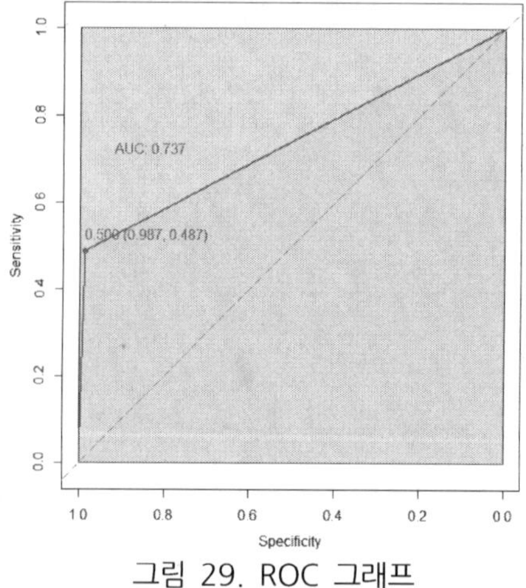

그림 29. ROC 그래프

16장. 주요 데이터셋

1. R 주요 데이터셋
2. ChickWeight datasets
3. airquality in datasets
4. iris in datasets
5. VADeaths in datasets
6. diamonds in ggplot2
7. vintages in kohonen
8. wines in kohonen
9. AdultUCI in arules
10. Adult in arules
11. Exports in googleVis
12. baseball in plyr
13. ttrc in TTR
14. AirPassengers in datasets
15. Epub in arules
16. acq in tm

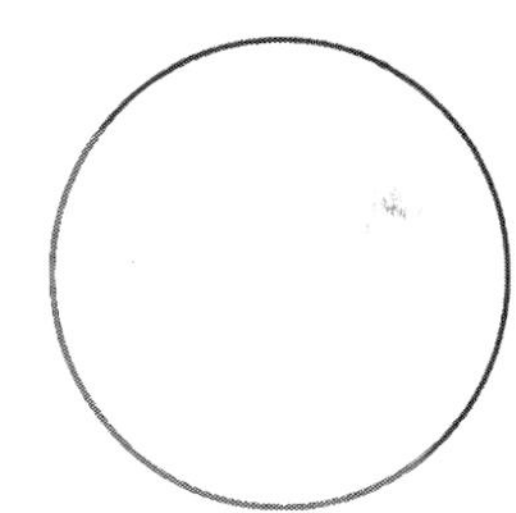

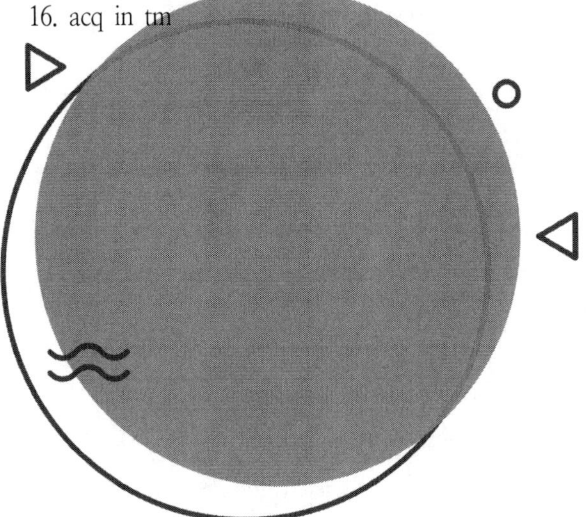

1. R 주요 데이터셋

data(package="datasets") : datasets 패키지에 있는 데이터셋 목록을 조회합니다.
?데이터셋명 : 데이터셋에 대한 상세 설명을 표시합니다.
data(list="데이터셋명", package="패키지명") : 패키지에 있는 데이터셋을 로드합니다.

표 1. R 주요 데이터셋

패키지	데이터셋	설명	비고
datasets	ChickWeight	다이어트 방법에 따른 닭의 몸무게 변화	
datasets	airquality	뉴욕의 대기 측정값	
datasets	iris	붓꽃의 3가지 종에 대해 꽃받침, 꽃잎의 길이	
ggplot2	diamonds	다이아몬드의 크기와 무게, 컷팅, 색상 등에 따른 가격정보	
kohonen	vintages	와인의 빈티지 정보	
kohonen	wines	와인이 만들어진 연도 또는 특정 연도나 지역에서 생산된 포도주의 종류	
arules	AuditUCI	48,842건의 인구 통계 데이터	
arules	Audit	AdultUCI 데이터셋의 트랜잭션 데이터	트랜잭션
googleVis	Export	국가별 수출에 따른 수익과 온라인 유무 데이터	
plyr	baseball	모든 메이저 리그 야구 선수들의 연간 타격 기록	시계열
TTR	ttrc	시가, 고가, 저가, 종가, 거래량 데이터	시계열
datasets	AirPassengers	1949~1960년 국제 항공 승객 월간 합계	시계열
arules	Epub	비엔나 대학의 2003~2008 전자도서 다운로드 기록	트랜잭션
tm	acq	인수 합병에 관한 뉴스기사	텍스트 문서
tm	crude	원유(crude)에 대한 뉴스기사	텍스트 문서
tm	txt		텍스트 문서
NetData	kracknets		Social Network

2. ChickWeight datasets

datasets 패키지에 있는 ChickWeight 데이터셋은 다이어트 방법에 따른 닭의 몸무게 변화를 측정한 데이터셋입니다.

표 2. ChickWeight datasets

Seq	항목명	종류	상세
1	weight	num	· 몸무게
2	Time	num	· 시간
3	Chick	Ord.factor	· 1 ~ 50 · 닭의 고유 ID
4	Diet	Factor	· 다이어트 방법 · 1, 2, 3, 4

```
> data(list="ChickWeight", package="datasets")
> class(ChickWeight)
[1] "nfnGroupedData" "nfGroupedData"  "groupedData"    "data.frame"

> str(ChickWeight)
Classes ‘nfnGroupedData’, ‘nfGroupedData’, ‘groupedData’ and 'data.frame':
    578 obs. of  4 variables:
 $ weight: num  42 51 59 64 76 93 106 125 149 171 ...
 $ Time  : num  0 2 4 6 8 10 12 14 16 18 ...
 $ Chick : Ord.factor w/ 50 levels "18"<"16"<"15"<..: 15 15 15 15 15 15 15
15 15 15 ...
 $ Diet  : Factor w/ 4 levels "1","2","3","4": 1 1 1 1 1 1 1 1 1 1 ...
```

3. airquality in datasets

datasets 패키지에 있는 airquality 데이터셋은 뉴욕의 대기 측정값을 측정한 데이터셋입니다.

표 3. airquality in datasets

Seq	항목명	종류	상세
1	Ozone	int	· 오존 농도, ppb
2	Solar.R	int	· 태양, lang
3	Wind	num	· 바람, mph
4	Temp	int	· 기온, F
5	Month	int	· 월, 1 ~ 12
6	Day	int	· 일, 1 ~ 31

```
> data(list="airquality", package="datasets")
> class(airquality)
[1] "data.frame"

> str(airquality)
'data.frame': 153 obs. of 6 variables:
$ Ozone : int 41 36 12 18 NA 28 23 19 8 NA ...
$ Solar.R: int 190 118 149 313 NA NA 299 99 19 194 ...
$ Wind : num 7.4 8 12.6 11.5 14.3 14.9 8.6 13.8 20.1 8.6 ...
$ Temp : int 67 72 74 62 56 66 65 59 61 69 ...
$ Month : int 5 5 5 5 5 5 5 5 5 5 ...
$ Day : int 1 2 3 4 5 6 7 8 9 10 ... >
```

4. iris in datasets

datasets 패키지에 있는 iris 데이터셋은 붓꽃의 3가지 종에 대해 꽃받침, 꽃잎의 길이를 정리한 데이터 150개 데이터셋입니다.

표 4. iris in datasets

Seq	항목명	종류	상세
1	Sepal.Length	num	· 꽃받침 길이
2	Sepal.Width	num	· 꽃받침 너비
3	Petal.Length	num	· 꽃잎 길이
4	Petal.Width	num	· 꽃잎 너비
5	Species	Factor	· 종(setosa, versicolor, virginica)

```
> data(list="iris", package="datasets")
> class(iris)
[1] "data.frame"

> str(iris)
'data.frame': 150 obs. of 5 variables: $ Sepal.Length: num 5.1 4.9 4.7 4.6
5 5.4 4.6 5 4.4 4.9 ...
$ Sepal.Width : num 3.5 3 3.2 3.1 3.6 3.9 3.4 3.4 2.9 3.1 ...
$ Petal.Length: num 1.4 1.4 1.3 1.5 1.4 1.7 1.4 1.5 1.4 1.5 ...
$ Petal.Width : num 0.2 0.2 0.2 0.2 0.2 0.4 0.3 0.2 0.2 0.1 ...
$ Species : Factor w/ 3 levels "setosa","versicolor",..: 1 1 1 1 1 1 1 1 1 1 ...
```

5. VADeaths in datasets

datasets 패키지에 있는 VADeaths 데이터셋은 1940년 미국 버지니아주의 1000명당 사망률 데이터셋입니다.

표 5. VADeaths in datasets

Seq	항목명	종류	상세
1	Rural Male	num	· 농촌 남성의 사망률
2	Rural Female	num	· 농촌 여성의 사망률
3	Urban Male	num	· 도시 남성의 사망률
4	Urban Female	num	· 도시 여성의 사망률

```
> VADeaths
      Rural Male Rural Female Urban Male Urban Female
50-54       11.7          8.7       15.4          8.4
55-59       18.1         11.7       24.3         13.6
60-64       26.9         20.3       37.0         19.3
65-69       41.0         30.9       54.6         35.1
70-74       66.0         54.3       71.1         50.0
```

```
> str(VADeaths)
 num [1:5, 1:4] 11.7 18.1 26.9 41 66 8.7 11.7 20.3 30.9 54.3 ...
 - attr(*, "dimnames")=List of 2
  ..$ : chr [1:5] "50-54" "55-59" "60-64" "65-69" ...
  ..$ : chr [1:4] "Rural Male" "Rural Female" "Urban Male" "Urban Female"
```

6. AirPassengers in datasets

AirPassengers 데이터셋은 Box & Jenkins 항공사 데이터입니다. 1949~1960년 국제 항공 승객 월간 합계정보를 가지고 있습니다.

표 6, AriPassengers in datasets

Seq	종류	상세
1	Time-Series	· 1949~1960년 국제 항공 승객 월간 합계정보

```
> data(list="AirPassengers", package="datasets")
> str(AirPassengers)
 Time-Series [1:144] from 1949 to 1961: 112 118 132 129 121 135 148 148 136 119 ...
```

7. diamonds in ggplot2

ggplot2 패키지에 있는 diamonds 데이터셋은 다이아몬드의 크기와 무게, 컷팅, 색상 등에 따른 가격정보 등을 측정한 데이터셋입니다.

표 7. diamonds in ggplot2

Seq	항목명	종류	상세
1	carat	num	· 무게
2	cut	Ord.factor	· 컷팅(Fair, Good, Very Good, Premium, Ideal)
3	color	Ord.factor	· 색상(J. 가장 나쁨, D. 가장 좋음)
4	clarity	Ord.factor	· 깨끗함(I1, SI1, SI2, VS1, VS2, VVS1, VVS2, IF)
5	depth	num	· 깊이 비율, z / mean(x, y)
7	table	num	· 너비 비율, 가장 넓은 부분의 너비 대비 다이아몬드 꼭대기의 너비
8	price	int	· 가격
9	x	num	· 길이, mm
10	y	num	· 너비, mm
11	z	num	· 깊이, mm

```
> data(list="diamonds", package="ggplot2")
> class(diamonds)
[1] "data.frame"

> str(diamonds)
'data.frame': 53940 obs. of 10 variables:
$ carat : num 0.23 0.21 0.23 0.29 0.31 0.24 0.24 0.26 0.22 0.23 ...
$ cut : Ord.factor w/ 5 levels "Fair"<"Good"<..: 5 4 2 4 2 3 3 3 1 3 ...
$ color : Ord.factor w/ 7 levels "D"<"E"<"F"<"G"<..: 2 2 2 6 7 7 6 5 2 5 ...
$ clarity: Ord.factor w/ 8 levels "I1"<"SI2"<"SI1"<..: 2 3 5 4 2 6 7 3 4 5 ...
$ depth : num 61.5 59.8 56.9 62.4 63.3 62.8 62.3 61.9 65.1 59.4 ...
$ table : num 55 61 65 58 58 57 57 55 61 61 ...
$ price : int 326 326 327 334 335 336 336 337 337 338 ...
$ x : num 3.95 3.89 4.05 4.2 4.34 3.94 3.95 4.07 3.87 4 ...
$ y : num 3.98 3.84 4.07 4.23 4.35 3.96 3.98 4.11 3.78 4.05 ...
$ z : num 2.43 2.31 2.31 2.63 2.75 2.48 2.47 2.53 2.49 2.39 ...
```

8. vintages in kohonen

kohonen 패키지에 있는 wines 데이터셋을 로드시키면 vintages 데이터셋과 wines 데이터셋이 로드됩니다. vintages 데이터셋은 와인의 빈티지 정보를 저장한 데이터셋입니다.

표 8. vintages in kohonen

Seq	항목명	종류	상세
1	vintages	Factor	· Wine의 Vintages · Barolo, Grignolino, Barbera

```
> data(list="wines", package="kohonen")
> class(vintages)
[1] "factor"

> str(vintages)
 Factor w/ 3 levels "Barbera","Barolo",..: 2 2 2 2 2 2 2 2 2 2 ...
```

9. wines in kohonen

kohonen 패키지에 있는 wines 데이터셋은 와인이 만들어진 연도 또는 특정 연도나 지역에서 생산된 포도주의 종류 등을 측정한 데이터셋입니다.

표 9. wines in kohonen

Seq	항목명	종류	상세
1	alcohol	num	· 알코올 도수
2	malic acid	num	· 사과산
3	ash	num	· 재
4	ash alkalinity	num	· 알카리도
5	magnesium	num	· 마그네슘
6	tot. phenols	num	· 페놀
7	flavonoids	num	· 플라보노이드
8	non-flav. phenols	num	· 비 flav페놀
9	proanth	num	· 프로안토시아니딘
10	col. int.	num	· 색 선명도
11	col. hue	num	· 색조
12	OD ratio	num	· OD 비율(OD280/OD315)
13	proline	num	· 프롤린

```
> data(list="wines", package="kohonen")
> class(wines)
[1] "matrix"

> str(wines)
num [1:177, 1:13] 13.2 13.2 14.4 13.2 14.2 ...
 - attr(*, "dimnames")=List of 2
  ..$ : NULL
  ..$ : chr [1:13] "alcohol" "malic acid" "ash" "ash alkalinity" ...
```

10. AdultUCI in arules

arules 패키지에 있는 Adult Transaction 데이터를 만드는데 사용한 AdultUCI 데이터셋입니다. 총 48,842건의 인구 통계 데이터를 가지고 있습니다.

표 10. AdultUCI in arules

Seq	항목명	종류	상세
1	age	int	· 나이
2	workclass	Factor	· 직업 분류
3	fnlwgt	int	· 샘플링 웨이트
4	education	Ord.factor	· 교육 수준
5	education-num	int	· 교육 번호
6	marital-status	Factor	· 결혼 여부 및 상태
7	occupation	Factor	· 직업
8	relationship	Factor	· 관계
9	rece	Factor	· 인종
10	sex	Factor	· 성별 (Female, Male)
11	capital-gain	int	· 자본 이득
12	capital-loss	int	· 자본 손실
13	hours-per-week	int	· 주당 근무시간
14	native-country	Factor	· 태어난 나라
15	income	Ord.factor	· 수입 (small, large)

```
> data(list="AdultUCI", package="arules")
> str(AdultUCI)
'data.frame': 48842 obs. of  15 variables:
 $ age           : int  39 50 38 53 28 37 49 52 31 42 ...
 $ workclass     : Factor w/ 8 levels "Federal-gov",..: 7 6 4 4 4 4 6 4 4 ...
 $ fnlwgt        : int  77516 83311 215646 234721 338409 284582 160187 209642 45781 159449 ...
 $ education     : Ord.factor w/ 16 levels "Preschool"<"1st-4th"<..: 14 14 9 7 14 15 5 9 15 14 ...
 $ education-num : int  13 13 9 7 13 14 5 9 14 13 ...
```

```
$ marital-status: Factor w/ 7 levels "Divorced","Married-AF-spouse",..: 5 3 1 3 3 3 4 3 5 3 ...
$ occupation    : Factor w/ 14 levels "Adm-clerical",..: 1 4 6 6 10 4 8 4 10 4 ...
$ relationship  : Factor w/ 6 levels "Husband","Not-in-family",..: 2 1 2 1 6 6 2 1 2 1 ...
$ race          : Factor w/ 5 levels "Amer-Indian-Eskimo",..: 5 5 5 3 3 5 3 5 5 5 ...
$ sex           : Factor w/ 2 levels "Female","Male": 2 2 2 2 1 1 1 2 1 2 ...
$ capital-gain  : int  2174 0 0 0 0 0 0 0 14084 5178 ...
$ capital-loss  : int  0 0 0 0 0 0 0 0 0 0 ...
$ hours-per-week: int  40 13 40 40 40 40 16 45 50 40 ...
$ native-country: Factor w/ 41 levels "Cambodia","Canada",..: 39 39 39 39 5 39 23 39 39 39 ...
$ income        : Ord.factor w/ 2 levels "small"<"large": 1 1 1 1 1 1 1 2 2 2 ...
```

11. Adult in arules

Adult는 AdultUCI 데이터셋으로부터 생성된 Transaction 데이터입니다. item은 AdultUCI의 column과 그 값의 쌍으로 정의합니다. 총 48,842건의 인구 통계 데이터를 가지고 있습니다.

```
> data(list="Adult", package="arules")
> str(Adult)
Formal class 'transactions' [package "arules"] with 3 slots
  ..@ data       :Formal class 'ngCMatrix' [package "Matrix"] with 5 slots
  .. .. ..@ i       : int [1:612200] 1 10 25 32 35 50 59 61 63 65 ...
  .. .. ..@ p       : int [1:48843] 0 13 26 39 52 65 78 91 104 117 ...
  .. .. ..@ Dim     : int [1:2] 115 48842
  .. .. ..@ Dimnames:List of 2
  .. .. .. ..$ : NULL
  .. .. .. ..$ : NULL
  .. .. ..@ factors : list()
  ..@ itemInfo   :'data.frame':      115 obs. of  3 variables:
  .. ..$ labels   : chr [1:115] "age=Young" "age=Middle-aged" "age=Senior" "age=Old" ...
  .. ..$ variables: Factor w/ 13 levels "age","capital-gain",..: 1 1 1 1 13 13 13 13 13 13 ...
  .. ..$ levels   : Factor w/ 112 levels "10th","11th",..: 111 63 92 69 30 54 65 82 90 91 ...
  ..@ itemsetInfo:'data.frame':      48842 obs. of  1 variable:
  .. ..$ transactionID: chr [1:48842] "1" "2" "3" "4" ...
```

```
> summary(Adult)
transactions as itemMatrix in sparse format with
 48842 rows (elements/itemsets/transactions) and
 115 columns (items) and a density of 0.1089939

most frequent items:
           capital-loss=None           capital-gain=None
native-country=United-States
                       46560                       44807                       43832
                  race=White           workclass=Private                     (Other)
                       41762                       33906                      401333

element (itemset/transaction) length distribution:
sizes
    9    10    11    12    13
   19   971  2067 15623 30162

   Min. 1st Qu.  Median    Mean 3rd Qu.    Max.
   9.00   12.00   13.00   12.53   13.00   13.00
```

```
includes extended item information - examples:
           labels variables       levels
1       age=Young       age        Young
2 age=Middle-aged       age  Middle-aged
3      age=Senior       age       Senior

includes extended transaction information - examples:
  transactionID
1             1
2             2
3             3
```

```
> itemInfo(Adult[1])
                                      labels      variables                      levels
1                                  age=Young            age                       Young
2                            age=Middle-aged            age                 Middle-aged
3                                 age=Senior            age                      Senior
4                                    age=Old            age                         Old
5                       workclass=Federal-gov      workclass                 Federal-gov
6                         workclass=Local-gov      workclass                   Local-gov
7                      workclass=Never-worked      workclass                Never-worked
8                          workclass=Private      workclass                     Private
9                      workclass=Self-emp-inc      workclass                Self-emp-inc
10                 workclass=Self-emp-not-inc      workclass            Self-emp-not-inc
......생략......
100 native-country=Outlying-US(Guam-USVI-etc) native-country Outlying-US(Guam-USVI-etc)
101                      native-country=Peru native-country                        Peru
102               native-country=Philippines native-country                 Philippines
103                    native-country=Poland native-country                      Poland
104                  native-country=Portugal native-country                    Portugal
105               native-country=Puerto-Rico native-country                 Puerto-Rico
106                  native-country=Scotland native-country                    Scotland
107                     native-country=South native-country                       South
108                    native-country=Taiwan native-country                      Taiwan
109                  native-country=Thailand native-country                    Thailand
110           native-country=Trinadad&Tobago native-country             Trinadad&Tobago
111             native-country=United-States native-country               United-States
112                   native-country=Vietnam native-country                     Vietnam
113                native-country=Yugoslavia native-country                  Yugoslavia
114                             income=small         income                       small
115                             income=large         income                       large
```

12. Exports in googleVis

googleVis 패키지에 있는 Export 데이터셋은 국가별 수출에 따른 수익과 온라인 유무 데이터를 저장한 데이터셋입니다.

표 11. Exports in googleVis

Seq	항목명	종류	상세
1	Country	Factor	· 국가
2	Profit	num	· 수익
3	Online	logic	· 온라인 유무(TRUE, FALSE)

```
> data(list="Exports", package="googleVis")
> str(Exports)
'data.frame': 10 obs. of  3 variables:
 $ Country: Factor w/ 10 levels "Brazil","France",..: 3 1 10 2 4 6 5 7 8 9
 $ Profit : num  3 4 5 4 3 2 1 4 5 1
 $ Online : logi  TRUE FALSE TRUE TRUE FALSE TRUE ...
```

13. baseball in plyr

plyr 패키지에 있는 baseball 데이터셋은 모든 메이저 리그 야구 선수들의 연간 타격 기록을 저장한 데이터셋입니다.

표 12. baseball in plyr

Seq	항목명	종류	상세
1	id	chr	· unique player id
2	year	int	· year of data
3	stint	int	
3	team	chr	· 소속팀
3	lg	chr	· league
3	g	int	· number of games
3	ab	int	· number of times at bat
3	r	int	· number of runs
3	h	int	· 안타 수
3	X2b	int	· 2루타
3	X3b	int	· 3루타
3	hr	int	· 홈런 수
3	rbi	int	· runs batted in
3	sb	int	· stolen bases
3	cs	int	· caught stealing
3	bb	int	· base on balls (walk)
3	so	int	· strike outs
3	ibb	int	· intentional base on balls
3	hbb	int	· hits by pitch
3	sh	int	· sacrifice hits
3	sf	int	· sacrifice flies
3	gidb	int	· ground into double play

```
> data(list="baseball", package="plyr")
> str(baseball)
```

```
'data.frame':	21699 obs. of  22 variables:
 $ id   : chr  "ansonca01" "forceda01" "mathebo01" "startjo01" ...
 $ year : int  1871 1871 1871 1871 1871 1871 1871 1872 1872 1872 ...
 $ stint: int  1 1 1 1 1 1 1 1 1 1 ...
 $ team : chr  "RC1" "WS3" "FW1" "NY2" ...
 $ lg   : chr  "" "" "" "" ...
 $ g    : int  25 32 19 33 29 29 29 46 37 25 ...
 $ ab   : int  120 162 89 161 128 146 145 217 174 130 ...
 $ r    : int  29 45 15 35 35 40 36 60 26 40 ...
 $ h    : int  39 45 24 58 45 47 37 90 46 53 ...
 $ X2b  : int  11 9 3 5 3 6 5 10 3 11 ...
 $ X3b  : int  3 4 1 1 7 5 7 7 0 0 ...
 $ hr   : int  0 0 0 1 3 1 2 0 0 0 ...
 $ rbi  : int  16 29 10 34 23 21 23 50 15 16 ...
 $ sb   : int  6 8 2 4 3 2 2 6 0 2 ...
 $ cs   : int  2 0 1 2 1 2 2 6 1 2 ...
 $ bb   : int  2 4 2 3 1 4 9 16 1 1 ...
 $ so   : int  1 0 0 0 0 1 1 3 1 0 ...
 $ ibb  : int  NA NA NA NA NA NA NA NA NA NA ...
 $ hbp  : int  NA NA NA NA NA NA NA NA NA NA ...
 $ sh   : int  NA NA NA NA NA NA NA NA NA NA ...
 $ sf   : int  NA NA NA NA NA NA NA NA NA NA ...
 $ gidp : int  NA NA NA NA NA NA NA NA NA NA ...
```

14. ttrc in TTR

ttrc(Technical Trading Rule Composite) 데이터셋은 1985년 1월 2일부터 2006년 12월 31일까지의 시가, 고가, 저가, 종가와 거래량에 대한 데이터입니다. 이 데이터는 무작위로 생성되었습니다.

표 13. ttrc in TTR

Seq	항목명	종류	상세
1	Date	Date	· 날짜(YYYY-MM-DD 형식)
2	Open	num	· 시가
2	Hign	num	· 고가
2	Low	num	· 저가
2	Close	num	· 종가
3	Volume	num	· 거래량

```
> data(list="ttrc", package="TTR")
> str(ttrc)
'data.frame': 5550 obs. of  6 variables:
 $ Date  : Date, format:  ...
 $ Open  : num  3.18 3.09 3.11 3.09 3.1 3.12 3.16 3.23 3.23 3.32 ...
 $ High  : num  3.18 3.15 3.12 3.12 3.12 3.17 3.23 3.29 3.33 3.33 ...
 $ Low   : num  3.08 3.09 3.08 3.07 3.08 3.1 3.14 3.2 3.22 3.28 ...
 $ Close : num  3.08 3.11 3.09 3.1 3.11 3.16 3.22 3.23 3.32 3.3 ...
 $ Volume: num  1870906 3099506 2274157 2086758 2166348 ...
```

15. Epub in arules

Epub 데이터 세트에는 Vienna University of Economics and Business Administration의 전자 출판 플랫폼에서 다운로드한 문서가 들어 있습니다. 이 데이터는 2003년 1월에서 2008년 12월 사이에 기록되었습니다. 이 데이터는 15,729건의 거래와 936개 아이템을 갖는 트랜잭션 데이터입니다.

```
> data(list="Epub", package="arules")
> str(Epub)
Formal class 'transactions' [package "arules"] with 3 slots
  ..@ data       :Formal class 'ngCMatrix' [package "Matrix"] with 5 slots
  .. .. ..@ i       : int [1:25893] 7 199 31 0 64 935 422 0 194 0 ...
  .. .. ..@ p       : int [1:15730] 0 1 2 3 6 7 8 9 11 12 ...
  .. .. ..@ Dim     : int [1:2] 936 15729
  .. .. ..@ Dimnames:List of 2
  .. .. .. ..$ : NULL
  .. .. .. ..$ : NULL
  .. .. ..@ factors : list()
  ..@ itemInfo   :'data.frame':        936 obs. of  1 variable:
  .. ..$ labels: chr [1:936] "doc_11d" "doc_13d" "doc_14c" "doc_14e" ...
  ..@ itemsetInfo:'data.frame':        15729 obs. of  2 variables:
  .. ..$ transactionID: chr [1:15729] "session_4795" "session_4797"
"session_479a" "session_47b7" ...
  .. ..$ TimeStamp    : POSIXct[1:15729], format: "2003-01-02 10:59:00" ...
> summary(Epub)
transactions as itemMatrix in sparse format with
 15729 rows (elements/itemsets/transactions) and
 936 columns (items) and a density of 0.001758755

most frequent items:
doc_11d doc_813 doc_4c6 doc_955 doc_698 (Other)
    356     329     288     282     245   24393

element (itemset/transaction) length distribution:
sizes
    1     2     3     4     5     6     7     8     9    10    11    12
11615  2189   854   409   198   121    93    50    42    34    26    12
   13    14    15    16    17    18    19    20    21    22    23    24
   10    10     6     8     6     5     8     2     2     3     2     3
   25    26    27    28    30    34    36    38    41    43    52    58
    4     5     1     1     1     2     1     2     1     1     1     1

   Min. 1st Qu.  Median    Mean 3rd Qu.    Max.
  1.000   1.000   1.000   1.646   2.000  58.000

includes extended item information - examples:
   labels
1 doc_11d
2 doc_13d
3 doc_14c

includes extended transaction information - examples:
      transactionID           TimeStamp
10792  session_4795 2003-01-02 10:59:00
10793  session_4797 2003-01-02 21:46:01
10794  session_479a 2003-01-03 00:50:38
```

16. acq in tm

이 데이터 세트에는 Reuters-21578 데이터 세트의 추가 메타 정보가 들어있는 50개의 뉴스 기사가 있습니다. 모든 문서는 기업 인수를 다루는 주제에 속합니다.

```
> library(tm)
> folder <- system.file("texts", "acq", package = "tm")
> acq_doc <- Corpus(DirSource(folder),
+                   readerControl=list(reader=readReut21578XML))
> acq_doc[[1]]
<<XMLTextDocument>>
Metadata:  16
> inspect(acq_doc[[1]])
<<XMLTextDocument>>
Metadata:  16

26-FEB-1987 15:18:06.67acqusaF
   f0767 reute
d f BC-COMPUTER-TERMINAL-SYS   02-26 0107COMPUTER TERMINAL SYSTEMS <CPML>
COMPLETES SALECOMMACK, N.Y., Feb 26 -Computer Terminal Systems Inc said
it has completed the sale of 200,000 shares of its common
stock, and warrants to acquire an additional one mln shares, to
<Sedio N.V.> of Lugano, Switzerland for 50,000 dlrs.
    The company said the warrants are exercisable for five
years at a purchase price of .125 dlrs per share.
    Computer Terminal said Sedio also has the right to buy
additional shares and increase its total holdings up to 40 pct
of the Computer Terminal's outstanding common stock under
certain circumstances involving change of control at the
company.
    The company said if the conditions occur the warrants would
be exercisable at a price equal to 75 pct of its common stock's
market price at the time, not to exceed 1.50 dlrs per share.
    Computer Terminal also said it sold the technolgy rights to
its Dot Matrix impact technology, including any future
improvements, to <Woodco Inc> of Houston, Tex. for 200,000
dlrs. But, it said it would continue to be the exclusive
worldwide licensee of the technology for Woodco.
    The company said the moves were part of its reorganization
plan and would help pay current operation costs and ensure
product delivery.
    Computer Terminal makes computer generated labels, forms,
tags and ticket printers and terminals.
 Reuter
```